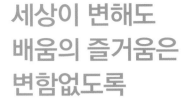

세상이 변해도
배움의 즐거움은
변함없도록

시대는 빠르게 변해도
배움의 즐거움은
변함없어야 하기에

어제의 비상은
남다른 교재부터
결이 다른 콘텐츠
전에 없던 교육 플랫폼까지

변함없는 혁신으로
교육 문화 환경의 새로운 전형을
실현해왔습니다.

비상은 오늘, 다시 한번
새로운 교육 문화 환경을 실현하기 위한
또 하나의 혁신을 시작합니다.

오늘의 내가 어제의 나를 초월하고
오늘의 교육이 어제의 교육을 초월하여
배움의 즐거움을 지속하는 혁신,

바로, 메타인지 기반 완전 학습을.

상상을 실현하는 교육 문화 기업 비상

메타인지 기반 완전 학습

초월을 뜻하는 meta와 생각을 뜻하는 인지가 결합한 메타인지는
자신이 알고 모르는 것을 스스로 구분하고 학습계획을 세우도록 하는
궁극의 학습 능력입니다. 비상의 메타인지 기반 완전 학습 시스템은
잠들어 있는 메타인지를 깨워 공부를 100% 내 것으로 만들도록 합니다.

한끝 진도 교재

초등 국어 5·1

구성과 특징 진도 교재

교과서 학습

준비

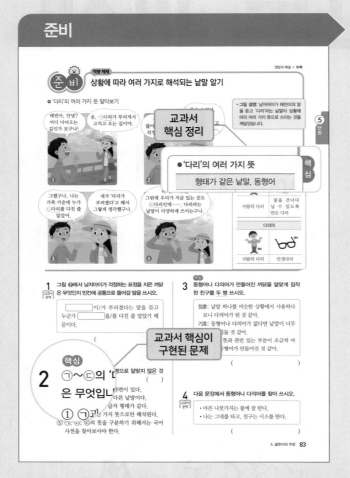

준비에서 앞으로 학습할 단원 목표와 내용을 쉽게 이해할 수 있습니다.

기본

기본에서 핵심 개념과 관련된 다양한 형태의 문제를 통해 기본적인 학습 내용을 충분히 익힐 수 있습니다.

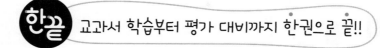

교과서 학습부터 평가 대비까지 한권으로 끝!!

단원 마무리

- **단원 마무리**
  단원에서 배운 내용을 빈 곳을 채우며 정리합니다.

- **단원 평가**
  꼭 나오는 핵심 문제로 단원에서 배운 내용을 확인합니다.

- **서술형 평가**
  답을 글로 쓰는 서술형 문제로 단원에서 배운 내용을 다시 한번 확인합니다.

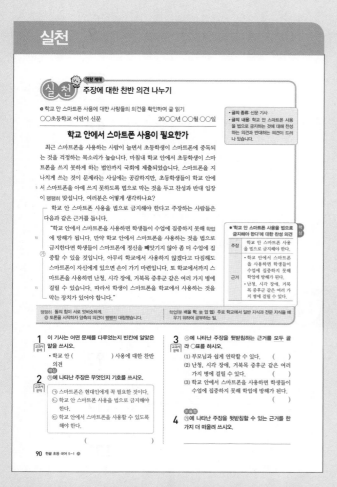

실천에서는 기본에서 학습한 내용을 실천할 수 있는 다양한 활동 문제를 구성하였습니다.

평가 교재

- **단원 평가 대비**
  · 단원 평가 2회
  · 서술형 평가
  · 수행 평가

- **중간·기말 평가 대비**
  · 중간 평가
  · 기말 평가(중간 이후)
  · 기말 평가(전 범위)

차례

독서
단원

책을 읽고
생각을 넓혀요

이 단원은 '한 학기 한 권 읽기'를
실천하는 단원입니다.
독서 단원은 한 학기 동안
언제든지 공부할 수 있습니다.
학교 수업 순서에 맞추어 활용하세요.

| 독서
활동 | [독서 준비]
읽을 책을 정하고
책 미리 보기 | [독서]
책을 즐기며 읽기 | [독서 후]
책 내용을 간추리고
생각 나누기 |

독서 책을 즐기며 읽기

1 읽을 책 정하기

✚ **도서관에서 책을 찾는 방법 알기**

① 우리 학교 도서관을 둘러봅니다.

② 책 제목을 보고 분야에 맞게 책꽂이에 책을 꽂아 봅니다.

③ 청구 기호에 쓴 숫자를 알아봅니다.

000	총류	100	철학
200	종교	300	사회 과학
400	자연 과학	500	기술 과학
600	예술	700	언어
800	문학	900	역사

➡ 책 내용에 따라 숫자로 나누었습니다. '800'으로 시작하는 책은 문학 분야에 속합니다.

✚ **문학 작품 가운데에서 읽을 책 정하기**

① 누구와 읽을지 정합니다.
  • 학급 전체 읽기 / 모둠끼리 읽기 / 혼자 읽기

② 문학 분야의 책 가운데에서 읽을 만한 책을 고릅니다.

③ 친구들에게 책을 추천합니다.

> 책을 추천한 까닭이 자세히 드러나게 설명하면 좋습니다.

④ 이번 학기에 읽을 책을 정합니다.

2 책 미리 보기

✚ **자신이 정한 책의 앞뒤 표지를 살피며 친구들과 질문 주고받기**

① 자신이 정한 책을 뒤집어 펼쳐 놓습니다.

② 앞뒤 표지의 제목, 글귀, 그림을 살펴봅니다.

③ 살펴본 내용을 바탕으로 하여 책과 관련 있는 질문을 만들어 봅니다.

④ 친구들과 함께 질문을 주고받으며 이야기를 나누어 봅니다.

✚ **책 차례와 그림 미리 보기**

예

> 차례를 보니 주인공이 어려움을 겪고 그것을 이겨 내는 이야기인 것 같아.

> 그림에서 인물이 책을 열심히 읽는 모습을 보니 책 읽는 걸 좋아하나 봐.

1 다음과 같은 점을 생각하며 앞에서 정한 책을 즐기며 읽기

장면을 떠올리며 읽기	이야기나 시의 장면을 머릿속에 자세하게 그리며 읽어요.
상상하며 읽기	자세하게 드러나지 않은 부분을 상상하며 읽어요.
자신의 삶과 연결 지으며 읽기	작품에 나온 세계를 자신의 삶과 관련지으며 읽어요.
인상 깊은 부분을 찾으며 읽기	재미있는 표현이나 기억에 남는 글귀를 생각하며 읽어요.
다른 작품과 연결 지으며 읽기	다른 작품을 떠올려 견주어 보며 읽어요.

2 책을 읽으면서 '장면을 떠올리며 읽기'나 '상상하며 읽기'가 어려울 때 참고 1 이나 참고 2 살펴보기

참고 1 **장면을 떠올리며 이야기나 시 읽기**

✚ **장면을 떠올리며 이야기를 읽기가 어려울 때 참고하기**

① 그림을 살펴봅니다.

② 인물이나 장소를 자세히 나타낸 부분을 살펴봅니다.

③ 장면에 나온 낱말들이 어떤 분위기를 나타내는지 생각해 봅니다.

④ 이야기에서 일어난 사건과 비슷한 일이 있는지 떠올려 봅니다.

✚ **장면을 떠올리며 시를 읽기가 어려울 때 참고하기**

① 시의 배경이 되는 곳에 자신이 있다고 생각해 봅니다.

② 시 내용을 그림으로 그린다고 생각해 봅니다.

③ 시에 나타난 감각을 자신이 느낀다고 생각해 봅니다.

④ 시 내용과 비슷한 자신의 경험을 떠올리며 시를 읽어 봅니다.

⑤ 시에 쓰인 낱말이나 글귀에서 마음에 드는 표현을 찾아봅니다.

참고 2 **상상하며 읽기**

예

> 홍길동이 만든 나라에 사는 사람들은 어떤 모습일까?

> 홍길동이 지금 우리가 사는 곳에 오면 무엇을 보고 가장 놀랄까?

1 책 내용 간추리기

✦ 이야기책을 읽고 난 뒤 정리하기

- 인물, 사건, 배경을 중심으로 이야기 내용을 간추리고, 주제가 무엇인지 이야기를 나눕니다.

✦ 시집을 읽고 난 뒤 정리하기

① 시집에서 가장 인상 깊은 시를 고릅니다.
- 시집 제목, 시 제목, 지은이, 인상 깊은 까닭을 정리합니다.

② 인상 깊은 시를 읽고 생각을 정리합니다.
- 가장 중요하다고 생각하는 말, 시를 읽고 떠올린 장면, 시의 분위기, 재미있게 느끼거나 감동받은 부분, 지은이가 말하려는 주제를 정리합니다.

2 생각 나누기

✦ 독서 토의 하기

① 책을 읽고 친구들과 생각 나누기
- 책 내용에서 답을 찾을 수 있는 질문을 만들어 이야기를 나눕니다.
- 책 내용에서 단서를 찾아 답할 수 있는 질문을 만들어 이야기를 나눕니다.
- 책을 읽고 무엇을 느꼈는지 질문을 만들어 이야기를 나눕니다.
- 자신의 삶과 관련짓는 질문을 만들어 이야기를 나눕니다.

② 주제를 정해 독서 토의 하기
- 독서 토의 주제를 이야기합니다.

> 등장인물에 공감하거나 공감하지 못한 부분을 주제로 이야기를 나누면 좋을 것 같아.

> 책에 나온 세계와 현실 세계를 견주어 보는 내용으로 토의하고 싶어.

> 두 책의 비슷한 점이나 다른 점을 이야기하고 싶어.

> 책에서 다루는 문제를 어떻게 해결하면 좋을지 토의해 보고 싶어.

- 토의 주제를 정합니다.
- 토의 주제를 생각하며 자신의 의견을 정합니다.
- 다른 사람 의견을 듣고 함께 이야기합니다.
- 토의를 하고 나서 작품을 바라보는 자신의 생각이 어떻게 바뀌었는지 이야기합니다.

✦ 다음 활동 가운데에서 하나를 선택하기

선택 1 책 평가하기

① 자신이 읽은 책을 평가하는 질문을 만듭니다.
- 이야기가 주제를 잘 드러내는지 묻는 질문
- 표지나 그림 또는 분량이 알맞은지 묻는 질문

② 묻고 답하며 친구들과 이야기합니다.

③ 책을 평가합니다.

별점	추천하고 싶은 사람	추천하는 까닭
☆☆☆☆☆	예 이지수	예 고민이라는 주제를 다양한 이야기 속에 잘 담았다.
한 줄 평	예 고민이 있는 사람이라면 한 번 쯤 읽어 보기 좋은 책	

선택 2 책 띠지 만들기

① 여러 가지 책 띠지를 살펴봅니다.

② 나만의 책 띠지를 만듭니다.
- 책 띠지 모양을 정합니다.(가로세로 방향으로 모두 만들 수 있습니다.)
- 책 띠지 내용을 무엇으로 할지 생각합니다.

> 예 책을 간추린 내용, 책을 읽은 느낌, 책과 어울리는 그림, 책 광고

- 책과 관련한 글을 쓰거나 그림을 그려 책 띠지를 만듭니다.

③ 전시회를 열고 감상합니다.

정리하기

독서 활동 돌아보기

✤ 자신의 독서 활동을 돌아보며 자신이 잘한 만큼 색칠해 봅니다.

책 표지, 차례, 그림을 살펴보고 읽을 책을 정했나요?	책을 읽을 때 생각할 점을 떠올리며 즐겁게 책을 읽었나요?	친구들과 질문을 주고 받으며 책에 대한 생각을 활발하게 나누었나요?	문학 작품과 자신의 삶을 관련지어 생각해 보았나요?
○○○	○○○	○○○	○○○

(매우 잘함: ●●●, 잘함: ●●, 보통임: ●)

더 찾아 읽기

✤ 자신이 읽은 책과 관련 있는 다른 책을 더 찾아 읽어 봅니다.

책 제목	지은이	이 책을 고른 까닭
예 『둥글둥글 지구촌 문자 이야기』	예 정회성	예 며칠 전에 문자와 관련한 영상을 보았는데 비슷한 주제를 다룬 이야기인 것 같아서 읽어 보고 싶었다.
예 『진짜 거짓말』	예 임지형	예 거짓말과 관련한 사건이 일어나는 것이 지난주에 읽었던 책과 비슷한 이야기라서 읽어 보고 싶었다.

독서 습관 기르기

✤ 여러 문화권에서 나온 문학 작품을 읽고 독서 지도를 채워 봅니다.

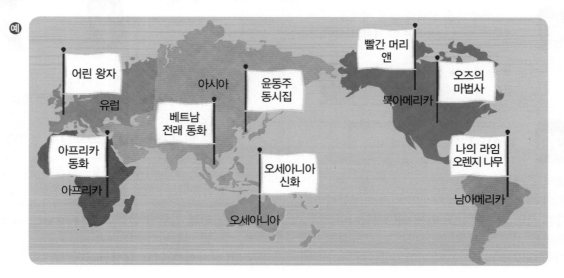

1 대화와 공감

무엇을 배울까요?

 준비
- 대화의 특성 이해하기

기본
- 상대가 잘한 일이나 상대의 장점을 찾아 칭찬하기
- 상대를 배려하여 조언하기
- 서로 공감하며 대화하기

실천
- 친구들의 고민을 듣고 해결 방법 제안하기

1 대화와 공감

1 대화의 특성
① 상대를 직접 보면서 말을 주고받습니다.
② 말은 다시 들을 수 없으니 대화에 집중해야 합니다.
③ 표정, 몸짓, 말투에 따라 기분이나 생각을 짐작할 수 있습니다.
④ 대화를 할 때에는 상대의 마음을 살피며 말해야 합니다.

2 말을 주고받을 때 표정과 말투가 하는 역할
① 자신이 하고 싶은 말을 실감 나게 나타낼 수 있습니다.
② 상대가 하는 말을 이해하는 데 도움이 됩니다.
③ 말하는 사람의 감정이나 마음 상태를 알 수 있습니다.
④ 표정이나 말투에 따라 말뜻이 달라지기도 합니다.

3 칭찬의 중요성
① 상대의 기분을 좋아지게 할 수 있습니다.
② 일을 더욱 잘할 수 있게 힘을 줍니다.
③ 누군가에게 용기를 줍니다.
④ 자신을 긍정적으로 바라보게 합니다.
⑤ 다른 사람과의 관계를 좋아지게 합니다.
⑥ 올바른 습관을 기르고 능력을 키우는 데 도움이 됩니다.

4 칭찬하는 방법
① 분명하고 자세하게 칭찬합니다.
② 결과보다는 과정을 칭찬합니다.
③ 평가하지 말고 설명하는 칭찬을 합니다.
④ 가능성을 키워 주는 칭찬을 합니다.

5 상대를 배려하며 조언하는 방법 ┌ 도움이 되는 말이나 몰랐던 것을 깨우쳐 주는 말
① 상대에게 고민을 말하도록 강요하지 않습니다.
② 상대가 고민을 편안하게 말할 수 있도록 잘 듣습니다.
③ 상대에게 도움이 되는 내용을 말합니다.
④ 상대에게 진심이 전해지도록 노력합니다.

6 서로 공감하며 대화하기
① 다른 사람의 감정, 의견, 주장 따위에 대해 자신도 그렇다고 느끼는 것을 공감이라고 합니다.
② 대화를 주고받을 때에는 상대의 감정이나 생각에 공감하며 대화해야 합니다.

핵 심 개 념 문 제

정답과 해설 ● 2쪽

1 대화를 할 때에는 상대의 마음을 살피며 말해야 합니다.
(○ , ×)

2 말을 주고받을 때 표정과 □□를 살펴보면 상대가 하는 말을 이해하는 데 도움이 됩니다.

3 칭찬을 하면 상대의 기분을 좋아지게 할 수 있고, 일을 더욱 잘할 수 있게 힘을 주며 다른 사람과의 □□를 좋아지게 합니다.

4 다음 중 알맞게 칭찬한 것을 골라 ○표를 하시오.
(1) 결과를 칭찬했다.
( )
(2) 자세하게 칭찬했다.
( )
(3) 평가하며 칭찬했다.
( )

5 조언하는 말을 할 때에는 상대에게 도움이 되는 내용을 말합니다.
(○ , ×)

준비 대화의 특성 이해하기

○ 대화의 특성을 생각하며 그림 보기

어제 왜 화가 났다고 했지?

방금 전에 이야기했는데……

어, 잠깐 딴생각하느라 잘 못 들었어.

어제 어떤 일이 있었느냐 하면……

▲ 태일 ▲ 소희

❶ ❷

• 그림 설명: 소희가 태일이에게 은주와 있었던 일을 이야기하고 있는 장면으로, 대화의 특성을 알 수 있습니다.

30분이나 지났는데 왜 이렇게 안 오지?

미안해!

왜 이렇게 늦었니?

정말 미안해! 부모님 심부름을 하고 오느라 늦었어.

그래, 다음부터 약속 시간을 잘 지켰으면 좋겠어. 너한테 무슨 일이 생긴 줄 알고 걱정했잖아.

걱정해 줘서 고마워, 소희야!

❸ ❹ ▲ 은주 ❺ ❻

이런 일이 있었어.

아, 그랬구나! 그럴 때에는 나라도 화났을 거야.

그래도 은주에게 아무 일이 없어서 다행이네.

맞아, 많이 걱정했는데……

❼ ❽

● 대화의 특성

대화	특성
❶~❽	상대를 직접 보면서 말을 주고받습니다.
❶, ❷	말은 다시 들을 수 없으니 대화에 집중해야 합니다.
❻~❽	상대의 마음을 살피며 말해야 합니다.

1 태일이가 소희에게 어제 일을 다시 물어본 까닭은 무엇인지 빈칸에 알맞은 말을 쓰시오.

• 잠깐 (　　　　　　　)하느라 소희가 한 말을 듣지 못했기 때문입니다.

2 그림 ❼에서 태일이는 소희가 한 이야기를 듣고 어떻게 반응했는지 기호를 쓰시오.

ㄱ 소희에게 화를 냈다.
ㄴ 소희의 마음을 이해해 주었다.
ㄷ 소희의 처지를 이해하지 못했다.

(　　　　　　　　　　)

3 대화의 특성으로 알맞지 <u>않은</u> 것은 무엇입니까?
(　　　)

① 상대의 마음을 살피며 말해야 한다.
② 하고 있는 대화에 집중해야 한다.
③ 상대를 직접 보면서 말을 주고받는다.
④ 상대의 기분보다 내 기분을 생각하며 말해야 한다.
⑤ 표정, 몸짓, 말투에 따라 기분이나 생각을 짐작할 수 있다.

4 친구가 나를 칭찬하는 말을 할 때 친구의 표정이나 몸짓, 말투는 어떠할지 쓰시오.

(　　　　　　　　　　　　　)

기본 1 상대가 잘한 일이나 상대의 장점을 찾아 칭찬하기

○ 평소에 칭찬 들은 일을 떠올리며 글 읽기

칭찬의 힘

• 글의 종류: 설명하는 글
• 글의 특징: 칭찬이 힘을 발휘할 수 있는 방법을 설명하는 글입니다.

❶ 어린이 여러분, "칭찬은 고래도 춤추게 한다."라는 말을 들어 본 적이 있나요? 이 말처럼 들을 때마다 항상 기분이 좋아지는 말이 바로 칭찬이에요. 우리는 칭찬을 들으면 기분이 좋아질 뿐만 아니라 일을 더욱 잘하려고 노력하기도 해요. 이게 바로 칭찬의 힘이랍니다. 칭찬 한마디는 누군가에게 용기를 주고 자신을 긍정적으로 바라보게 해요. 또 올바른 습관을 기르고 능력을 키우는 데도 도움이 돼요. 그리고 다른 사람의 긍정적인 모습을 칭찬하는 것은 그 사람과 맺는 관계를 좋아지게 만들어요. 이렇게 칭찬은 힘이 셉니다. 따라서 칭찬의 힘을 과소평가해서는 안 돼요. 칭찬 한마디는 누군가의 인생을 변화시키는 결정적인 계기가 되기도 한답니다.

사실보다 작거나 약하게 평가함.

중심 내용 칭찬은 힘이 세다.

❷ 그러나 우리는 칭찬받기를 좋아하는 것에 비해 누군가를 칭찬하는 일에는 인색한 편이에요. 또 칭찬을 한다고 하지만 칭찬이 힘을 발휘하지 못하는 경우도 많아요. 그렇다면 어떻게 해야 칭찬이 힘을 발휘할 수 있을까요?

먼저, 분명하고 자세하게 칭찬해야 해요. 누군가를 칭찬할 때 두루뭉술하게 칭찬하지 말고 칭찬하는 내용이 무엇인지를 자세하게 말하는 것이 좋아요. "우아, 멋지다!", "정말 대단해!"와 같이 칭찬하기보다는 "다른 사람을 생각해서 양보하는 모습이 정말 멋지구나!"와 같이 분명하고 자세하게 칭찬해야 해요. 그래야 상대가 무엇을 잘했는지 알고 칭찬을 받으려고 더 노력하게 된답니다.

중심 내용 칭찬이 힘을 발휘하게 하려면 분명하고 자세하게 칭찬해야 한다.

계기(契 맺을 계, 機 틀 기) 어떤 일이 일어나거나 변화하도록 만드는 결정적인 원인이나 기회.

인색(吝 아낄 인, 嗇 아낄 색)한 어떤 일을 하는 데 대하여 지나치게 박한.

---

1 누군가에게 칭찬을 들었을 때의 생각이나 느낌을 두 가지 골라 기호를 쓰시오.

> ㉠ 기분이 좋아진다.
> ㉡ 칭찬을 한 사람이 원망스러워진다.
> ㉢ 자신이 자랑스럽고 대견하게 느껴진다.

( )

2 '칭찬은 힘이 세다'고 말한 까닭으로 알맞지 않은 것은 무엇입니까? ( )
교과서 문제
① 누군가에게 용기를 주어서
② 능력을 키우는 데 도움이 되어서
③ 자신을 부정적으로 바라보게 해서
④ 다른 사람과의 관계를 좋아지게 해서
⑤ 올바른 습관을 기르는 데 도움이 되어서

3 다음은 칭찬이 힘을 발휘하게 하는 방법 중 하나입니다. 빈칸에 알맞은 말을 찾아 쓰시오.
교과서 문제
• ( ) 자세하게 칭찬해야 합니다.

4 다음 중 3번 문제에서 답한 방법으로 알맞게 칭찬한 친구의 이름을 쓰시오.

우아, 멋지다!

▲ 민주

다른 사람을 생각해서 양보하는 모습이 정말 멋지구나!

▲ 현진

( )

❸ 둘째, 결과보다 과정을 칭찬해야 해요. 누군가를 칭찬할 때 일의 결과가 아닌 과정을 칭찬하는 것이 좋아요. ㉠"100점이네. 정말 좋겠다."와 같이 칭찬하기보다 ㉡"그렇게 열심히 하니 좋은 결과가 나오는구나!"와 같이 칭찬하면 좋은 결과가 나오지 않더라도 상대가 노력의 의미를 깨닫는답니다.

중심 내용 결과보다 과정을 칭찬해야 한다.

❹ 셋째, 평가하지 말고 설명하는 칭찬을 해야 해요. 누군가를 칭찬할 때에는 평가하기보다 잘한 일이나 행동을 설명하듯이 칭찬하는 것이 좋아요. "넌 정말 착하구나!"와 같이 칭찬하면 착한 아이로 평가받으려고 억지스럽거나 과장된 행동을 할 수도 있어요. 이렇게 칭찬하기보다 "잃어버린 물건을 찾아 주어 친구가 참 고마워하겠다!"와 같이 칭찬하면 상대가 행동의 가치를 이해한답니다.

중심 내용 평가하지 말고 설명하는 칭찬을 해야 한다.

❺ 마지막으로 가능성을 키워 주는 칭찬을 할 수 있으면 더욱 좋아요. 누군가를 칭찬할 때 지금의 능력보다 잠재 능력을 보고 칭찬할 수 있어요. 현재 겉으로 드러난 결과는 미약하고 부족해 보이더라도 앞

으로의 가능성을 보고 "미술에 소질이 많은 것 같아. 앞으로 계속 노력한다면 훌륭한 화가가 될 수 있을 거야."와 같이 칭찬하면 상대가 자신의 재능을 발견하고 꿈을 실현하는 데 큰 도움을 줄 수 있답니다.

희망이나 계획 등이 실제로 이루어지는 것
중심 내용 가능성을 키워 주는 칭찬을 해야 한다.

❻ 또 어떻게 칭찬하면 좋을까요? / 어린이 여러분, 무엇보다 칭찬이 힘을 발휘할 수 있도록 하려면 칭찬하는 말에 마음을 담아야 해요. 달콤한 칭찬의 말이지만 진실된 마음이 없으면 그것은 결코 힘을 발휘할 수 없어요. 진심 어린 칭찬이야말로 힘을 발휘할 수 있는 최고의 칭찬이라는 것을 잊지 마세요.

중심 내용 칭찬하는 말에 마음을 담아 진심 어린 칭찬을 해야 한다.

핵심

● **칭찬이 힘을 발휘할 수 있게 칭찬하는 방법**

분명하고 자세하게 칭찬하기	예 다른 사람을 생각해서 양보하는 모습이 정말 멋지구나!
결과보다 과정을 칭찬하기	예 그렇게 열심히 하니 좋은 결과가 나오는구나!
설명하는 칭찬하기	예 잃어버린 물건을 찾아 주어 친구가 참 고마워하겠다!
가능성을 키워 주는 칭찬하기	예 미술에 소질이 많은 것 같아. 앞으로 계속 노력한다면 훌륭한 화가가 될 수 있을 거야.

잠재(潛 잠길 **잠**, 在 있을 **재**) 겉으로 드러나지 않고 속에 잠겨 있거나 숨어 있음.

미약(微 작을 **미**, 弱 약할 **약**)하고 보잘것없이 아주 작거나 약하고.
소질 태어날 때부터 지니고 있는, 어떤 일에 알맞은 성격이나 능력.

핵심 역량

5 칭찬이 힘을 발휘하려면 어떻게 칭찬해야 하는지 **모두** 고르시오. (, ,)

교과서 문제

① 결과보다 과정을 칭찬한다.
② 과장되게 표현하며 칭찬한다.
③ 가능성을 키워 주는 칭찬을 한다.
④ 평가하지 말고 설명하는 칭찬을 한다.
⑤ 진심이 없어도 달콤한 말로 칭찬한다.

6 ㉠과 ㉡을 비교했을 때 ㉡과 같이 칭찬하면 좋은 점에 ○표를 하시오.

(1) 결과만이 중요함을 깨닫는다. ( )
(2) 상대가 노력의 의미를 깨닫는다. ( )

7 칭찬하는 말에 마음을 담으려면 어떻게 해야 하는지 쓰시오.

교과서 문제

( )

논술형

8 칭찬하고 싶은 친구를 한 명 떠올려 쓰고, 그 친구를 칭찬하는 말을 쓰시오.

(1) 칭찬하고 싶은 친구	
(2) 칭찬하는 말	

기본 ② 상대를 배려하며 조언하기

역량 제재

○ 친구들과 대화한 일을 떠올리며 글 읽기

정인이의 고민

동욱: 정인아, 무슨 걱정이 있니?

정인: (다소 힘없는 듯한 목소리로) 아니, 아무 일도 없는데.

동욱: (빈정거리는 말투로) 에이, 얼굴 표정을 보니

5　고민거리가 있는 것 같은데?

정인: (약간 성가신 듯이) 고민은 무슨 고민? 아무 일 없다니까.

동욱: (궁금해하며) 그러지 말고 말해 봐. 무슨 일 인데? 다른 사람한테 절대로 말하지 않을게.

10　정인: (조심스럽게) 음, 사실은 체육 시간에 뒤 구르기가 잘 안돼. 그래서 모둠끼리 여러 가지 동작을 꾸밀 때 방해가 되는 것 같아.

동욱: (큰 소리로) 뭐, 네가 뒤 구르기를 못한다고? 그럼 선생님이나 친구들에게 도와 달라고 하면

15　되지, 뭘 그렇게 걱정해.

• 글의 내용: 동욱이가 정인이의 고민을 듣고 바르지 않은 방법으로 조언을 하여 정인이는 화가 났습니다.

정인: (당황하며) 어떻게 그러니?

동욱: 그럼 내가 말해 줄까?

정인: (황급히 큰 소리로) 아냐, 그러지 마! 내가 알아서 할게. 넌 그냥 못 들은 걸로 해.

동욱: 네가 말을 못 하면 내가 말해 줄게.　5

정인: (화를 내며) ㉠아냐. 내가 알아서 한다고.

동욱: (멋쩍어하며) 도와준다는데 왜 화를 내고 그러니?

●동욱이가 잘못한 점과 바르게 조언하는 방법　핵심

동욱이의 말	잘못한 점	바르게 조언하는 방법
"그러지 말고 말해 봐. 무슨 일인데? 다른 사람한테 절대로 말하지 않을게."	고민을 말하라고 재촉함.	상대에게 고민을 말하도록 강요하지 않는다.
"뭐, 네가 뒤 구르기를 못한다고? 그럼 선생님이나 친구들에게 도와 달라고 하면 되지, 뭘 그렇게 걱정해."	정인이의 고민을 제대로 듣지 않고 해결 방법을 말함.	상대에게 도움이 되는 내용을 말한다.

---

1 동욱이가 고민을 말하고 싶어 하지 않는 정인이에게 어떻게 했는지 알맞게 말한 친구를 쓰시오.

고민을 말하라고 재촉했어.
▲ 도현

정인이의 기분이 좋아진 다음에 다시 물어봤어.
▲ 주아

(　　　　　　　　　)

2 정인이의 고민은 무엇인지 빈칸에 알맞은 말을 쓰시오.

교과서문제

• 체육 시간에 (　　　　　　)가 잘 안 돼서 모둠끼리 여러 가지 동작을 꾸밀 때 방해가 되는 것 같아 걱정했다.

3 정인이의 고민을 듣고 동욱이가 말한 해결 방법은 무엇인지 기호를 쓰시오.

교과서문제

㉠ 자신과 함께 뒤 구르기를 연습하자는 것
㉡ 선생님이나 친구들에게 도와 달라고 말하는 것
㉢ 뒤 구르기를 잘하는 친구를 찾아가서 배우라는 것

(　　　　　　　　　)

서술형

4 정인이가 ㉠과 같이 동욱이에게 화를 낸 까닭을 쓰시오.

_____

_____

○ 모모의 고민이 무엇인지 생각하며 그림 보기

소심 대왕의 깊은 고민

• 그림의 내용: 『어린이를 위한 시크릿』에 나오는 내용을 그림으로 나타낸 것으로, 모모가 자신의 고민을 마법사에게 이야기하자 마법사가 조언을 해 주고 있습니다.

1 단원

5 모모의 고민은 무엇입니까? ( )

교과서문제

① 공부를 못하는 것
② 평소에 운동을 하지 않는 것
③ 사람들 앞에 자주 나서는 것
④ 친구들과 친하게 지내지 못하는 것
⑤ 모든 일에 자신이 없고 소심하며 망설이는 것

6 고민하는 모모에게 마법사가 제안한 것은 무엇입니까? ( )

① 함께 울기
② 운동장 달리기
③ 상대방을 비웃기
④ 함께 한바탕 웃기
⑤ 큰소리로 소리 지르기

7 마법사가 제안한 대로 하자 모모의 기분은 어떻게 바뀌었습니까? ( )

① 화가 났다.
② 지루해졌다.
③ 부끄러워졌다.
④ 기분이 훨씬 좋아졌다.
⑤ 마법사에게 미안해졌다.

8 마법사가 6번 문제의 답처럼 제안한 까닭은 무엇일지 기호를 쓰시오.

┌─────────────────────────────┐
│ ㉠ 먼저 말할 자신이 없었기 때문이다.
│ ㉡ 마법사의 기분이 안 좋았기 때문이다.
│ ㉢ 기분이 나쁜 상태에서는 다른 사람의 말을 잘 받아들이지 않기 때문이다.
└─────────────────────────────┘

( )

● 마법사가 모모에게 조언한 방법 핵심

그림	마법사가 조언한 방법
❶∼❺	모모의 기분이 좋아진 다음에 말했습니다.
❻∼❾	모모의 고민을 잘 듣고 도움이 되는 내용을 말했습니다.

9 마법사는 모모에게 남을 이해하며 사랑하고 받아들이려면 가장 먼저 무엇을 해야 한다고 했습니까? ( )

① 자기 자신을 사랑해야 한다.
② 다른 사람의 장점을 찾아야 한다.
③ 자신이 실수한 것을 찾아야 한다.
④ 다른 사람의 눈을 의식해야 한다.
⑤ 자기 자신의 부족한 점을 찾아야 한다.

논술형
10 나라면 모모에게 어떤 말을 해 주고 싶은지 쓰시오.

_____

_____

핵심 역량
11 상대를 배려하며 조언하는 방법으로 알맞지 않은 것은 무엇입니까? ( )

① 상대에게 도움이 되는 내용을 말한다.
② 상대가 듣고 싶은 말을 위주로 말한다.
③ 상대에게 진심이 전해지도록 노력한다.
④ 상대에게 고민을 말하도록 강요하지 않는다.
⑤ 상대가 고민을 편안하게 말할 수 있도록 잘 듣는다.

논술형
12 친구가 자신의 고민을 듣고 조언해 준 경험을 떠올려 보고, 그 친구가 자신의 고민을 어떻게 듣고 조언해 주었는지 쓰시오.

_____

_____

기본 ③ 서로 공감하며 대화하기

○ 다른 사람을 도와준 일을 떠올리며 글 읽기

• 글의 내용: 민재와 주민이는 소방관이시면서 친절왕인 주민이 아버지에 대하여 이야기하고 있습니다.

우리 반 친절왕

민재: (조심스럽게) 주민아, 너희 아빠께서는 소방관이시니까 덩치도 크고 운동도 잘하시겠다.

주민: (밝게 웃으며) 우리 아빠? 키는 크신데 운동은 잘 안 하셔. 요즘에 119 구조대로 부서를 옮기시고는 친절왕이 되셨지. 아빠의 친절왕 정신 때문
5 에 우리는 어딘가 놀러 갈 때 제시간에 도착하지 못하기도 해. 얼마 전에 는 영화관에 너무 늦게 들어가서 영화 뒷부분만 본 적도 있어.

민재: (크게 웃으며) 왜?

주민: 길을 잃고 헤매는 할머니를 가시는 곳까지 모셔다드리느라 그랬지. 우리 아빠께서는 길에서 애들끼리 싸우는 것을 보면 꼭 가서 말리셔야 하
10 고, 누구든 도움이 필요한 사람이 있으면 꼭 도와주셔야 해. 무관심은 나
　　　　　　　　　　　　　　　　　어떤 일에 관심을 갖지 않는 것
쁜 것이라고 하시면서 말이야.

민재: (감탄하며) 우아, 너희 아빠 참 대단하시다.

---

1 주민이는 자신의 아버지를 어떤 분이라고 말했는지 세 글자로 표현한 말을 찾아 쓰시오.

(　　　　　　　)

2 다음 중 주민이 아버지의 모습을 두 가지 골라 기호를 쓰시오.

┌──────────────────────────────┐
│ ㉠ 길에서 애들끼리 싸우는 것을 보면 꼭 가 │
│ 　서 말리시는 모습 │
│ ㉡ 길을 잃고 헤매는 할머니를 가시는 곳까지 │
│ 　모셔다드리는 모습 │
│ ㉢ 영화관에 제시간에 도착하지 못할까 봐 신 │
│ 　호를 위반하는 모습 │
└──────────────────────────────┘

(　　　　　　　)

3 민재는 왜 주민이 아버지가 대단하시다고 생각했습니까?　　　　　　(　　)

① 힘이 세셔서
② 요리를 잘하셔서
③ 남을 돕는 모습에 감탄해서
④ 고장 난 물건을 잘 고치셔서
⑤ 주민이와 재밌게 놀아 주셔서

4 (교과서 문제) 민재와 주민이가 즐겁게 대화한 까닭을 알맞게 말한 친구를 쓰시오.

┌──────────────────────────────┐
│ 미소: 민재만 이야기했기 때문이야. │
│ 혜진: 두 친구가 학교에서 함께 겪었던 일을 │
│ 　　이야기했기 때문이야. │
│ 주아: 서로의 감정이나 생각을 받아 주며 이 │
│ 　　야기했기 때문이야. │
└──────────────────────────────┘

(　　　　　　　)

주민: 대단하다고? 글쎄, 처음에 난 모든 사람이 그런 줄 알았어. 나중에 우리 아빠께서 좀 심하시다는 것을 알게 됐지.

민재: (궁금하다는 듯이) 그게 싫었니?

주민: 응, 솔직히 우리 아빠께서 나한테만 관심을 보여 주셨으면 하는 마음
5 이 컸어. 남을 돕는다고 뛰어다니시다가 정작 나랑 할 일을 하시지 못한
적이 꽤 많았으니까.

민재: ㉠그래, 그럴 수도 있겠다.

주민: 그런데 나중에는 포기했지. 원래 그러시는 것을 내가 어쩌겠어.

민재: 내 생각에는 너도 너희 아빠와 비슷한 것 같은데?

10 주민: (놀라며) 내가? 그럼 안 되는데! 나는 아빠를 닮지 않아야겠다고 생
각했거든.

민재: (밝게 웃으며) 내 눈에는 너도 친절왕이야.

주민: (엄살을 떨며) 그럼 정말 안 되는데. 아빠의 바이러스가 나한테 옮았
나?
<u>아프거나 괴롭다고 거짓으로 꾸미거나 실제보다 부풀리는 것</u>

15 민재: (궁금한 듯이) 아빠의 바이러스?

주민: 내가 아빠께 친절왕이 옮기고 간 바이러스가 있다고 그랬거든. 아빠와
같이 사니까 나한테도 옮았나 봐.

다른 사람의 감정, 의견, 주장 따위에 대해 자신도 그렇다고 느끼는 것을 **공감**이라고 해요.

핵심

● 민재와 주민이가 주고받은 대화의 특징

대화	주민: 응, 솔직히 우리 아빠께서 나한테만 관심을 보여 주셨으면 하는 마음이 컸어. 남을 돕는다고 뛰어다니시다가 정작 나랑 할 일을 하시지 못한 적이 꽤 많았으니까. 민재: 그래, 그럴 수도 있겠다.
특징	서로의 말에 공감하며 대화했습니다.

5 주민이는 왜 아버지께서 자신한테만 관심을 보여 주시기를 바랐습니까? ( )

① 아버지께서 친구들에게만 친절을 베푸셔서
② 아버지께서 자신과 대화하려고 하지 않으셔서
③ 아버지가 다른 사람들에게 주목받는 것이 싫어서
④ 아버지께서 남을 도와 주시는 행동을 사람들이 고마워하지 않아서
⑤ 아버지께서 남을 돕는다고 뛰어다니시다가 정작 자신과 할 일을 하시지 못한 적이 꽤 많아서

서술형

6 만약 나라면 남을 돕느라 바쁘신 아버지를 어떻게 생각할지 쓰시오.

_____

_____

7 민재는 어떤 마음으로 ㉠처럼 말했겠습니까?
교과서문제 ( )

① 서운한 마음 ② 원망하는 마음
③ 질투하는 마음 ④ 공감하는 마음
⑤ 걱정하는 마음

핵심

8 민재와 주민이는 서로 어떻게 반응하며 말을 주고받았습니까? ( )
교과서문제

① 다른 생각을 하며 대화했다.
② 무관심하게 들으며 대화했다.
③ 해결 방법을 제시하며 대화했다.
④ 서로의 말에 공감하며 대화했다.
⑤ 서로의 말에서 잘못된 점을 찾으며 대화했다.

● 친구들의 감정이나 생각을 살피며 그림 보기

●그림 ㉮~㉰의 상황에서 바른 대화 방법 ^{핵심} ①단원

상황	㉮: 시현이가 상을 받았지만 상을 받지 못한 정우를 보고 마음껏 기뻐할 수 없는 상황 / 정우는 상을 받지 못해 아쉽지만 상을 받은 시현이를 축하해 주어야 하는 상황
	㉯: 미술 시간에 정아가 유라를 도와줄까 말까 망설이는 상황 / 유라가 정아에게 도와 달라고 할까 말까 망설이는 상황
	㉰: 교실에서 윤성이와 준호가 떠들고 있어서 명진이가 책을 읽는 데 방해가 되지만 쉬는 시간이라서 친구들에게 조용히 해 달라고 말하지 못하는 상황
바른 대화 방법	친구의 감정이나 생각에 공감하며 대화해야 합니다.

9 ^{교과서 문제} 다음 상황은 그림 ㉮~㉰ 중 어떤 그림의 상황인지 빈칸에 각각 기호를 쓰시오.

(1) 미술 시간에 친구를 도와줄까 말까 망설이는 상황	
(2) 상을 받았지만 상을 받지 못한 친구를 보고 마음껏 기뻐할 수 없는 상황	
(3) 친구들이 떠들고 있어서 책을 읽는 데 방해가 되지만 쉬는 시간이라서 조용히 해 달라고 말하지 못하는 상황	

10 ^{핵심} 그림 ㉮~㉰에서 대화를 어떻게 주고받으면 좋을지 알맞은 말에 ○표를 하시오.

• 친구의 감정이나 생각에 (공감, 반대)하며 대화해야 합니다.

^{논술형}
11 다음은 그림 ㉮의 상황을 대화로 꾸민 것입니다. 정우가 어떻게 대답하면 좋을지 빈칸에 알맞은 말을 쓰시오.

정우: 시현아, 글쓰기 대회에서 상 받았지? 정말 축하해.
시현: 정우야, 정말 고맙다. 너도 같이 상을 받았으면 좋았을 텐데…….
정우: _____
_____
시현: 그래, 나도 배울 것이 많아. 같이 공부해 보자.
정우: 그래, 고마워.

친구들의 고민을 듣고 해결 방법 제안하기

1 다음 고민을 해결하기 위한 방법으로 알맞은 것은 무엇입니까? ( )

> 어떻게 하면 컴퓨터 게임을 하는 시간을 줄일 수 있을까요?

① 컴퓨터 게임을 더 열심히 연습한다.
② 시간을 정해 두고 스마트폰을 사용한다.
③ 친구들의 말을 끝까지 귀 기울여 듣는다.
④ 좋은 컴퓨터를 사 달라고 부모님께 말씀드린다.
⑤ 컴퓨터 게임 대신 운동이나 독서와 같이 다른 재미있는 취미를 만들어 본다.

2 다음 친구의 고민을 듣고 가장 알맞게 해결 방법을 말한 친구는 누구인지 쓰시오.

> 친구와 다투고 난 뒤 다시 친해지고 싶은데 어떻게 하면 좋을까요?

영우: 그 친구와 다툰 일을 주변 사람들에게 말합니다.
지현: 그 친구가 좋아하는 것을 함께하도록 노력합니다.
민아: 그 친구를 자꾸 괴롭혀서 나에게 관심을 갖게 합니다.

( )

역량 **논술형**

3 다음 친구의 고민을 보고 자신이 생각한 해결 방법을 쓰시오.

> 부모님 생신 때 부모님께 어떤 선물을 드리면 좋을까요?

_____

_____

4 고민 해결을 위해 친구들에게 고민 나누기 엽서를 쓰려고 합니다. 고민 나누기 엽서에 잘 드러나야 하는 것을 두 가지 고르시오. (,)

① 고민하는 상황   ② 고민하는 까닭
③ 고민을 쓴 시간   ④ 고민을 쓴 장소
⑤ 고민을 해결한 때

[5~6] 글을 읽고, 물음에 답하시오.

> **가 내 고민은?**
> 저는 요즘 자꾸 늦잠을 잡니다. 그래서 부모님께 꾸지람을 많이 듣지만 잘 고쳐지지 않아요. 아침에 일찍 일어나고 싶은데 어떻게 하면 좋을까요?

> **나 잠꾸러기에게**
> 저도 그런 적이 있었어요. 그래서 저녁에 일찍 잠자리에 들었더니 늦잠 자는 일이 많이 줄어들었어요. 저녁에 일찍 자면 아침에 일찍 일어날 수 있을 거예요. 그리고 자는 시간과 일어나는 시간을 정해 놓고 지키려고 노력해야 해요.

5 가에 나타난 고민을 쓰시오.
( )

6 나는 가의 고민을 읽고 해결 방법을 제시한 글입니다. 나의 내용이 도움이 되는 조언인지 살펴볼 때 생각할 내용이 <u>아닌</u> 것의 기호를 쓰시오.

> ㉠ 해결 방법이 자세한가요?
> ㉡ 고민을 잘 이해하고 썼나요?
> ㉢ 일상생활에서 실천할 수 있나요?
> ㉣ 다른 사람들이 봤을 때 멋있어 보이나요?

( )

상대가 잘한 일이나 상대의 장점을 찾아 칭찬하기

예 「칭찬의 힘」을 읽고 올바른 방법으로 칭찬하기

칭찬의 힘이 세다고 한 까닭	• 칭찬 한마디는 누군가에게 ❶ □□ 을/를 주고 자신을 긍정적으로 바라보게 하기 때문입니다. • 칭찬은 올바른 습관을 기르고 능력을 키우는 데도 도움이 되기 때문입니다. • 다른 사람의 긍정적인 모습을 칭찬하는 것은 그 사람과 맺는 관계를 좋아지게 만들기 때문입니다.
칭찬이 힘을 발휘할 수 있도록 칭찬하는 방법	• 분명하고 ❷ □□□□ 칭찬해야 합니다. • 결과보다 ❸ □□ 을/를 칭찬해야 합니다. • 평가하지 말고 설명하는 칭찬을 해야 합니다. • 가능성을 키워 주는 칭찬을 해야 합니다.

↓

이지현을 칭찬합니다.
왜냐하면 지난번 비 오는 날에 우산이
없었는데 집까지 우산을 씌워 주었기 때문입니다.
나도 다음에 누군가에게 그런 도움을
주고 싶습니다.

상대를 배려하며 조언하기

예 「정인이의 고민」을 읽고 동욱이가 조언을 할 때 고쳐야 할 점 알아보기

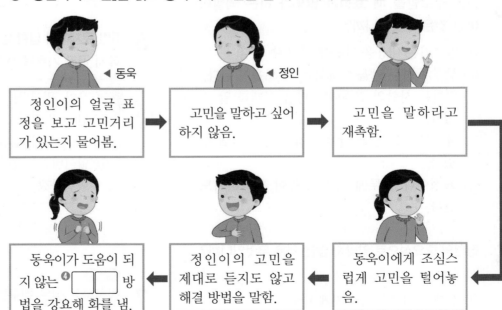

◀ 동욱 ◀ 정인

정인이의 얼굴 표정을 보고 고민거리가 있는지 물어봄. → 고민을 말하고 싶어 하지 않음. → 고민을 말하라고 재촉함.

동욱이가 도움이 되지 않는 ❹ □□ 방법을 강요해 화를 냄. ← 정인이의 고민을 제대로 듣지도 않고 해결 방법을 말함. ← 동욱이에게 조심스럽게 고민을 털어놓음.

동욱이는 정인이에게 고민을 말하도록 강요하지 않고, 정인이가 받아들일 수 있고 정인이에게 ❺ □□ 이/가 되는 내용을 말해야 합니다.

단원 평가

[1~2] 그림을 보고, 물음에 답하시오.

❶
소희 ▶ 왜 이렇게 늦었니?
◀ 은주 정말 미안해! 부모님 심부름을 하고 오느라 늦었어.

❷
그래, 다음부터 약속 시간을 잘 지켰으면 좋겠어. 너한테 무슨 일이 생긴 줄 알고 걱정했잖아.

걱정해 줘서 고마워, 소희야!

1 은주가 약속 시간에 늦은 까닭은 무엇인지 쓰시오.
( )

2 소희는 은주의 말을 듣고 어떤 반응을 보였는지 빈칸에 알맞은 말을 쓰시오.

• 은주의 ( )을/를 이해해 주었습니다.

3 말을 주고받을 때 표정과 말투가 하는 역할이 <u>아닌</u> 것은 무엇입니까? ( )

① 말하려는 내용을 나중에 알릴 수 있다.
② 상대가 하는 말을 이해하는 데 도움이 된다.
③ 말하는 사람의 감정이나 마음 상태를 알 수 있다.
④ 자신이 하고 싶은 말을 실감 나게 나타낼 수 있다.
⑤ 표정이나 말투에 따라 말뜻이 달라지기도 한다.

4 칭찬의 중요성으로 알맞지 <u>않은</u> 것은 무엇입니까?
( )

① 상대의 기분을 좋아지게 한다.
② 일을 더욱 잘할 수 있게 힘을 준다.
③ 다른 사람과의 관계를 좋아지게 한다.
④ 올바른 습관을 기르는 데 도움이 된다.
⑤ 상대가 잘못한 점을 정확하게 알게 한다.

[5~6] 글을 읽고, 물음에 답하시오.

㉠ 그렇다면 어떻게 해야 칭찬이 힘을 발휘할 수 있을까요?
먼저, 분명하고 자세하게 칭찬해야 해요. 누군가를 칭찬할 때 두루뭉술하게 칭찬하지 말고 칭찬하는 내용이 무엇인지를 자세하게 말하는 것이 좋아요.

㉡ 둘째, 결과보다 과정을 칭찬해야 해요. 누군가를 칭찬할 때 일의 결과가 아닌 과정을 칭찬하는 것이 좋아요.

㉢ 셋째, 평가하지 말고 설명하는 칭찬을 해야 해요. 누군가를 칭찬할 때에는 평가하기보다 잘한 일이나 행동을 설명하듯이 칭찬하는 것이 좋아요.

5 칭찬을 효과적으로 하는 방법으로 알맞은 것을 <u>모두</u> 고르시오. (, ,)

① 결과보다 과정을 칭찬한다.
② 분명하고 자세하게 칭찬한다.
③ 비웃는 표정을 지으면서 칭찬한다.
④ 지금의 능력만 평가하는 칭찬을 한다.
⑤ 평가하지 말고 설명하는 칭찬을 한다.

6 5번 문제에서 답한 방법에 맞게 칭찬한 말을 **보기** 에서 골라 기호를 쓰시오.

보기
㉠ 우아, 멋지다!
㉡ 넌 정말 착하구나!
㉢ 100점이네. 정말 좋겠다.
㉣ 잃어버린 물건을 찾아 주어 친구가 참 고마워하겠다!

( )

(논술형)
7 칭찬하고 싶은 친구를 한 명 골라 칭찬거리를 쓰고, 칭찬거리가 잘 드러나는 별명을 지어 쓰시오.

_____

[8~10] 대화를 읽고, 물음에 답하시오.

동욱: (빈정거리는 말투로) 에이, 얼굴 표정을 보니 고민거리가 있는 것 같은데?

정인: (약간 성가신 듯이) ㉠고민은 무슨 고민? 아무 일 없다니까.

동욱: (궁금해하며) 그러지 말고 말해 봐. 무슨 일인데? 다른 사람한테 절대로 말하지 않을게.

정인: (조심스럽게) 음, 사실은 체육 시간에 뒤 구르기가 잘 안돼. 그래서 모둠끼리 여러 가지 동작을 꾸밀 때 방해가 되는 것 같아.

동욱: (큰 소리로) 뭐, 네가 뒤 구르기를 못한다고? 그럼 선생님이나 친구들에게 도와 달라고 하면 되지, 뭘 그렇게 걱정해.

정인: (당황하며) 어떻게 그러니?

동욱: 그럼 내가 말해 줄까?

정인: (황급히 큰 소리로) 아냐, 그러지 마! 내가 알아서 할게. 넌 그냥 못 들은 걸로 해.

8 ㉠에 나타난 정인이의 마음을 쓰시오.

( )

9 동욱이는 정인이의 고민을 듣고 어떤 조언을 했는지 ○표를 하시오.

(1) 자신도 같은 고민이 있다고 했다. ( )

(2) 자신과 함께 뒤 구르기를 연습하자고 했다.

( )

(3) 선생님이나 친구들에게 도와 달라고 말하면 된다고 했다. ( )

10 이 대화에서 동욱이가 잘못한 점을 두 가지 고르시오. (,)

① 화를 내면서 말했다.

② 고민을 말하라고 재촉했다.

③ 다른 일을 하면서 대화를 했다.

④ 너무 쉬운 내용으로 조언을 했다.

⑤ 고민을 제대로 듣지도 않고 해결 방법을 말했다.

[11~12] 대화를 읽고, 물음에 답하시오.

㉮ 모모: 전 도대체 왜 이럴까요? 모든 일에 왜 자신이 없고 소심하며 망설이게 되죠?

㉯ 마법사: 모모야, 너 자신과 사랑에 **빠져** 보렴. 남들을 의식하지 말고 너 자신을 좋아하고 사랑해 봐.

㉰ 모모: 저는 모든 면에서 부족한데 어떻게 저 자신을 사랑하죠?

마법사: 남을 이해하며 사랑하고 받아들이려면 먼저 자기 자신을 사랑해야 해. 사랑의 첫걸음은 바로 자기 자신을 사랑하는 거지.

㉱ 마법사: 자, 거울 속 네 모습을 보렴. 네 얼굴이 얼마나 사랑스럽니? 네 눈빛이 얼마나 눈부시니? 참 멋지고 사랑스럽지?

11 모모의 고민은 무엇인지 빈칸에 알맞은 말을 쓰시오.

• 모든 일에 자신이 없고 ( ) 망설이는 것

12 마법사가 모모에게 해 준 조언을 쓰시오.

_____

_____

13 상대를 배려하며 조언하는 방법으로 알맞지 <u>않은</u> 것의 기호를 쓰시오.

㉠ 어려운 내용을 섞어서 말한다.

㉡ 상대에게 도움이 되는 내용을 말한다.

㉢ 상대에게 진심이 전해지도록 노력한다.

㉣ 상대에게 고민을 말하도록 강요하지 않는다.

( )

[14~16] 대화를 읽고, 물음에 답하시오.

주민: 우리 아빠께서는 길에서 애들끼리 싸우는 것을 보면 꼭 가서 말리셔야 하고, 누구든 도움이 필요한 사람이 있으면 꼭 도와주셔야 해. 무관심은 나쁜 것이라고 하시면서 말이야.

민재: (감탄하며) 우아, 너희 아빠 참 대단하시다.

주민: 대단하다고? 글쎄, 처음에 난 모든 사람이 그런 줄 알았어. 나중에 우리 아빠께서 좀 심하시다는 것을 알게 됐지.

민재: (궁금하다는 듯이) 그게 싫었니?

주민: 응, 솔직히 우리 아빠께서 나한테만 관심을 보여 주셨으면 하는 마음이 컸어. 남을 돕는다고 뛰어다니시다가 정작 나랑 할 일을 하시지 못한 적이 꽤 많았으니까.

민재: ㉠그래, 그럴 수도 있겠다.

14 주민이는 자신의 아버지가 어떤 분이라고 말했습니까? ( )

① 일을 제일 먼저 생각하시는 분
② 시간 약속을 잘 지키지 않으시는 분
③ 무관심은 좋은 것이라고 생각하시는 분
④ 주민이가 모르는 것도 다 알고 계시는 분
⑤ 누구든 도움이 필요하면 꼭 도와주시는 분

15 주민이는 14번 문제에서 답한 아버지의 모습을 보고 어떤 마음이 들었다고 했는지 빈칸에 알맞은 말을 쓰시오.

> 아빠께서 자신한테만 ( )을/를 보여 주셨으면 했습니다.

16 민재는 어떤 마음으로 ㉠과 같이 대답했을지 쓰시오.

( )

[17~18] 다음을 읽고, 물음에 답하시오.

▲ 정아

> 오늘은 유라가 그림을 늦게 그리네. 도와준다고 할까? 평소에 나보다 더 잘하는데 기분 나빠 할까?

▲ 유라

> 좀 도와 달라고 할까? 지난번 미술 시간에 정아에게 스스로 완성해 보라고 했는데……

17 정아가 망설이는 것은 무엇인지 빈칸에 알맞은 말을 쓰시오.

• 미술 시간에 ( )을/를 도와줄까 말까 망설이고 있습니다.

18 정아가 유라의 감정을 생각하며 알맞게 말한 것을 골라 기호를 쓰시오.

> ㉠ 왜 이렇게 오래 걸리니?
> ㉡ 너도 혼자서 그림을 완성해 봐.
> ㉢ 네가 꼼꼼하게 그리다 보니 시간이 오래 걸리나 봐. 내가 색칠하는 것 좀 도와줄까?

( )

논술형
19 요즘 자꾸 늦잠을 자서 어떻게 하면 아침에 일찍 일어날 수 있는지 고민하는 친구에게 해결 방법을 제시해 보시오.

_____

_____

20 평소 자신의 대화 태도를 생각하며 보기 와 같이 대화를 바르게 하겠다는 다짐 글귀를 쓰시오.

> 보기
> 친구들과 이야기할 때에는 따뜻한 표정과 부드러운 말투로

서술형 평가

1 다음 상황에서 어떤 표정과 말투로 친구에게 말해야 하는지 쓰시오.

> 짝에게 색연필을 빌려 쓰다가 부러뜨려서 미안하다고 할 때

_____

_____

2 칭찬이 제대로 효과를 발휘하려면 어떻게 칭찬해야 할지 쓰시오.

_____

_____

_____

3 다음 대화에서 동욱이가 조언을 할 때 지켜야 할 것은 무엇인지 쓰시오.

> 동욱: 정인아, 무슨 걱정이 있니?
>
> 정인: (다소 힘없는 듯한 목소리로) 아니, 아무 일도 없는데.
>
> 동욱: (빈정거리는 말투로) 에이, 얼굴 표정을 보니 고민거리가 있는 것 같은데?
>
> 정인: (약간 성가신 듯이) 고민은 무슨 고민? 아무 일 없다니까.
>
> 동욱: (궁금해하며) 그러지 말고 말해 봐. 무슨 일인데? 다른 사람한테 절대로 말하지 않을게.

_____

4 다음 대화를 읽고, 민지에게 조언하는 말을 쓰시오.

> 친구와 다투고 나서 화해하고 싶은데 어떻게 해야 할지 모르겠어.

민지 ▶

_____

_____

_____

5 다음과 같은 상황에서 명진이가 친구들에게 어떻게 말하면 좋을지 명진이의 말을 쓰시오.

> 책을 읽고 싶은데 조용히 해 달라고 할까? 쉬는 시간인데 말도 못 하게 한다고 기분 나빠 하면 어떻게 하지? 내가 다른 곳으로 갈까?

▲ 명진   ▲ 윤성   ▲ 준호

_____

_____

_____

6 다음 고민을 읽고 고민을 해결할 방법을 떠올려 쓰시오.

> 어떻게 하면 컴퓨터 게임을 하는 시간을 줄일 수 있을까요?

_____

_____

● 다음 교과서 문장의 파란색 낱말 중에서 알맞은 것을 골라 인물들이 한 말을 완성하시오.

- 칭찬 한마디는 누군가의 인생을 변화시키는 결정적인 **계기**가 되기도 한답니다.
- 그렇다면 어떻게 해야 칭찬이 힘을 **발휘**할 수 있을까요?
- 마지막으로 **가능성**을 키워 주는 칭찬을 할 수 있으면 더욱 좋아요.
- 고민을 말하라고 **재촉함**.

역량 누리며 즐기기

2 작품을 감상해요

무엇을 배울까요?

 준비

- 경험을 떠올리며 작품을 읽을 때 좋은 점 알기

 기본

- 경험을 떠올리며 시 읽기
- 경험을 떠올리며 이야기 읽기

 실천

- 경험을 떠올리며 시 쓰기

2 작품을 감상해요

1 경험을 떠올리며 작품을 읽을 때 좋은 점

① 내용을 더 쉽게 이해할 수 있습니다.
② 내용을 더 생생하게 느낄 수 있습니다.
③ 책이나 영상에서 본 것을 떠올리면 더욱 실감 나게 읽을 수 있습니다.
④ 인물의 마음을 더 잘 이해할 수 있습니다.

2 경험을 떠올리며 시 읽기

① 시에서 말하는 이가 겪은 일은 무엇인지 살펴봅니다.
② 그때 말하는 이의 생각이나 느낌은 어땠을지 생각해 봅니다.
③ 말하는 이가 겪은 일과 비슷한 경험이나 겪은 일은 달라도 비슷한 생각이나 느낌을 가져 본 경험을 말해 봅니다.

예 「출렁출렁」을 읽으며 떠오른 경험 말하기

말하는 이의 경험	학교에 지각할 뻔한 경험, 춥고 배고팠던 경험, 누군가가 보고 싶었던 경험
말하는 이의 생각이나 느낌	지각할까 봐 조마조마하고 걱정하는 마음, 춥고 배고파서 서럽고 쓸쓸한 마음, 누군가를 몹시 그리워하는 마음
떠오른 경험	**예** 할머니가 보고 싶을 때 할머니 댁이 바로 우리 집 앞에 있었으면 했어.

시와 관련 있는 경험을 떠올릴 때 먼저 해야 할 것
• 시 내용을 잘 파악하고, 시의 표현들을 잘 살펴봅니다.
• 시에서 말하는 이의 경험이 무엇인지, 말하는 이가 무슨 생각을 하는지 알아보고, 말하는 이가 상상하는 것을 짐작해 봅니다.

3 경험을 떠올리며 이야기를 읽고 이어질 이야기 상상하기

① 주인공의 경험과 비슷한 자신의 경험을 떠올리며 이야기를 읽습니다.
② 이야기에서 인상 깊은 장면이나 자신의 경험과 비슷한 경험이 드러난 부분을 찾습니다.
③ 자신의 경험을 떠올리며 주인공에게 일어난 일을 상상해 이어질 이야기를 써 봅니다.
④ 주인공과 자신의 경험을 견주어 보면 인물의 마음을 더 잘 이해할 수 있습니다.

상상한 이야기의 끝부분이 친구들마다 비슷하기도 하고 다르기도 한 까닭
• 같은 이야기로 글을 쓰더라도 읽는 사람의 지식이나 경험, 상상력에 따라 생각이나 느낌이 다를 수 있기 때문입니다.
• 사람마다 경험이 달라서 이어질 이야기에 대한 상상력도 달라지기 때문입니다.
• 인상 깊은 장면이 다르기 때문입니다.

4 경험을 떠올리며 시 쓰기

① 시에서 말하는 이가 놓인 상황과 느낀 기분을 자신의 경험과 견주어 봅니다.
② 대상을 바꾸어 표현할 수도 있습니다.
③ 시 내용이 바뀌면 제목도 바뀔 수 있습니다.

바꾸어 쓴 시 낭송하기
• 시의 분위기를 살려 목소리의 크기나 높낮이에 변화를 주며 읽습니다.
• 시의 행과 연을 생각하며 알맞게 쉬어 읽습니다.

핵 심 개 념 문 제

정답과 해설 ● 5쪽

1 경험을 떠올리며 글을 읽으면 내용을 더 쉽게 이해할 수 있습니다.
(○ , ×)

2 경험을 떠올리며 시를 감상하기 위해서는 시에서 ☐☐ ☐☐가 겪은 일이 무엇인지 살펴봅니다.

3 경험을 떠올리며 이야기를 읽을 때 주인공과 자신의 ☐☐을 견주어 보면, 인물의 마음을 더 잘 이해할 수 있습니다.

4 경험을 떠올리며 시를 바꾸어 쓸 때 시 제목은 바꿀 수 없습니다.
(○ , ×)

5 경험을 떠올려 바꾸어 쓴 시를 낭송할 때에는 시의 분위기를 살려 ☐☐☐의 크기나 높낮이에 변화를 주며 읽어야 합니다.

준비 경험을 떠올리며 작품을 읽을 때 좋은 점 알기

○ 유관순에 대해 아는 것을 떠올리며 글 읽기

유관순

❶ 유관순은 1902년 12월 16일, 충청남도 천안의 작은 마을에서 태어났다. 유관순의 아버지는 대를 이어 그 마을에서 살아온 선비 집안의 후손이었다. 유관순의 집은 그리 넉넉하지 못했지만, 늘 웃음소리
5 가 끊이지 않는 화목한 가정이었다.

어느 날, 아버지께서는 유관순에게 평소 마음에 둔 이야기를 들려주셨다.

"우리나라가 일본의 침략을 받고 시달리는 것은 나
10 라의 힘이 약한 까닭이다. 나라의 힘을 기르려면 서양 문물을 받아들이고 신학문을 배워야 한다."
서양에서 들어온 새 학문
아버지께서는 엄숙한 표정
15 으로 말씀을 이으셨다.

▲ 유관순

• 글의 종류: 전기문
• 글의 내용: 우리나라의 독립을 위하여 만세 운동을 했던 유관순의 실제 삶을 시간의 흐름에 따라 쓴 전기문입니다.

"여자들도 집안일만 할 것이 아니라 더 배워서 나라의 일꾼이 되어야 한다."

아버지께서는 젊은이들을 잘 가르쳐야 **빼앗긴** 나라를 되찾을 수 있다고 생각해 유관순을 서울로 보내어 신학문을 배우게 하셨다.
5

중심 내용 1902년 12월 16일, 충청남도 천안에서 태어난 유관순은 아버지의 가르침에 따라 서울에서 신학문을 배웠다.

❷ 1916년에 유관순은 서울 정동에 있는 이화학당에 입학했다. 유관순은 아버지의 가르침을 따라 방학 동안에는 고향에 내려가 우리글을 모르는 마을 사람들에게 열심히 글을 가르쳤다. 그러나 일본은 우리나라 사람들이 우리글을 배우는 것을 싫 10 어했다. 우리글에는 우리 민족의 얼이 담겼다고 생각했기 때문이다.

중심 내용 1916년에 이화학당에 입학한 유관순은 방학 동안 고향에 내려가 마을 사람들에게 우리글을 가르쳤다.

침략(侵 침노할 침, 略 다스릴 략) 정당한 이유 없이 남의 나라에 쳐 들어감.

얼 정신의 줏대.
예 전통문화에는 민족의 얼이 담겨 있습니다.

---

1 유관순은 언제 어디에서 태어났는지 이 글에서 찾아 쓰시오.
(교과서 문제)

(1) 태어난 날	
(2) 태어난 곳	

3 아버지께서 유관순에게 신학문을 배우라고 말씀하신 까닭을 **두 가지** 고르시오. (,)
(교과서 문제)

① 부유한 삶을 살 수 있어서
② 나라의 힘을 기르기 위해서
③ 모든 사람이 배우는 학문이어서
④ 집안일을 할 때 도움이 되는 내용이어서
⑤ 젊은이들을 잘 가르쳐야 **빼앗긴** 나라를 되찾을 수 있다고 생각해서

2 유관순이 살았던 당시에 우리나라에 대한 설명으로 알맞은 것은 무엇입니까? ( )

① 우리나라의 힘이 강했다.
② 주로 남자들이 집안일을 했다.
③ 신학문을 아무도 배우지 않았다.
④ 우리글을 모르는 사람이 없었다.
⑤ 일본의 침략을 받고 시달리고 있었다.

4 유관순은 이화학당을 다니던 시절, 방학 동안에 고향에 내려가 마을 사람들에게 무엇을 가르쳤는지 쓰시오.

( )

❸ 이 무렵, 우리 겨레는 내 나라, 내 땅에서 마음 놓고 사는 것조차 힘들었다. 그래서 하루하루 고통 속에서 살았으며 모두 독립을 애타게 바랐다. 그리하여 온 겨레가 한마음으로 목청껏 독립을 외쳤다. 1919년 3월 1일, 서울 탑골 공원에서 시작한 독립 만세 운동이 바로 그것이었다.

그날, 유관순도 친구들과 함께 거리로 나갔다. 태극기를 든 남녀노소가 한목소리로 독립 만세를 불렀다. 유관순의 마음도 뜨거워졌다. 유관순은 친구들과 함께 목이 터져라 독립 만세를 불렀다.

"대한 독립 만세!" / "대한 독립 만세!"

거리에는 태극기를 든 사람들이 거대한 물결처럼 밀려들었다. 태극기의 물결은 온 장안을 뒤덮었다. 일본 헌병들은 닥치는 대로 몽둥이와 칼을 휘두르고 총을 쏘아 댔다. 많은 사람이 쓰러졌으나 만세 소리는 그칠 줄을 몰랐다. 유관순과 친구들이 기숙사로 돌아왔을 때에는 이미 여러 선생님과 친구가 잡혀간 뒤였다.

> 중심 내용 1919년 3월 1일, 유관순은 서울 탑골 공원에서 사람들과 독립 만세 운동을 했다.

❹ 1919년 3월 10일, 일본은 학교를 강제로 닫았다. 그래서 기숙사에 있던 학생들은 뿔뿔이 흩어졌고 유관순도 고향으로 돌아왔다.

고향으로 돌아온 유관순은 독립 만세를 부를 준비를 했다. 유관순은 사촌 언니와 함께 동지들을 모으고, 독립 만세를 부를 계획을 치밀하게 세웠다. 날마다 이 마을 저 마을을 찾아다니며 독립 만세를 부르는 일에 함께 참여할 것을 부탁했다. 하루 종일 돌아다니다가 집에 돌아오면 몸은 말할 수 없이 피곤했다. 그렇지만 잠시 찬물에 발을 담그고, 곧바로 가족과 함께 밤새워 태극기를 만들었다. 보통사람들서는 생각할 수 없을 만큼 놀라운 지혜와 용기로 일을 추진했다.

독립 만세를 부르기로 약속한 날이 하루 앞으로 다가왔다. 밤이 되자 유관순은 홰를 가지고 매봉에 올랐다. 홰에 불을 붙여 높이 쳐들자 여기저기 다른 산봉우리에서도 횃불이 올랐다. 그 횃불들은 이튿날 있을 일을 다짐하는 약속이었다.

> 중심 내용 1919년 3월 10일, 고향으로 돌아온 유관순은 독립 만세를 부를 준비를 했다.

겨레 같은 핏줄을 이어받은 민족.
　예 우리 겨레는 한마음으로 대표팀을 응원했습니다.

추진(推 밀 추, 進 나아갈 진) 목표를 향하여 밀고 나아감.
　예 이번 가족 여행은 어머니께서 추진하셨습니다.

---

5 1919년 3월 1일에 일어난 일은 무엇입니까?
(　)

① 일본이 항복했다.
② 태극기가 처음 만들어졌다.
③ 서울 탑골 공원이 지어졌다.
④ 독립 만세 운동이 시작되었다.
⑤ 일본이 학교를 강제로 닫았다.

6 유관순이 친구들과 함께 거리에서 독립 만세를 외칠 때에 한 말은 무엇인지 이 글에서 찾아 쓰시오.
"(　　　　　　　　　　)"

7 1919년 3월 10일, 유관순이 고향으로 돌아갈 수밖에 없었던 까닭은 무엇인지 쓰시오.
(　　　　　　　　　　)

8 유관순이 고향으로 돌아와 한 일로 알맞지 <u>않은</u> 것은 무엇입니까? (　)
교과서 문제

① 가족과 함께 태극기를 만듦.
② 독립 만세를 부를 준비를 함.
③ 사촌 언니와 함께 동지들을 모음.
④ 가족과 함께 이사 갈 계획을 세움.
⑤ 여러 마을을 찾아가 독립 만세를 부르는 일에 함께 참여할 것을 부탁함.

❺ 아우내 장터에 아침이 밝았다. 새벽부터 장터에 모여든 사람들은 여느 때보다 몇 곱절이나 되었다. 독립 만세를 부르려고 모인 사람이 대부분이었다.

오후 1시, 유관순은 많은 사람 앞에서 외쳤다.

5 "여러분, 반만년의 역사를 지닌 우리 겨레가 불
_{단군 때부터 5000년의 역사}
행하게도 일본에 나라를 빼앗겼습니다. 이제 나라를 되찾아야 합니다. 지금 전국 방방곡곡에서
_{한 군데도 빠짐이 없는 모든 곳}
모두 일어나 독립을 외치고 있습니다. 여러분, 만세를 부릅시다. 대한 독립 만세를!"

10 순식간에 독립 만세 소리가 온 천지를 뒤흔들었다. 깜짝 놀라 달려온 일본 헌병들은 총과 칼을 휘두르면서 평화롭게 독립 만세를 부르며 나아가는 사람들을 막았다. 많은 사람이 죽거나 다쳤다.

유관순도 일본 헌병들에게 붙잡혀 끌려가고 말았 15 다. 그리고 일본 헌병대에서 온갖 고문을 당한 뒤에 재판을 받았다. 유관순은 재판을 받을 때 조금도 굽히지 않고 당당했다. 유관순은 3년 형을 받고 감옥

에 갇혔지만 우리나라가 독립을 해야 한다는 유관순의 신념은 누구도 꺾을 수 없었다.

중심 내용 유관순은 아우내 장터에서 많은 사람과 함께 독립 만세를 외쳤고, 유관순은 결국 일본 헌병들에게 붙잡혀 감옥에 갇혔다.

❻ 1920년 9월 28일, 나라를 구하려고 죽음을 무릅쓰고 독립 만세를 부르던 유관순은 열아홉 나이에 감옥에서 숨을 거두고 말았다. 그러나 유관순이 나 5 라를 사랑했던 마음은 지금도 우리 겨레의 가슴속에 남아 나라의 소중함을 일깨워 준다.

중심 내용 1920년 9월 28일, 유관순은 감옥에서 숨을 거두었다.

● 경험을 떠올리며 작품을 읽으면 좋은 점 알기

경험	경험을 떠올리며 읽으면 좋은 점
예 예전에 일제 강점기를 다룬 글을 읽은 것이 생각났어.	내용을 더 쉽게 이해할 수 있고 인물의 마음을 더 잘 이해할 수 있습니다.
예 일제 강점기에 벌어진 일을 다룬 영화를 본 것이 기억났어.	내용을 더 생생하게 느낄 수 있고 더욱 실감 나게 읽을 수 있습니다.

곱절 일정한 수나 양이 그 수만큼 거듭됨을 이르는 말.
예 소문이란 구르는 눈덩이처럼 몇 곱절이나 부풀어 나기 마련이지.

신념(信 믿을 신, 念 생각 념) 굳게 믿는 마음.
예 아버지는 굳은 신념을 지닌 분입니다.

9 아우내 장터에 모여든 사람들이 독립 만세를 부르
교과서
문제 자 무슨 일이 일어났는지 쓰시오.

( )

11 알맞은 경험을 떠올려 이 글을 읽은 친구를 쓰시오.
교과서
문제

기연: 집에서 꽃을 키웠던 기억이 났어.
온아: 학교 노래 자랑 대회가 생각났어.
유진: 가족과 서대문형무소역사관에 다녀온 것이 생각났어.

( )

10 유관순이 재판을 받을 때 조금도 굽히지 않고 당당
했던 까닭은 무엇일지 세 가지를 고르시오.

(, ,)

① 일본 헌병대가 시킨 일이라서
② 나라를 지키려는 마음이 강해서
③ 자신이 옳은 일을 했다고 굳게 믿어서
④ 자신의 뜻을 굽히지 않는 의지가 있어서
⑤ 일본 헌병대의 말을 알아들을 수 없어서

12 경험을 떠올리며 글을 읽으면 좋은 점이 아닌 것
교과서
문제 에 ×표를 하시오.

(1) 더욱 실감 나게 읽을 수 있다. ( )
(2) 글 내용을 모두 외울 수 있다. ( )
(3) 인물의 마음을 더 잘 이해할 수 있다. ( )

○ 어떤 경험을 나타냈는지 생각하며 시 읽기

출렁출렁

박성우

이러다 지각하겠다 싶을 때, 있는 힘껏 길을 잡아당기면 출렁출렁, 학교가 우리 앞으로 온다

춥고 배고파 죽겠다 싶을 때, 있는 힘껏 길을 잡아당기면 출렁출렁, 저녁을 차린 우리 집이 버스 정류장 앞으로 온다

갑자기 니가 보고 싶을 때, 있는 힘껏 길을 잡아당기면 출렁출렁, 그리운 니가 내게 안겨 온다
─ ㉠
　'너'의 방언

> • 글의 종류: 시
> • 글의 내용: 있는 힘껏 길을 잡아당기고 싶었던 경험을 떠올렸습니다.

> ● 경험을 떠올리며 시 감상하기
>
> | 시 속 인물의 경험 |
> | --- |
> | 학교에 지각할 뻔한 경험, 춥고 배고팠던 경험, 갑자기 누군가가 보고 싶었던 경험 |
>
> | 시 속 인물의 마음 |
> | --- |
> | 학교와 집에 빨리 가고 싶어 하는 마음, 누군가를 그리워하는 마음 |
>
> | 시 속 인물의 경험, 마음 등과 관련 있는 경험 떠올리기 예 |
> | --- |
> | 추울 때 버스 정류장에 서 있을 때 집에 빨리 가고 싶었어. |

1 이 시에서 말하는 이가 겪은 일을 세 가지 고르시오. (　, 　, 　)
[교과서 문제]
① 춥고 배고팠던 경험
② 학교에 지각할 뻔한 경험
③ 누군가가 보고 싶었던 경험
④ 주말에 가족들과 공원에 놀러간 경험
⑤ 무서운 강아지를 피해 달아나고 싶었던 경험

2 이 시에서 말하는 이가 있는 힘껏 잡아당기는 까닭은 무엇인지 두 가지 고르시오. (　, 　)
[교과서 문제]
① 부모님께 죄송해서
② 그리운 사람이 보고 싶어서
③ 학교와 집에 빨리 가고 싶어서
④ 길이 출렁이지 않게 하고 싶어서
⑤ 학원에 가지 않고 집에서 놀고 싶어서

3 ㉠에서 말하는 이의 마음은 어떠한지 쓰시오.
[교과서 문제]
(　　　　　　　　　　　　　　)

4 시와 관련 있는 경험을 떠올릴 때 먼저 해야 할 것이 아닌 것은 무엇입니까? (　)
① 시 내용을 잘 파악한다.
② 시의 표현들을 잘 살펴본다.
③ 시를 쓴 사람과 쓴 장소를 찾아본다.
④ 시에서 말하는 이의 경험이 무엇인지 파악한다.
⑤ 시에서 말하는 이가 상상하는 것을 짐작해 본다.

핵심
5 이 시의 말하는 이와 비슷한 경험을 떠올린 친구는 누구누구인지 쓰시오.

> 호연: 등교 시간에 배고파서 점심시간을 앞당기고 싶었어.
> 주경: 할머니가 보고 싶을 때 할머니 댁이 바로 우리 집 앞에 있었으면 했어.
> 지민: 가족들과 바닷가에 놀러갔는데 파도가 출렁출렁 치는 모습이 기억에 남았어.

(　　, 　　)

기본 ①

◦ 어른들을 안마해 드린 경험을 생각하며 시 읽기

허리 밟기

정완영

할머니 아픈 허리는 왜 밟아야 시원할까요?

아이쿠! 아이쿠! 하면서도 "꼭꼭 밟아라." 하십니다
<u>아이코</u>

그래도 나는 겁이 나 자근자근 밟습니다.
자꾸 가볍게 누르거나 밟는 모양

> • 글의 종류: 시
> • 글의 특징: 할머니의 아픈 허리를 밟아 시원하게 해 드렸다는 내용으로, 우리나라의 전통 시조 형식으로 쓴 시입니다.

● 경험을 떠올리며 시 감상하기

시 속 인물의 경험
할머니 허리를 밟아 드렸습니다.

시 속 인물의 마음
할머니 아프신 허리가 나았으면 하는 마음, 할머니 허리를 너무 세게 밟으면 할머니께서 아프실까 봐 걱정하는 마음

시 속 인물의 경험, 마음 등과 관련 있는 경험 떠올리기 예
할아버지 어깨를 주물러 드렸던 일이 생각났어.

핵심

2 단원

---

6 이 시에서 '나'는 무엇을 했습니까? ( )

① 할머니와 산책을 갔다.
② 동생과 할머니를 뵈러 갔다.
③ 할머니 허리를 밟아 드렸다.
④ 할머니와 허리 운동을 했다.
⑤ 아버지 어깨를 주물러 드렸다.

7 이 시에서 '나'와 할머니의 마음이 각각 어떠할지
교과서 문제 보기 에서 찾아 기호를 쓰시오.

> 보기
> ㉠ 아픈 허리가 시원하네.
> ㉡ 손자가 밟아 주니까 더 좋구나.
> ㉢ 할머니 아프신 허리가 나았으면 좋겠어.
> ㉣ 할머니 허리를 너무 세게 밟으면 할머니께서 아프실 것 같아.

(1) '나'의 마음	
(2) 할머니의 마음	

핵심 **서술형**

8 이 시에 나타난 경험과 비슷한 자신의 경험을 떠올려 쓰시오.

_____

_____

_____

9 이 시를 친구들 앞에서 낭송하려고 합니다. 말하
교과서 문제 는 이의 마음을 나타내려면 어떤 목소리로 읽는 것이 좋을지 두 가지를 고르시오. (,)

① 신난 목소리
② 화난 목소리
③ 궁금한 목소리
④ 서운한 목소리
⑤ 조심조심하는 목소리

기본 ② 경험을 떠올리며 이야기 읽기

○ 인물에게 어떤 일이 일어났는지 생각하며 글 읽기

덕실이가 말을 해요

『수일이와 수일이』의 첫 부분입니다.

김우경

- 글의 종류: 이야기
- 글의 내용: 방학에 학원에 가지 않고 놀고 싶어 하는 수일이가 덕실이(집에서 키우는 개)에게 자신이 둘이 될 수 있는 방법을 들었습니다.

❶ "이제 시스템 전원을 끄셔도 됩니다."

수일이는 컴퓨터 모니터에 나온 글을 보며 발로 책상 아래 전기 스위치를 딸깍 껐다. 조금 전에 들어가서 돌아다녔던 컴퓨터 게임 속의 세상이 아직

5 눈앞에 어른거린다.

'마고 전설'이라는 게임인데, 아주 먼 옛날에 사람들이 나라도 없이 뿔뿔이 흩어져서 살 때, 나쁜 귀신들이 돌아다니며 사람들을 못살게 굴고 막 잡아가서 자기편으로 만든다는 이야기이다. 사람이

10 귀신한테 붙잡히게 되면 그 사람도 그때부터 귀신이 되어서 또 다른 사람을 해치려고 돌아다니니까, 그대로 가다가는 세상이 온통 귀신 천지가 된다는 좀 터무니없는 줄거리이다.
<small>허황하여 전혀 근거가 없는</small>

그래서 게임을 시작하면 뿔뿔이 흩어진 사람들을

모아 마을을 만들고, 논밭을 일구어 곡식을 심고,
<small>논밭을 만들기 위해 땅을 파서 일으키어</small>
공장을 세우고, 산에는 성을 쌓아 군사들을 훈련시켜 귀신들을 물리쳐야 하는데, 그 일이 만만치 않아서 한번 시작하면 시간 가는 줄 모른다. 갖가지 귀신들을 만나 하나씩 쓰러뜨리며 사람들을 구해 5 내는 일이 손에 땀이 날 만큼 아슬아슬하고 짜릿짜릿하다.

온갖 도술을 부리는 대왕 귀신을 물리쳤을 땐 한편으로 뿌듯하기도 하다. 게임 속 세상에서는 수일이가 주인이어서 모든 일을 수일이가 정한 10 다. 수일이 생각대로 컴퓨터 속 사람들을 이끌고 다니며 귀신들을 물리치고 새로운 세상을 만들어 간다.

중심 내용 '마고 전설'이라는 게임 속 세상에서는 수일이가 주인이어서 모든 일을 수일이가 정한다.

어른거린다 무엇이 보이다 말다 한다.
㉮ 어둠 속에서 희미한 불빛이 <u>어른거린다</u>.

도술(道 길 도, 術 꾀 술) 도를 닦아 여러 가지 조화를 부리는 요술이나 술법. ㉮ 홍길동은 여러 <u>도술</u>을 부릴 줄 알았습니다.

---

1 수일이가 하는 게임에 대한 설명으로 알맞지 <u>않은</u> 것은 무엇입니까? ( )

① '마고 전설'이라는 게임이다.
② 친구들과 운동장에 모여서 한다.
③ 사람들을 모아 귀신들을 물리쳐야 한다.
④ 사람이 귀신한테 붙잡히게 되면 그 사람도 그때부터 귀신이 된다.
⑤ 마을을 만들고, 논밭을 일구며 공장을 세우고, 군사들을 훈련시키기도 한다.

2 게임 속 세상에서 수일이의 모습은 어떠한지 빈칸에 알맞은 말을 각각 찾아 쓰시오.

• 수일이가 (1)( )이어서 모든 일을 수일이가 (2)( ).

3 게임할 때 수일이의 마음으로 알맞은 것을 세 가지 골라 기호를 쓰시오.

| ㉠ 뿌듯하다. | ㉡ 지루하다. |
| ㉢ 짜릿하다. | ㉣ 아슬아슬하다. |

( )

서술형

4 글 ❶에 나오는 수일이의 모습을 보고 든 생각이나 느낌을 쓰시오.

_____

_____

❷ 그러다가 게임 속 나라에서 빠져나와 컴퓨터를 끄면, 아주 다른 세상이 수일이를 기다리고 있다. 컴퓨터 바깥의 세상은 수일이 마음대로 할 수 없는 세상이다. 주로 수일이가 이끌려 다녀야 하는 세상이다.

"이게 뭐야. 에이, 방학 동안 학원에만 왔다 갔다 했어!"

컴퓨터를 끄자마자 맥이 탁 풀리며 짜증부터 났다. 달력을 보니 방학이 일주일도 안 남아 있다. 오늘이 8월 25일이니까 정확하게 6일 남았다.

"엄마 때문이야. 우리 엄마 시키는 대로 다 하려면 내가 둘은 있어야 해."

수일이는 걸상 옆에 앉아 있는 덕실이가 엄마라도 되는 듯이, 덕실이를 곁눈질로 흘겨보며 말했다. 그러고는 영어 학원 가방을 집어서 퍽 소리가 나도록 방바닥에 떨어뜨렸다.

"으으, 진짜 내가 하나 더 있었으면 좋겠어! 그래야 하나는 학원에 가고 하나는 마음껏 놀 수가 있지."

중심 내용 게임 바깥은 수일이가 이끌려 다녀야 하는 세상으로, 수일이는 자신이 하나 더 있었으면 좋겠다고 했다.

❸ "정말 네가 둘이었으면 좋겠니?"

"둘이었으면 좋겠어."

"참말이야?"

"그래, 참말이야! 혼자서는 너무 힘들어. 어, 그런데 네가 말을 했니?"

㉮수일이는 눈을 커다랗게 뜨고 덕실이를 보았다.

"말이야 벌써부터 했지. 지금껏 네가 못 알아들었을 뿐이야. 나는 말하면 안 되니?"

덕실이가 꼬리를 흔들며 말했다. ㉯아주 잠깐 동안 수일이는 입이 벌어져서 다물어지지 않았다.

"엄마! 덕실이가 말을 해요!"

수일이가 방에서 뛰쳐나오며 소리쳤다.

"덕실이가 말을 했어요!"

맥(脈 맥 맥) 기운이나 힘.
예 운동회가 끝나자 맥이 풀렸습니다.

곁눈질 얼굴은 돌리지 않고 눈알만 옆으로 굴려서 보는 일.
흘겨보며 눈동자를 옆으로 굴리어 못마땅하게 노려보며.

---

5 수일이에게 컴퓨터 바깥의 세상은 어떤 세상인지 알맞은 것을 골라 기호를 쓰시오.

> ㉠ 수일이 마음대로 할 수 있는 세상
> ㉡ 수일이가 이끌려 다녀야 하는 세상
> ㉢ 수일이가 하는 게임 속 세상과 비슷한 세상

(   )

6 수일이의 소원은 무엇입니까? (   )

① 방학이 빨리 끝나는 것
② 자신이 하나 더 있는 것
③ 엄마와 공놀이를 하는 것
④ 덕실이와 학교에 가는 것
⑤ 학원을 더 많이 다니는 것

7 수일이가 ㉮와 같이 행동한 까닭을 알맞게 말한 친구를 쓰시오.

> 지수: 덕실이가 쓰러졌기 때문이야.
> 성현: 덕실이가 말을 했기 때문이야.
> 정인: 덕실이가 큰 소리로 계속 짖었기 때문이야.

(   )

8 ㉯에 나타난 수일이의 마음으로 알맞은 것은 무엇입니까? (   )

① 미안한 마음   ② 서운한 마음
③ 반가운 마음   ④ 걱정하는 마음
⑤ 깜짝 놀란 마음

수일이는 방문 앞 나무 층계를 쿵쿵쿵 디디며 마루로 내려와서 엄마를 찾았다.

수일이 방은 2층으로 오르는 나무 층계 중간쯤에 있는 다락방이다. 2층에는 주인 할머니와 할아버지
5 가 사시는데, 그분들은 바깥 층계를 쓰신다.

아래층에는 방이 모두 세 칸인데, 수일이네가 방 둘과 큰 부엌, 마루를 쓰고 뒷방 하나와 그에 딸린 작은 부엌은 예주라는 대학생 누나가 세 들어 지낸다. 예주 누나는 방학이라 자기 시골집에 가고 없
10 었다.

"엄마, 덕실이가요!"

"얘, 너 또 학원 가기 싫으니까 엉뚱한 소리로 빠져나가려고 그러지?"

엄마가 안방에서 나오며 말했다. 손에 걸레를 들
15 고 있었다.

"아니에요, 정말로 말을 했어요!"

"개들도 무슨 말인가 하기는 하겠지. 사람이 못 알아들어서 그렇지."

"나하고 말을 했다니까요. 나는 알아들었어요. 덕실이가 나한테, '나는 말을 하면 안 되니?' 그랬어요."

㉮"얘가 더위를 먹었나? 아, 쓸데없는 소리 그만하고 얼른 학원에나 가. 늦겠다!"
5 엄마가 눈살을 찌푸리며 말했다. 그러고는 이야기를 더 듣지도 않겠다는 듯이 욕실로 걸레를 빨러 들어가 버렸다.

"알겠어요."

수일이도 이야기를 더 하고 싶지 않았다. 엄마하
10 고 다시는 아무 말도 안 할 거라고 마음을 다져 먹었다. 덕실이가 말만 하는 게 아니라 글까지 쓴다고 해도 이제 더 이상 엄마한테 말하고 싶지 않았다.

중심 내용 덕실이가 말을 하자 놀란 수일이는 엄마께 덕실이가 말을 한다고 말했지만 엄마는 수일이의 말을 믿지 않으셨다.

● 작품 속 세계와 현실 세계의 비슷한 점과 다른 점 예

비슷한 점	부모님께 잔소리를 듣기도 하고 강아지를 기른다.
다른 점	작품 속 세계에서는 강아지와 대화할 수 있지만 현실 세계에서는 그럴 수 없다.

핵심

층계(層 층 **층**, 階 섬돌 **계**) 걸어서 층 사이를 오르내릴 수 있도록 턱이 지게 만들어 놓은 설비.

디디며 발을 올려놓고 서거나 발로 내리누르며.
예 민지는 가볍게 계단을 디디며 올라갔습니다.

9 이 글의 내용으로 보아 덕실이는 무엇인지 찾아 쓰시오.

(   )

10 엄마께서 덕실이가 말을 한다는 것을 믿지 않으신
교과서 문제 까닭을 알맞게 말한 친구를 쓰시오.

> 동기: 너무나 당연한 일이기 때문이야.
> 규민: 수일이가 평소 거짓말을 많이 하기 때문이야.
> 지현: 수일이가 장난으로 덕실이가 말을 한다고 했을 것이라고 생각하셨기 때문이야.

(   )

11 ㉮의 엄마의 말에 어울리는 목소리는 무엇이겠습니까? (   )

① 화난 목소리   ② 즐거운 목소리
③ 반가운 목소리   ④ 실망한 목소리
⑤ 설레는 목소리

핵심 역량

12 이 작품 속 세계가 우리가 사는 현실 세계와 다른 점을 골라 기호를 쓰시오.

> ㉠ 강아지와 대화할 수 있다.
> ㉡ 덕실이 같은 강아지를 기른다.
> ㉢ 부모님께 잔소리를 듣기도 한다.

(   )

❹ 덕실이가 방문 앞에 나와 서서 다 보고 있었다.

"들어가자. 엄마하고는 말이 안 통해."

수일이는 덕실이를 데리고 도로 방으로 들어왔다. ㉠눈에서 잠깐 눈물이 나오려고 했다.

"하기는 나도 잘 안 믿어지는데, 엄마가 쉽게 믿겠니? 우리가 서로 말이 통하다니! 컴퓨터 게임하면서 너랑 나랑 전자파를 너무 많이 받아서 그런가?"

"……."

"아무 말이든 또 해 봐. 덕실아, 너도 내가 하나로는 힘들겠다고 생각하지?"

"조금."

덕실이가 말했다.

"조금이라고? 아침 먹자마자 피아노 학원, 속셈학원, 바둑 교실, 영어 학원, 검도……. 하루 종일 학원에 왔다 갔다 하기 바쁜데도? 방학인데 놀 시간이 없어!"

"학원 다니는 게 싫어? 나는 좋을 것 같은데."

"너는 한 군데도 안 다니니까 그렇지. 컴퓨터 오락도 좀 마음 놓고 하고, 밖에 나가서 아이들하고 공도 차며 실컷 놀고 싶단 말이야."

"공 차는 게 좋아? 나는 공을 물어뜯는 게 더 좋더라."

"그러니까 너도 엄마한테 꾸중을 듣지. 아무거나 물어뜯는 버릇 좀 고쳐. 공은 차면서 노는 거야."

"그렇게 공이 차고 싶으면 엄마한테 공 차는 학원에 보내 달라고 하렴."

"그런 학원은 없어."

"안됐구나."

"㉡우, 내가 둘이었으면 좋겠어. 누가 나 대신 학원에 좀 다녀 줬으면!"

수일이가 걸상 다리를 발로 차며 말했다. 걸상은 아무렇지도 않고 발바닥만 아팠다.

(중심 내용) 수일이는 덕실이에게 자기가 둘이 되어서 한 명은 학원에 가고, 한 명은 실컷 놀 수 있으면 좋겠다고 말했다.

도로 향하던 쪽으로 되돌아서.
㉠ 놀이터에 가다가 도로 집으로 왔습니다.

전자파(電 번개 **전**, 磁 자석 **자**, 波 파도 **파**) 전자에서 나오는 파동.
㉠ 스마트폰에서 나오는 전자파는 몸에 좋지 않습니다.

---

13 ㉠에 나타난 수일이의 마음을 쓰시오.

(   )

14 수일이는 방학 때 무엇을 하고 싶다고 했는지 두 가지를 고르시오. (,   )

① 피아노 학원에 다니고 싶다.
② 바둑 교실을 매일 가고 싶다.
③ 컴퓨터 오락을 마음 놓고 하고 싶다.
④ 영어를 잘할 수 있도록 공부하고 싶다.
⑤ 밖에 나가서 아이들하고 공도 차며 실컷 놀고 싶다.

15 수일이가 ㉡과 같이 말한 까닭은 무엇일지 ○표를 하시오.

(1) 혼자 학원에 가는 것이 심심했기 때문이다. (   )

(2) 두 명이서 공부하면 더 즐거울 것 같기 때문이다. (   )

(3) 방학 동안 학원에만 왔다 갔다 하는 것이 싫고, 놀고 싶었기 때문이다. (   )

(핵심) (서술형)
16 이 글에서 자신의 경험과 비슷한 부분을 쓰시오.

_____

_____

❺ "정말 네가 둘이었으면 좋겠어?"

"그래!" / "그럼 너를 하나 더 만들면 되지."

"하나 더? 어떻게?"

"말해 주면 나한테도 가끔 공을 물어뜯을 수 있
5 도록 해 주는 거지?"

"그래. 못 쓰는 공 너 하나 줄게."

"어떻게 하느냐 하면, 네 손톱을 깎아서 쥐한테
먹이는 거야." / "뭐어?"

"그러면 그 쥐가 너하고 똑같은 모습으로 바뀔지
10 도 몰라."

"그건 옛날이야기일 뿐이야."

"옛날에 있었던 일이니까 지금도 있을 수 있지."

"옛날에 있었던 일이 아니라 옛날이야기래도.
어떤 아이가 손톱을 함부로 버렸는데, 그걸 쥐가
15 먹고는 사람이 돼 가지고 그 아이를 집에서 쫓아
내고⋯⋯. 그 이야기 말하는 거지?"

"그래도 나 같으면 한번 해 보겠어."

"글쎄, 그게 될까?"

"해 보고 안 되면 그만이지 뭐."

"쥐도 없잖아." / "쥐는 어디든 있어."

덕실이가 나직하게 말했다. 쥐가 어디선가 엿듣고
있을지도 모른다는 듯이. 그때 문밖에서 엄마가
소리쳤다.

"수일아, 뭐 하고 있니? 얼른 학원에 안 가?"

"예, 지금 가요!"

수일이는 얼른 학원 가방을 들고 방문을 열고 나
왔다. 덕실이도 뒤따라 나왔다.

(중심 내용) 덕실이는 수일이의 손톱을 깎아서 쥐한테 먹이면 그 쥐가 수일이
하고 똑같은 모습으로 바뀔지도 모른다고 말했다.

● **이어질 이야기 상상하기** (예)

수일이는 가짜 수일이를 만들었을까?	덕실이가 말한 대로 쥐를 찾아서 가짜 수일이를 만들 수 있을 거야.
엄마가 가짜 수일이를 본다면 어떻게 생각할까?	엄마가 가짜 수일이를 예뻐하실 것 같아.
수일이와 가짜 수일이에게 어떤 일이 일어날까?	가짜 수일이가 진짜 행세를 할 것 같아.
가짜 수일이를 만난 수일이 기분은 어떠할까?	친구들이 가짜 수일이와 더 재미있게 놀아서 수일이가 외로워질 것 같아.

핵심

나직하게 소리가 꽤 낮게.
(예) 아이들은 <u>나직하게</u> 이야기를 주고받았습니다.

엿듣고 남의 말을 몰래 가만히 듣고.
(예) 토토는 친구들이 하는 말을 <u>엿듣고</u> 있었습니다.

---

17 덕실이가 가르쳐 준 '수일이를 하나 더 만들 수 있
는 방법'은 무엇인지 빈칸에 알맞은 말을 쓰시오.

- 수일이의 (1)(   )을/를 깎아서
  (2)(   )한테 먹이는 것

18 **교과서 문제** 이어질 이야기를 상상할 때 생각해 볼 내용으로
알맞지 **않은** 것은 무엇입니까?   (   )

① 수일이는 가짜 수일이를 만들었을까?

② 가짜 수일이를 만드는 방법은 무엇일까?

③ 엄마가 가짜 수일이를 본다면 어떻게 생각할까?

④ 가짜 수일이를 만난 수일이 기분은 어떠했을까?

⑤ 수일이와 가짜 수일이에게 어떤 일이 일어날까?

핵심 **논술형**

19 수일이에게 어떤 일이 일어날지 상상해 쓰시오.

┌─────────────────────┐
│   │
│   │
│   │
│   │
└─────────────────────┘

20 **교과서 문제** 같은 이야기를 읽고도 사람마다 상상한 이야기가
비슷하거나 다른 까닭으로 알맞지 **않은** 것에 ×표
를 하시오.

(1) 인상 깊은 장면이 다르기 때문에   (   )

(2) 이야기를 읽은 장소가 다르기 때문에 (   )

(3) 사람마다 경험이 달라서 이어질 이야기에
대한 상상력도 달라지기 때문에   (   )

(4) 읽는 사람의 지식이나 경험, 상상력에 따라 생
각이나 느낌이 다를 수 있기 때문에 (   )

역량 활동
실천 경험을 떠올리며 시 쓰기

○ 경험을 떠올리며 시 읽기

• 글의 종류: 시
• 글의 내용: 봄날에 꽃을 보며 느낀 마음을 표현했습니다.

꽃

정여민

꽃이 얼굴을 내밀었다

내가 먼저 본 줄 알았지만
봄이 쫓아가던 길목에서
_{길의 중요한 통로가 되는 어귀}
내가 보아 주기를 날마다 기다리고
있었다

내가 먼저 말 건 줄 알았지만
바람과 인사하고 햇살과 인사하며
날마다 내게 말을 걸고 있었다

내가 먼저 웃어 준 줄 알았지만
떨어질 꽃잎도 지켜 내며
나를 향해 더 많이 활짝 웃고 있
었다

내가 더 나중에 보아서 미안하다.

●자기 경험이 잘 드러나도록 시 바꾸어 쓰기 예

경험	친구와 싸운 후에 화해하기를 바랐던 경험
바꾸어 쓴 시 (1, 2연)	친구가 손을 내밀었다 나만 화해하고 싶은 줄 알았는데 마음이 갈라지는 길목에서 먼저 손을 내어 주기를 날마다 기다리고 있었다

2 단원

핵심

---

1 이 시에서 말하는 이는 어떤 경험을 했습니까?
_{교과서 문제}
( )

① 봄날에 꽃씨를 심었다.
② 길목에서 친구를 기다렸다.
③ 꽃을 보고 미안한 마음이 들었다.
④ 친구와 꽃을 보고 그림을 그렸다.
⑤ 떨어지는 꽃잎을 주워 곱게 말렸다.

역량
2 이 시에서 인상 깊은 표현을 찾고, 그 표현을 보고 어떤 생각이나 느낌이 들었는지 쓰시오.

(1) 인상 깊은 표현	
(2) 생각이나 느낌	

3 이 시와 관련 있는 경험을 떠올리며 시를 읽은 친구를 두 명 쓰시오.
_{교과서 문제}

> 민호: 벚꽃이 활짝 핀 모습을 보면서 한참 서 있었어.
> 수연: 봄에 꽃구경을 갔다가 벌에 쏘여서 고생했던 적이 있어.
> 창현: 꽃이 아주 예뻐서 좋아했는데 꽃 이름을 몰라서 미안한 마음이 들었던 적이 있어.

( )

핵심 **논술형**
4 이 시에서 바꾸고 싶은 부분에 밑줄을 긋고, 자신의 경험을 떠올리며 바꾸어 쓰시오.

단원 마무리

경험을 떠올리며
작품을 읽을 때
좋은 점 알기

예 「유관순」을 읽을 때 떠오른 경험 말하기

> 예전에 일제 강점기를 다룬 글을 읽은 것이 생각났어.

> 일제 강점기에 벌어진 일을 다룬 영화를 본 것이 기억났어.

> 가족과 서대문형무소역사관에 다녀온 것이 생각났어.

- 내용을 더 쉽게 이해하고, 더 생생하게 느낄 수 있습니다.
- 더욱 ❶ [　][　] 나게 읽을 수 있습니다.
- 인물의 ❷ [　][　] 을/를 더 잘 이해할 수 있습니다.

경험을 떠올리며
시 읽기

예 「허리 밟기」를 읽을 때 떠오른 경험 말하기

시에 나타난 경험	‘나’는 할머니 ❸ [　][　] 을/를 밟아 드렸습니다.	
시에 나타난 인물의 마음	**‘나’**	**❹ [　][　][　]**
	• 할머니의 아프신 허리가 나았으면 좋겠어. • 할머니 허리를 너무 세게 밟으면 할머니께서 아프실 것 같아.	• 아픈 허리가 시원하네. • 손자가 밟아 주니까 더 좋구나.
비슷한 ❺ [　][　] 떠올리기	할아버지 어깨를 주물러 드렸던 것이 생각났어.	아버지 흰머리를 뽑아 드렸어. 아버지는 뽑으라고 하시는데 나는 아버지께서 아프실까 봐 조심조심 뽑았던 것이 떠올라.

**경험을 떠올리며
이야기 읽기**

예 「덕실이가 말을 해요」를 읽고 자신의 경험을 떠올려 이어질 이야기 상상하기

이야기에 나타난 주인공의 경험	수일이는 자신이 둘이 되어 한 명은 학원에 가고, 한 명은 마음껏 놀 수 있으면 좋겠다고 했습니다. 그때 집에서 키우던 개, 덕실이가 ❻ ☐☐ 을/를 깎아 쥐한테 먹이면 그 쥐가 수일이하고 똑같은 모습으로 바뀔지도 모른다고 말했고 수일이는 깜짝 놀랐습니다.
주인공의 경험과 비슷한 자신의 경험	나도 수일이처럼 나와 똑같이 생긴 누군가가 내 일을 대신 해 줬으면 좋겠다고 생각한 적이 있어.

이어질 내용 상상하기	수일이는 가짜 수일이를 만들었을까?	엄마가 가짜 수일이를 본다면 어떻게 생각할까?
	덕실이가 말한 대로 ❼ ☐ 을/를 찾아서 가짜 수일이를 만들 수 있을 거야.	엄마가 가짜 수일이를 예뻐하실 것 같아.
	수일이와 가짜 수일이에게 어떤 일이 일어날까?	가짜 수일이를 만난 수일이 기분은 어떠할까?
	엄마가 가짜 수일이를 예뻐해 수일이가 가짜 수일이를 만든 것을 후회할 것 같아.	친구들이 가짜 수일이와 더 재미있게 놀아서 수일이가 외로워질 것 같아.

**경험을 떠올리며
시 쓰기**

예 「꽃」을 읽고 자기 경험이 잘 드러나게 시 바꾸어 쓰기

시에 나타난 말하는 이의 경험	'나'는 봄날에 ❽ ☐ 이/가 피어 있는 것을 보고 먼저 알아보지 못해서 ❾ ☐☐ 했습니다.
바꾸어 쓰고 싶은 자신의 경험 떠올리기	친구와 싸운 후에 화해하기를 바랐던 경험을 시로 써 보고 싶어.
시 바꾸어 쓰기	친구 친구가 손을 내밀었다 나만 화해하고 싶은 줄 알았는데 마음이 갈라지는 길목에서 먼저 손을 내어 주기를 날마다 기다리고 있었다

[1~3] 글을 읽고, 물음에 답하시오.

1919년 3월 10일, 일본은 학교를 강제로 닫았다. 그래서 기숙사에 있던 학생들은 뿔뿔이 흩어졌고 유관순도 고향으로 돌아왔다.

고향으로 돌아온 유관순은 독립 만세를 부를 준비를 했다. 유관순은 사촌 언니와 함께 동지들을 모으고, 독립 만세를 부를 계획을 치밀하게 세웠다. 날마다 이 마을 저 마을을 찾아다니며 독립 만세를 부르는 일에 함께 참여할 것을 부탁했다. 하루 종일 돌아다니다가 집에 돌아오면 몸은 말할 수 없이 피곤했다. 그렇지만 잠시 찬물에 발을 담그고, 곧바로 가족과 함께 밤새워 태극기를 만들었다.

1 유관순이 고향으로 돌아온 까닭은 무엇인지 빈칸에 알맞은 말을 쓰시오.

• ( )이/가 학교를 강제로 닫았기 때문이다.

2 독립 만세를 부를 준비를 하는 유관순의 모습으로 알맞지 않은 것의 기호를 쓰시오.

> ㉠ 사람들에게 들키지 않게 혼자 준비했다.
> ㉡ 가족과 함께 밤새워 태극기를 만들었다.
> ㉢ 여러 마을을 찾아다니며 독립 만세를 부르는 일에 함께 참여할 것을 부탁했다.

( )

3 이 글에 나타난 유관순의 모습을 보고 느낀 점을 알맞게 말한 친구를 두 명 쓰시오.

> 지수: 학교에 가지 않은 것이 부러워.
> 민정: 나라를 사랑하는 마음이 대단하다고 느껴졌어.
> 도현: 일제 강점기에 나라를 지키려는 유관순의 노력에 감동했어.

( )

[4~6] 글을 읽고, 물음에 답하시오.

오후 1시, 유관순은 많은 사람 앞에서 외쳤다.
"여러분, 반만년의 역사를 지닌 우리 겨레가 불행하게도 일본에 나라를 빼앗겼습니다. 이제 나라를 되찾아야 합니다. 지금 전국 방방곡곡에서 모두 일어나 독립을 외치고 있습니다. 여러분, 만세를 부릅시다. 대한 독립 만세를!"
순식간에 독립 만세 소리가 온 천지를 뒤흔들었다. 깜짝 놀라 달려온 일본 헌병들은 총과 칼을 휘두르면서 평화롭게 독립 만세를 부르며 나아가는 사람들을 막았다. 많은 사람이 죽거나 다쳤다.

4 유관순이 독립 만세 운동을 한 까닭은 무엇인지 알맞은 것에 ○표를 하시오.

(1) 학교를 세우기 위해서 ( )
(2) 독립의 기쁨을 나타내기 위해서 ( )
(3) 일본에 빼앗긴 나라를 되찾기 위해서 ( )

5 일본 헌병들은 독립 만세 운동을 하는 사람들을 보고 어떻게 했습니까? ( )

① 자신들의 행동을 반성했다.
② 함께 독립 만세 운동을 했다.
③ 총과 칼을 휘두르면서 막았다.
④ 사람들이 없는 곳으로 도망갔다.
⑤ 사람들에게 방해되지 않게 지켜보았다.

(논술형)
6 이 글을 읽을 때 떠오른 경험을 쓰시오.

_____

_____

7 경험을 떠올리며 글을 읽으면 좋은 점을 세 가지 고르시오. (, ,)

① 글을 쓴 장소를 알 수 있다.
② 이어질 내용을 미리 알 수 있다.
③ 내용을 더 쉽게 이해할 수 있다.
④ 내용을 더 생생하게 느낄 수 있다.
⑤ 인물의 마음을 더 잘 이해할 수 있다.

8 시와 관련 있는 경험을 떠올릴 때 해야 할 것이 아닌 것은 무엇입니까? ( )

① 시 내용을 잘 파악한다.
② 시 표현을 잘 살펴본다.
③ 시의 각 연에 쓰인 글자 수를 세어 본다.
④ 시에서 말하는 이의 경험이 무엇인지 파악한다.
⑤ 시에서 말하는 이가 무슨 생각을 하는지 알아본다.

[9~11] 시를 읽고, 물음에 답하시오.

> 할머니 아픈 허리는 왜 밟아야 시원할까요?
> ㉠아이쿠! 아이쿠! 하면서도 "꼭꼭 밟아라."
> 하십니다
> 그래도 나는 겁이 나 자근자근 밟습니다.

9 할머니께서 "꼭꼭 밟아라."라고 말씀하신 까닭은 무엇인지 기호를 쓰시오.

> ① 꼭꼭 밟아야 '나'의 다리가 시원해지기 때문이다.
> ② 꼭꼭 밟아야 겁이 난 '나'의 마음이 가라앉기 때문이다.
> ③ 꼭꼭 밟아야 할머니의 아프신 허리가 시원하기 때문이다.

( )

10 이 시에 나타난 '나'의 마음을 상상한 것으로 알맞은 것을 두 가지 고르시오. (,)

① 아픈 허리가 시원하네.
② 손자가 밟아 주니까 더 좋구나.
③ 허리 밟는 걸 안 시키셨으면 좋겠어.
④ 할머니 아프신 허리가 나았으면 좋겠어.
⑤ 할머니 허리를 너무 세게 밟으면 할머니께서 아프실 것 같아.

11 이 시를 낭송할 때 ㉠ 부분은 누구의 목소리를 흉내 내며 낭송하면 좋을지 쓰시오.

( )

[12~14] 글을 읽고, 물음에 답하시오.

> ㉮ "엄마, 덕실이가요!"
> "얘, 너 또 학원 가기 싫으니까 엉뚱한 소리로 빠져나가려고 그러지?"
> 엄마가 안방에서 나오며 말했다. 손에 걸레를 들고 있었다.
> "아니에요, 정말로 말을 했어요!"
> "개들도 무슨 말인가 하기는 하겠지. 사람이 못 알아들어서 그렇지."
> ㉯ "아무 말이든 또 해 봐. 덕실아, 너도 내가 하나로는 힘들겠다고 생각하지?"
> "조금." / 덕실이가 말했다.
> "조금이라고? 아침 먹자마자 피아노 학원, 속셈 학원, 바둑 교실, 영어 학원, 검도…….
> 하루 종일 학원에 왔다 갔다 하기 바쁜데도?
> 방학인데 놀 시간이 없어!"

12 엄마는 덕실이가 말을 한다는 '나'의 이야기를 듣고 어떤 생각을 했는지 빈칸에 알맞은 말을 쓰시오.

• '내'가 ( )에 가기 싫으니까 엉뚱한 소리로 빠져나가려고 한다고 생각하셨다.

13 '나'는 덕실이에게 무엇이 힘들다고 말했는지 쓰시오.

( )

14 다음 친구는 이 글을 어떻게 읽었는지 알맞은 내용에 ○표를 하시오.

> 덕실이가 말을 하는 장면에서 어렸을 때 동물들이 말을 한다고 상상했던 경험이 떠올랐습니다.

(1) 이어질 내용을 상상하며 읽었다. ( )
(2) 자신의 경험과 비슷한 경험이 드러난 부분을 찾으며 읽었다. ( )
(3) 작품 속 세계와 우리가 사는 현실 세계의 다른 점을 찾으며 읽었다. ( )

[15~17] 글을 읽고, 물음에 답하시오.

> ㉮ "정말 네가 둘이었으면 좋겠어?"
> "그래!" / "그럼 너를 하나 더 만들면 되지."
> "하나 더? 어떻게?"
> ㉯ "어떻게 하느냐 하면, 네 손톱을 깎아서 쥐한테 먹이는 거야." / "뭐어?"
> "그러면 그 쥐가 너하고 똑같은 모습으로 바뀔지도 몰라."
> ㉰ "쥐도 없잖아." / "쥐는 어디든 있어."
> 덕실이가 나직하게 말했다. 쥐가 어디선가 엿듣고 있을지도 모른다는 듯이. 그때 문밖에서 엄마가 소리쳤다.
> "수일아, 뭐 하고 있니? 얼른 학원에 안 가?"
> "예, 지금 가요!"
> 수일이는 얼른 학원 가방을 들고 방문을 열고 나왔다. 덕실이도 뒤따라 나왔다.

15 덕실이는 수일이에게 손톱을 깎아서 쥐한테 먹이면 어떤 일이 일어날지도 모른다고 했는지 빈칸에 알맞은 말을 쓰시오.

- 그 쥐가 수일이와 (   ) 모습으로 바뀔지도 모른다고 했다.

논술형

16 다음 질문에 알맞게 이 글 뒤에 이어질 내용을 상상해 쓰시오.

> 수일이는 가짜 수일이를 만들었을까?

_____

_____

17 이 작품 속 세계와 현실 세계의 다른 점을 두 가지 골라 기호를 쓰시오.

> ㉠ 학원에 가는 것
> ㉡ 강아지와 대화하는 것
> ㉢ 손톱을 쥐한테 먹여 가짜 수일이를 만드는 것

(   )

[18~19] 시를 읽고, 물음에 답하시오.

> 꽃이 얼굴을 내밀었다
>
> 내가 먼저 본 줄 알았지만
> 봄이 쫓아가던 길목에서
> 내가 보아 주기를 날마다 기다리고 있었다
>
> 내가 먼저 말 건 줄 알았지만
> 바람과 인사하고 햇살과 인사하며
> 날마다 내게 말을 걸고 있었다

18 무엇을 본 경험이 나타난 시인지 쓰시오.

(   )

19 다음은 이 시를 읽고 자신의 경험을 떠올려 일부를 바꾸어 쓴 시입니다. 어떤 경험을 떠올려 바꾸어 썼는지 빈칸에 알맞은 말을 쓰시오.

> 친구가 손을 내밀었다
>
> 나만 화해하고 싶은 줄 알았는데
> 마음이 갈라지는 길목에서
> 먼저 손을 내어 주기를 날마다 기다리고 있었다

- 친구와 싸운 후에 (   )하기를 바랐던 경험

☆☆ 20 다음 중 알맞은 내용을 두 가지 골라 ○표를 하시오.

(1) 사람마다 경험이 다르지만 같은 작품을 읽고 든 생각이나 느낌은 모두 같다. (   )

(2) 작품 속 인물이 겪은 일과 자신의 경험을 견주어 읽으면 인물의 마음을 깊이 이해할 수 있다. (   )

(3) 실제로 보고, 듣고, 배우고, 생각하고, 느낀 것을 떠올리며 시나 이야기를 읽으면 작품을 풍부하게 감상할 수 있다. (   )

서술형 평가

1 경험을 떠올리며 작품을 읽으면 좋은 점을 한 가지 쓰시오.

_____

_____

_____

[2~3] 시를 읽고, 물음에 답하시오.

> 이러다 지각하겠다 싶을 때, 있는 힘껏 길을 잡아당기면 출렁출렁, 학교가 우리 앞으로 온다
>
> 춥고 배고파 죽겠다 싶을 때, 있는 힘껏 길을 잡아당기면 출렁출렁, 저녁을 차린 우리 집이 버스 정류장 앞으로 온다
>
> 갑자기 니가 보고 싶을 때, 있는 힘껏 길을 잡아당기면 출렁출렁, 그리운 니가 내게 안겨 온다

2 말하는 이가 있는 힘껏 길을 잡아당기는 까닭을 모두 쓰시오.

_____

_____

3 이 시에서 말하는 이의 마음이 느껴지는 표현을 찾고, 그렇게 생각한 까닭을 쓰시오.

(1) 말하는 이의 마음이 느껴지는 표현	
(2) 그렇게 생각한 까닭	

[4~5] 글을 읽고, 물음에 답하시오.

> 컴퓨터를 끄자마자 맥이 탁 풀리며 짜증부터 났다. 달력을 보니 방학이 일주일도 안 남아 있다. 오늘이 8월 25일이니까 정확하게 6일 남았다.
>
> "엄마 때문이야. 우리 엄마 시키는 대로 다 하려면 내가 둘은 있어야 해."
>
> 수일이는 걸상 옆에 앉아 있는 덕실이가 엄마라도 되는 듯이, 덕실이를 곁눈질로 흘겨보며 말했다. 그러고는 영어 학원 가방을 집어서 퍽 소리가 나도록 방바닥에 떨어뜨렸다.
>
> "으으, 진짜 내가 하나 더 있었으면 좋겠어! 그래야 하나는 학원에 가고 하나는 마음껏 놀 수가 있지."

4 이 글에서 인상 깊은 장면은 무엇인지 쓰고, 그렇게 생각한 까닭을 쓰시오.

(1) 인상 깊은 장면	
(2) 그렇게 생각한 까닭	

5 만약에 수일이의 소원대로 가짜 수일이를 만들었다면, 가짜 수일이를 만난 수일이 기분은 어떠했을지 상상해 쓰시오.

_____

_____

_____

6 자신의 경험을 떠올리며 바꾸어 쓴 시를 낭송하는 방법을 두 가지 쓰시오.

• _____

• _____

● 다음 교과서 문장의 파란색 낱말 중에서 알맞은 것을 골라 인물들이 한 말을 완성하시오.

> • 유관순은 사촌 언니와 함께 동지들을 모으고, 독립 만세를 부를 계획을 **치밀하게** 세웠다.
> • 논밭을 **일구어** 곡식을 심고, 공장을 세우고, 산에는 성을 쌓아 군사들을 훈련시켜 귀신들을 물리쳐
> 야 하는데, 그 일이 만만치 않아서 한번 시작하면 시간 가는 줄 모른다.
> • 컴퓨터를 끄자마자 **맥**이 탁 풀리며 짜증부터 났다.
> • 내가 먼저 본 줄 알았지만 / 봄이 쫓아가던 **길목**에서 / 내가 보아 주기를 날마다 기다리고 있었다

정답 | ❶ 일구어 ❷ 맥 ❸ 길목 ❹ 치밀하게

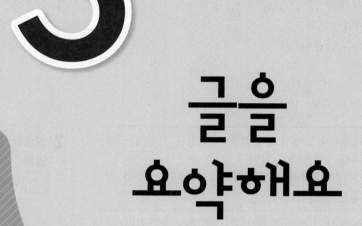

역량 다르게 생각하기

3 글을 요약해요

무엇을 배울까요?

준비
- 설명하는 글을 읽은 경험 나누기

기본
- 여러 가지 설명 방법 알기
- 구조를 생각하며 글 요약하기
- 대상을 생각하며 설명하는 글 쓰기

실천
- 자료를 찾아 읽고 요약하기

3 글을 요약해요

1 설명하는 글을 읽고 새롭게 안 점 이야기하기

① 필요한 정보를 얻을 수 있습니다.
② 어떤 일을 할 때 그 일의 차례를 알 수 있습니다.
③ 일의 방법과 규칙을 알 수 있습니다.
④ 알고 싶은 것을 자세히 알 수 있습니다.

2 여러 가지 설명 방법

비교·대조	• 두 가지 이상의 대상에서 공통점과 차이점을 찾아 설명하는 방법을 비교·대조라고 합니다. • 두 가지 이상의 대상에서 공통점이나 차이점을 찾아 설명하기에 좋은 방법입니다.
열거	• 설명하려는 대상의 특징을 나열해 설명하는 방법입니다. • 표현하려는 대상이나 내용을 구체적으로 알려 주는 데 좋은 방법입니다.

3 구조를 생각하며 글 요약하기

① 대상을 설명하는 방법이 무엇인지 확인합니다.
② 문단마다 중심 문장을 찾습니다.
③ 중요하지 않은 내용은 지우고, 세부 내용은 대표하는 말로 바꾸어 중심 내용을 정리합니다. _{자세한 부분}
④ 글의 구조에 알맞게 틀을 그리고 내용을 정리합니다.

4 대상을 생각하며 설명하는 글 쓰기

① 설명하고 싶은 대상을 정합니다.
② 설명하고 싶은 내용과 대상의 특징을 잘 드러낼 수 있는 설명 방법을 정합니다.
③ 설명하는 글을 쓰기 위한 자료를 수집합니다.
④ 설명하는 글에 알맞은 틀을 그리고 그 틀에 중심 내용을 정리합니다.
⑤ 정리한 내용을 바탕으로 하여 설명하는 글을 씁니다.

5 설명하는 글을 쓸 때 주의할 점

① 이 글을 쓰는 목적을 생각합니다.
② 확실하지 않은 정보를 제공해서는 안 됩니다.
③ 추측하는 말이나 주장하는 말은 설명하는 글에 어울리지 않습니다.
④ 읽는 사람이 이해할 수 있는 말을 사용해야 합니다.
⑤ 누구나 아는 내용보다는 잘 알려지지 않은 정보를 주어야 합니다.

준비 설명하는 글을 읽은 경험 나누기

1 다음 친구들은 무엇을 읽은 경험을 말했습니까?
( )

장난감 로봇을 조립하려고 설명서를 읽었어.

국어 숙제를 하려고 백과사전을 찾아 읽었어.

① 시 ② 이야기
③ 독서 감상문 ④ 설명하는 글
⑤ 주장하는 글

2 다음 그림에서 남자아이가 읽고 있는 글은 무엇을 설명하는 글이겠는지 빈칸에 쓰시오.

• ( )을/를 설명하는 글

【핵심】
3 설명하는 글을 읽은 경험을 떠올려 보고, 다음 질문에 알맞은 답을 쓰시오.

(1) 언제 어디에서 읽었나요?	
(2) 무엇을 설명하는 글이었나요?	
(3) 글을 읽고 어떤 도움을 받았나요?	

[4~5] 글을 읽고, 물음에 답하시오.

> ○ 설명이 더 필요한 부분 살펴보기
> ❶ 씨앗을 미지근한 물에 담가 놓는다.
> ❷ 준비한 그릇에 부드러운 헝겊을 깔고, 불린 씨앗을 서로 겹치지 않게 촘촘히 깔아 준다.
> ❸ 종이로 덮어 햇빛을 가리고 물기가 마르지 않게 물뿌리개로 물을 뿌려 준다.
> ❹ 싹이 나오면 종이를 벗겨 그늘에 두고, 수분이 마르지 않도록 물을 준다.
> ❺ 5~6일이 지나면 새싹 채소를 얻을 수 있다.

4 이 글은 무엇을 설명하는 글인지 빈칸에 알맞은 말을 쓰시오.

• ( )을/를 가꾸는 방법

5 다음 【보기】와 같이 이 글에서 설명이 더 필요한 부분을 한 군데 더 찾아 쓰시오.
【교과서 문제】

> 【보기】 씨앗을 미지근한 물에 얼마나 담가 놓아야 하는지에 대한 부분이다.

( )

6 설명하는 글을 읽을 때 생각해야 할 점을 모두 골라 ○표를 하시오.

(1) 설명이 정확한가? ( )
(2) 어떤 것을 설명하는가? ( )
(3) 글쓴이의 의견이 잘 드러났는가? ( )
(4) 자신에게 도움이 되는 정보가 있는가?
( )

● **설명하는 글을 읽은 경험 나누기** 예 【핵심】

언제 어디에서 읽었나요?	지난주에 국어 숙제를 하려고 백과사전을 찾아 읽었습니다.
무엇을 설명하는 글이었나요?	낱말의 뜻과 유래입니다.
글을 읽고 어떤 도움을 받았나요?	낱말에 대해 잘 모르는 것을 알 수 있었습니다.

● 주변에서 설명하는 글을 찾아 읽기

㉮

국립중앙박물관 이용 안내

▶ 국립중앙박물관은 1월 1일, 설날(당일), 추석(당일)에는 쉽니다.

▶ 6세 이하 어린이는 보호자와 함께해야 합니다.

■ 관람 시간
- 월·화·목·금요일 10:00~18:00
- 수·토요일 10:00~21:00
- 일요일·공휴일 10:00~19:00

■ 관람료: 무료(상설 전시관, 어린이 박물관, 무료 특별 전시)

㉯

과일 카드 놀이 방법

❶ 책상 가운데에 종을 놓고 과일 카드를 똑같이 나누어 가진다.

❷ 차례에 맞게 각자 카드를 한 장씩 펼쳐 내려놓는다.

❸ 펼친 카드 가운데에서 같은 과일이 다섯 개가 되면 재빨리 종을 친다.

❹ 먼저 종을 친 사람이 바닥에 모인 카드를 모두 가져간다.

❺ ❷~❹를 되풀이해서 마지막까지 카드를 가지고 있는 사람이 이긴다.

• **글의 종류:** 설명하는 글
• **글의 내용:** 글 ㉮는 국립중앙박물관을 관람하는 방법, 관람 시간, 관람료, 쉬는 날 등을 설명했고, 글 ㉯는 과일 카드 놀이를 하는 방법을 설명했습니다.

●글 ㉮와 ㉯를 읽고 새롭게 안 점 [핵심]

㉮	국립 박물관을 이용할 때 필요한 정보를 얻을 수 있습니다.
㉯	과일 카드 놀이 방법과 차례, 규칙을 알 수 있습니다.

보호자 어떤 사람을 보호할 책임을 가지고 있는 사람.
예 아이가 보호자 없이 혼자 다니면 위험합니다.

관람 연극, 영화, 운동 경기, 미술품 따위를 구경함.
상설 언제든지 이용할 수 있도록 설비와 시설을 갖추어 둠.

7 글 ㉮에서 설명하지 않은 것에 ×표를 하시오.

(1) 국립중앙박물관 관람료 ( )
(2) 국립중앙박물관 쉬는 날 ( )
(3) 국립중앙박물관 가는 길 ( )
(4) 국립중앙박물관 관람 시간 ( )

[서술형]
8 글 ㉯를 읽고, 과일 카드 놀이를 할 때 카드를 얻으려면 어떻게 해야 하는지 쓰시오.

_____

_____

9 글 ㉮, ㉯와 같이 주변에서 볼 수 있는 설명하는 글을 한 가지 찾아보고, 무엇을 알려 주는 글인지 쓰시오.

( )

[핵심]
10 설명하는 글을 읽고 새롭게 알 수 있는 점이 아닌 것의 기호를 쓰시오.

㉠ 필요한 정보를 얻을 수 있다.
㉡ 일의 방법과 규칙을 알 수 있다.
㉢ 다른 사람의 생각을 알 수 있다.
㉣ 어떤 일을 할 때 그 일의 차례를 알 수 있다.

( )

여러 가지 설명 방법 알기

◉ 탑을 본 경험을 떠올리며 글 읽기

다보탑과 석가탑

• 글의 종류: 설명하는 글
• 글의 내용: 다보탑과 석가탑의 공통점과 차이점이 나타나 있습니다.

❶ 우리나라에는 화강암을 쪼아 만든 석탑이 많습니다. 그 가운데에서 가장 유명한 탑은 다보탑과 석가탑입니다. 다보탑과 석가탑에는 공통점과 차이점이 있습니다.

❷ 다보탑과 석가탑은 공통점이 있습니다. 두 탑은 모두 통일 신라 시대에 만든 탑으로서 불국사 대웅전 앞뜰에 나란히 서 있습니다. 또 두 탑은 그 가치를 인정받아 국보로 지정되었습니다.

❸ 두 탑의 모습은 매우 다릅니다. 다보탑은 장식이 많고 화려합니다. 십자 모양의 받침 주변에 돌계단을 만들고 그 위에 사각·팔각·원 모양의 돌을 쌓아 올렸습니다. 반면 석가탑은 단순하면서도 세련된 멋이 있습니다. 사각 평면 받침 위에 돌을 삼 층으로 쌓아 올려 매우 균형 있는 모습을 자랑합니다.

❹ 다보탑과 석가탑은 서로 다른 모습으로 각각 아름답습니다. 두 탑은 우리 조상의 뛰어난 솜씨와 예술성을 보여 줍니다. 그래서 많은 사람에게 관심과 사랑을 받습니다.
예술 작품이 지닌 예술적인 특성

●비교·대조의 설명 방법

다보탑과 석가탑의 공통점
• 화강암을 쪼아 만든 석탑이다.
• 통일 신라 시대에 만들었다.
• 불국사 대웅전 앞뜰에 서 있다.
• 우리나라 국보이다.

다보탑과 석가탑의 차이점	
다보탑	• 장식이 많고 화려하다. • 십자 모양의 받침 주변에 돌계단을 만들고 그 위에 사각·팔각·원 모양의 돌을 쌓아 올렸다.
석가탑	• 단순하면서도 세련된 멋이 있다. • 사각 평면 받침 위에 돌을 삼 층으로 쌓아 올려 매우 균형 있는 모습이다.

국보(國 나라 국, 寶 보배 보) 나라에서 지정하여 법률로 보호하는 문화재. ⓓ 우리나라 국보 제1호는 숭례문입니다.

균형(均 고를 균, 衡 저울대 형) 어느 한쪽으로 기울거나 치우치지 아니하고 고른 상태.

1 이 글에서 각 문단의 중심 문장을 정리한 표입니다. ❷, ❸문단의 중심 문장을 찾아 쓰시오.

❶	다보탑과 석가탑에는 공통점과 차이점이 있습니다.
❷	(1)
❸	(2)
❹	다보탑과 석가탑은 서로 다른 모습으로 각각 아름답습니다.

2 이 글에서 대상을 설명한 방법에 맞게 빈칸에 알맞은 말을 쓰시오.

• 두 가지 이상의 대상에서 (　　　　)과/와 차이점을 찾아 설명했다.

3 이 글의 내용을 다음 틀에 정리할 때, ㉠에 들어갈 내용으로 알맞지 <u>않은</u> 것은 무엇입니까? (　　)

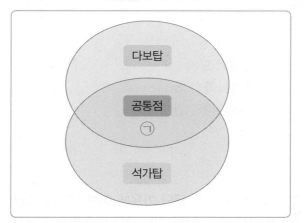

① 우리나라 국보이다.
② 통일 신라 시대에 만들었다.
③ 화강암을 쪼아 만든 석탑이다.
④ 불국사 대웅전 앞뜰에 서 있다.
⑤ 단순하면서도 세련된 멋이 있다.

○ 대상을 설명하는 방법을 생각하며 글 읽기

세계의 탑

❶ 사람들은 다양한 목적으로 탑을 세웁니다. 종교나 군사 목적으로 탑을 만들 뿐만 아니라 무엇인가를 기념하려고 탑을 짓습니다. 세계 여러 도시에 있는 유명한 탑을 알아봅시다.

❷ 이탈리아 토스카나주에는 피사의 사탑이 있습니다. 피사의 사탑은 종교
5 목적으로 만들어졌습니다. 55미터 높이로 세운 이 탑은 완성한 뒤 조금씩 한쪽으로 기울기 시작해 현재 모습이 되었습니다. 그 아슬아슬한 모습은 눈길을 많이 끕니다.

❸ 프랑스 파리에는 에펠 탑이 있습니다. 에펠 탑은 1889년에 프랑스 혁명 100주년을 기념해 세웠습니다. 에펠 탑의 높이는 324미터이고, 해마다 세
10 계 여러 나라에서 수백만 관광객이 찾을 만큼 유명합니다. 현재는 파리뿐만 아니라 프랑스 전체를 상징하는 건축물이기도 합니다.

❹ 중국 상하이에는 높이가 468미터인 동방명주 탑이 있습니다. 이 탑은 1994년에 방송을 송신하려고 세웠습니다. 동방명주 탑은 높은 기둥을 중심 축으로 하여 구슬 세 개를 꿰어 놓은 것 같은 독특한 외형 때문에 '동양의 진
15 주'라고 불립니다.

겉으로 드러난 모양

• 글의 종류: 설명하는 글
• 글의 내용: 세계 여러 도시에 있는 유명한 탑 중 이탈리아 토스카나주의 피사의 사탑, 프랑스 파리의 에펠 탑, 중국 상하이의 동방명주 탑을 예로 들어 설명했습니다.

→ 설명하려는 대상의 특징을 나열해 설명하는 방법

● **열거의 설명 방법**

```
        세계의 탑
   ┌───────┼───────┐
이탈리아    프랑스    중국
토스카나    파리의   상하이의
주의       에펠 탑   동방명주
피사의              탑
사탑
```

핵심

기념 어떤 뜻깊은 일이나 훌륭한 인물 등을 오래도록 잊지 아니하고 마음에 간직함.

송신(送 보낼 송, 信 믿을 신) 주로 전기적 수단을 이용하여 전신이나 전화, 라디오, 텔레비전 방송 따위의 신호를 보냄. 또는 그런 일.

---

4 이 글은 무엇에 대해 쓴 글입니까? ( )

① 세계의 탑
② 세계의 성
③ 세계의 도시
④ 우리나라의 탑
⑤ 우리나라의 관광지

5 다음은 ❶~❹ 문단 가운데 어떤 문단에 대한 설명인지 빈칸에 해당하는 문단 번호를 모두 쓰시오.

교과서문제

(1) 설명하려는 대상을 소개함.
( ) 문단

(2) 설명하려는 대상의 예를 보여 줌.
( ) 문단

핵심

6 이 글과 같이 설명하려는 대상의 특징을 나열해 설명하는 방법을 무엇이라고 합니까? ( )

① 비유 ② 열거 ③ 비교
④ 대조 ⑤ 분석

역량

7 이 글의 내용을 정리하기에 알맞은 틀을 보기 에서 골라 기호를 쓰고, 그 틀을 고른 까닭을 쓰시오.

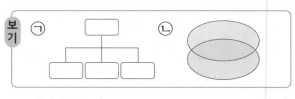

(1) 알맞은 틀: ( )

(2) 고른 까닭: _____

_____

기본 2 구조를 생각하며 글 요약하기

○ 글을 요약하면 좋은 점을 생각하며 글 읽기

가

어류의 여러 기관

어류는 아가미가 있는 척추동물입니다. 어류는 물속 환경에 적응할 수 있도록 다양한 기관이 **발달**했습니다.
물속에서 사는 동물, 특히 어류에 발달한 호흡 기관

어류 피부는 대부분 비늘로 덮여 있습니다. 비늘은 어류 몸을 보호합니다. 비늘은 짠 바닷물이 몸속으로 들어오지 못하게 막아 줍니다. 또 저마다 비늘 무늬가 달라 몸을 쉽게 숨길 수 있게 합니다.

어류는 아가미로 물속에 녹아 있는 산소를 **흡수**합니다. 입으로 물을 삼키고 아가미로 다시 내뱉는 **과정**에서 산소를 얻습니다.

어류는 몸통에 옆줄이 있습니다. 어류는 옆줄로 물 흐름이나 떨림 같은 환경 **변화**를 알아냅니다.

나 어류 피부는 [㉠](으)로 덮여 있어 몸을 보호해 주고, [㉡]은/는 물속에 녹아 있는 산소를 흡수한다. 또 어류는 [㉢](으)로 환경 변화를 알아낸다.

> • 글의 종류: 설명하는 글
> • 글의 특징: 글 **가**는 어류의 여러 기관에 대해 쓴 글이고, 글 **나**는 글 **가**에서 중요한 내용을 간단하게 정리한 글입니다.

> ● 글 **나**와 같이 요약하면 좋은 점 **핵심**
>
> | 글 **가** |
> | --- |
> | 「어류의 여러 기관」에 대해 쓴 글입니다. |
>
> ↓
>
> | 글 **나** |
> | --- |
> | • 글 **가**를 요약한 글입니다.
• 글 **가**에서 중요한 내용만 알기 쉽게 정리하여 중요한 내용을 더 쉽게 기억할 수 있습니다. |

발달 신체, 정서, 지능 따위가 성장하거나 성숙함.
ⓔ 골고루 먹어야 신체 발달이 잘됩니다.
흡수 빨아서 거두어들임.

과정(過 지날 **과**, 程 한도 **정**) 일이 되어 가는 경로.
ⓔ 모든 일은 결과만큼 과정도 중요합니다.
변화 사물의 성질, 모양, 상태 따위가 바뀌어 달라짐.

논술형

1 설명하는 글을 요약해 본 경험을 떠올려 쓰시오.

_____

_____

2 글 **가**는 무엇에 대해 쓴 글입니까? ( )
① 어류의 종류
② 어류의 생활 방식
③ 어류의 여러 기관
④ 조류의 여러 기관
⑤ 포유류의 여러 기관

3 글 **나**는 글 **가**를 읽고 요약한 글입니다. ㉠~㉢에 들어갈 알맞은 말을 글 **가**에서 찾아 쓰시오.
(1) ㉠: ( )
(2) ㉡: ( )
(3) ㉢: ( )

핵심

4 글을 요약하면 좋은 점으로 알맞지 <u>않은</u> 것의 기호를 쓰시오.

> ㉠ 많은 내용을 공부할 때 도움이 된다.
> ㉡ 글에서 중요한 내용만을 쉽게 알 수 있다.
> ㉢ 글의 전체 내용을 자세히 기억할 수 있다.

( )

○ 글의 구조를 생각하며 글 읽기

직업과 옷 색깔

박영란 · 최유성

• 글의 종류: 설명하는 글
• 글의 특징: 여러 가지 특징을 나열해 직업과 옷 색깔의 관계를 설명했습니다.

❶ ㉠사람은 직업에 따라 고유한 색깔 옷을 입기도 한다. ㉡직업의 특성에 따라 특정 색깔의 옷이 일을 하는 데 도움이 되기 때문이다.

어떤 구조를 활용해 내용을 설명했는지 살펴봐.

5 ❷ ㉢의사나 간호사는 보통 흰색 옷을 입는다. 감염에 민감한 환자들이 있는 병원에서는 위생이 매우 중요한 문제이기 때문이다. ㉣흰색 옷은 옷이 더러워졌을 때 이를 쉽게 알아차릴 수 있게 해 준다. 약사나 위생사, 요리사와 같이 청결을 유지해야 하는 일을 하는 사람들도 마찬가지로 흰색 옷을 입는다.

고유한 본래부터 가지고 있어 특유한.
감염 병의 원인이 되는 미생물이 동물이나 식물의 몸 안에 들어가 많아지는 일. 예 세균에 감염되지 않도록 손을 깨끗이 씻읍시다.
민감한 자극에 빠르게 반응을 보이거나 쉽게 영향을 받는 데가 있는. 예 이 화장품은 민감한 피부를 진정시켜 줍니다.

위생 건강에 유익하도록 조건을 갖추거나 대책을 세우는 일.
예 음식을 만드는 사람은 위생에 주의해야 합니다.
청결(淸 맑을 청, 潔 깨끗할 결) 맑고 깨끗함.
유지 어떤 상태나 상황을 그대로 보존하거나 변함없이 계속하여 지탱함. 예 꾸준한 운동이 건강 유지의 비결입니다.

---

5 [교과서 문제] 직업에 따라 옷 색깔을 특별히 정해서 입는 까닭을 알맞게 말한 친구는 누구인지 쓰시오.

> 유미: 직업에 따라 입어야 하는 색깔의 옷을 입지 않으면 벌을 받기 때문이야.
> 희수: 직업의 특성에 따라 특정 색깔의 옷이 일을 하는 데 도움이 되기 때문이야.

(   )

6 다음 직업을 가진 사람들은 보통 무슨 색깔의 옷을 입는다고 했습니까? (   )

> 의사, 간호사, 약사, 위생사, 요리사

① 흰색   ② 노란색   ③ 빨간색
④ 주황색   ⑤ 검은색

(서술형)
7 의사나 간호사가 6번 문제에서 답한 색깔의 옷을 입는 까닭은 무엇인지 쓰시오.

_____

_____

8 ❶, ❷ 문단의 중심 문장은 무엇인지 ㉠~㉣ 중 골라 각각 알맞은 기호를 쓰시오.

(1) ❶ 문단: (   )
(2) ❷ 문단: (   )

❸ 법관은 검은색 옷을 입는다. 예전 서양에서는 신분에 따라 입을 수 있는 옷 색깔이 정해져 있었지만, 검은색 옷은 누구나 입을 수 있었다. 법관의 검은색 옷은 법 앞에서 모든 사람이 평등하다는 뜻을 나타내며, 다른 것에 물들지 않고 공정하게 재판해야 한다는 의미를 담고 있다.

5

❹ 군인은 주변 환경과 상황에 따라 옷 색깔을 달리하여 입는다. 전투를 벌일 때 적군 눈에 쉽게 띄면 안 되기 때문이다. 예전의 화약 무기는 한번 사용하면 연기가 자욱하여 적군과 아군을 구분하기가 힘들었다. 따라서 당시에는 강한 원색의 군복을 입었다. 오늘날에는 기술이 발달하여 군인은 대부분 주변 환경과 구별하기 힘든 색의 옷을 입는다.

10

잔뜩 끼어 흐릿하여

❺ 사람들은 직업에 따라 입는 옷 색깔이 다양하다. 옷 색깔이 무엇을 뜻하는지 안다면 그 직업을 더 잘 알 수 있다.

> 중요하지 않은 내용은 지우고, 세부 내용은 대표하는 말로 바꾸어 중심 내용을 정리하면 돼.

> 글의 구조에 알맞게 틀을 그리고 내용을 정리해 보자.

● 글의 구조를 생각하며 정리하기

글의 구조	문단의 중심 문장
처음	사람은 직업에 따라 고유한 색깔 옷을 입기도 한다.
가운데	• 의사나 간호사는 보통 흰색 옷을 입는다. • 법관은 검은색 옷을 입는다. • 군인은 주변 환경과 상황에 따라 옷 색깔을 달리하여 입는다.
끝	사람들은 직업에 따라 입는 옷 색깔이 다양하다.

핵심

③ 단원

평등 권리, 의무, 자격 따위가 차별 없이 고르고 한결같음. ㉎ 모든 국민은 법 앞에 평등합니다.

아군(我 나 아, 軍 군사 군) 우리 편 군대.
원색 현란한 빛깔. ㉎ 눈에 잘 띄는 원색의 옷을 입으세요.

---

9 법관이 검은색 옷을 입는 까닭을 두 가지 고르시오. (,)

① 법이 중요하다는 뜻을 나타내기 때문에
② 다른 사람의 눈에 쉽게 띄면 안 되기 때문에
③ 법 앞에서 모든 사람이 평등하다는 뜻을 나타내기 때문에
④ 신분에 따라 법관이 입을 수 있는 옷 색깔이 정해져 있기 때문에
⑤ 다른 것에 물들지 않고 공정하게 재판해야 한다는 의미를 담고 있기 때문에

10 이 글에서는 대상을 어떤 방법으로 설명했습니까? ( )

교과서 문제

① 다른 대상에 빗대어 설명했다.
② 여러 가지 특징을 나열해 설명했다.
③ 두 대상에서 차이점을 찾아 설명했다.
④ 두 대상에서 공통점을 찾아 설명했다.
⑤ 시간이나 공간의 순서에 따라 설명했다.

핵심

11 이 글의 내용을 '처음-가운데-끝'으로 정리하여 빈칸에 알맞은 문장을 쓰시오.

글의 구조	문단의 중심 문장
처음	사람은 직업에 따라 고유한 색깔 옷을 입기도 한다.
가운데	• 의사나 간호사는 보통 흰색 옷을 입는다. • •
끝	사람들은 직업에 따라 입는 옷 색깔이 다양하다.

12 글의 구조를 생각하며 요약하는 방법으로 알맞지 않은 것에 ×표를 하시오.

교과서 문제

(1) 문단마다 중심 내용을 찾는다. ( )
(2) 중요하지 않은 내용도 모두 쓴다. ( )
(3) 글의 구조에 알맞게 틀을 그리고 내용을 정리한다. ( )

기본 ❸ 대상을 생각하며 설명하는 글 쓰기

핵심

1 우리 반 친구들에게 내가 좋아하는 것을 설명하는 글을 쓰려고 합니다. 설명하고 싶은 대상을 정한 뒤, 설명하고 싶은 내용과 설명 방법을 정해 쓰시오.

(1) 설명하고 싶은 대상	
(2) 설명하고 싶은 내용	
(3) 설명 방법	

[2~4] 표를 보고, 물음에 답하시오.

글의 내용	㉠고양이 기르기와 강아지 기르기의 공통점과 차이점
수집할 내용	㉡
수집할 곳	• 고양이 기르기 관련 서적 • 강아지 기르기 관련 서적 • 백과사전 • 고양이나 강아지를 기르고 있는 사람의 블로그

2 ㉠의 내용으로 설명하는 글을 쓸 때, 알맞은 설명 방법은 무엇인지 쓰시오.

( )

3 ㉠의 내용을 설명하는 글에 필요한 자료를 수집하려고 합니다. ㉡에 들어갈 내용으로 알맞지 <u>않은</u> 것은 무엇입니까? ( )

① 고양이와 강아지의 성격
② 고양이와 강아지를 그리는 방법
③ 고양이와 강아지에게 먹이 주는 방법
④ 고양이와 강아지를 잘 기를 수 있는 환경
⑤ 고양이와 강아지가 좋아하는 것과 싫어하는 것

4 ㉠의 내용을 설명하는 글에 알맞은 틀을 골라 번호를 쓰시오.

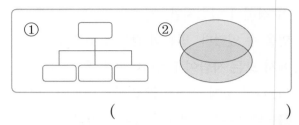

( )

5 설명하는 글을 쓸 때 주의할 점으로 알맞지 <u>않은</u> 것은 무엇입니까? ( )

교과서 문제

① 추측하는 말을 사용하지 않는다.
② 잘 알려지지 않은 정보를 제공한다.
③ 확실하지 않은 정보를 제공하지 않는다.
④ 자신의 의견을 주장하는 말을 사용한다.
⑤ 읽는 사람이 이해할 수 있는 말을 사용한다.

핵심

● 대상을 생각하며 설명하는 글 쓰기

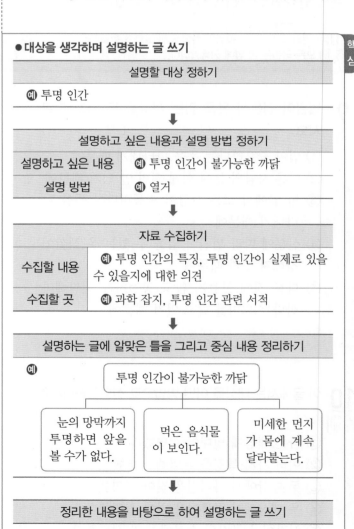

 **자료를 찾아 읽고 요약하기**

1 모둠 친구들과 함께 탐구하고 싶은 주제 한 가지를 정하고, 그 주제를 정한 까닭을 쓰시오.

(1) 주제	
(2) 정한 까닭	

2 설명하는 글을 쓰기 위해 주제와 관련 있는 자료를 찾을 때 주의해야 할 점이 <u>아닌</u> 것은 어느 것입니까? ( )

① 자료의 출처를 확인한다.
② 최근 자료인지 살펴본다.
③ 믿을 만한 내용인지 살펴본다.
④ 주제와 관련 있는 내용인지 살펴본다.
⑤ 친구들이 이미 아는 내용인지 살펴본다.

3 다음 보기 에서 설명하고 싶은 내용을 골라 설명 방법을 정하고, 알맞은 틀을 그려 설명할 내용을 간단히 정리하시오.

보기	주제	우리나라 탑의 종류
	찾은 자료	• 탑을 만드는 재료: 나무, 흙을 구워 만든 벽돌, 돌 • 만든 재료에 따른 탑의 종류: 목탑, 전탑, 모전석탑, 석탑

(1) 설명 방법: ( )
(2)

4 모둠이 함께 하나의 주제를 설명하는 글을 쓰는 차례에 맞게 기호를 쓰시오.

> ㉠ 주제와 관련 있는 자료 함께 찾기
> ㉡ 내용과 자료에 따라 설명하는 글 쓰기
> ㉢ 모둠 친구들이 함께 설명할 주제 정하기
> ㉣ 자료를 함께 읽고 설명하고 싶은 내용 정하기
> ㉤ 내용에 알맞은 설명 방법을 정하고 알맞은 설명 방법으로 내용 정리하기

( ) ➡ ( ) ➡ ( ) ➡ ( ) ➡ ( )

●**모둠 글쓰기 방법**

모둠 친구들이 함께 설명할 주제 정하기
예 우리나라 탑의 종류

⬇

주제와 관련 있는 자료 함께 찾기

찾은 자료 예	• 탑을 만드는 재료: 나무, 흙을 구워 만든 벽돌, 돌 • 만든 재료에 따른 탑의 종류: 목탑, 전탑, 모전석탑, 석탑

⬇

자료를 함께 읽고 설명하고 싶은 내용 정하기
예 우리나라 탑의 재료, 대표적인 우리나라의 탑, 종류에 따른 탑의 특징

⬇

내용에 알맞은 설명 방법 정하기
예 열거

⬇

알맞은 설명 방법으로 내용 정리하기
예

목탑 — 우리나라의 탑 — 전탑
모전석탑 — 우리나라의 탑 — 석탑

⬇

내용과 자료에 따라 설명하는 글 쓰기

설명하는 글을
읽은 경험
나누기

국어 숙제를
하려고 인터넷과 백과사전을
찾아 읽었습니다.

장난감 로봇을
조립하려고 설명서를
읽었습니다.

현장 체험학습을 간
박물관에서 본 유물이 어떤
것인지 궁금해서 설명하는
글을 읽었습니다.

여러 가지
설명 방법
알기

예 「다보탑과 석가탑」의 설명 방법에 알맞은 틀을 골라 글의 내용 정리하기

| 비교·대조 | 두 가지 이상의 대상에서 ❶ ☐☐☐ 과/와 차이점을 찾아 설명했습니다. |

다보탑

• 장식이 많고 화려하다.
• 십자 모양의 받침 주변에 돌계단을 만들고 그 위에
사각·팔각·원 모양의 돌을 쌓았다.

공통점

• 화강암을 쪼아 만든 석탑이다.
• 통일 신라 시대에 만들었다.
• 불국사 대웅전 앞뜰에 서 있다.
• 우리나라 국보이다.

❷ ☐☐☐

• 단순하면서도 세련된 멋이 있다.
• 사각 평면 받침 위에 돌을 삼 층으로 쌓아 올려
매우 균형 있는 모습이다.

예 「세계의 탑」의 설명 방법에 알맞은 틀을 골라 글의 내용 정리하기

❸ ☐☐   설명하려는 대상의 ❹ ☐☐ 을/를 나열하여 설명했습니다.

세계의 탑

| 이탈리아 토스카나주의
피사의 사탑 | 프랑스 파리의
에펠 탑 | 중국 상하이의
동방명주 탑 |

**구조를 생각하며
글 요약하기**

예 「직업과 옷 색깔」의 구조를 생각하며 글의 내용 요약하기

글의 구조	문단의 ⑤ ☐☐ ☐☐
처음	• 사람은 직업에 따라 고유한 색깔 옷을 입기도 한다.
가운데	• 의사나 간호사는 보통 흰색 옷을 입는다. • 법관은 검은색 옷을 입는다. • 군인은 주변 환경과 상황에 따라 옷 색깔을 달리하여 입는다.
끝	• 사람들은 직업에 따라 입는 옷 색깔이 다양하다.

⬇

사람은 ⑥ ☐☐에 따라 고유한 색깔 옷을 입는다. 의사나 간호사는 보통 ⑦ ☐☐ 옷을 입고, 법관은 검은색 옷을 입는다. 또 군인은 주변 환경과 상황에 따라 옷 색깔을 달리하여 입는다. 이처럼 사람들은 직업에 따라 입는 옷 색깔이 다양하다.

**대상을 생각하며
설명하는 글 쓰기**

설명할 대상 정하기	예 투명 인간

⬇

설명하고 싶은 내용과 설명 방법 정하기	설명하고 싶은 내용	예 투명 인간이 불가능한 까닭
	설명 방법	예 열거

⬇

설명하는 글을 쓰기 위한 ⑧ ☐☐ 수집하기	글의 내용	예 투명 인간이 불가능한 까닭
	수집할 내용	예 투명 인간의 특징, 투명 인간이 실제로 있을 수 있을지에 대한 의견
	수집할 곳	예 과학 잡지, 투명 인간 관련 서적, 인터넷 블로그

⬇

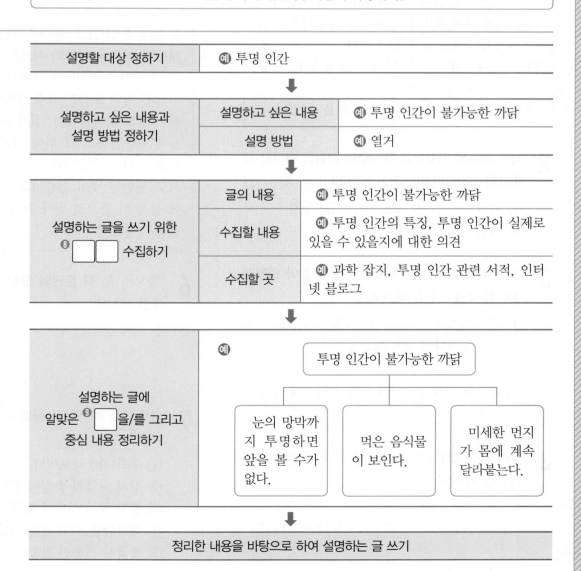

설명하는 글에
알맞은 ⑨ ☐을/를 그리고
중심 내용 정리하기

⬇

정리한 내용을 바탕으로 하여 설명하는 글 쓰기

단원 평가

1 설명하는 글을 읽은 경험을 알맞게 떠올린 친구는 누구인지 쓰시오.

> 수민: 장난감 로봇을 조립하는 차례를 알려 주는 글을 읽었어.
> 재희: 유관순 위인전을 읽고 생각이나 느낌을 쓴 글을 읽었어.
> 윤아: 학교 운동장에 쓰레기를 버리지 말자는 의견이 담긴 글을 읽었어.

( )

[2~3] 글을 읽고, 물음에 답하시오.

> ❶ 씨앗을 미지근한 물에 담가 놓는다.
> ❷ 준비한 그릇에 부드러운 헝겊을 깔고, 불린 씨앗을 서로 겹치지 않게 촘촘히 깔아 준다.
> ❸ 종이로 덮어 햇빛을 가리고 물기가 마르지 않게 물뿌리개로 물을 뿌려 준다.
> ❹ 싹이 나오면 종이를 벗겨 그늘에 두고, 수분이 마르지 않도록 물을 준다.
> ❺ 5~6일이 지나면 새싹 채소를 얻을 수 있다.

2 새싹 채소를 가꾸려고 ❶~❺의 과정을 따라할 때 필요한 준비물이 <u>아닌</u> 것은 무엇입니까? ( )

① 씨앗　　② 그릇　　③ 헝겊
④ 가위　　⑤ 물뿌리개

3 이 글에서 설명이 더 필요한 부분을 찾아 알맞게 질문한 것에 ○표를 하시오.

(1) 싹이 나오면 해야 할 일은 무엇일까? ( )

(2) 며칠이 지나야 새싹 채소를 얻을 수 있을까?
( )

(3) 씨앗을 미지근한 물에 얼마나 담가 놓아야 하지? ( )

(논술형)

4 우리 주변에서 설명하는 글을 한 가지 찾아 어떤 내용을 설명하는지 쓰시오.

_____

_____

5 설명하는 글을 읽고 새롭게 알 수 있는 점을 <u>모두</u> 고르시오. (, ,)

① 친구의 마음을 알 수 있다.
② 필요한 정보를 얻을 수 있다.
③ 일의 방법과 규칙을 알 수 있다.
④ 글쓴이의 주장이 무엇인지 알 수 있다.
⑤ 어떤 일을 할 때 그 일의 차례를 알 수 있다.

[6~8] 글을 읽고, 물음에 답하시오.

> 우리나라에는 화강암을 쪼아 만든 석탑이 많습니다. 그 가운데에서 가장 유명한 탑은 다보탑과 석가탑입니다. ㉠다보탑과 석가탑에는 공통점과 차이점이 있습니다.
> 다보탑과 석가탑은 공통점이 있습니다. 두 탑은 모두 통일 신라 시대에 만든 탑으로서 불국사 대웅전 앞뜰에 나란히 서 있습니다. ㉡또 두 탑은 그 가치를 인정받아 국보로 지정되었습니다.
> ㉢두 탑의 모습은 매우 다릅니다. 다보탑은 장식이 많고 화려합니다. 십자 모양의 받침 주변에 돌계단을 만들고 그 위에 사각·팔각·원 모양의 돌을 쌓아 올렸습니다. 반면 석가탑은 단순하면서도 세련된 멋이 있습니다. 사각 평면 받침 위에 돌을 삼 층으로 쌓아 올려 매우 균형 있는 모습을 자랑합니다.

6 ㉠~㉢ 중 각 문단의 중심 문장이 <u>아닌</u> 것의 기호를 쓰시오.

( )

7 다보탑과 석가탑의 공통점이 <u>아닌</u> 것은 무엇입니까? ( )

① 우리나라 국보이다.
② 십자 모양의 받침이 있다.
③ 통일 신라 시대에 만들었다.
④ 화강암을 쪼아 만든 석탑이다.
⑤ 불국사 대웅전 앞뜰에 서 있다.

점수 　　　　　/ 점

8 이 글은 대상을 어떻게 설명했습니까? (　　　)

① 원인과 결과에 따라 설명했다.

② 설명하려는 대상의 특징을 나열하여 설명했다.

③ 대상을 상상하여 설명했다.

④ 글쓴이가 좋아하는 것을 순서대로 설명했다.

⑤ 두 가지 이상의 대상에서 공통점과 차이점을 찾아 설명했다.

9 다음 빈칸에 알맞은 설명 방법을 쓰시오.

• 두 가지 이상의 대상에서 공통점과 차이점을 찾아 설명하는 방법을 (　　　　　) (이)라고 한다.

[10~13] 글을 읽고, 물음에 답하시오.

㉮ 사람들은 다양한 목적으로 탑을 세웁니다. 종교나 군사 목적으로 탑을 만들 뿐만 아니라 무엇인가를 기념하려고 탑을 짓습니다. 세계 여러 도시에 있는 유명한 탑을 알아봅시다.

이탈리아 토스카나주에는 피사의 사탑이 있습니다. 피사의 사탑은 종교 목적으로 만들어졌습니다. 55미터 높이로 세운 이 탑은 완성한 뒤 조금씩 한쪽으로 기울기 시작해 현재 모습이 되었습니다.

㉯ 프랑스 파리에는 에펠 탑이 있습니다. 에펠 탑은 1889년에 프랑스 혁명 100주년을 기념해 세웠습니다. 에펠 탑의 높이는 324미터이고, 해마다 세계 여러 나라에서 수백만 관광객이 찾을 만큼 유명합니다.

㉰ 중국 상하이에는 높이가 468미터인 동방명주 탑이 있습니다. 이 탑은 1994년에 방송을 송신하려고 세웠습니다. 동방명주 탑은 높은 기둥을 중심축으로 하여 구슬 세 개를 꿰어 놓은 것 같은 독특한 외형 때문에 '동양의 진주'라고 불립니다.

10 이 글은 무엇에 대해 쓴 글입니까? (　　　)

① 세계의 탑　　　　② 세계의 종교

③ 세계의 음식　　　④ 세계의 도시

⑤ 세계의 기념일

11 이 글에서 설명하는 대상의 예를 <u>모두</u> 찾아 빈칸에 각각 알맞은 말을 쓰시오.

(1) 이탈리아 토스카나주의

(　　　　　　　　　　)

(2) 프랑스 파리의

(　　　　　　　　　　)

(3) 중국 상하이의

(　　　　　　　　　　)

12 이 글은 대상을 '열거'의 설명 방법으로 설명한 글입니다. 이와 같은 방법으로 설명하면 좋은 점을 찾아 ○표를 하시오.

(1) 표현하려는 대상이나 내용을 구체적으로 설명할 수 있다. (　　　)

(2) 두 가지 이상의 대상에서 공통점이나 차이점을 찾아 설명할 수 있다. (　　　)

서술형

13 이 글에 알맞은 틀을 보기 에서 골라 그 틀에 글의 내용을 정리해 보시오.

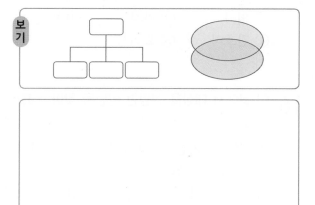

14 글을 요약하면 좋은 점을 두 가지 골라 기호를 쓰시오.

> ㉠ 글의 내용을 전부 외울 수 있다.
> ㉡ 많은 내용을 공부할 때 도움이 된다.
> ㉢ 글의 내용을 재미있게 나타낼 수 있다.
> ㉣ 글에서 중요한 내용만을 쉽게 알 수 있다.

( )

[15~17] 글을 읽고, 물음에 답하시오.

> 사람은 직업에 따라 고유한 색깔 옷을 입기도 한다. 직업의 특성에 따라 특정 색깔의 옷이 일을 하는 데 도움이 되기 때문이다.
> 의사나 간호사는 보통 흰색 옷을 입는다. 감염에 민감한 환자들이 있는 병원에서는 위생이 매우 중요한 문제이기 때문이다. 흰색 옷은 옷이 더러워졌을 때 이를 쉽게 알아차릴 수 있게 해 준다. 약사나 위생사, 요리사와 같이 청결을 유지해야 하는 일을 하는 사람들도 마찬가지로 흰색 옷을 입는다.
> 법관은 검은색 옷을 입는다. 예전 서양에서는 신분에 따라 입을 수 있는 옷 색깔이 정해져 있었지만, 검은색 옷은 누구나 입을 수 있었다. 법관의 검은색 옷은 법 앞에서 모든 사람이 평등하다는 뜻을 나타내며, 다른 것에 물들지 않고 공정하게 재판해야 한다는 의미를 담고 있다.

15 다음 중 검은색 옷을 입는 직업은 무엇입니까?

( )

① 의사　　② 약사　　③ 법관
④ 간호사　　⑤ 요리사

16 이 글에서 대상을 설명한 방법을 찾아 ○표를 하시오.

(1) 직업에 따른 옷 색깔의 공통점과 차이점을 찾아 설명했다. ( )
(2) 여러 가지 특징을 나열해 직업과 옷 색깔의 관계를 설명했다. ( )

17 이 글을 요약하는 방법으로 알맞지 않은 것은 무엇입니까?

( )

① 중요하지 않은 내용은 지운다.
② 각 문단의 마지막 문장을 그대로 베껴 쓴다.
③ 대상을 설명하는 방법이 무엇인지 확인한다.
④ 글의 구조에 알맞게 틀을 그리고 내용을 정리한다.
⑤ 세부 내용은 대표하는 말로 바꾸어 중심 내용을 정리한다.

18 친구들에게 내가 좋아하는 것을 설명하는 글을 쓰려고 합니다. 무엇을 설명하고 싶은지를 정할 때 고려해야 할 점을 알맞게 말한 친구를 쓰시오.

> 민우: 친구들이 잘 모르는 내용보다는 잘 아는 내용을 설명하는 것이 좋아.
> 지민: 내가 관심 있는 것 가운데에서 친구들도 호기심을 느낄 만한 것이어야 해.

( )

19 설명하는 글을 쓸 때 주의할 점으로 알맞지 않은 것은 무엇입니까?

( )

① 추측하는 말을 쓰지 않는다.
② 주장하는 말을 쓰지 않는다.
③ 확실하지 않은 정보를 제공하지 않는다.
④ 요즘 유행하는 말을 넣어 재미있게 쓴다.
⑤ 읽는 사람에게 잘 알려지지 않은 정보를 제공한다.

20 모둠이 함께 하나의 주제를 설명하는 글을 쓰려고 할 때 가장 먼저 해야 할 일은 무엇입니까? ( )

① 설명할 주제를 정한다.
② 내용에 알맞은 설명 방법을 정한다.
③ 주제와 관련 있는 자료를 함께 찾는다.
④ 알맞은 설명 방법으로 내용을 정리한다.
⑤ 내용과 자료에 따라 설명하는 글을 쓴다.

서술형 평가

[1~2] 글을 읽고, 물음에 답하시오.

> 다보탑과 석가탑에는 공통점과 차이점이 있습니다.
>
> 다보탑과 석가탑은 공통점이 있습니다. 두 탑은 모두 통일 신라 시대에 만든 탑으로서 불국사 대웅전 앞뜰에 나란히 서 있습니다. 또 두 탑은 그 가치를 인정받아 국보로 지정되었습니다.
>
> 두 탑의 모습은 매우 다릅니다. 다보탑은 장식이 많고 화려합니다. 십자 모양의 받침 주변에 돌계단을 만들고 그 위에 사각·팔각·원 모양의 돌을 쌓아 올렸습니다. 반면 석가탑은 단순하면서도 세련된 멋이 있습니다. 사각 평면 받침 위에 돌을 삼 층으로 쌓아 올려 매우 균형 있는 모습을 자랑합니다.

1 이 글은 대상을 어떻게 설명했는지 쓰시오.

_____

_____

2 이 글의 내용을 다음 틀에 정리해 쓰시오.

다보탑

- (1) _____
- 십자 모양의 받침 주변에 돌계단을 만들고 그 위에 사각·팔각·원 모양의 돌을 쌓았다.

공통점

- 통일 신라 시대에 만들었다.
- (2) _____
- 우리나라 국보이다.

석가탑

- (3) _____
- 사각 평면 받침 위에 돌을 삼 층으로 쌓아 올려 매우 균형 있는 모습이다.

3 다음 글에서 각 문단의 중심 문장을 찾아 글의 내용을 요약해 쓰시오.

> **가** 사람은 직업에 따라 고유한 색깔 옷을 입기도 한다. 직업의 특성에 따라 특정 색깔의 옷이 일을 하는 데 도움이 되기 때문이다.
>
> 의사나 간호사는 보통 흰색 옷을 입는다. 감염에 민감한 환자들이 있는 병원에서는 위생이 매우 중요한 문제이기 때문이다. 흰색 옷은 옷이 더러워졌을 때 이를 쉽게 알아차릴 수 있게 해 준다.
>
> **나** 법관은 검은색 옷을 입는다. 예전 서양에서는 신분에 따라 입을 수 있는 옷 색깔이 정해져 있었지만, 검은색 옷은 누구나 입을 수 있었다. 법관의 검은색 옷은 법 앞에서 모든 사람이 평등하다는 뜻을 나타내며, 다른 것에 물들지 않고 공정하게 재판해야 한다는 의미를 담고 있다.
>
> **다** 사람들은 직업에 따라 입는 옷 색깔이 다양하다. 옷 색깔이 무엇을 뜻하는지 안다면 그 직업을 더 잘 알 수 있다.

사람은 직업에 따라 고유한 색깔 옷을 입는다.

_____

_____

_____

4 우리 반 친구들에게 내가 좋아하는 것을 설명하는 글을 쓰려고 합니다. 설명하고 싶은 내용을 쓰고, 어떤 자료를 어디에서 수집해야 할지 쓰시오.

(1) 설명하고 싶은 내용	
(2) 수집할 내용	
(3) 수집할 곳	

● 다음 교과서 문장의 파란색 낱말 중에서 알맞은 것을 골라 인물들이 한 말을 완성하시오.

- 6세 이하 어린이는 **보호자**와 함께해야 합니다.
- 사각 평면 받침 위에 돌을 삼 층으로 쌓아 올려 매우 **균형** 있는 모습을 자랑합니다.
- 두 탑은 우리 조상의 뛰어난 솜씨와 **예술성**을 보여 줍니다.
- 종교나 군사 목적으로 탑을 만들 뿐만 아니라 무엇인가를 **기념**하려고 탑을 짓습니다.

정답 | ❶ 예술성 ❷ 균형 ❸ 보호자 ❹ 기념

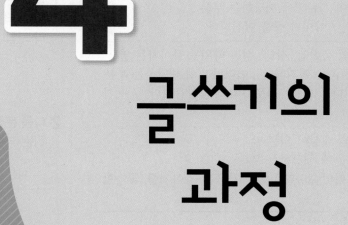

4 글쓰기의 과정

무엇을 배울까요?

4 글쓰기의 과정

1 문장을 구성하는 성분

주어	• 문장에서 동작이나 상태의 주체가 되는 말 • 문장에서 '무엇이', '누가'에.해당하는 부분 예 <u>토끼가</u> 뜁니다. / <u>아이가</u> 공을 던집니다.
서술어	• 문장에서 주어의 움직임, 상태, 성질 따위를 풀이하는 말 • 문장에서 '무엇이다', '어찌하다', '어떠하다'에 해당하는 부분 예 이것은 <u>새입니다</u>. / 새가 나뭇가지에 <u>앉았습니다</u>. / 새가 <u>귀엽습니다</u>.
목적어	• 문장에서 동작의 대상이 되는 말 • 문장에서 '무엇을'에 해당하는 부분 예 나는 <u>음식을</u> 먹었습니다. / 내 친구는 <u>강아지를</u> 좋아합니다.

2 쓸 내용 떠올리기

① 글 쓰는 상황이나 목적, 읽을 사람, 주제를 정합니다.
② 글로 쓰고 싶은 내용을 자유롭게 떠올리거나, 쓸 내용을 몇 가지로 나누어 떠올립니다.

3 떠올린 내용을 조직하고 글로 나타내기

① 시간 흐름과 장소 변화에 따라 일어난 일을 정리합니다.
② 흐름에 맞게 생각이나 느낌을 처음-가운데-끝으로 묶어 다발 짓기로 나타내 봅니다. ┌떠올린 내용을 다발 짓기로 나타낼 때에도 글을 읽을 사람, 글 쓰는 상황이나 목적을 계속 생각해야 합니다.
③ 다발 짓기에서 정리한 내용을 글로 써 봅니다.

4 호응 관계가 알맞은 문장 쓰기

① 문장에서 앞에 어떤 말이 오고 짝인 말이 뒤따라오는 것을 '호응'이라고 합니다.
② 호응이 되지 않으면 문장이 어색해지거나, 전달하려는 뜻이 잘못 전해질 수 있습니다.
예 문장에 쓰인 호응 관계의 종류 살펴보기

시간을 나타내는 말과 서술어의 호응	• <u>내일</u> 친구를 만날 거야. • <u>어제</u> 친구와 박물관에 갔다.
높임의 대상을 나타내는 말과 서술어의 호응	• <u>할아버지께서</u> 주무신다. • <u>아버지께서</u> 청소를 하신다.
동작을 당하는 주어와 서술어의 호응	• <u>바다가</u> 보였다. • <u>물고기가</u> 낚싯줄에 걸렸다.

 **문장을 구성하는 성분 알기**

1 다음 문장이 어색한 까닭으로 알맞은 것에 ○표를 하시오.

선수가 잡았습니다.

(1) 선수가 어떻게 했는지 설명하지 않았기 때문에 ( )
(2) 선수가 무엇을 잡았는지 설명하지 않았기 때문에 ( )

[2~3] 그림을 보고, 물음에 답하시오.

○ 문장이 되려면 무엇이 꼭 있어야 하는지 알기

가

| 무엇이 | ㉠_____ 뜁니다. |

| 누가 | 아이가 공을 던집니다. |

나

무엇이다	이것은 ㉡_____.
어찌하다	새가 나뭇가지에 앉았습니다.
어떠하다	새가 귀엽습니다.

다

| 무엇을 | 나는 음식을 먹었습니다. |

| 무엇을 | 내 친구는 ㉢_____ 좋아합니다. |

2 ㉠~㉢에 들어갈 알맞은 말을 각각 쓰시오.

(1) ㉠: ( )
(2) ㉡: ( )
(3) ㉢: ( )

3 핵심
가~다에서 초록색으로 쓰인 부분은 각각 문장에서 어떤 역할을 하는지 알맞게 선으로 이으시오.

(1) 가 • • ① 문장에서 동작의 대상이 됨.

(2) 나 • • ② 문장에서 동작이나 상태의 주체가 됨.

(3) 다 • • ③ 문장에서 주어의 움직임, 상태, 성질 따위를 풀이함.

4 다음 문장에서 반드시 있어야 하는 부분에는 ○표, 그렇지 않은 부분에는 △표를 하시오.

| 매콤한 | 떡볶이가 |

| 익은 | 고추처럼 | 빨갛다 |

5 주어, 목적어, 서술어가 모두 들어간 문장을 만들어 쓰시오.

( )

● **문장을 구성하는 성분** 핵심

주어	문장에서 동작이나 상태의 주체가 되는 말 예 아이가 공을 던집니다.
서술어	문장에서 주어의 움직임, 상태, 성질 따위를 풀이하는 말 예 새가 귀엽습니다.
목적어	문장에서 동작의 대상이 되는 말 예 나는 음식을 먹었습니다.

기본 ① 쓸 내용 떠올리기

역량 활동

● 민재가 글을 쓰는 상황 살펴보기

① 민재야, 이번 학급 신문에 실을 글을 한 편 써 줘.

② 어떤 글을 쓸까? 그래, 내가 지난달에 겪은 일을 소개하는 글을 써 보자.

③ 우리 반 친구들이 읽을 글이니 친구들이 재미있어할 내용으로 써야겠어.

④ 지난달에 어떤 일이 있었지?

핵심

● 글쓰기 과정

글 쓰는 상황이나 목적, 읽을 사람 정하기

- 글 쓰는 상황이나 목적: ⑩ 학급 신문에 겪은 일을 소개하기 위해서
- 읽을 사람: ⑩ 같은 반 친구들

쓸 내용 떠올리기

- 자유롭게 떠올리기: ⑩ 강아지가 아팠던 일, 놀이공원에 놀러 간 일, 할머니 댁에 간 일
- 몇 가지로 나누어 떠올리기: ⑩

```
         힘들었던
           일
            |
          겪은 일
        /         \
  즐거웠던        신기했던
    일              일
```

---

1 민재가 어떤 상황에서 어떤 목적으로 글을 쓰는지 빈칸에 각각 알맞은 말을 쓰시오.

교과서 문제

- (1)(   )에 글을 실어야 할 상황에서 자신이 지난달에 (2)(   )을/를 소개하는 글을 쓰려고 한다.

2 다음은 민재가 자신의 글을 읽을 사람을 고려해 세운 계획입니다. 빈칸에 들어갈 알맞은 말은 무엇입니까? (   )

교과서 문제

☐☐☐ 이/가 재미있어할 내용을 쓰는 것이다.

① 동생
② 친척
③ 자기 자신
④ 동네 이웃
⑤ 같은 반 친구들

핵심

3 다음은 민재가 글로 쓸 내용을 어떻게 떠올린 것인지 보기 에서 찾아 빈칸에 각각 쓰시오.

보기
• 쓸 내용을 몇 가지로 나누어 떠올림. • 쓰고 싶은 내용을 자유롭게 떠올림.

(1) 강아지가 아팠던 일, 놀이공원에 놀러 간 일, 할머니 댁에 간 일, 딸꾹질이 멈추지 않았던 일, 친구들과 야구한 일

➡ _____

(2)

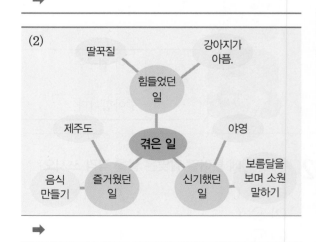

➡ _____

○ 민재가 떠올린 내용을 어떻게 글로 썼는지 생각하며 글 읽기

도전! 달걀말이

나는 달걀말이를 정말 좋아한다. 날마다 달걀말이를 반찬으로 먹어도 투정하지 않을 자신이 있다. 지난 주말에 삼촌 댁에 갔더니 삼촌께서 내가 좋아하는 달걀말이를 해 주셨다. 삼촌은 요리를 정말 잘하시는 것 같다. 달걀말이가 너무 맛있어서 삼촌께 달걀말이를 만드는 방법을 배워 왔다.

먼저 재료로 달걀 여섯 알, 다진 파 한 줌, 소금, 식용유를 준비한다. 그런 다음 달걀을 큰 그릇에 깨뜨려 넣고 다진 파 한 줌과 소금 적당량을 넣어서 골고루 잘 저어 준다. 삼촌께서 이때 달걀을 젓가락으로 싹둑싹둑 잘라 주어야 좋다고 하셨다. 덩어리진 것을 가위로 자르듯 끊어 주면 된다고 하셨다. 그런 다음 약한 불에 준비한 지짐 판을 얹고 식용유를 골고

• 글의 내용: 민재는 자신이 겪은 일 가운데에서 달걀말이를 스스로 만들어 본 경험을 골라 글을 썼습니다.

루 두른 뒤 달걀물을 넓게 붓는다. 그리고 조금씩 익으면 끝에서부터 뒤집개로 살살 말아 준다.

내가 음식을 만든다고 하니 아버지께서 걱정하시며 조금 도와주셨다. 그리고 내가 처음으로 만든 달걀말이를 드시고 정말 맛있다고 하셨다. 내가 만든 요리를 우리 반 친구들에게도 주고 싶지만 사람이 너무 많으니 특별히 요리 비법을 공개한 것이다.

투정 무엇이 모자라거나 못마땅하여 떼를 쓰며 조르는 일.
줌 주먹(한 손에 쥘 만한 분량을 세는 단위)의 준말.

적당량 쓰임에 알맞은 분량.
비법(秘 숨길 비, 法 법 법) 공개하지 않고 비밀리에 하는 방법.

---

4 민재는 어떤 경험을 골라 글로 썼습니까? (   )

① 야영을 간 경험
② 음식을 만든 경험
③ 제주도로 여행을 간 경험
④ 딸꾹질이 멈추지 않았던 경험
⑤ 보름달을 보며 소원을 말했던 경험

5 민재가 이 글을 쓰려고 떠올린 내용으로 알맞은 것을 두 가지 고르시오.　　(　,　)

① 달걀말이에 필요한 재료
② 달걀말이를 처음 먹은 날
③ 달걀말이를 먹은 친구들의 반응
④ 달걀말이를 만들 때 힘들었던 점
⑤ 달걀말이를 만들 때 삼촌께서 해 주신 조언

6 민재가 글 제목을 「도전! 달걀말이」라고 붙인 까닭은 무엇일지 쓰시오.

(　　　　　　　　　　　　　　)

핵심 역량
7 민재와 같이 겪은 일을 글로 써서 학급 신문에 실으려고 합니다. 글 쓰는 상황이나 목적, 읽을 사람, 주제를 정해 쓰시오.

(1) 글 쓰는 상황이나 목적	
(2) 읽을 사람	
(3) 주제	

기본 2 떠올린 내용을 조직하고 글로 나타내기

○ 어떤 일이 있었는지 생각하며 글 읽기

상쾌한 아침

아침 일찍, 아빠께서 공원에 가자며 나를 깨우셨다.

"일찍 일어나는 새가 벌레를 잡는다는 말이 있어. 얼른 일어나자."

아빠 말씀에 난 억지로 일어나 세수를 하고 옷을 5 입었다. 공원에 갈 준비가 끝날 때까지도 난 계속 툴툴거렸다. / 대문을 나서니, 찬 바람에 코끝이 시려 손으로 코를 가렸다.

"왜? 춥니? 좀 걸으면 괜찮아질 거야."

아빠께서는 물통을 들고 뚜벅뚜벅 걸어가셨다. 10 아빠 발걸음이 어찌나 빠른지 나는 그 뒤를 따라 뛰어야 했다. 뒷산 시민 공원에 도착하니 벌써 운동하는 사람이 많아 깜짝 놀랐다.

"준비 운동부터 하자."

나는 아빠를 따라 맨손 체조를 했다. 체조를 하고 15 나니 정말 추위가 달아나는 것 같았다. 철봉에서

턱걸이를 다섯 번이나 해서 아빠께 칭찬을 들었다. 아침 일찍 일어나기는 힘들었지만 아빠께 칭찬을 들으니 기분이 좋았다. 운동으로 땀을 흘린 뒤에 마시는 물은 배 속까지 시원하게 했다.

이웃 어른들께 반갑게 인사를 하며 아빠와 함께 5 공원을 나왔다. 나는 아빠를 앞질러 집으로 달렸다. 아빠와 함께 아침 운동을 하니 기분이 참 상쾌했다.

● 일어난 일과 그에 어울리는 생각이나 느낌을 다발 짓기로 묶기 **핵심**

일어난 일		생각이나 느낌
아빠께서 나를 깨우심. 아빠께서 말씀하심.	처음	더 자고 싶어서 툴툴거림.
공원까지 걸음. 턱걸이를 다섯 개나 성공함. 운동으로 땀을 흘린 뒤에 물을 마심.	가운데	생각보다 사람이 많아서 놀람. 아빠께 칭찬을 들어 기분이 좋음. 물이 배 속까지 시원하게 함.
이웃 어른들께 반갑게 인사함. 아빠를 앞질러 집으로 달림.	끝	기분이 참 상쾌함.

상쾌한 느낌이 시원하고 산뜻한.
예 나무 사이로 상쾌한 바람이 불어옵니다.

툴툴거렸다 마음에 차지 아니하여서 잇따라 몹시 투덜거렸다.
맨손 체조 도구나 기구 없이 하는 체조.

---

1 글쓴이가 이 글을 쓴 목적으로 알맞은 것에 ○표를 하시오.
교과서
문제
(1) 자신의 주장과 근거를 알리기 위해서 ( )
(2) 자신이 한 경험에 대해 생각이나 느낌을 나타내기 위해서 ( )

2 글쓴이는 어떤 일을 글로 썼는지 쓰시오.
( )

3 이 글에서 일이 일어난 장소의 변화로 알맞은 것은 무엇입니까? ( )
① 집 → 학교　② 집 → 공원
③ 공원 → 학교　④ 공원 → 놀이터
⑤ 집 → 운동장

핵심

4 이 글에서 일어난 일과 그에 어울리는 생각이나 느낌을 '처음-가운데-끝'으로 묶어 다발 짓기로 정리할 때, 다음 빈칸에 각각 알맞은 내용을 쓰시오.

일어난 일		생각이나 느낌
아빠께서 나를 깨우심. 아빠께서 말씀하심.	처음	(1)
공원까지 걸음. (2) 운동으로 땀을 흘린 뒤에 물을 마심.	가운데	생각보다 사람이 많아서 놀람. 아빠께 칭찬을 들어 기분이 좋음. 물이 배 속까지 시원하게 함.
이웃 어른들께 반갑게 인사함. 아빠를 앞질러 집으로 달림.	끝	(3)

기본 2

● 다발 짓기와 쓴 글을 비교하기

가

일어난 일		생각이나 느낌
할머니께서 오심.	처음	기분이 좋아짐.
할머니께서 떡볶이를 해 주심. 친구 집에 수학 공부를 하러 감. 할머니께서 여전히 계심.	가운데	맛있게 먹음. 할머니와 함께 있지 못해 아쉬움. 할머니께서 아직 집에 계신 것을 다행이라고 생각함.
저녁에 할머니께서 댁으로 가심.	끝	㉠

할머니께서 오신 날

나

학교 공부가 끝나고 집으로 갔다. 오늘은 어려운 내용을 배워 머리가 아팠다. 그런데 집에 오니 할머니께서 계셨다. 늘 내 편이 되어 주시는 할머니께서 계시니 갑자기 기분이 좋아졌다.
5 　할머니께서 공부하느라 고생했다며 맛있는 떡볶

편 여러 패로 나누었을 때 그 하나하나의 쪽.
　㉣ 아이들은 찬성하는 편과 반대하는 편으로 갈라졌습니다.

• **글의 특징:** **가**는 할머니께서 오신 날에 대해 쓸 내용으로 다발 짓기를 한 것이고, 글 **나**는 **가**에서 정리한 내용을 바탕으로 하여 쓴 글입니다.

이를 해 주셨다. 동생과 함께 먹다 보니 어느새 떡볶이를 다 먹었다. 정말 맛있었다. 짝과 함께 수학 공부를 하기로 해서 할머니께 인사드리고 친구 집으로 갔다. 할머니께 공부를 열심히 한다고 칭찬을 들었지만 할머니와 함께 있지 못해 아쉬운 마음이 5 들었다. 수학 공부를 하는 동안 할머니께서 일찍 가시지 않았으면 좋겠다고 생각했다. 공부를 마치자마자 집으로 왔다. 다행히 할머니께서 아직 집에 계셨다. 할머니와 함께 만화 영화도 보고, 과일과 피자도 먹었다. 10

　할머니께서는 저녁을 드시고 나서 댁으로 가셨다. 생각보다 오래 계셨지만 그래도 헤어질 때가 되니 섭섭했다. 우리 집에 더 자주 오셨으면 좋겠다고 생각하다가 다음부터 내가 할머니 댁에 자주 찾아가야겠다고 생각했다. 즐거운 하루였다. 15

고생 어렵고 고된 일을 겪음. 또는 그런 일이나 생활.
　㉣ 고생을 참고 견디면 좋은 날이 올 것입니다.

5 글쓴이에게 일어난 일을 순서에 맞게 차례대로 번호를 쓰시오.

(1) 할머니께서 오심. 　　　　(　　)
(2) 할머니께서 떡볶이를 해 주심. 　(　　)
(3) 할머니께서 여전히 집에 계심. 　(　　)
(4) 친구 집에 수학 공부를 하러 감. 　(　　)
(5) 저녁에 할머니께서 댁으로 가심. 　(　　)

6 **가**의 다발짓기에서 '일어난 일'과 일에 대한 '생각이나 느낌'을 어떻게 묶었는지 빈칸에 알맞은 말을 쓰시오.

• 일어난 일에 따라 생각이나 느낌을 처음,
(　　　　　　　　　　), 끝으로 묶었다.

7 **가**의 다발 짓기와 글 **나**를 비교해 보고, ㉠에 들어갈 생각이나 느낌으로 알맞은 것을 두 가지 고르시오. 　　　　　　(　 , 　)

① 기쁨. 　　　　② 불편함.
③ 섭섭함. 　　　④ 걱정스러움.
⑤ 더 자주 오시면 좋겠음.

8 **가**의 다발 짓기에 없는 내용을 글 **나**에서 어떻게 썼는지 알맞게 말한 친구를 쓰시오.

일어난 일에 대한 글쓴이의 생각을 아예 쓰지 않았어.

한 일, 들은 일, 본 일과 생각이나 느낌을 더 자세하고 실감 나게 표현했어.

수지 ▶ ◀ 민혁

(　　　　　　　　　　)

기본③ 호응 관계가 알맞은 문장 쓰기

1 (1)~(3)의 말과 짝을 이루었을 때 자연스러운 문장이 되는 것을 찾아 각각 ○표를 하시오.
[교과서 문제]

(1) 내일	① 친구를 만났어.	( )
	② 친구를 만날 거야.	( )

(2) 할아버지께서	① 잔다.	( )
	② 주무신다.	( )

(3) 바다가	① 보였다.	( )
	② 보았다.	( )

2 다음 빈칸에 공통으로 들어갈 말은 무엇입니까?
( )

> 문장에서 앞에 어떤 말이 오고 짝인 말이 뒤따라오는 것을 [   ](이)라고 합니다. [   ]이/가 되지 않으면 문장이 어색해지거나, 전달하려는 뜻이 잘못 전해질 수 있습니다.

① 운율　　② 주제　　③ 문단
④ 비유　　⑤ 호응

[핵심]
3 다음 문장의 밑줄 그은 부분에 나타난 호응 관계의 종류를 보기 에서 찾아 각각 알맞은 기호를 쓰시오.

> 보기
> ㉠ 시간을 나타내는 말과 서술어의 호응
> ㉡ 동작을 당하는 주어와 서술어의 호응
> ㉢ 높임의 대상을 나타내는 말과 서술어의 호응

(1) 동생이 누나에게 업혔다. ( )
(2) 할머니께서 맛있는 떡을 주셨다. ( )
(3) 나는 어제 재미있는 동화책을 읽었다. ( )

[4~5] 문장을 읽고, 물음에 답하시오.

> 숲속에서 다람쥐와 새가 지저귑니다.

4 '다람쥐'와 '새' 중 지저귀는 것은 무엇인지 쓰시오.
( )

[핵심]
5 이 문장을 주어와 서술어가 호응하도록 바르게 고쳐 쓴 것은 무엇입니까? ( )

① 숲속에서 다람쥐와 새가 뛰어놉니다.
② 숲속에서 다람쥐와 새가 노래를 지저귑니다.
③ 숲속에서 다람쥐가 지저귀고, 새가 지저귑니다.
④ 숲속에서 다람쥐가 뛰어놀고, 새가 지저귑니다.
⑤ 숲속에서 다람쥐가 지저귀고, 새가 뛰어놉니다.

6 문장의 호응 관계를 생각하며 다음 문장을 바르게 고쳐 쓰시오.
[교과서 문제]

> 나는 동생보다 키와 몸무게가 더 무겁다.

↓

> [   ]

[핵심]
●문장에 쓰인 호응 관계의 종류

나는 어제 재미있는 동화책을 읽었다.	➡	시간을 나타내는 말과 서술어의 호응
할머니께서 맛있는 떡을 주셨다.	➡	높임의 대상을 나타내는 말과 서술어의 호응
동생이 누나에게 업혔다.	➡	동작을 당하는 주어와 서술어의 호응

●주어와 서술어의 호응이 바른 문장 만들기

• 숲속에서 다람쥐와 새가 지저귑니다. (×)
➡ 숲속에서 다람쥐가 뛰어놀고, 새가 지저귑니다. (○)

 **자신의 생각을 글로 나타내기**

○ 친구들과 나누고 싶은 재미있는 경험을 써서 학급 누리집에 올리기 위해 자신의 경험 떠올리기

● **자신의 생각을 글로 나타내기** 핵심

① 경험 떠올리기

↓

② 경험을 생각그물로 정리하기

↓

③ 일이 일어난 차례와 생각이 나 느낌을 다발 짓기로 나타 내기

↓

④ 글에 알맞은 제목 붙이기

↓

⑤ ①~③의 내용을 바탕으로 하여 글 쓰기

↓

⑥ 쓴 글을 문장의 호응 관계를 생각하며 고쳐쓰기

4 단원

---

1 최근 겪었던 일 가운데에서 친구들과 나누고 싶은 재미있는 경험을 한 가지 골라 쓰시오.

(   )

핵심 논술형

2 1번 문제에서 답한 경험을 글로 쓰려고 합니다. 글로 쓸 내용을 다발 짓기로 나타내 보시오.

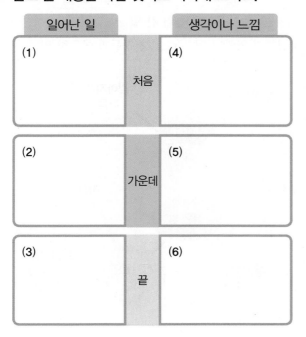

일어난 일		생각이나 느낌
(1)	처음	(4)
(2)	가운데	(5)
(3)	끝	(6)

3 2번 문제에서 정리한 내용으로 글을 쓸 때, 글에 알맞은 제목을 떠올려 쓰시오.

(   )

4 자신의 경험을 쓴 글을 친구들과 바꾸어 읽을 때 살펴볼 점을 두 가지 골라 기호를 쓰시오.

㉠ 나와 같은 경험을 썼는가?
㉡ 경험을 글로 잘 나타냈는가?
㉢ 생각이나 느낌을 간단하게 썼는가?
㉣ 문장 성분이 호응하도록 글을 썼는가?

(   )

문장을 구성하는 성분 알기

주어	문장에서 동작이나 상태의 주체가 되는 말	무엇이	예 <u>토끼가</u> 뜁니다.
		❶ ☐☐	예 <u>아이가</u> 공을 던집니다.
서술어	문장에서 주어의 움직임, 상태, 성질 따위를 풀이하는 말	무엇이다	예 이것은 <u>새입니다</u>.
		어찌하다	예 새가 <u>나뭇가지에 앉았습니다</u>.
		어떠하다	예 새가 <u>귀엽습니다</u>.
❷ ☐☐☐	문장에서 동작의 대상이 되는 말	무엇을	예 나는 <u>음식을</u> 먹었습니다.
		무엇을	예 내 친구는 <u>강아지를</u> 좋아합니다.

기본

쓸 내용 떠올리기

예 민재가 글을 쓰는 상황이나 목적, 민재가 쓴 글을 읽을 사람 살펴보기

글 쓰는 상황이나 목적	학급 신문에 글을 실어야 할 상황에서 자신이 지난달에 겪은 일을 소개하는 글을 쓰려고 합니다.
읽을 ❸ ☐☐	같은 반 친구들

예 민재가 글로 쓸 내용을 어떻게 떠올렸는지 살펴보기

<u>쓰고 싶은 내용을</u> ❹ ☐☐롭게 떠올림.	강아지가 아팠던 일　　할머니 댁에 간 일 놀이공원에 놀러 간 일 딸꾹질이 멈추지 않았던 일　　친구들과 야구한 일
쓸 내용을 몇 가지로 나누어 떠올림.	딸꾹질 / 강아지가 아픔. 힘들었던 일 제주도 겪은 일 / 야영 음식 만들기 / 즐거웠던 일 / 신기했던 일 / 보름달을 보며 소원 말하기

**떠올린 내용을
조직하고 글로
나타내기**

⑩ 「상쾌한 아침」에서 일어난 일과 그에 어울리는 생각이나 느낌을 다발 짓기로 묶기

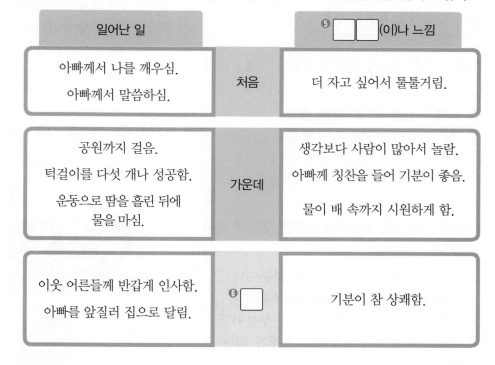

일어난 일		⑤ ☐☐ (이)나 느낌
아빠께서 나를 깨우심. 아빠께서 말씀하심.	처음	더 자고 싶어서 툴툴거림.
공원까지 걸음. 턱걸이를 다섯 개나 성공함. 운동으로 땀을 흘린 뒤에 물을 마심.	가운데	생각보다 사람이 많아서 놀람. 아빠께 칭찬을 들어 기분이 좋음. 물이 배 속까지 시원하게 함.
이웃 어른들께 반갑게 인사함. 아빠를 앞질러 집으로 달림.	⑥ ☐	기분이 참 상쾌함.

**호응 관계가
알맞은 문장 쓰기**

⑩ 문장에 쓰인 호응 관계의 종류 알기

⑦ ☐☐ 을/를 나타내는 말과 서술어의 호응	• 내일 도서관에 갈 거야. • 나는 어제 재미있는 동화책을 읽었다.
⑧ ☐☐ 의 대상을 나타내는 말과 서술어의 호응	• 할머니께서 맛있는 떡을 주셨다. • 아버지께 선물을 드렸다.
동작을 당하는 주어와 서술어의 호응	• 동생이 누나에게 업혔다. • 도둑이 경찰에게 잡혔다.

⑩ 주어와 서술어가 호응하도록 문장을 바르게 고치기

숲속에서 다람쥐와 새가 지저귑니다. (×)

'새가'는 '지저귑니다'와 호응이 되지만 '다람쥐가'는 '지저귑니다'와 호응이 되지 않으므로
'다람쥐가'에 호응하는 ⑨ ☐☐☐ 을/를 넣어 문장을 바르게 고쳐 써야 합니다.

↓

숲속에서 다람쥐가 뛰어놀고, 새가 지저귑니다. (○)

[1~3] 문장을 읽고, 물음에 답하시오.

> (1) ㉠토끼가 뜁니다.
> (2) 이것은 ㉡새입니다.
> (3) 나는 ㉢음식을 먹었습니다.

1 (1)에서 ㉠은 무엇을 알려 줍니까? (   )

① 무엇이 뛰는지 알려 준다.
② 토끼가 무슨 색인지 알려 준다.
③ 뛰는 까닭이 무엇인지 알려 준다.
④ 토끼가 어디에 있는지 알려 준다.
⑤ 토끼가 어떻게 하고 있는지 알려 준다.

2 (2)에서 ㉡에 대한 설명으로 알맞은 것을 **두 가지** 고르시오. (,   )

① 문장에서 '무엇이'에 해당하는 부분이다.
② 문장에서 '무엇을'에 해당하는 부분이다.
③ 문장에서 '무엇이다'에 해당하는 부분이다.
④ 문장에서 동작이나 상태의 주체가 되는 말이다.
⑤ 문장에서 주어의 움직임, 상태, 성질 따위를 풀이하는 말이다.

3 (3)의 ㉢처럼 문장에서 동작의 대상이 되는 말을 무엇이라고 하는지 쓰시오.

(   )

4 다음 문장에서 반드시 있어야 하는 부분을 **두 가지** 고르시오. (,   )

> 매콤한 떡볶이가 익은 고추처럼 빨갛다.

① 익은   ② 매콤한   ③ 빨갛다
④ 떡볶이가   ⑤ 고추처럼

5 다음 문장을 꼭 있어야 하는 부분만 남기고 줄여 쓰시오.

> 예쁜 꽃이 들판에 피었습니다.

➡ (   )

6 주어, 목적어, 서술어가 모두 들어간 문장은 무엇입니까? (   )

① 하늘이 파랗다.
② 무지개가 아름답다.
③ 동생이 장난감을 샀다.
④ 떡볶이를 맛있게 먹는다.
⑤ 내 동생은 귀여운 개구쟁이이다.

[7~8] 그림을 보고, 물음에 답하시오.

7 민재는 어디에 싣기 위해 글을 쓰려고 합니까?

(   )

8 다음은 민재가 글로 쓸 내용을 어떻게 떠올린 것인지 ○표를 하시오.

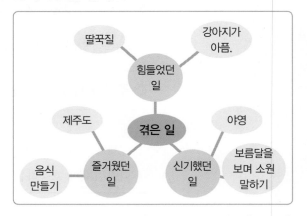

(1) 쓸 내용을 몇 가지로 나누어 떠올림. (   )
(2) 쓰고 싶은 내용을 자유롭게 떠올림. (   )

[9~11] 글을 읽고, 물음에 답하시오.

나는 달걀말이를 정말 좋아한다. 날마다 달걀말이를 반찬으로 먹어도 투정하지 않을 자신이 있다. 지난 주말에 삼촌 댁에 갔더니 삼촌께서 내가 좋아하는 달걀말이를 해 주셨다. 삼촌은 요리를 정말 잘하시는 것 같다. 달걀말이가 너무 맛있어서 삼촌께 달걀말이를 만드는 방법을 배워 왔다.

먼저 재료로 달걀 여섯 알, 다진 파 한 줌, 소금, 식용유를 준비한다. 그런 다음 달걀을 큰 그릇에 깨뜨려 넣고 다진 파 한 줌과 소금 적당량을 넣어서 골고루 잘 저어 준다. 삼촌께서 이때 달걀을 젓가락으로 싹둑싹둑 잘라 주어야 좋다고 하셨다. 덩어리진 것을 가위로 자르듯 끊어 주면 된다고 하셨다. 그런 다음 약한 불에 준비한 지짐 판을 얹고 식용유를 골고루 두른 뒤 달걀물을 넓게 붓는다. 그리고 조금씩 익으면 끝에서부터 뒤집개로 살살 말아 준다.

내가 음식을 만든다고 하니 아버지께서 걱정하시며 조금 도와주셨다. 그리고 내가 처음으로 만든 달걀말이를 드시고 정말 맛있다고 하셨다.

9 글쓴이에게 달걀말이를 만드는 방법을 가르쳐 준 사람은 누구입니까? ( )

① 누나   ② 친구   ③ 삼촌
④ 아버지   ⑤ 어머니

10 글쓴이가 이 글을 쓰려고 떠올린 내용을 한 가지 더 찾아 쓰시오.

• 달걀말이에 필요한 재료
• ( )

논술형
11 글쓴이가 이 글의 제목을 「도전! 달걀말이」라고 붙였다면 그 까닭은 무엇일지 쓰시오.

_____

_____

[12~14] 글을 읽고, 물음에 답하시오.

㉮ 아침 일찍, 아빠께서 공원에 가자며 나를 깨우셨다.
"일찍 일어나는 새가 벌레를 잡는다는 말이 있어. 얼른 일어나자."
㉯ 아빠께서는 물통을 들고 뚜벅뚜벅 걸어가셨다. 아빠 발걸음이 어찌나 빠른지 나는 그 뒤를 따라 뛰어야 했다. 뒷산 시민 공원에 도착하니 벌써 운동하는 사람이 많아 깜짝 놀랐다.
㉰ 나는 아빠를 따라 맨손 체조를 했다. 체조를 하고 나니 정말 추위가 달아나는 것 같았다. 철봉에서 턱걸이를 다섯 번이나 해서 아빠께 칭찬을 들었다. 아침 일찍 일어나기는 힘들었지만 아빠께 칭찬을 들으니 기분이 좋았다.
㉱ 이웃 어른들께 반갑게 인사를 하며 아빠와 함께 공원을 나왔다. 나는 아빠를 앞질러 집으로 달렸다. 아빠와 함께 아침 운동을 하니 기분이 참 상쾌했다.

12 글쓴이가 이 글을 쓴 목적은 무엇입니까? ( )

① 여행지를 소개하기 위해서
② 새로운 정보를 알리기 위해서
③ 문제 상황을 해결하기 위해서
④ 다른 사람과 감동을 나누기 위해서
⑤ 경험에 대해 생각이나 느낌을 나타내기 위해서

13 글쓴이에게 어떤 일이 있었는지 빈칸에 각각 알맞은 말을 쓰시오.

• 아침 일찍 일어나 (1)( )과/와 함께 (2)( )(으)로 운동을 갔다.

14 일어난 일과 그에 어울리는 생각이나 느낌을 '처음-가운데-끝'으로 묶어 정리할 때, 다음 빈칸에 알맞은 생각이나 느낌을 쓰시오.

일어난 일		생각이나 느낌
이웃 어른들께 반갑게 인사함. 아빠를 앞질러 집으로 달림.	끝	

[15~16] 글을 읽고, 물음에 답하시오.

> ㉠학교 공부가 끝나고 집으로 갔다. 오늘은 어려운 내용을 배워 머리가 아팠다. 그런데 집에 오니 할머니께서 계셨다. ㉡늘 내 편이 되어 주시는 할머니께서 계시니 갑자기 기분이 좋아졌다.
> 할머니께서 공부하느라 고생했다며 맛있는 떡볶이를 해 주셨다. 동생과 함께 먹다 보니 어느새 떡볶이를 다 먹었다. ㉢정말 맛있었다. 짝과 함께 수학 공부를 하기로 해서 할머니께 인사드리고 친구 집으로 갔다. ㉣할머니께 공부를 열심히 한다고 칭찬을 들었지만 할머니와 함께 있지 못해 아쉬운 마음이 들었다. 수학 공부를 하는 동안 할머니께서 일찍 가시지 않았으면 좋겠다고 생각했다. 공부를 마치자마자 집으로 왔다. 다행히 할머니께서 아직 집에 계셨다. 할머니와 함께 만화 영화도 보고, 과일과 피자도 먹었다.

15 ㉠~㉣ 중 글쓴이의 생각이나 느낌이 나타나지 <u>않은</u> 부분의 기호를 쓰시오.

(   )

논술형

16 다음은 이 글을 쓰기 전에 쓸 내용을 다발 짓기로 정리한 것입니다. 다발 짓기의 내용을 참고하여 이 글 뒤에 이어질 '끝' 부분의 내용을 글로 쓰시오.

일어난 일		생각이나 느낌
할머니께서 오심.	처음	기분이 좋아짐.
할머니께서 떡볶이를 해 주심. 친구 집에 수학 공부를 하러 감. 할머니께서 여전히 계심.	가운데	맛있게 먹음. 할머니와 함께 있지 못해 아쉬움. 할머니께서 아직 집에 계신 것을 다행이라고 생각함.
저녁에 할머니께서 댁으로 가심.	끝	섭섭함. 더 자주 오시면 좋겠음.

_____

_____

17 호응 관계가 알맞은 문장의 기호를 쓰시오.

> ㉠ 바다가 보았다.
> ㉡ 할아버지께서 잔다.
> ㉢ 내일 친구를 만날 거야.

(   )

18 다음 문장의 밑줄 그은 부분에 나타난 호응 관계의 종류는 무엇인지 ○표를 하시오.

> <u>도둑이</u> 경찰에게 <u>잡혔다.</u>

(1) 시간을 나타내는 말과 서술어의 호응 (   )
(2) 동작을 당하는 주어와 서술어의 호응 (   )
(3) 높임의 대상을 나타내는 말과 서술어의 호응
(   )

19 문장의 호응 관계를 생각하며 다음 문장을 바르게 고쳐 쓴 것은 무엇입니까? (   )

> 하늘에 구름과 별이 반짝인다.

① 구름과 별이 반짝인다.
② 하늘에 구름이 반짝인다.
③ 하늘에 구름과 별이 떠 있다.
④ 하늘에 구름이 반짝이고 별이 떠 있다.
⑤ 하늘에 구름이 떠 있고 별이 반짝인다.

20 다음 문장을 호응 관계가 알맞도록 바르게 고쳐 쓰시오.

(1) 아버지가 운전을 한다.

➡ _____

(2) 나는 어제 빵을 먹겠다.

➡ _____

(3) 골키퍼가 날아온 공을 잡혔다.

➡ _____

(4) 잡곡밥은 맛과 색깔이 아름답다.

➡ _____

서술형 평가

1 다음 문장이 어색한 까닭은 무엇인지 생각해 보고, 뜻이 더 잘 통하도록 바르게 고쳐 쓰시오.

> 엄마께 선물을.

_____

_____

2 지난달에 겪은 일을 소개하는 글을 쓰려고 합니다. 보기 의 방법 중 한 가지를 정해 기호를 쓰고, 쓸 내용을 떠올려 쓰시오.

> **보기** ㉠ 쓸 내용을 몇 가지로 나누어 떠올림.
> ㉡ 쓰고 싶은 내용을 자유롭게 떠올림.

[3~4] 글을 읽고, 물음에 답하시오.

> **㉮** 아침 일찍, 아빠께서 공원에 가자며 나를 깨우셨다.
> "일찍 일어나는 새가 벌레를 잡는다는 말이 있어. 얼른 일어나자."
> 아빠 말씀에 난 억지로 일어나 세수를 하고 옷을 입었다. 공원에 갈 준비가 끝날 때까지도 난 계속 툴툴거렸다.
> **㉯** 아빠께서는 물통을 들고 뚜벅뚜벅 걸어가셨다. 아빠 발걸음이 어찌나 빠른지 나는 그 뒤를 따라 뛰어야 했다. 뒷산 시민 공원에 도착하니 벌써 운동하는 사람이 많아 깜짝 놀랐다.
> **㉰** 철봉에서 턱걸이를 다섯 번이나 해서 아빠께 칭찬을 들었다. 아침 일찍 일어나기는 힘들었지만 아빠께 칭찬을 들으니 기분이 좋았다.
> **㉱** 이웃 어른들께 반갑게 인사를 하며 아빠와 함께 공원을 나왔다. 나는 아빠를 앞질러 집으로 달렸다. 아빠와 함께 아침 운동을 하니 기분이 참 상쾌했다.

3 글쓴이에게 어떤 일이 있었는지 쓰시오.

_____

_____

4 다음은 이 글을 쓰기 전에 쓸 내용을 다발 짓기로 정리한 것입니다. 일어난 일과 그에 어울리는 생각이나 느낌을 어떻게 묶었는지 쓰시오.

일어난 일		생각이나 느낌
아빠께서 나를 깨우심. 아빠께서 말씀하심.	처음	더 자고 싶어서 툴툴거림.
공원까지 걸음. 턱걸이를 다섯 개나 성공함.	가운데	생각보다 사람이 많아서 놀람. 아버지께 칭찬을 들어 기분이 좋음.
이웃 어른들께 반갑게 인사함. 아빠를 앞질러 집으로 달림.	끝	기분이 참 상쾌함.

_____

_____

_____

5 다음 문장의 밑줄 그은 부분에 나타난 호응 관계의 종류는 무엇인지 쓰시오.

(1) 어제 친구와 박물관에 <u>갔다</u>.	
(2) 아버지께서 청소를 <u>하신다</u>.	
(3) 물고기가 낚싯줄에 <u>걸렸다</u>.	

● 다음 교과서 문장의 파란색 낱말 중에서 알맞은 것을 골라 인물들이 한 말을 완성하시오.

- **잽싸고** 빠른 경찰이 검정 옷을 입은 도둑을 잡았습니다.
- 먼저 **재료**로 달걀 여섯 알, 다진 파 한 줌, 소금, 식용유를 준비한다.
- 아빠 말씀에 난 **억지로** 일어나 세수를 하고 옷을 입었다.
- 할머니께서 공부하느라 **고생**했다며 맛있는 떡볶이를 해 주셨다.

5

글쓴이의 주장

무엇을 배울까요?

 준비

• 상황에 따라 여러 가지로 해석되는 낱말 알기

 기본

• 글을 읽고 상황에 따라 여러 가지로 해석되는 낱말의 뜻 파악하기
• 글을 읽고 글쓴이의 주장 파악하기
• 근거의 적절성을 파악하며 글 읽기

실천

• 주장에 대한 찬반 의견 나누기

5 글쓴이의 주장

1 상황에 따라 여러 가지로 해석되는 낱말 알기

	동형어 형태가 같은 낱말	다의어
뜻	형태는 같지만 뜻이 서로 다른 낱말	한 낱말이 여러 가지 뜻을 가진 낱말
공통점	글자 형태가 같습니다.	
차이점	뜻이 서로 관련이 없습니다.	뜻이 서로 관련이 있습니다.

2 글을 읽고 상황에 따라 여러 가지로 해석되는 낱말의 뜻을 확인하는 방법

① 문장에서 그 낱말 대신 쓸 수 있는 다른 낱말을 생각해 봅니다.
② 국어사전에서 어울리는 뜻을 찾아 확인합니다.
③ 낱말의 앞뒤 내용을 살펴보고 관련 있는 뜻을 찾습니다.

3 글을 읽고 글쓴이의 주장을 파악하는 방법

① 각 문단의 중심 내용을 확인합니다.
② 글쓴이의 의견이 무엇인지 알아보고, 어떤 근거를 제시했는지도 살펴봅니다.
③ 글쓴이가 여러 번 강조해 사용한 낱말이 무엇인지 확인합니다.

4 주장하는 글을 읽고 근거의 적절성을 파악하는 방법

① 제시한 근거는 주장과 관련이 있는지 알아봅니다.
② 제시한 근거가 주장을 더욱 설득력 있게 하는지 알아봅니다.
③ 제시한 근거에 알맞은 낱말을 썼는지 알아봅니다.

주장할 때 근거의 적절성을 살펴야 하는 까닭
• 적절한 근거가 많을수록 글쓴이의 주장이 더욱 설득력 있게 느껴지기 때문입니다.
• 근거에 알맞지 않은 낱말을 사용한 것을 보면 주장도 적절하지 않을 것이라는 생각이 들기 때문입니다.
• 근거가 적절하지 않으면 주장하는 내용도 믿을 수 없기 때문입니다.

5 자신의 의견을 글로 쓸 때 주의할 점

① 읽는 사람을 생각하며 주장에 대한 근거를 잘 설명합니다.
② 알맞은 낱말을 사용해 글을 씁니다.
③ 처음, 가운데, 끝이 잘 구분되게 씁니다.

역량 제재

준비 상황에 따라 여러 가지로 해석되는 낱말 알기

o '다리'의 여러 가지 뜻 알아보기

태빈아, 안녕? 어디 다녀오는 길인가 보구나!

응, ㉠다리가 부러져서 고치고 오는 길이야.

누가? 많이 다쳤어? 걱정되겠다.

무슨 소리야. 안경다리가 부러져서 고치고 오는 길인데…….

① ②

그랬구나. 나는 가족 가운데 누가 ㉡다리를 다친 줄 알았어.

내가 '다리가 부러졌다'고 해서 그렇게 생각했구나.

하하, 그러네. 그런데 우리가 지금 있는 곳도 ㉢다리인데……. 다리라는 낱말이 다양하게 쓰이는구나.

③ ④

• **그림 설명**: 남자아이가 태빈이의 말을 듣고 '다리'라는 낱말이 상황에 따라 여러 가지 뜻으로 쓰이는 것을 깨달았습니다.

● '다리'의 여러 가지 뜻

형태가 같은 낱말, 동형어	
사람의 다리	물을 건너다닐 수 있도록 만든 다리

다의어	
사람의 다리	안경다리

---

1 그림 ②에서 남자아이가 걱정하는 표정을 지은 까닭은 무엇인지 빈칸에 공통으로 들어갈 말을 쓰시오.
교과서 문제

> [   ]이/가 부러졌다는 말을 듣고 누군가 [   ]을/를 다친 줄 알았기 때문이다.

( )

핵심

2 ㉠~㉢의 '다리'에 대한 설명으로 알맞지 않은 것은 무엇입니까? ( )

① ㉠과 ㉡의 뜻은 서로 관련이 있다.
② ㉡과 ㉢은 뜻이 서로 다른 낱말이다.
③ ㉠, ㉡, ㉢은 모두 글자 형태가 같다.
④ ㉠, ㉡, ㉢은 한 가지 뜻으로만 해석된다.
⑤ ㉠, ㉡, ㉢의 뜻을 구분하기 위해서는 국어사전을 찾아보아야 한다.

역량

3 동형어나 다의어가 만들어진 까닭을 알맞게 짐작한 친구를 두 명 쓰시오.

> 정훈: 낱말 하나를 비슷한 상황에서 사용하다 보니 다의어가 된 것 같아.
> 기호: 동형어나 다의어가 없다면 낱말이 너무 많아서 힘들 것 같아.
> 민영: 본디 뜻과 관련 있는 부분이 조금씩 바뀌면서 동형어가 만들어진 것 같아.

( )

4 다음 문장에서 동형어나 다의어를 찾아 기본형을 쓰시오.
교과서 문제

> • 마른 나뭇가지는 불에 잘 탄다.
> • 나는 그네를 타고, 친구는 시소를 탄다.

( )

○ 여러 가지로 해석되는 낱말에 주의하며 글 읽기

어린이 보행 안전

❶ 자동차가 많아지면서 교통사고는 심각한 사회
<u>상태나 정도가 매우 깊고 중대한</u>
문제가 되었다. 신문 기사나 방송으로 교통사고 소
식을 자주 접할 수 있다. 그중에서도 어린이 교통
사고는 가벼운 사고로도 심각한 결과를 가져올 수
5 있기 때문에 주의가 필요하다. 어린이가 교통사고
로 사망하는 유형을 보면 보행 중에 교통사고로 사
망하는 경우의 비율이 매우 높다. 어린이의 생명을

• 글의 종류: 주장하는 글
• 글의 내용: 어린이 보행 중 교통사고를 줄이기 위해 모두 힘쓸 것을 주장하고 있습니다.

지키려면 보행 중인 어린이의 교통사고를 줄일 수
있는 방법을 찾아야 한다.

중심내용 어린이의 생명을 지키려면 보행 중인 어린이의 교통사고를 줄일 수 있는 방법을 찾아야 한다.

❷ 어린이 보행 중 교통사고를 줄이는 방법은 무엇
일까? 운전자에게 어린이 보행 안전 교육을 철저
히 해야 한다. 전체 교통사고 가운데에서 보행 중 5
에 발생한 사고의 나이대별 분포를 살펴보면, 초등
학생이 다른 나이대보다 상대적으로 높게 나타나
는 것을 알 수 있다. 이는 초등학생들이 바깥 활동
이 잦은 데다 위험 상황을 판단하고 그에 대처하는
<u>알맞은 조치를 취하는</u>
능력이 부족하기 때문이다. 그러므로 운전자에게 10
어린이 보행자를 보호할 수 있는 안전 교육을 실시
해 어린이 보행 중 교통사고가 일어나지 않도록 해
야 한다.

중심내용 운전자에게 어린이 보행 안전 교육을 철저히 해야 한다.

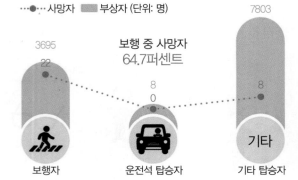

···●··· 사망자　▨ 부상자 (단위: 명)

3695
22

보행 중 사망자
64.7퍼센트

8
0

7803

8

기타

보행자　　운전석 탑승자　　기타 탑승자

• 출처: 도로교통공단 교통사고분석시스템[TAAS] 누리집 (http://taas.koroad.or.kr)
▲ 어린이 교통사고 시 상태별 현황(2018)

유형(類 무리 유, 型 모형 형) 성질이나 특징 따위가 공통적인 것끼리 묶은 하나의 틀. 또는 그 틀에 속하는 것.

보행(步 걸음 보, 行 다닐 행) 걸어다님.
분포(分 나눌 분, 布 베 포) 일정한 범위에 흩어져 퍼져 있음.

---

1 이 글에서 제시한 문제는 무엇인지 빈칸에 알맞은 말을 쓰시오.

• (　　　　　　) 중에 교통사고로 사망하는 어린이가 많다.

2 초등학생이 다른 나이대보다 보행 중 교통사고 발생률이 높은 까닭을 무엇이라고 했는지 <u>두 가지</u>를 고르시오.　　　　　　(　 , 　)
① 바깥 활동이 잦아서
② 몸집이 커서 눈에 잘 띄어서
③ 자동차를 타는 경우가 많아서
④ 안전 교육을 받은 적이 없어서
⑤ 위험 상황을 판단하고 그에 대처하는 능력이 부족해서

3 이 글에 나온 다음 낱말 중 동형어나 다의어를 골라 ○표를 하시오.
(　 사고, 자동차, 상대적, 초등학생 　)

핵심
4 상황에 따라 여러 가지로 해석되는 낱말의 뜻을 파악하는 방법으로 알맞은 것을 <u>모두</u> 고르시오.
(　 , 　 , 　)
① 글의 중심 내용이 무엇인지 살펴본다.
② 비슷한 형태의 낱말을 문장에서 찾아본다.
③ 문장에서 대신 쓸 수 있는 낱말을 생각한다.
④ 국어사전에서 어울리는 뜻을 찾아 확인한다.
⑤ 낱말의 앞뒤 내용을 살펴보고 관련 있는 뜻을 찾는다.

❸ 어린이를 고려한 보행 안전시설도 더 필요하다. 학교 앞길에는 과속 차량을 단속하는 장치를 마련
_{달리는 속도를 너무 빠르게 함.}
해야 한다. 그리고 학교 근처의 어린이 보호 구역을 현재 반지름 300미터보다 더 넓게 하여 어린이들이
5 안전하게 다닐 수 있게 해야 한다. 그뿐만 아니라 어린이가 많이 다니는 길에는 과속 방지 턱을 만들어 차량 속도를 낮추도록 해야 한다. 이와 같은 안전시설은 어린이 교통사고를 줄이는 데 많은 도움이 될 것이다.

_{중심 내용} 어린이를 고려한 보행 안전시설도 더 필요하다.

❹ 어린이 스스로도 보행 중 교통사고를 당하지 않
10 도록 노력해야 한다. 도로에서 발생하는 수많은 비극은 교통 법규를 무시하고 조금 빨리 가려다가 발생한다. 운전자와 보행자 모두 도로에서 시간적 여유를 가지는 마음이 필요하다. 보행 신호가 초록색으로 바뀌지도 않았는데 보행자가 무리하게 길을
_{정도가 지나치게 심하게}
15 건너면 사고를 당할 수 있다. 그리고 신호가 바뀌자마자 좌우를 살피지 않고 출발하다가 사고를 당하기도 한다. 또 신호가 바뀐 뒤에도 신호 위반을 하는 차가
_{법률, 명령, 약속 따위를 지키지 않고 어김.}

있을 수 있기 때문에 늘 조심해야 한다. 따라서 운전자와 보행자 모두 도로에서 조급하게 서두르지 말고 교통 법규와 안전 수칙을 지키며 생활해야 한다.

_{중심 내용} 어린이 스스로도 보행 중 교통사고를 당하지 않도록 노력해야 한다.

❺ 이제부터라도 어린이 보행 중 교통사고를 줄이는 일에 모두 힘써야 한다. 어린이 보행 안전은 5 남에게 미룰 수도 없고, 남이 대신해 줄 수도 없다. 우리 모두 노력해 어린이 보행 중 교통사고가 ㉠일어나지 않도록 하자.

_{중심 내용} 이제부터라도 어린이 보행 중 교통사고를 줄이는 일에 모두 힘써야 한다.

● 이 글에 나온 동형어나 다의어의 뜻 찾기 예

쓰인 낱말	일어나다
쓰인 문장	우리 모두 노력해 어린이 보행 중 교통사고가 일어나지 않도록 하자.
사전에서 찾은 뜻	① 누웠다가 앉거나 앉았다가 서다. ② 어떤 일이 생기다.
문장에 어울리는 뜻	어떤 일이 생기다.

_{핵심}

단속(團 둥글 단, 束 약속할 속) 규칙이나 법령, 명령 따위를 지키도록 통제함.

수칙(守 지킬 수, 則 법칙 칙) 행동이나 절차에 관하여 지켜야 할 사항을 정한 규칙.

5 어린이를 고려한 보행 안전시설로 무엇이 필요하다고 했는지 <u>모두</u> 고르시오. (　,　,　)

① 학교 앞 차량 이동 금지
② 등하굣길 전용 버스 마련
③ 과속 차량을 단속하는 장치 마련
④ 현재보다 더 넓게 어린이 보호 구역 설정
⑤ 어린이가 많이 다니는 길에 과속 방지 턱 설치

6 보행 중 교통사고를 줄이기 위해 어린이 스스로 노력해야 할 점이 <u>아닌</u> 것은 무엇입니까? (　　)

① 교통 법규를 지킨다.
② 안전 수칙을 지킨다.
③ 조급하게 서두르지 않는다.
④ 무리하게 길을 건너지 않는다.
⑤ 신호가 바뀌자마자 재빨리 건넌다.

7 다음 제시된 내용을 보고 빈칸에 알맞은 동형어나
_{교과서 문제} 다의어를 이 글에서 찾아 쓰시오.

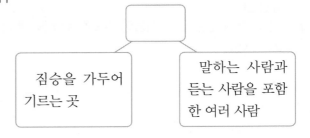

_{핵심}

8 이 글에 쓰인 ㉠'일어나지'의 뜻으로 알맞은 것을
_{교과서 문제} 찾아 ○표를 하시오.

(1) 잠에서 깨어나다. (　　)
(2) 어떤 일이 생기다. (　　)
(3) 누웠다가 앉거나 앉았다가 서다. (　　)

○ 글쓴이의 주장을 생각하며 글 읽기

가 [   ]

• 글의 종류: 주장하는 글
• 글의 내용: 인공 지능 개발의 위험을 말하고 있습니다.

❶ 인공 지능 기술의 개발 속도는 우리가 예상할 수 없을 만큼 빨라지고 있습니다. 많은 사람이 다음 세기에는 인공 지능이 인간을 뛰어넘을 것이라고 말합니다. 앞으로 인공 지능은 우리의 삶 곳곳
5 에 영향을 미칠 것입니다. 그런 미래는 편리함이라는 빛만큼이나 위험하고 어두운 그림자 또한 있을 것이라고 생각합니다. 그러므로 인공 지능이 일으킬 위험을 막을 방법도 생각해야 합니다.

❷ 첫째, 인공 지능을 가졌느냐 아니냐에 따라 부
10 자는 더 부자가 되고 가난한 사람은 더욱 가난해질 것입니다. 이로써 사회적·경제적 불평등은 더욱 심해질 것입니다.

❸ 둘째, 힘이 강한 나라나 집단이 힘이 약한 나라나 사람들을 지배할 수도 있습니다. 인공 지능이 발달
15 하면 힘 있는 사람들의 지배력이 지금과 비교가 안 될 정도로 강해질 것입니다. 즉 나라 사이에 새로운 지배 관계가 생길 위험이 매우 크다고 생각합니다.

❹ 셋째, 지금보다 더 발달한 인공 지능이 등장하면 인간은 인공 지능에게 지배를 받게 될지도 모릅니다. 인공 지능은 인간보다 뛰어난 지적 능력이 있으면서 인간에게 있는 문제점은 없습니다. 인공 지능에게 독립성이 생긴다면 인공 지능은 인간의
5 통제에서 벗어나고 끝내 인간 사회는 비극을 맞게
일정한 방침이나 목적에 따라 행위를 제한하거나 제약함.
될 것입니다.

❺ 세계적인 학자들이 공개한 '인공 지능에게 보내는 공개편지'에는 우리 사회가 인공 지능으로 엄청난 이득을 얻을 수도 있지만, 인공 지능에 숨어 있
10 는 위험을 막을 방법을 깊이 연구해야 한다는 내용이 담겨 있습니다. 인간이 편리함에 눈이 멀어 인공 지능을 계속 개발한다면 인간은 스스로에게 덫을 놓는 실수를 저지르게 될지도 모릅니다.

● 글 **가**에 나타난 글쓴이의 주장

> 인공 지능이 일으킬 위험을 알고 그를 막을 방법을 연구해야 한다.

핵심

지배할 어떤 사람이나 집단, 조직, 사물 등을 자기의 의사대로 복종하게 하여 다스릴.

독립성(獨 홀로 독, 立 설 립, 性 성품 성) 남에게 의지하거나 속박되지 아니하고 홀로 서려는 성질이나 성향.

서술형

1 글 **가**에서 말한 인공 지능이 일으킬 위험을 세 가지 쓰시오.

• _____

• _____

• _____

2 다음 중 글 **가**에서 많이 쓰인 낱말을 세 가지 고르시오. (, ,)
교과서 문제
① 빛   ② 지배   ③ 이득
④ 위험   ⑤ 인공 지능

핵심

3 글 **가**에 나타난 글쓴이의 주장을 파악할 때 살펴볼 내용으로 알맞지 않은 것의 기호를 쓰시오.

> ㉠ 각 문단의 중심 내용
> ㉡ 글쓴이의 의견과 근거
> ㉢ 가장 길게 쓴 문단의 두 번째 문장
> ㉣ 글쓴이가 여러 번 강조해 사용한 낱말

( )

4 글쓴이의 주장이 드러나게 빈칸에 들어갈 글 **가**의 제목을 정해 쓰시오.
교과서 문제
( )

⑤
단원

⬤ ㉠영국의 어느 대학교에서 펼친 '킬러 로봇 반대 운동'을 들어 보았습니까? 이 운동은 로봇을 개발할 때 돈을 우선할 것이 아니라 사회에 끼칠 위험도 함께 생각해야 한다고 말합니다. 이처럼 우리 사회 곳곳에서는 인공 지능을 개발하거나 이용할 때 사회에 질 책임을 강조하려는 움직임이 활발히 일어나고 있습니다. 인공 지능에는 위험이 있긴 하지만 우리는 인공 지능을 개발하는 것을 포기할 수 없습니다. 인공 지능은 인류 미래에 꼭 있어야 할 기술입니다.

❷ 첫째, ㉡인공 지능에 제대로 된 규칙을 부여해 잘 통제하고 활용하면 인류의 삶은 더욱 편리하고 풍요로워질 것입니다. 예를 들어 움직임이 불편한 노인과 장애인들은 무인 자동차로 자유롭게 이동할 수 있습니다. 인류가 인공 지능을 제대로 관리한다면 인공 지능은 인류에게 많은 도움이 될 것입니다.

❸ 둘째, ㉢인공 지능과 관련한 일자리가 늘어날 것입니다. 많은 사람이 인공 지능의 발달로 삼십 년 안에 현재의 일자리 절반이 사라질 것이라고 걱정합니다. 하지만 이 문제는 사람들의 의견을 모으고 제도를 마련하여 인공 지능이 인간의 일자리를

- **글의 종류**: 주장하는 글
- **글의 내용**: 인공 지능이 인류 미래에 꼭 있어야 할 기술임을 말하고 있습니다.

빼앗지 않도록 하면 됩니다. 더 나아가 인공 지능 관련 일자리를 늘려 나갈 수도 있습니다.

❹ 셋째, ㉣사람이 하기 어렵거나 위험한 일을 인공 지능이 대신할 수 있습니다. 사람 몸에 해로운 물질을 다루는 일이나 높은 빌딩에 페인트를 칠하는 일같이 위험한 일을 인공 지능 로봇이 대신한다면 어쩌다가 일어날 수 있는 사고나 피해를 줄일 수 있습니다.

❺ 인공 지능 개발을 연구하는 학자들은 인공 지능으로 세상을 더 살기 좋게 만들 수 있도록 다양한 분야에서 노력할 것이라고 말했습니다. 앞으로 인공 지능은 인간의 생활을 이롭게 하는 생활 속 기술로 자리 잡을 것입니다. 인간에게 나쁜 영향을 줄 수 있는 인공 지능은 철저히 통제하고, 인간을 보호하고 도울 수 있는 인공 지능을 활용하면 ㉤인공 지능은 인류의 미래를 희망으로 가득하게 만들어 줄 것입니다.

● **글 ❹에 나타난 글쓴이의 주장** 핵심

> 인공 지능은 인류의 미래를 희망으로 가득하게 만들어 줄 것이다.

부여(附 붙을 **부**, 與 줄 **여**) 사람에게 권리·명예·임무 따위를 지니도록 해 주거나, 사물이나 일에 가치·의의 따위를 붙여 줌.

이롭게 이익이 있게.
㉣ 깨끗한 자연을 지키는 것은 우리 모두를 <u>이롭게</u> 할 것입니다.

5
교과서
문제
글 ❹에서 글쓴이가 주장을 펼치기 위해 여러 번 사용한 낱말을 <u>두 가지</u> 골라 ○표를 하시오.

> 인류, 반대, 인공 지능

6 ㉠~㉤ 중 해당 문단의 중심 내용이 드러난 문장이 <u>아닌</u> 것은 무엇인지 기호를 쓰시오.

(   )

7
교과서
문제
빈칸에 알맞은 말을 써 글 ❹의 제목을 완성하시오.

> 인공 지능은 미래의 (   )(이)다

핵심
8 글 ❹에 나타난 글쓴이의 주장에 ○표를 하시오.

(1) 인공 지능의 개발을 막아야 한다. (   )

(2) 인공 지능의 발달로 인하여 인간은 어려움을 겪을 것이다. (   )

(3) 인공 지능은 인류의 미래를 희망으로 가득하게 만들어 줄 것이다. (   )

○ 글쓴이의 주장을 생각하며 글 읽기

글을 쓸 때에도 지켜야 할 윤리가 있다

❶ 일상생활에서 규칙과 질서를 잘 지키는 일이 중요한 것처럼, ㉠글을 쓸 때에도 다른 사람에게 피해를 주지 않으려면 규범을 지켜야 한다. 글을 쓸 때 남의 글을 베껴 자신이 쓴 글인 양 속이는 사람
5 이 있다. ㉡그리고 진실이 아닌 내용을 진실인 것처럼 거짓으로 꾸며 글을 쓰는 사람도 있다. 또 읽는 사람이 크게 상처를 받을 수 있는 내용의 글을 함부로 쓰는 사람도 있다. ㉢이것은 모두 글쓰기 과정에서 지켜야 할 규범과 예의를 지키지 않은 경
10 우이다. 이처럼 글을 쓰는 과정에서 지켜야 하는 여러 가지 규범을 쓰기 윤리라고 한다. 글을 쓸 때 흔히 글만 잘 쓰면 된다고 생각하기 쉽지만 아무리 잘 쓴 글이라고 하더라도 쓰기 윤리에 벗어난 글이라면 아무 소용이 없다. 쓰기 윤리를 지켜야 하는
15 까닭을 살펴보자.

❷ 첫째, 쓰기 윤리를 지키지 않는 것은 법을 어기는 일이다. 무엇보다 진실이 아닌 내용을 진실인 것처럼 쓰는 경우, 법으로 처벌을 받을 수도 있다.

• 글의 종류: 주장하는 글
• 글의 내용: 글을 쓸 때 쓰기 윤리를 지켜야 하는 까닭이 드러나 있습니다.

예를 들어 어떤 과학자가 자신이 연구한 결과를 돋보이게 하려고 내용을 조작하거나 결과를 부풀려서 쓴 보고서를 발표했다고 하자. 이것은 과학자 ─ 어떤 일을 사실인 듯이 꾸며 만들거나 ─ 자신뿐만 아니라 그 보고서를 읽는 모든 사람을 속이는 일로, 법의 심판을 피할 수 없다. 이렇듯 쓰 5 기 윤리의 시작은 스스로에게 떳떳하고 진실하게 쓰는 것이며 이를 어길 경우 처벌을 받을 수도 있음을 유념해야 한다.

❸ 둘째, 쓰기 윤리를 지키지 않으면 다른 사람에게 물질이나 정신 피해를 줄 수 있다. 글을 쓰 10 려고 어떤 자료를 이용하는 경우, 자신이 직접 쓴 부분과 자료에서 인용한 부분을 명확하게 구분하지 않으면 표절이 될 수 있다. 너무도 뚜렷하게 의도가 있는 표절이면 저작권자에게 피해를 준다. 예를 들어 어떤 작가가 오랜 시간 힘들여 15 쓴 이야기책이 유명해졌는데, 어떤 사람이 비슷한 내용으로 다른 책을 만들어서 판다면 어떻게 될까? 이야기책의 원래 작가는 그만큼 돈을 못 벌게 되고, 또 마음에 큰 상처를 받게 될 것이다.

규범(規 법 규, 範 법 범) 인간이 행동하거나 판단할 때에 마땅히 따르고 지켜야 할 가치 판단의 기준.

표절(剽 겁박할 표, 竊 훔칠 절) 시나 글, 노래 따위를 지을 때에 남의 작품의 일부를 몰래 따다 씀.

---

1 다음에서 설명하는 내용을 이 글에서 찾아 쓰시오.

> 글을 쓰는 과정에서 지켜야 하는 여러 가지 규범

( )

3 ❷문단에서 글을 쓸 때 진실이 아닌 내용을 진실인 것처럼 쓰면 어떻게 될 수 있다고 했는지 쓰시오.

( )

2 ㉠~㉢ 중 ❶문단의 중심 내용이 드러난 문장은 무엇인지 기호를 쓰시오.
[교과서 문제]

( )

4 ❸문단에서 쓰기 윤리를 지키지 않으면 다른 사람에게 어떤 피해를 줄 수 있다고 했는지 빈칸에 알맞은 말을 쓰시오.

• ( )(이)나 ( ) 피해

만약 친구가 내가 쓴 글을 읽고 내 글과 비슷하게 써서 상을 받았다고 생각해 본다면 저작권을 존중해 쓰기 윤리를 지키는 일이 중요하다는 것을 알게 될 것이다. 또 나쁜 마음으로 다른 사람에게 있지도 않은 사실을 글로 써서 퍼뜨리거나, 다른 사람 글을 함부로 헐뜯어 쓰기 윤리를 어기는 행동도 피해자에게 씻지 못할 상처를 남길 수 있다.

❹ 셋째, 쓰기 윤리를 지키지 않는 것은 문화 발전을 막는 일이다. 글쓰기는 사람들이 생각을 함께 나누게 함으로써 문화 발전에 큰 역할을 한다. 그런데 자신이 조사한 내용을 거짓으로 꾸미거나 허위로 글을 쓰는 사람이 많다면 글을 읽는 사람들은 글의 내용을 믿을 수 없게 된다. 또 여러 사람이 새로운 창작물을 만들려고 노력하는 대신 다른 사람의 글을 베끼려고만 한다면 인류의 문화 발전은 이루어지기 어렵다. 이런 일들이 반복되면 사회 전체에 혼란이 커지고, 우리나라의 신뢰에도 문제가 생길 것이다. 다른 사람 글에 예의 있게 반응하는 것

또한 사람들에게 창작 욕구를 북돋워 문화 발전에 기여하는 일이다.

❺ 지금까지 쓰기 윤리를 지켜야 하는 까닭을 알아보았다. 쓰기 윤리를 존중하는 것은 우리나라의 미래 발전에 영향을 미칠 정도로 중요하다. 우리가 쓰기 윤리를 존중하지 않으면 우리 스스로 피해를 보는 일이 생길 수도 있다. 그러므로 글을 쓸 때 출처를 정확히 밝히고, 자신을 속이지 않으며 거짓된 내용은 쓰지 않아야 한다. 또 다른 사람 글에도 예의 있게 반응하고 읽는 사람을 배려하며 글을 써야 한다.

● 이 글에 나타난 글쓴이의 주장과 주장을 뒷받침하는 근거

주장	쓰기 윤리를 지키자.
근거	• 쓰기 윤리를 지키지 않는 것은 법을 어기는 일이다. • 쓰기 윤리를 지키지 않으면 다른 사람에게 물질이나 정신 피해를 줄 수 있다. • 쓰기 윤리를 지키지 않는 것은 문화 발전을 막는 일이다.

허위(虛 빌 허, 僞 거짓 위) 진실이 아닌 것을 진실인 것처럼 꾸민 것. 예 그 광고는 허위 광고나 다름없습니다.

출처(出 날 출, 處 곳 처) 사물이나 말 따위가 생기거나 나온 근거. 예 이 책의 뒤에 이야기의 출처를 적었습니다.

5 이 글에 나타난 글쓴이의 주장을 쓰시오.

(   )

6 [교과서 문제] 글쓴이의 주장을 뒷받침하는 근거를 세 가지 고르시오. (,   ,   )

① 쓰기 윤리를 지키면 무료로 작품을 볼 수 있다.

② 쓰기 윤리를 지키지 않는 것은 법을 어기는 일이다.

③ 쓰기 윤리를 지키지 않는 것은 문화 발전을 막는 일이다.

④ 쓰기 윤리를 지키지 않으면 창작자의 창작 욕구가 늘어난다.

⑤ 쓰기 윤리를 지키지 않으면 다른 사람에게 물질이나 정신 피해를 줄 수 있다.

핵심 논술형

7 [교과서 문제] 6번 문제에서 답한 근거가 적절한지 판단하고 그렇게 생각한 까닭을 쓰시오.

_____

_____

8 주장할 때 근거가 적절한지 살펴야 하는 까닭으로 알맞지 않은 것에 ×표를 하시오.

(1) 적절한 근거가 많을수록 글의 내용이 어렵게 느껴지기 때문이다. (   )

(2) 근거가 적절하지 않으면 주장하는 내용도 믿을 수 없기 때문이다. (   )

(3) 근거에 알맞지 않은 낱말을 사용한 것을 보면 주장도 적절하지 않을 것이라는 생각이 들기 때문이다. (   )

실천 주장에 대한 찬반 의견 나누기

○ 학교 안 스마트폰 사용에 대한 사람들의 의견을 확인하며 글 읽기

○○초등학교 어린이 신문	20○○년 ○○월 ○○일

- 글의 종류: 신문 기사
- 글의 내용: 학교 안 스마트폰 사용을 법으로 금지하는 것에 대해 찬성하는 의견과 반대하는 의견이 드러나 있습니다.

학교 안에서 스마트폰 사용이 필요한가

최근 스마트폰을 사용하는 사람이 늘면서 초등학생이 스마트폰에 중독되는 것을 걱정하는 목소리가 높습니다. 마침내 학교 안에서 초등학생이 스마트폰을 쓰지 못하게 하는 법안까지 국회에 제출되었습니다. 스마트폰을 지나치게 쓰는 것이 문제라는 사실에는 공감하지만, 초등학생들이 학교 안에

5 서 스마트폰을 아예 쓰지 못하도록 법으로 막는 것을 두고 찬성과 반대 입장이 팽팽히 맞섭니다. 여러분은 어떻게 생각하나요?

⟨㉮⟩ 학교 안 스마트폰 사용을 법으로 금지해야 한다고 주장하는 사람들은 다음과 같은 근거를 듭니다.

"학교 안에서 스마트폰을 사용하면 학생들이 수업에 집중하지 못해 학업에 방해가 됩니다. 만약 학교 안에서 스마트폰을 사용하는 것을 법으로

10 금지한다면 학생들이 스마트폰에 정신을 빼앗기지 않아 좀 더 수업에 집중할 수 있을 것입니다. 아무리 학교에서 사용하지 않겠다고 다짐해도 스마트폰이 자신에게 있으면 손이 가기 마련입니다. 또 학교에서까지 스마트폰을 사용하면 난청, 시각 장애, 거북목 증후군 같은 여러 가지 병에

15 걸릴 수 있습니다. 따라서 학생이 스마트폰을 학교에서 사용하는 것을 막는 장치가 있어야 합니다."

핵심

● '학교 안 스마트폰 사용을 법으로 금지해야 한다'에 대한 찬성 의견

주장	학교 안 스마트폰 사용을 법으로 금지해야 한다.
근거	• 학교 안에서 스마트폰을 사용하면 학생들이 수업에 집중하지 못해 학업에 방해가 된다. • 난청, 시각 장애, 거북목 증후군 같은 여러 가지 병에 걸릴 수 있다.

팽팽히 둘의 힘이 서로 엇비슷하게.
⟨예⟩ 토론을 시작하자 양측의 의견이 팽팽히 대립했습니다.

학업(學 배울 학, 業 업 업) 주로 학교에서 일반 지식과 전문 지식을 배우기 위하여 공부하는 일.

---

1 이 기사는 어떤 문제를 다루었는지 빈칸에 알맞은 말을 쓰시오.
교과서 문제

- 학교 안 ( ) 사용에 대한 찬반 의견

핵심

2 ㉮에 나타난 주장은 무엇인지 기호를 쓰시오.
교과서 문제

> ㉠ 스마트폰은 현대인에게 꼭 필요한 것이다.
> ㉡ 학교 안 스마트폰 사용을 법으로 금지해야 한다.
> ㉢ 학교 안에서 스마트폰을 사용할 수 있도록 해야 한다.

( )

3 ㉮에 나타난 주장을 뒷받침하는 근거를 모두 골라 ○표를 하시오.
교과서 문제

(1) 부모님과 쉽게 연락할 수 있다. ( )

(2) 난청, 시각 장애, 거북목 증후군 같은 여러 가지 병에 걸릴 수 있다. ( )

(3) 학교 안에서 스마트폰을 사용하면 학생들이 수업에 집중하지 못해 학업에 방해가 된다. ( )

논술형

4 ㉮에 나타난 주장을 뒷받침할 수 있는 근거를 한 가지 더 떠올려 쓰시오.

_____

하지만 학교 안 스마트폰 사용을 법으로 금지하면 안 된다고 주장하는 사람들도 있습니다. 이들의 생각은 다음과 같습니다.

5 ㉯ "초등학생의 스마트폰 중독 문제를 강제적으로 해결할 수는 없습니다. 학교 안에서 스마트폰을 쓰지 못하게 한다면 오히려 역효과만 일어날 것입니다. 대부분의 학생은 방과 후에 스마트폰을 사용하기 때문에 법을 굳이 만들지 않아도 됩니다. 초등학생에게 스마트폰을 올바르게 사용하도록 교육하는 것이 학교 안에서 스마트폰을 사용하지 못하도록 법으로 금지하는 것보다 훨씬 효과가 클 것입니다. 또 학생들은 수업에서 이해하지 못한 내용을 스마트폰으로 바로바로 찾아볼 수도 있습니다."

10

지금 우리 주변에도 스마트폰을 사용하는 친구들을 어렵지 않게 볼 수 있습니다. 여러분은 '학교 안 스마트폰 사용'을 어떻게 생각하십니까?

○○○ 기자

● '학교 안 스마트폰 사용을 법으로 금지해야 한다'에 대한 반대 의견	
주장	학교 안 스마트폰 사용을 법으로 금지하면 안 된다.
근거	• 학교 안에서 스마트폰을 쓰지 못하게 하면 역효과만 일어날 것이다. • 올바른 스마트폰 사용법을 교육하는 것이 학교 안에서 스마트폰 사용을 법으로 금지하는 것보다 훨씬 효과가 클 것이다. • 수업에서 이해하지 못한 내용을 바로바로 찾아볼 수 있다.

강제적(强 강할 강, 制 절제할 제, 的 과녁 적) 권력이나 위력으로 남의 자유의사를 억눌러 원하지 않는 일을 억지로 시키는 것.

역효과(逆 거스릴 역, 效 본받을 효, 果 실과 과) 기대하였던 바와는 정반대가 되는 효과.

5 [교과서 문제] ㉯는 학교 안 스마트폰 사용을 법으로 금지하는 것에 대하여 어떤 입장인지 ○표를 하시오.

(찬성 , 반대)

6 [핵심] [교과서 문제] ㉯에 나타난 주장을 뒷받침하기 위한 근거를 두 가지 고르시오. (,)

① 스마트폰은 장점보다 단점이 더 많다.
② 스마트폰을 사용하면 교육적으로 좋지 않다.
③ 초등학생의 스마트폰 중독 문제를 강제적으로 해결할 수 있다.
④ 학교 안에서 스마트폰을 쓰지 못하게 하면 역효과만 일어날 것이다.
⑤ 올바른 스마트폰 사용법을 교육하는 것이 학교 안에서 스마트폰 사용을 법으로 금지하는 것보다 훨씬 효과가 클 것이다.

7 ㉯에 나타난 주장과 같은 의견을 이야기한 친구는 누구인지 쓰시오.

> 미유: 친구들과 친하게 지내려면 스마트폰 사용을 금지해야 한다고 생각해. 스마트폰을 할 시간에 친구들과 어울려 놀면 친구 관계가 더 좋아질 거야.
> 도현: 스마트폰에 있는 여러 가지 기능을 친구들과 함께하는 수업에서 활용할 수 있어. '게임을 하지 않는다'와 같은 규칙을 정해서 우리 스스로 지켜 나가면 돼.

( )

8 [서술형] 자신의 의견을 글로 쓸 때, 주장을 뒷받침하려고 제시한 근거가 적절한지 확인하는 방법을 한 가지 쓰시오.

_____

_____

상황에 따라 여러 가지로 해석되는 낱말 알기

예 '다리'의 여러 가지 뜻 알아보기

❶ ☐☐☐

사람의 다리 ← | 물을 건너다닐 수 있도록 만든 다리 ↓

신체 부위인 다리와 두 곳을 잇는 다리는 형태가 같을 뿐이지 서로 다른 낱말입니다. 이처럼 형태는 같지만 뜻이 서로 다른 낱말을 형태가 같은 낱말 또는 동형어라고 합니다.

❷ ☐☐☐

사람의 다리 ← | 책상 다리 ← | 안경다리 ←

사람이나 동물의 몸통 아래에 붙어 몸을 받치는 '다리'가 물건에 사용될 수 있습니다. 이처럼 한 낱말이 여러 가지 뜻을 가진 경우에 그 낱말을 다의어라고 합니다.

예 국어사전을 보고 동형어와 다의어의 차이 알아보기

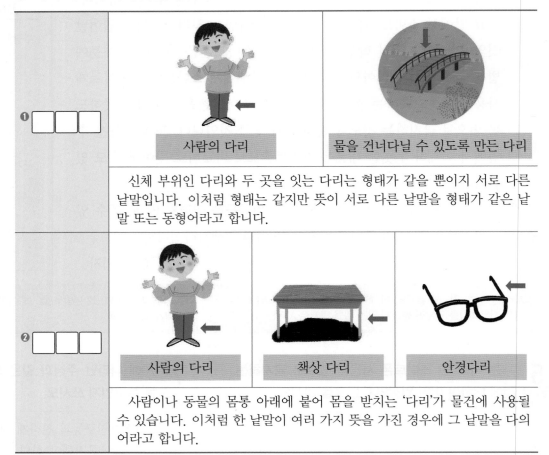

다리01
「명사」
「1」 사람이나 동물의 몸통 아래 붙어 있는 신체의 부분. 서고 걷고 뛰는 일 따위를 맡아 한다. ≒각09(脚)「1」.
「2」 물체의 아래쪽에 붙어서 그 물체를 받치거나 직접 땅에 닿지 아니하게 하거나 높이 있도록 버티어 놓은 부분.
⋮

다의어

한 낱말에 여러 가지 ❸ ☐ 을/를 제시한다.

동형어

서로 다른 낱말이므로 구분해 제시한다.

다리02
「명사」
「1」 물을 건너거나 또는 한편의 높은 곳에서 다른 편의 높은 곳으로 건너다닐 수 있도록 만든 시설물.
「2」 둘 사이의 관계를 이어 주는 사람이나 사물을 비유적으로 이르는 말.
⋮

다리03
「명사」
예전에, 여자들의 머리숱이 많아 보이라고 덧넣었던 딴머리. ≒월내01(月乃)·월자01(月子).
⋮

글을 읽고 글쓴이의 주장 파악하기

예 교과서 158~159쪽 글 ⑦, ⑭를 읽고 글쓴이의 주장 파악하기

문단	중심 내용	
	글 ⑦	글 ⑭
❶	❹☐☐☐이/가 일으킬 위험을 막을 방법을 생각해야 합니다.	인공 지능은 인류 미래에 꼭 있어야 할 기술입니다.
❷	인공 지능이 사회적·경제적 불평등을 심하게 할 것입니다.	인공 지능에 제대로 된 ❺☐☐을/를 부여해 잘 통제하고 활용하면 인류에게 도움이 될 것입니다.
❸	힘이 강한 나라나 집단이 힘이 약한 나라나 사람들을 지배할 수도 있습니다.	인공 지능과 관련한 ❻☐☐☐이/가 늘어날 것입니다.
❹	인간이 인공 지능에게 지배를 받게 될지도 모릅니다.	사람이 하기 어렵거나 위험한 일을 인공 지능이 대신할 수 있습니다.
❺	인공 지능의 위험을 막을 방법을 연구해야 합니다.	인공 지능은 인류의 미래를 희망으로 가득하게 만들어 줄 것입니다.
	↓	↓
글쓴이의 주장	인공 지능이 일으킬 ❼☐☐을/를 알고 그를 막을 방법을 연구해야 한다.	인공 지능은 인류의 미래를 희망으로 가득하게 만들어 줄 것이다.

근거의 적절성을 파악하며 글 읽기

예 「글을 쓸 때에도 지켜야 할 윤리가 있다」를 읽고 근거의 적절성 파악하기

주장	❽☐☐ 윤리를 지키자.

근거 1	근거 2	근거 3
쓰기 윤리를 지키지 않는 것은 법을 어기는 일이다.	쓰기 윤리를 지키지 않으면 다른 사람에게 물질이나 정신 피해를 줄 수 있다.	쓰기 윤리를 지키지 않는 것은 ❾☐☐ 발전을 막는 일이다.

글쓴이가 제시한 근거가 적절한지 알아보기		
제시한 근거는 ❿☐☐과/와 관련이 있나요?	예	아니요
제시한 근거는 주장을 더욱 설득력 있게 하나요?	예	아니요
제시한 근거에 알맞은 낱말을 썼나요?	예	아니요

단원 평가

[1~2] 대화를 읽고, 물음에 답하시오.

> 정훈: 태빈아, 안녕? 어디 다녀오는 길인가 보구나!
>
> 태빈: 응, 다리가 부러져서 고치고 오는 길이야.
>
> 정훈: 누가? 많이 다쳤어? 걱정되겠다.
>
> 태빈: 무슨 소리야. 안경다리가 부러져서 고치고 오는 길인데…….
>
> 정훈: 그랬구나. 나는 가족 가운데 누가 ㉠다리를 다친 줄 알았어.
>
> 태빈: 내가 '다리가 부러졌다'고 해서 그렇게 생각했구나.
>
> 정훈: 하하, 그러네. 그런데 우리가 지금 있는 곳도 ㉡다리인데……. 다리라는 낱말이 다양하게 쓰이는구나.

1 정훈이가 태빈이의 말을 듣고 헷갈려 한 까닭은 무엇인지 빈칸에 알맞은 낱말을 쓰시오.

• '(   )'의 뜻이 여러 가지이기 때문이다.

2 이 대화에 나온 ㉠과 ㉡의 '다리'의 뜻을 아래 보기 에서 찾아 번호를 쓰시오.

> **보기**
> ① 다리01 사람이나 동물의 몸통 아래 붙어 있는 신체의 부분. 서고 걷고 뛰는 일 따위를 맡아 한다.
> ② 다리02 물을 건너거나 또는 한편의 높은 곳에서 다른 편의 높은 곳으로 건너다닐 수 있도록 만든 시설물.

(1) ㉠ '다리'의 뜻: (   )

(2) ㉡ '다리'의 뜻: (   )

3 국어사전에서 한 낱말에 여러 가지 뜻을 제시한 낱말은 무엇인지 ○표를 하시오.

(동형어 , 다의어)

4 다음 빈칸에 공통으로 들어갈 동형어나 다의어는 무엇입니까? (   )

> • 나는 고개를 (   ) 바른 자세로 섰다.
> • 손을 다친 친구 대신 내가 짐을 (   ).

① 서다 ② 들다 ③ 밀다
④ 적다 ⑤ 세다

[5~7] 글을 읽고, 물음에 답하시오.

> 어린이 보행 중 교통사고를 줄이는 방법은 무엇일까? 운전자에게 어린이 보행 안전 교육을 철저히 해야 한다. 전체 교통사고 가운데에서 보행 중에 발생한 사고의 나이대별 분포를 살펴보면, 초등학생이 다른 나이대보다 상대적으로 높게 나타나는 것을 알 수 있다. 이는 초등학생들이 바깥 활동이 잦은 데다 위험 상황을 판단하고 그에 대처하는 능력이 부족하기 때문이다. 그러므로 운전자에게 어린이 보행자를 보호할 수 있는 안전 교육을 실시해 어린이 보행 중 교통사고가 ㉠일어나지 않도록 해야 한다.

5 이 글에서 알 수 있는 어린이 보행 중 교통사고를 줄이는 방법은 무엇입니까? (   )

① 친구들과 함께 이동한다.
② 대중교통을 이용하여 이동한다.
③ 차가 있는 곳은 지나가지 않는다.
④ 운전 중 안전벨트를 반드시 착용한다.
⑤ 운전자에게 어린이 보행 안전 교육을 실시한다.

6 ㉠'일어나지'와 같이 상황에 따라 여러 가지로 해석되는 낱말의 뜻을 파악하는 방법으로 알맞은 것에 ○표를 하시오.

(1) 국어사전에서 어울리는 뜻을 찾는다. (   )

(2) 글에서 가장 많이 쓰인 낱말의 개수를 세어 본다. (   )

7 이 글에 나온 ㉠'일어나지'의 뜻을 쓰시오.

(   )

[8~10] 글을 읽고, 물음에 답하시오.

㉮ 앞으로 인공 지능은 우리의 삶 곳곳에 영향을 미칠 것입니다. 그런 미래는 편리함이라는 빛만큼이나 위험하고 어두운 그림자 또한 있을 것이라고 생각합니다. 그러므로 인공 지능이 일으킬 위험을 막을 방법도 생각해야 합니다.

첫째, 인공 지능을 가졌느냐 아니냐에 따라 부자는 더 부자가 되고 가난한 사람은 더욱 가난해질 것입니다. 이로써 사회적·경제적 불평등은 더욱 심해질 것입니다.

㉯ 셋째, 지금보다 더 발달한 인공 지능이 등장하면 인간은 인공 지능에게 지배를 받게 될지도 모릅니다. 인공 지능은 인간보다 뛰어난 지적 능력이 있으면서 인간에게 있는 문제점은 없습니다. 인공 지능에게 독립성이 생긴다면 인공 지능은 인간의 통제에서 벗어나고 끝내 인간 사회는 비극을 맞게 될 것입니다.

서술형

8 인공 지능이 사회적·경제적 불평등을 심하게 하는 까닭은 무엇인지 쓰시오.

_____

_____

9 인공 지능 때문에 인간 사회가 비극을 맞게 될 것이라는 것은 무슨 뜻입니까?　　(　)

① 인공 지능이 인간을 지배할 것이다.
② 인공 지능의 개발로 환경이 발달할 것이다.
③ 인공 지능으로 다양한 일자리가 생길 것이다.
④ 인공 지능 개발이 세계를 하나로 만들 것이다.
⑤ 인공 지능이 과학 기술 개발을 방해할 것이다.

10 이 글에서 글쓴이가 주장하는 내용은 무엇인지 ○표를 하시오.

(1) 인공 지능은 꼭 필요하다.　　　　(　)
(2) 인공 지능은 인간을 뛰어넘을 수 없다. (　)
(3) 인공 지능이 일으킬 위험을 알고 그를 막을 방법을 연구해야 한다.　　　(　)

[11~13] 글을 읽고, 물음에 답하시오.

㉮ 인공 지능에는 위험이 있긴 하지만 우리는 인공 지능을 개발하는 것을 포기할 수 없습니다. 인공 지능은 인류 미래에 꼭 있어야 할 기술입니다.

㉯ 둘째, 인공 지능과 관련한 일자리가 늘어날 것입니다. ㉠많은 사람이 인공 지능의 발달로 삼십 년 안에 현재의 일자리 절반이 사라질 것이라고 걱정합니다. 하지만 이 문제는 사람들의 의견을 모으고 제도를 마련하여 인공 지능이 인간의 일자리를 빼앗지 않도록 하면 됩니다. 더 나아가 인공 지능 관련 일자리를 늘려 나갈 수도 있습니다.

셋째, 사람이 하기 어렵거나 위험한 일을 인공 지능이 대신할 수 있습니다. 사람 몸에 해로운 물질을 다루는 일이나 높은 빌딩에 페인트를 칠하는 일같이 위험한 일을 인공 지능 로봇이 대신한다면 어쩌다가 일어날 수 있는 사고나 피해를 줄일 수 있습니다.

11 인공 지능의 좋은 점을 두 가지 고르시오.
　　　　　　　　　　(　 , 　)

① 인공 지능의 감시를 받는 것
② 인간이 할 수 있는 일이 점점 줄어드는 것
③ 인공 지능과 관련한 일자리가 늘어나는 것
④ 힘이 강한 나라가 힘이 약한 나라를 지배하는 것
⑤ 사람이 하기 어렵거나 위험한 일을 인공 지능이 대신하는 것

12 ㉠과 같은 문제를 해결하기 위해서 어떻게 하면 된다고 했는지 쓰시오.
(　　　　　　　　　　　)

13 글쓴이의 주장은 무엇입니까?　　(　)

① 인공 지능은 곧 사라질 것이다.
② 인공 지능의 개발을 멈춰야 한다.
③ 인공 지능은 인간과 상관없는 일이다.
④ 인공 지능보다 인간의 힘이 더 위대하다.
⑤ 인공 지능은 인류의 미래를 희망으로 가득하게 만들어 줄 것이다.

[14~17] 글을 읽고, 물음에 답하시오.

> **㉮** 글을 쓸 때 흔히 글만 잘 쓰면 된다고 생각하기 쉽지만 아무리 잘 쓴 글이라고 하더라도 쓰기 윤리에 벗어난 글이라면 아무 소용이 없다. 쓰기 윤리를 지켜야 하는 까닭을 살펴보자.
>
> 첫째, 쓰기 윤리를 지키지 않는 것은 법을 어기는 일이다. 무엇보다 진실이 아닌 내용을 진실인 것처럼 쓰는 경우, 법으로 처벌을 받을 수도 있다.
>
> **㉯** 둘째, 쓰기 윤리를 지키지 않으면 다른 사람에게 물질이나 정신 피해를 줄 수 있다. 글을 쓰려고 어떤 자료를 이용하는 경우, 자신이 직접 쓴 부분과 자료에서 인용한 부분을 명확하게 구분하지 않으면 표절이 될 수 있다.

14 글쓴이의 주장은 무엇인지 빈칸에 알맞은 말을 쓰시오.

- (   )을/를 지키자.

15 글쓴이가 주장을 뒷받침하기 위해 제시한 근거를 두 가지 골라 기호를 쓰시오.

> ㉠ 글을 자주 쓰면 상상력이 풍부해진다.
> ㉡ 쓰기 윤리를 지키지 않는 것은 법을 어기는 일이다.
> ㉢ 쓰기 윤리를 지키지 않으면 다른 사람에게 물질이나 정신 피해를 줄 수 있다.

(   )

16 주장에 대한 근거가 적절한지 알아보는 방법을 생각하며 **보기** 에서 알맞은 낱말을 골라 빈칸에 쓰시오.

> **보기**   낱말   관련   설득력

(1) 제시한 근거가 주장과 (   )이 있는지 살펴본다.

(2) 제시한 근거에 알맞은 (   )을 썼는지 살펴본다.

(3) 제시한 근거는 주장을 더욱 (   ) 있게 하는지 살펴본다.

17 이 글에 나타난 주장에 대한 근거가 적절한지 판단하여 ○표를 하시오.

(적절하다. / 적절하지 않다.   )

[18~20] 글을 읽고, 물음에 답하시오.

> ㉠학교 안 스마트폰 사용을 법으로 금지해야 한다고 주장하는 사람들은 다음과 같은 근거를 듭니다.
>
> "학교 안에서 스마트폰을 사용하면 학생들이 수업에 집중하지 못해 학업에 방해가 됩니다. 만약 학교 안에서 스마트폰을 사용하는 것을 법으로 금지한다면 학생들이 스마트폰에 정신을 빼앗기지 않아 좀 더 수업에 집중할 수 있을 것입니다."

18 이 글은 학교 안 스마트폰 사용을 법으로 금지해야 한다는 주제에 찬성하는 의견인지 반대하는 의견인지 쓰시오.

(   )하는 의견

서술형

19 ㉠과 같이 주장하는 사람이 주장을 뒷받침하는 근거로 제시한 것을 쓰시오.

_____

_____

20 ㉠의 주장을 뒷받침하는 근거로 추가할 수 있는 것을 두 가지 고르시오. (,   )

① 부모님과 연락할 수 있는 방법이 없다.

② 친구들에게 스마트폰을 자랑할 수 있다.

③ 공부 시간에 다른 친구에게 방해가 된다.

④ 수업에서 이해하지 못한 내용을 바로바로 찾아볼 수 있다.

⑤ 난청, 시각 장애, 거북목 증후군 같은 여러 가지 병에 걸릴 수 있다.

서술형 평가

1 다음 동형어가 서로 다른 뜻을 갖도록 <u>두 문장을</u> 만들어 쓰시오.

> 타다

• _____

• _____

[2~3] 글을 읽고, 물음에 답하시오.

> 어린이 스스로도 보행 중 교통사고를 당하지 않도록 노력해야 한다. 도로에서 발생하는 수많은 비극은 교통 법규를 무시하고 조금 빨리 가려다가 발생한다. 운전자와 보행자 모두 도로에서 시간적 여유를 가지는 마음이 필요하다. 보행 신호가 초록색으로 바뀌지도 않았는데 보행자가 무리하게 길을 건너면 사고를 당할 수 있다. 그리고 신호가 바뀌자마자 좌우를 살피지 않고 출발하다가 사고를 당하기도 한다. 또 신호가 바뀐 뒤에도 신호 위반을 하는 차가 있을 수 있기 때문에 늘 조심해야 한다. 따라서 운전자와 보행자 모두 도로에서 조급하게 서두르지 말고 교통 법규와 안전 수칙을 지키며 생활해야 한다.

2 어린이가 보행 중 교통사고를 당하지 않기 위해 <u>스스로 지켜야 하는 안전 수칙</u>은 무엇인지 쓰시오.

_____

_____

3 다음은 이 글에서 찾은 여러 가지로 해석되는 낱말입니다. 다음과 같은 낱말의 뜻을 파악하는 방법을 한 가지만 쓰시오.

> 도로,   사고,   가지다,   신호

_____

4 다음 글에 나타난 주장과 근거를 쓰시오.

> 이처럼 우리 사회 곳곳에서는 인공 지능을 개발하거나 이용할 때 사회에 질 책임을 강조하려는 움직임이 활발히 일어나고 있습니다. 인공 지능에는 위험이 있긴 하지만 우리는 인공 지능을 개발하는 것을 포기할 수 없습니다. 인공 지능은 인류 미래에 꼭 있어야 할 기술입니다.
>
> 첫째, 인공 지능에 제대로 된 규칙을 부여해 잘 통제하고 활용하면 인류의 삶은 더욱 편리하고 풍요로워질 것입니다. 예를 들어 움직임이 불편한 노인과 장애인들은 무인 자동차로 자유롭게 이동할 수 있습니다. 인류가 인공 지능을 제대로 관리한다면 인공 지능은 인류에게 많은 도움이 될 것입니다.

(1) 주장	
(2) 근거	

5 다음 주장에 대한 근거를 <u>두 가지</u> 쓰시오.

> 교실이나 복도에서 큰 소리로 떠들지 말자.

• _____

• _____

6 "학생들이 학교 안에서 스마트폰을 사용할 수 있도록 허락해야 한다."는 주제에 대해 찬성하는지 반대하는지 쓰고, 주장을 뒷받침하는 근거를 쓰시오.

(1) 주장	
(2) 근거	

● 다음 교과서 문장의 파란색 낱말 중에서 알맞은 것을 골라 인물들이 한 말을 완성하시오.

- 어린이의 생명을 지키려면 **보행** 중인 어린이의 교통사고를 줄일 수 있는 방법을 찾아야 한다.
- 학교 앞길에는 **과속** 차량을 단속하는 장치를 마련해야 한다.
- 운전자와 보행자 모두 도로에서 **조급하게** 서두르지 말고 교통 법규와 안전 수칙을 지키며 생활해야 한다.
- 인공 지능에게 독립성이 생긴다면 인공 지능은 인간의 **통제**에서 벗어나고 끝내 인간 사회는 비극을 맞게 될 것입니다.

정답 | ❶ 통제 ❷ 보행 ❸ 과속 ❹ 조급하게

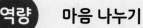
6

토의하여 해결해요

6 토의하여 해결해요

1 토의

토의 뜻	어떤 문제를 여러 사람이 협력해 해결하는 방법입니다.
일상생활에서 토의를 해야 하는 까닭	• 적절한 문제 해결 방법을 찾을 수 있습니다. • 문제 상황을 더 잘 이해할 수 있습니다. • 문제 해결에 직접 참여할 수 있습니다. • 결정된 내용을 잘 받아들일 수 있습니다.

2 토의 절차와 방법

토의 절차	토의 방법
토의 주제 정하기	• 토의하고 싶은 주제를 자유롭게 이야기하기 • 토의 주제로 알맞은지 판단하기 • 토의 주제 결정하기
의견 마련하기	• 토의 주제에 맞게 자신의 의견 쓰기 • 그 의견이 좋은 까닭 쓰기
의견 모으기	• 친구들과 의견 주고받기 • 각 의견의 장단점 찾기 • 의견이 알맞은지 판단할 기준 세우기 • 기준에 따라 의견이 알맞은지 판단하기
의견 결정하기	• 기준에 따라 가장 알맞은 의견으로 결정하기

└→ • 좋은 의견이 많으면 여러 가지 의견을 정할 수도 있습니다.
　　• 소수 의견이라도 도움이 된다면 얼마든지 받아들일 수 있습니다.

3 토의 주제를 파악하고 의견 나누기

① 토의 주제가 문제 상황을 해결하는 데 알맞은 토의 주제인지 살펴봅니다.

예

토의 주제	학급의 날을 어떻게 보내면 좋을까요?
토의 주제 판단 기준	• 우리 모두와 관련이 있는 문제인가요? → 학급의 날이기 때문에 우리 모두와 관련이 있는 문제로 볼 수 있습니다. • 해결 방법을 찾을 수 있는 문제인가요? → 학급의 날을 보내는 여러 방법을 찾아낼 수 있습니다. • 우리가 변화를 이끌어 낼 수 있는 문제인가요? → 우리가 학급의 날을 만들어 갈 수 있습니다.

② 토의 주제에 따라 자신의 의견과 그 의견이 좋은 까닭을 써 봅니다.
③ 의견이 알맞은지 판단하는 기준을 정하고, 나온 의견을 그 기준에 따라 검토하여 의견을 결정해 봅니다.

핵 심 개 념 문 제

정답과 해설 ● 20쪽

1 어떤 문제를 여러 사람이 협력해 해결하는 방법을 무엇이라고 하는지 쓰시오.

(　　　　　　)

2 토의를 하면 적절한 문제 해결 방법을 찾을 수 있고, 문제 상황을 더 잘 ☐☐할 수 있습니다.

3 다음 토의 절차 중 토의를 할 때 가장 먼저 할 일은 무엇인지 골라 기호를 쓰시오.

> ㉠ 의견 모으기
> ㉡ 의견 마련하기
> ㉢ 의견 결정하기
> ㉣ 토의 주제 정하기

(　　　　　　)

4 의견을 모을 때에는 의견을 주고받으며 각 의견의 장단점을 찾습니다.

(　　○ , × 　　)

5 토의 주제로 알맞은지 판단하기 위해서 우리 모두와 관련이 있는 문제인지, 해결 방법을 찾을 수 있는 문제인지, 우리가 ☐☐을/를 이끌어 낼 수 있는 문제인지 살펴봅니다.

준비 토의 뜻과 필요성 알기

○ 우리 주변에 있는 문제를 해결하는 여러 가지 방법을 살펴보기

> **알립니다**
> 1학년이 수업을 마치고 집으로 갈 때에는 운동장에서 축구를 할 수 없습니다.

> 이것은 언제 정한 거지?

> 나도 처음 보는데…….

> 지난번에 1학년 동생이 운동장에서 축구공에 맞아 다쳤습니다. 이와 같은 사고를 막으면서 운동장을 안전하게 쓰려면 어떻게 해야 할까요?

> 1학년을 안전하게 보호하는 것도 중요하지만 무조건 운동장을 못 쓰게 하면 안 된다고 생각합니다.

> 하지만 우리가 축구를 하고 싶다고 해서 다른 사람을 위험하게 할 수는 없어요.

> 1학년이 수업을 마치고 집으로 가는 시간을 피해 축구하는 시간을 정하면 어떨까요?

• **그림 설명**: 운동장을 안전하게 쓰는 방법에 대해 **가**는 알림 글로 결정 내용을 전달했고, **나**는 학생들이 모여 운동장을 함께 쓰는 방법을 의논했습니다.

● **문제를 해결하는 과정 살펴보기** [핵심]

문제 해결 과정	**가**: 알림 글로 결정된 내용을 전달함.
	나: 학생들이 모여 운동장을 안전하게 쓰는 방법을 의논함.
나 해결 방법의 좋은 점	• 문제 해결에 직접 참여할 수 있다. • 문제 상황을 더 잘 이해할 수 있다. • 결정된 내용을 잘 받아들일 수 있다.

---

1 [교과서 문제] 그림 **가**와 **나**는 어떤 문제를 해결하는 과정을 나타낸 그림인지 빈칸에 알맞은 말을 쓰시오.

• ( )을/를 안전하게 쓰는 방법

2 [교과서 문제] 그림 **가**와 **나**에서 문제를 해결하는 과정을 [보기]에서 각각 찾아 기호를 쓰시오.

> [보기] ㉠ 알림 글로 결정된 내용을 전달함.
> ㉡ 학생들이 모여 운동장을 안전하게 쓰는 방법을 의논함.

(1) 그림 **가**: ( )
(2) 그림 **나**: ( )

3 [핵심] 일상생활에서 토의를 해야 하는 까닭으로 알맞지 않은 것은 무엇입니까? ( )

① 상황을 더 잘 이해할 수 있다.
② 문제 해결에 직접 참여할 수 있다.
③ 결정된 내용을 잘 받아들일 수 있다.
④ 적절한 문제 해결 방법을 찾을 수 있다.
⑤ 혼자 문제 해결 방법을 결정할 수 있다.

4 [교과서 문제] 일상생활에서 토의를 해야 할 때는 언제인지 쓰시오.

( )

기본 1 토의 절차와 방법 알기

○ 토의 주제를 정하는 방법 알아보기

가

우리 학교 상징을 무엇으로 바꾸면 좋을지 이야기해 봐요.

토의하고 싶은 주제를 자유롭게 이야기해요.

그래도 학교 생일인데 '개교기념일을 뜻깊게 보내는 방법 찾기'가 좋지 않을까요?

• **그림 설명**: 학생들이 자유롭게 이야기를 나누며 토의 주제를 결정하고 있습니다.

토의하고 싶은 ⊙ 을/를 자유롭게 이야기하기

↓

나

어떤 주제가 토의하기에 알맞을까요?

우리 모두와 관련이 있는 주제여야 하지 않을까요?

해결 방법을 찾을 수 있는 문제를 다루었으면 좋겠어요.

우리가 변화를 이끌어 낼 수 있는 주제가 좋겠어요.

토의 주제로 알맞은지 판단하기

●**토의 주제를 정하는 방법** 〔핵심〕

토의 주제 정하는 방법	가: 토의하고 싶은 주제를 자유롭게 이야기하기
	나: 토의 주제로 알맞은지 판단하기
토의 주제	개교기념일을 뜻깊게 보내는 방법

↓

다

'개교기념일을 뜻깊게 보내는 방법'으로 주제를 정하고 토의를 시작합시다.

토의 주제 결정하기

---

1 다음에서 선생님께서는 어떤 문제 상황을 제시하셨는지 빈칸에 알맞은 말을 쓰시오.

올해는 개교기념일 행사를 학생들의 의견을 모아 진행하기로 했어요.

• ( )을/를 학생들의 의견을 모아 진행하기로 했다고 알려 주셨다.

2 가에서 친구들이 한 일은 무엇인지 ⊙에 들어갈 알맞은 말을 찾아 쓰시오.

( )

〔핵심〕
3 토의 주제로 알맞은지 판단하는 방법으로 알맞지 않은 것을 찾아 ×표 하시오.

(1) 내가 관심 있는 주제인지 생각한다. ( )

(2) 우리 모두와 관련이 있는 주제인지 살펴본다.
( )

(3) 해결 방법을 찾을 수 있는 문제인지 살펴본다.
( )

(4) 우리가 변화를 이끌어 낼 수 있는 주제인지 살펴본다. ( )

4 나~다에서 토의 주제로 알맞은지 판단하는 과정을 거쳐 결정한 토의 주제는 무엇인지 찾아 쓰시오.

( )

● 토의에서 자신의 의견을 마련하는 방법 알아보기

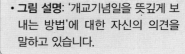
• **그림 설명:** '개교기념일을 뜻깊게 보내는 방법'에 대한 자신의 의견을 말하고 있습니다.

우리 학교 도서관에는 책이 많습니다. 제가 지금까지 대출한 책도 200권이 넘습니다.

개교기념일을 기념해서 전교생이 함께 해외여행을 다녀오면 좋겠습니다.

이번 개교기념일에 무조건 학교 상징을 바꾸면 좋겠습니다.

㉮   ㉯   ㉰

내 의견	㉠
그 의견이 좋은 까닭	㉡

● 의견을 마련하는 방법	
의견을 마련하는 방법	• 토의 주제에 맞게 제안하기 • 실천할 수 있는 의견 제안하기 • 알맞은 근거와 함께 의견 제안하기
자신의 의견	㉐ 우리 학교 역사 찾기 행사를 합시다. 학교가 어떤 과정으로 바뀌어 왔는지 알 수 있습니다.

핵심 **6단원**

5 다음 의견은 ㉮~㉰의 친구 중에 누구의 의견인지 기호를 쓰시오.

> 우리 학교 도서관에는 책이 많다.

(   )

6 ㉮와 ㉯ 친구가 말한 의견에 어떤 문제점이 있는지 찾아 선으로 이으시오.

(1) 친구 ㉮ •   • ① 의견을 실천하기 어렵다.

(2) 친구 ㉯ •   • ② 의견이 토의 주제에 맞지 않는 내용이다.

7 ㉰ 친구가 의견을 마련할 때 생각할 점을 알맞게 말한 친구를 쓰시오.

> 도연: 전문가처럼 보이도록 어려운 말을 넣어서 의견을 말해야 해.
> 준영: 자신의 의견을 내세우기만 하는 것이 아니라 알맞은 근거를 함께 제시해야 해.

(   )

핵심 논술형
8 ㉠과 ㉡에 들어갈, '개교기념일을 뜻깊게 보내는 방법'에 맞게 자신의 의견과 그 의견이 좋은 까닭을 생각하여 쓰시오.

(1) 내 의견	
(2) 그 의견이 좋은 까닭	

○ 토의에서 의견을 모으는 방법 알아보기

• **표 설명**: 주고받은 의견의 장단점을 찾고, 의견이 알맞은지 판단할 수 있는 기준에 따라 의견을 검토하는 과정이 나타나 있습니다.

의견	의견의 장단점
학교 이름으로 삼행시 짓기 대회를 하면 좋겠습니다. 삼행시 짓기는 학생들이 쉽게 참여할 수 있기 때문입니다.	• 삼행시 짓기 대회를 하면 학생들의 관심을 높일 수 있어요. • ㉠
㉡학교 역사 찾기 행사를 하면 좋겠습니다. 학교 역사를 찾아보면 학교가 어떤 과정으로 바뀌어 왔는지 알 수 있기 때문입니다.	• 학교 역사 알아보기는 재미가 없어요. • 학교 옛 사진 찾기나 연대표 만들기 활동을 하면 학교 역사도 흥미롭게 알아볼 수 있어요.

↓

기준에 따라 의견이 알맞은지 판단하기

의견 1
삼행시 짓기
대회를 하자.

그렇지 않다 — 보통 이다 — 그렇다

㉢기준

의견 2
학교 역사 찾기
행사를 하자.

그렇지 않다 — 보통 이다 — 그렇다

● **의견을 모으는 방법**

주고받은 의견의 장단점 찾기

> 예 삼행시 짓기 대회를 하면 학생들의 관심을 높일 수 있는 장점은 있지만 삼행시 내용이 학교와 상관없을 수도 있음.

↓

개교기념일을 뜻깊게 보내는 방법을 결정하는 데 필요한 판단 기준 세우기

• 토의 주제에 맞는 내용인가?
• 알맞은 주장과 근거를 들었는가?
• 우리가 실천할 수 있는가?

↓

기준에 따라 의견이 알맞은지 판단하기

---

9 의견을 모을 때 지켜야 할 점으로 알맞지 <u>않은</u> 것은 무엇입니까? ( )

① 다른 사람의 의견을 따라 말한다.
② 토의 주제와 관련한 이야기를 한다.
③ 다른 사람의 의견을 존중하며 듣는다.
④ 알맞은 까닭을 들어 자신의 주장을 말한다.
⑤ 다른 사람의 의견을 끝까지 듣고 자신의 의견을 말한다.

서술형

10 ㉠에 들어갈 삼행시 짓기 대회의 단점을 한 가지 쓰시오.

_____

_____

11 ㉡ 의견의 장점과 단점을 정리하여 빈칸에 알맞은 말을 각각 쓰시오.

장점	학교 옛 사진 찾기나 (1)( ) 만들기처럼 흥미로운 활동을 마련할 수 있다.
단점	학생들의 관심이 (2)( ) 수 있다.

핵심

12 개교기념일을 뜻깊게 보내는 방법에 맞는 의견인지 판단하기 위한 ㉢기준으로 알맞은 것에 모두 ○표를 하시오.

(1) 토의 주제에 맞는 내용인가? ( )
(2) 알맞은 주장과 근거를 들었는가? ( )
(3) 우리가 실천하기 어려워도 그럴 듯해 보이는가? ( )

토의에서 의견을 결정하는 방법 알아보기

우리가 많이 참여할 수 있고 학교를 더 잘 알 수 있는 의견으로 정해요.

장점이 가장 많은 의견으로 정하면 좋겠어요.

검토한 여러 의견 가운데 좋은 방법을 결정해 봅시다.

그럼 우리 모둠에서는 우리 생각을 모두 만족하는 의견인 '우리 학교 역사 찾기' 행사를 하기로 결정하면 되겠네요.

• **그림 설명:** '개교기념일을 뜻깊게 보내는 방법'을 주제로 주고받은 여러 의견 가운데 가장 알맞은 의견을 결정하고 있습니다.

● **의견을 결정하는 방법**

의견을 결정하는 방법	• 토의 주제에 맞는 의견 결정하기 • 알맞은 주장과 근거를 든 의견 결정하기 • 실천할 수 있는 의견 결정하기
결정한 의견	예 우리가 많이 참여할 수 있고 학교를 더 잘 알 수 있는 '우리 학교 역사 찾기' 행사를 하자.

핵심 6단원

13 친구들은 어떤 의견으로 결정했는지 쓰시오.

교과서 문제

(   )

핵심

14 토의에서 의견을 결정하는 방법으로 알맞지 <u>않은</u> 것은 무엇입니까?   (   )

① 실천할 수 있는 의견을 결정한다.
② 토의 주제에 맞는 의견을 결정한다.
③ 알맞은 주장과 근거를 든 의견을 결정한다.
④ 좋은 의견이 많더라도 반드시 한 가지 의견만 정한다.
⑤ 소수 의견이라도 도움이 된다면 얼마든지 받아들일 수 있다.

15 토의 절차에 맞게 빈칸에 알맞은 말을 쓰시오.

교과서 문제

토의 주제 정하기	➡	(1)

➡ (2) ➡ 의견 결정하기

16 토의할 때 지켜야 할 점을 <u>잘못</u> 말한 친구를 쓰시오.

지호: 토의 절차에 따라 토의해야 해.
승우: 의견의 장단점을 생각하며 들어야 해.
우진: 내 의견과 다른 의견은 듣지 않아도 돼.
동해: 토의 주제에서 벗어난 의견은 말하지 않아야 해.

(   )

역량 활동

토의 주제를 파악하고 의견 나누기

○ 그림을 보며 친구들의 고민이 무엇인지 이야기하기

다음 주 가운데 하루를 학급의 날로 잡아서 그날을 여러분이 계획한 대로 보내려고 합니다.

무엇을 하면 좋을까?

• 그림 설명: 친구들이 해결해야 할 문제가 나타나 있습니다.

● 토의 절차와 방법에 따라 토의하기

토의 주제 정하기

예 학급의 날을 어떻게 보내면 좋을까요?

의견 마련하기

예 '찾아가는 선배들' 활동을 하자. 우리가 1~2학년에게 춤 공연 등을 보여 주는 시간을 마련해 찾아간다면 선후배 사이에 뜻깊은 시간을 보낼 수 있다.

의견을 모으고 결정하기

예 우리의 장기를 활용해 후배들과 즐겁고 뜻깊은 시간을 보낼 수 있는 '찾아가는 선배들' 활동을 하기로 결정함.

토의에서 결정한 의견 발표하기

---

1 선생님께서 한 다음 제안에 대해 친구들이 고민하는 것은 무엇인지 쓰시오.

교과서 문제

다음 주 가운데 하루를 학급의 날로 잡아서 학생들이 계획한 대로 보내자.

(   )

핵심

2 다음 토의 주제가 1번 문제에서 답한 고민을 해결하는 데 알맞은 토의 주제인지 판단하는 기준을 세 가지 고르시오. (, ,)

토의 주제: 학급의 날을 어떻게 보내면 좋을까요?

① 우리 모두와 관련이 있는 문제인가?
② 해결 방법을 찾을 수 있는 문제인가?
③ 찬성과 반대로 나뉠 수 있는 문제인가?
④ 우리가 변화를 이끌어 낼 수 있는 문제인가?
⑤ 해결 방법이 한 가지로 정해져 있는 문제인가?

3 다음은 어떤 의견의 장단점을 정리한 것인지 보기 에서 골라 각각 기호를 쓰시오.

보기 ㉠ 우리 반 장기 자랑을 했으면 좋겠습니다.
㉡ '찾아가는 선배들' 활동을 했으면 좋겠습니다.

(1) 1~2학년 가운데 신청하는 학급을 조사해야 한다. (   )
(2) 학급의 날을 우리끼리 즐겁게 노는 것으로 다 써 버릴 수 있다. (   )
(3) 우리의 장기를 활용해 후배들과 즐겁고 뜻깊은 시간을 보낼 수 있다. (   )

역량 논술형

4 3번 문제에서 정리한, 학급의 날에 '찾아가는 선배들' 활동을 하자는 의견이 알맞은지 판단하여 써 보시오.

_____

_____

기본3 역량 제재 글을 읽고 토의하기

○ 겪은 일을 떠올리며 글 읽기

○○일보	20○○년 ○○월 ○○일

고사리손으로 교통사고 대책 마련 눈길

어린이 보호 구역에서 유치원생이 목숨을 잃은 사고가 있은 뒤, 초등학생들이 직접 교통사고 대책 마련에 나서 화제가 됐다. 과거에도 같은 곳에서 비슷한 사고가 있었기에 학생들은 학교 앞 어린이 보
5 호 구역이 자신들의 안전을 지켜 주지 못한다는 것을 알았다.

이에 따라 전교 학생회에서 '안전한 학교 만들기' 안건을 마련했다. 이날 회의에서는 '구청장님께 편지 쓰기'라는 실천 방안까지 나왔다.

- **글의 종류:** 기사문
- **글의 내용:** 유치원생이 학교 앞 어린이 보호 구역에서 교통사고로 목숨을 잃은 사고가 있은 뒤, 학생들이 스스로 문제를 해결하기 위해 한 일이 나타나 있습니다.

학생회는 학교 친구들이 직접 학교 앞 어린이 보호 구역 환경 개선을 요구하고 뚜렷한 개선 방안을 낼 것을 계획했다. 학생회는 학교 곳곳에 알림 글을 붙여 전교생이 편지를 쓰자고 했다. 그 결과, 편지가 2주 만에 200여 통이나 쌓였다.

○○초등학교
학생들의 목소리

고사리손 어린아이의 손을 비유적으로 이르는 말.
⑩ 아이들이 <u>고사리손</u>으로 송편을 예쁘게 빚었다.

개선(改 고칠 **개**, 善 착할 **선**) 잘못된 것이나 부족한 것, 나쁜 것 따위를 고쳐 더 좋게 만듦.

---

1 학생들에게 어떤 문제가 생겼습니까?
교과서문제
• 학교 앞 ( )에서 유치원생이 교통사고로 목숨을 잃었다.

2 1번 문제에서 답한 일로 학생들이 안 것은 무엇입니까? ( )
① 유치원생은 주의가 부족하다.
② 학교 앞 어린이 보호 구역은 필요하지 않다.
③ 과거에는 교통사고로 사망하는 일이 적었다.
④ 학교 앞 어린이 보호 구역이 우리의 안전을 잘 지켜 주고 있다.
⑤ 학교 앞 어린이 보호 구역이 자신들의 안전을 지켜 주지 못한다.

3 학생들이 문제를 해결하기 위해 한 일을 <u>두 가지</u> 고르시오. (,)
교과서문제
① 전교생에게 안전 교육을 했다.
② 다른 학교 학생의 의견을 들었다.
③ 전교 학생회에서 교통안전을 위한 홍보 영상을 만들었다.
④ 전교 학생회에서 '안전한 학교 만들기' 안건을 마련하여 회의했다.
⑤ 구청장님께 학교 앞 어린이 보호 구역 환경 개선을 요구하는 편지를 썼다.

4 이 글과 관련이 있는 예를 떠올려 말한 친구는 누구인지 이름을 쓰시오.
교과서문제

채원: 학급 회의를 해서 현장 체험학습을 어디로 갈지 정한 적이 있어.
하민: 학교 앞 교통 안전을 위해 팻말을 만들어서 홍보 활동을 한 적이 있어.

( )

학교 앞 어린이 보호 구역에 폐회로 텔레비전 [CCTV]과 신호등을 설치하고, 불법 주정차 단속을 제대로 해야 한다는 내용이 대부분이었다. 이 가운데 가장 눈에 띄는 제안은 어린이 보호 구역 표지판을 5 개선하자는 것이었다. 어린이 보호 구역 표지판이 너무 작아 가로수에 가려 잘 보이지도 않는 데다 밤에는 어린이 보호 구역을 알아보기조차 힘들다는 의견이었다. 이에 따라 어린이 보호 구역 표지판의 크기를 키우고 밤에 잘 보일 수 있도록 표지판 테 10 두리를 엘이디(LED)로 반짝이게 만들어 밤이든 낮이든 운전자가 이 곳이 어린이 보호 구역임을 분명히 알게 하자는 개선 15 방안이 나왔다.

학생회는 교사와 함께 이를 받아들이게 할 방법을 논의했고, 지방 자치 단체 누리집에 면담을 신청해 구청장을 만났다. 학생회는 아이들이 직접 쓴 편지를 전달하며 불법 주정차 단속을 강화하고 어린이 보호 구역 표지판을 개선해 달라고 구청장에 5 게 부탁했다. 이에 구청장은 신속하게 시설을 개선하고 문제를 해결하기로 약속했다. / ○○○ 기자

● 기사문을 읽고 토의하기

토의 주제 정하기	예 모두에게 안전한 학교를 만드는 방법
의견 마련하기	예 우리 학교 안전 지도를 만들면 좋겠습니다. 학교 곳곳에 있는 안전하지 않은 곳을 널리 알려 사고를 예방할 수 있기 때문입니다.
의견 모으기	예 학교 안전 지도를 만들기 위해서는 여러 친구가 학교 곳곳을 살펴봐야 하기 때문에 학생들의 참여를 높일 수 있다는 좋은 점이 있습니다.
의견 결정하기	예 우리 학교 안전 지도를 만듭시다.

폐회로(閉 닫을 폐, 回 돌아올 회, 路 길 로) 전기 회로에서, 전류가 계속 흐르고 있는 회로.

가로수(街 거리 가, 路 길 로, 樹 나무 수) 거리의 미관과 국민 보건 따위를 위하여 길을 따라 줄지어 심은 나무.

5 학생들이 어린이 보호 구역 표지판을 개선하자는 의견을 낸 까닭으로 알맞은 것을 두 가지 고르시오. (,)

① 어린이 보호 구역 표지판이 너무 낡았다.
② 밤에는 어린이 보호 구역을 알아보기조차 힘들다.
③ 어린이 보호 구역 표지판의 글자가 영어로만 쓰여 있다.
④ 어린이 보호 구역 표지판이 너무 커서 한눈에 보이지 않는다.
⑤ 어린이 보호 구역 표지판이 너무 작아 가로수에 가려 잘 보이지 않는다.

핵심
6 이 글을 읽고 우리 학교의 안전과 관련이 있는 토의 주제를 정하여 쓰시오.
(   )

역량 서술형
7 6번 문제에서 정한 토의 주제에 알맞은 자신의 의견을 정리해 쓰시오.

(1) 주장	
(2) 근거	

8 '안전한 학교 만들기'를 안건으로 토의를 하여 의견을 결정한 것으로 알맞은 것에 ○표를 하시오.

(1) '선생님과 학생 모두가 걸어서 등교합시다.' 로 정했어. 선생님과 학생 절반 정도는 실천할 수 있기 때문이야. ( )
(2) '우리 학교 안전 지도를 만듭시다.'로 정했어. 학교 안전 지도를 만들려면 여러 친구가 학교 곳곳을 살펴봐야 해서 학생들의 참여를 높일 수 있기 때문이야. ( )

실천 알맞은 주제를 정해 의견 나누기

○ 우리 주변에서 일어나는 문제 상황을 찾아보기

이번 조사 활동을 할 때 할 일을 어떻게 나누면 좋을까?

위에는 어떤 책이 있을까?

• **그림 설명**: 사회 조사 활동에서 역할을 나누어야 하는 상황, 책꽂이가 너무 높아서 도서관을 편리하게 이용하지 못하는 상황, 복도에서 안전하게 생활하기 어려운 상황이 나타나 있습니다.

●토의 주제를 정해 의견 정리하기 핵심

문제 상황	예 운동장에 나갈 때 친구들이 줄을 빨리 서지 않아 먼저 온 친구들이 매번 기다린다.
토의 주제	예 운동장에 나갈 때 빨리 줄을 설 수 있는 방법
내 의견	예 친구들이 빨리 줄을 서도록 3분 모래시계 사용을 제안한다.
그 의견이 좋은 까닭	예 3분 모래시계를 사용하면 주어진 시간을 눈으로 확인하기 쉽다.

6 단원

---

1 그림 ②~⑤에 나타난 문제 상황을 각각 찾아 번호를 쓰시오.

> ① 복도에서 안전하게 생활하기 어려운 상황
> ② 사회 조사 활동에서 역할을 나누어야 하는 상황
> ③ 책꽂이가 너무 높아서 도서관을 편리하게 이용하지 못하는 상황

(1) 그림 ②: (　　　　　　)
(2) 그림 ④: (　　　　　　)
(3) 그림 ⑤: (　　　　　　)

2 그림 ②~⑤와 같이 주변의 여러 가지 문제 상황 중 한 가지를 골라 토의하고 싶은 주제를 쓰시오.
교과서 문제
(　　　　　　　　　　　　　　　)

핵심 서술형

3 2번 문제에서 정한 토의 주제에 따라 자신의 의견과 그 의견이 좋은 까닭을 쓰시오.

(1) 내 의견	
(2) 그 의견이 좋은 까닭	

4 토의에 참여한 자신의 모습을 스스로 평가할 때 살펴볼 점으로 알맞지 않은 것은 무엇입니까? (　　　)

① 토의에 활발하게 참여했는가?
② 토의 주제에 맞는 내용을 말했는가?
③ 의견의 단점이 드러나지 않게 말했는가?
④ 다른 사람의 의견을 잘 듣고 자신의 의견을 말했는가?
⑤ 알맞은 주장과 근거를 들어 자신의 의견을 말했는가?

**토의 절차와
방법 알기**

문제 상황

다가오는 ○월 ○○일이 무슨 날일까요?

올해는 개교기념일 행사를 학생들의 의견을 모아 진행하기로 했어요.

무슨 날이지?

개교기념일이에요.

	토의 절차		토의 방법
❶ 토의 □□ 정하기	토의 주제는 무엇으로 정하면 좋을까요?		• 토의하고 싶은 주제를 자유롭게 이야기하기 • 토의 주제로 알맞은지 판단하기 • 토의 주제 결정하기
의견 마련하기	토의 주제에 따라 내 생각을 정리해 봐야지.		• 토의 주제에 맞게 자신의 ❷ □□ 쓰기 • 그 의견이 좋은 까닭 쓰기
의견 모으기	각자 정리한 의견을 모아 보겠습니다. / 저는 우리 학교 역사부터 조사하면 좋겠습니다. 왜냐하면……. / 제 의견의 좋은 점은…….		• 친구들과 의견 주고받기 • 각 의견의 장단점 찾기 • 의견이 알맞은지 판단할 ❸ □□ 세우기 • 기준에 따라 의견이 알맞은지 판단하기
의견 결정하기	우리 모둠에서는 개교기념일 행사로 '우리 학교 역사 찾기'를 하기로 결정했습니다.		기준에 따라 가장 알맞은 의견으로 결정하기

**토의 주제를
파악하고
의견 나누기**

예 학급의 날을 어떻게 보내면 좋을지에 대해 토의하기

토의 절차	토의 내용 예	
토의 주제 정하기	토의 주제	학급의 날을 어떻게 보내면 좋을까요?
	토의 주제 판단 기준	• 우리 모두와 관련이 있는 문제인가요? → 학급의 날이기 때문에 우리 모두와 관련이 있는 문제로 볼 수 있습니다. • 해결 방법을 찾을 수 있는 문제인가요? → 학급의 날을 보내는 여러 방법을 찾아낼 수 있습니다. • 우리가 ❹ ☐☐ 을/를 이끌어 낼 수 있는 문제인가요? → 우리가 학급의 날을 만들어 갈 수 있습니다.
의견 마련하기	내 의견	'찾아가는 선배들' 활동을 했으면 좋겠습니다.
	그 의견이 좋은 까닭	우리 반 친구들이 1~2학년 동생들에게 노래나 악기 연주, 춤 공연을 보여 주거나 책을 읽어 주는 시간을 마련해 찾아간다면 선후배 사이에 뜻깊은 시간을 보낼 수 있습니다.
의견 ❻ ☐☐☐	• 각 의견의 장단점 찾기	
	의견 1	우리 반 장기 자랑을 했으면 좋겠습니다.
	❺ ☐☐	학급의 날을 재밌게 보낼 수 있으며 친구들을 좀 더 잘 알 수 있습니다.
	단점	학급의 날을 우리끼리 즐겁게 노는 것으로 다 써 버리는 점은 아쉽습니다.
	의견 2	'찾아가는 선배들' 활동을 했으면 좋겠습니다.
	장점	우리의 장기를 활용해 후배들과 즐겁고 뜻깊은 시간을 보낼 수 있습니다.
	단점	1~2학년 가운데 신청하는 학급을 조사해야 하고 모둠을 나누어 연습해야 해서 준비할 점이 많습니다.
	• 판단 기준에 따라 의견이 알맞은지 검토하기	
	기준 1	토의 주제에 맞는 내용인가요?
	기준 2	알맞은 주장과 근거를 들었나요?
	기준 3	실천할 수 있나요?
의견 결정하기	학급의 날에 '찾아가는 선배들' 활동을 하자.	

단원 평가

[1~2] 그림을 보고, 물음에 답하시오.

지난번에 1학년 동생이 운동장에서 축구공에 맞아 다쳤습니다. 이와 같은 사고를 막으면서 운동장을 안전하게 쓰려면 어떻게 해야 할까요?

하지만 우리가 축구를 하고 싶다고 해서 다른 사람을 위험하게 할 수는 없어요.

1학년을 안전하게 보호하는 것도 중요하지만 무조건 운동장을 못 쓰게 하면 안 된다고 생각합니다.

1학년이 수업을 마치고 집으로 가는 시간을 피해 축구하는 시간을 정하면 어떨까요?

1 이 그림에서는 문제를 어떻게 해결하고 있습니까? ( )

① 알림 글로 결정된 내용을 전달했다.
② 다른 학교의 해결 방법을 따르기로 했다.
③ 전문가가 해결해 주기를 기다리기로 했다.
④ 말을 잘하는 사람의 의견을 따르기로 했다.
⑤ 학생들이 모여 운동장을 안전하게 쓰는 방법을 의논하고 있다.

2 이 그림과 같이 문제를 해결하면 좋은 점으로 알맞지 <u>않은</u> 것을 골라 기호를 쓰시오.

> ㉠ 문제 해결에 직접 참여할 수 있다.
> ㉡ 문제 상황을 더 잘 이해할 수 있다.
> ㉢ 결정된 내용을 잘 받아들일 수 있다.
> ㉣ 내 생각과 같은 의견을 선택할 수 있다.

( )

3 어떤 문제를 여러 사람이 협력해 해결하는 방법을 무엇이라고 하는지 쓰시오.

( )

4 토의 절차에 맞게 차례대로 기호를 쓰시오.

> ㉠ 의견 모으기   ㉡ 의견 마련하기
> ㉢ 의견 결정하기   ㉣ 토의 주제 정하기

( ) ➡ ( ) ➡ ( ) ➡ ( )

[5~6] 그림을 보고, 물음에 답하시오.

우리 학교 상징을 무엇으로 바꾸면 좋을지 이야기해 봐요.

그래도 학교 생일인데 '개교기념일을 뜻깊게 보내는 방법 찾기'가 좋지 않을까요?

토의하고 싶은 주제를 자유롭게 이야기해요.

5 학생들은 무엇에 대해 이야기하고 있는지 빈칸에 알맞은 말을 쓰시오.

• 토의하고 싶은 ( )

6 토의 주제로 알맞은지 판단하기 위한 기준으로 알맞은 것을 세 가지 고르시오.

(, ,)

① 우리 모두와 관련이 있는 주제인가?
② 해결 방법이 정해져 있는 주제인가?
③ 해결 방법을 찾을 수 있는 주제인가?
④ 선생님께서 관심 있어 하시는 주제인가?
⑤ 우리가 변화를 이끌어 낼 수 있는 주제인가?

점수

/ 점

7 '개교 기념일을 뜻깊게 보내는 방법'에 대해 진수가 낸 의견을 살펴보고 어떤 점이 문제인지 찾아 ○표를 하시오.

이번 개교기념일에 무조건 학교 상징을 바꾸면 좋겠습니다.

진수

(1) 어려운 말을 사용하였다. ( )

(2) 높임말을 사용하지 않았다. ( )

(3) 알맞은 근거를 제시하지 않았다. ( )

(4) 토의 주제에 맞지 않는 내용을 말했다. ( )

[8~9] 그림을 보고, 물음에 답하시오.

먼저 우리 학교 역사를 알아보면 좋겠습니다. 역사를 알아야……

에이, 따분하게 무슨 역사야.

마루

8 토의를 하며 마루가 잘못한 점을 두 가지 고르시오.

(,)

① 인신공격을 하였다.

② 너무 작은 목소리로 말했다.

③ 친구의 말을 끝까지 듣지 않았다.

④ 친구의 말을 그대로 따라 말했다.

⑤ 손을 들고 말할 기회를 얻지 않았다.

9 토의에서 의견을 모을 때 지켜야 할 점을 한 가지 쓰시오.

( )

10 토의를 할 때 의견을 모으는 과정에서 하는 일로 알맞지 않은 것은 무엇입니까? ( )

① 각 의견의 장단점을 찾는다.

② 친구들과 의견을 주고받는다.

③ 내 마음에 드는 의견인지 살펴본다.

④ 기준에 따라 의견이 알맞은지 판단한다.

⑤ 의견이 알맞은지 판단할 기준을 세운다.

6단원

[11~12] 표를 보고, 물음에 답하시오.

민지	학교 이름으로 삼행시 짓기 대회를 하면 좋겠습니다. 삼행시 짓기는 학생들이 쉽게 참여할 수 있기 때문입니다.
진우	학교 역사 찾기 행사를 하면 좋겠습니다. 학교 역사를 찾아보면 학교가 어떤 과정으로 바뀌어 왔는지 알 수 있기 때문입니다.

11 민지는 '개교 기념일을 뜻깊게 보내는 방법'에 대해 어떤 의견을 내었는지 빈칸에 쓰시오.

민지	
진우	학교 역사 찾기 행사를 하자.

논술형

12 진우가 낸 의견의 장점이 무엇일지 쓰시오.

_____

_____

13 토의에서 의견을 결정하는 방법으로 알맞지 않은 것에 ×표를 하시오.

(1) 소수 의견은 무시한다. ( )

(2) 실천할 수 있는 의견을 결정한다. ( )

(3) 토의 주제에 맞는 의견을 결정한다. ( )

[14~16] 그림을 보고, 물음에 답하시오.

14 친구들이 고민하는 것이 무엇인지 쓰시오.

( )

☆☆
15 친구들이 14번 문제에서 답한 고민을 해결하기 위해 정한 다음 토의 주제가 알맞은 까닭을 세 가지 고르시오. (, ,)

> 학급의 날을 어떻게 보내면 좋을까요?

① 우리가 학급의 날을 만들어 갈 수 있다.
② 학급의 날을 보내는 여러 방법을 찾아낼 수 있다.
③ 학급의 날을 보내는 방법이 한 가지로 정해져 있다.
④ 학급의 날이기 때문에 우리 모두와 관련이 있는 문제로 볼 수 있다.
⑤ 교장 선생님의 도움을 받아 학급의 날을 보내는 방법을 쉽게 정할 수 있다.

16 '학급의 날을 어떻게 보내면 좋을까요?'에 대한 다음 의견 중 기준에 맞지 않는 의견을 골라 기호를 쓰시오.

> 기준: 토의 주제에 맞는 내용인가?

> ㉠ 바르고 고운 말을 쓰자.
> ㉡ 학급의 날에 우리 반 운동회를 하자.
> ㉢ 학급의 날에 '찾아가는 선배들' 활동을 하자.

( )

[17~18] 글을 읽고, 물음에 답하시오.

> 어린이 보호 구역에서 유치원생이 목숨을 잃은 사고가 있은 뒤, 초등학생들이 직접 교통사고 대책 마련에 나서 화제가 됐다. 과거에도 같은 곳에서 비슷한 사고가 있었기에 학생들은 학교 앞 어린이 보호 구역이 자신들의 안전을 지켜 주지 못한다는 것을 알았다.

17 유치원생이 어디에서 교통사고로 목숨을 잃었다고 하였는지 쓰시오.

( )

논술형
18 이 글과 관련하여 정한 다음 토의 주제에 따라 자신의 의견과 그 의견이 좋은 까닭을 함께 쓰시오.

> 토의 주제: 모두에게 안전한 학교를 만드는 방법

_____

_____

19 함께 토의하는 친구들의 의견이 알맞은지 살펴볼 때 확인할 내용으로 알맞지 않은 것은 무엇입니까? ( )

① 실천할 수 있는가?
② 근거를 자세히 들었는가?
③ 친구들이 재미있어 하는가?
④ 토의 주제에 맞는 내용인가?
⑤ 알맞은 주장과 근거를 들었는가?

20 오른쪽 그림에 나타난 문제를 해결하기 위해 정할 수 있는 토의 주제를 쓰시오.

( )

서술형 평가

1 일상생활에서 토의를 해야 하는 까닭과 토의를 해야 할 때를 쓰시오.

(1) 토의를 해야 하는 까닭	
(2) 토의를 해야 할 때	

2 다음 그림에서 개교기념일 행사를 정하기 위한 토의가 어떤 절차로 진행되었는지 쓰시오.

① 토의 주제는 무엇으로 정하면 좋을까요?

② 토의 주제에 따라 내 생각을 정리해 봐야지.

③ 각자 정리한 의견을 모아 보겠습니다.

저는 우리 학교 역사부터 조사하면 좋겠습니다. 왜냐하면……

제 의견의 좋은 점은…….

④ 우리 모둠에서는 개교기념일 행사로 '우리 학교 역사 찾기'를 하기로 결정했습니다.

3 다음 토의 주제에 알맞은 자신의 의견과 그 의견이 좋은 까닭을 쓰시오.

> 학급의 날을 어떻게 보내면 좋을까요?

(1) 내 의견	
(2) 그 의견이 좋은 까닭	

4 3번 문제에서 답한 의견이 알맞은지 판단할 수 있는 기준을 한 가지 정하여 쓰시오.

5 우리 주변에서 일어나는 여러 가지 문제 상황에서 토의하고 싶은 주제를 쓰고, 그 주제를 고른 까닭을 쓰시오.

(1) 토의하고 싶은 주제	
(2) 그 까닭	

● 다음 교과서 문장의 파란색 낱말 중에서 알맞은 것을 골라 인물들이 한 말을 완성하시오.

- 이와 같은 **사고**를 막으면서 운동장을 안전하게 쓰려면 어떻게 해야 할까요?
- 어떤 문제를 여러 사람이 **협력**해 해결하는 방법을 토의라고 해요.
- 어린이 보호 구역 표지판이 너무 작아 **가로수**에 가려 잘 보이지도 않는다.
- 구청장은 **신속하게** 시설을 개선하고 문제를 해결하기로 약속했다.

자료 찾아보기

7

기행문을 써요

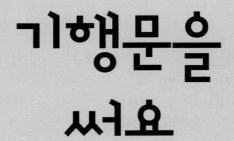

무엇을 배울까요?

 준비
- 기행문을 읽거나 쓴 경험 이야기하기

 기본
- 기행문의 특성 파악하기
- 여정, 견문, 감상이 드러나게 기행문 쓰기

 실천
- 여행지 안내장 만들기

7 기행문을 써요

1 여행하면서 보고 듣고 느낀 점을 글로 쓰면 좋은 점

① 여행하면서 보고 들은 것을 나중에 알 수 있습니다.
② 여행했을 때의 기분을 잘 간직할 수 있습니다.
③ 여행했던 경험을 다시 느낄 수 있습니다.
④ 다른 사람에게 여행 정보를 줄 수 있습니다.

2 기행문의 특성

① 기행문은 여정을 적고, 여행으로 얻은 견문과 감상을 쓴 글입니다.
② 여행의 과정이나 일정을 여정이라고 합니다.
③ 여행하며 보거나 들은 것을 견문이라고 합니다.
④ 여행하며 든 생각이나 느낌을 감상이라고 합니다.

3 여정, 견문, 감상이 드러나게 기행문 쓰기

① 기행문으로 쓰고 싶은 여행 경험을 떠올립니다.
② 자신이 여행한 경험을 기행문의 짜임을 생각하며 정리합니다.

처음	• 여행한 까닭이나 목적을 씁니다. • 여행을 떠나기 전의 기대와 설렘, 떠날 때 날씨와 교통편, 도착할 때까지 걸린 시간이나 여행 일정 소개 따위를 더 쓸 수도 있습니다.
가운데	• 여행지에서 다닌 곳, 보고 들은 것, 생각하거나 느낀 것과 같이 여행하면서 있었던 일을 씁니다. • 인상 깊은 경험이나 이야기, 이동하면서 겪은 일이나 느낌, 새롭게 안 사실, 출발 전에 조사한 여행지 자료 따위를 더 쓸 수도 있습니다.
끝	• 여행의 전체 감상을 씁니다. • 여행한 뒤에 한 다짐이나 반성, 여행하며 느낀 만족감, 아쉬운 점, 바라는 점, 앞으로 있을 계획이나 각오 그리고 여행한 뒤에 달라진 생각이나 태도 따위를 나타낼 수 있습니다.

4 기행문을 쓰는 방법

① 시간과 장소가 잘 드러나게 씁니다.
② 보고 들은 내용(견문)을 생생하고 자세하게 풀어 씁니다.
③ 생각이나 느낌(감상)도 함께 씁니다.

5 여행지 안내장 만들기

알리고 싶은 여행지 고르기 ➡ 여행지와 관련 있는 자료 모으기 ➡ 여행지를 알리는 안내장의 형태 고르기 ➡ 여행지를 알리는 안내장 만들기 ➡ 여행 박람회를 열기 └➡ ⓔ 낱장 형태, 접은 종이 형태, 책 형태

핵심개념문제

정답과 해설 ● 23쪽

1 여행하면서 보고 듣고 느낀 점을 글로 쓰면 여행했을 때의 기분을 잘 간직할 수 있습니다.
(○ , ×)

2 여행하며 보거나 들은 것을 ☐☐(이)라고 합니다.

3 기행문의 처음 부분에 들어갈 내용에 모두 ○표를 하시오.
(1) 여행의 목적 ( )
(2) 여행한 뒤에 한 다짐 ( )
(3) 여행을 떠나기 전의 기대 ( )

4 기행문을 쓸 때에는 보고 들은 내용을 생생하고 자세하게 풀어 씁니다.
(○ , ×)

5 여행지 안내장을 만들 때에는 알리고 싶은 여행지를 고른 다음 여행지와 관련 있는 ☐☐을/를 모읍니다.

준비 기행문을 읽거나 쓴 경험 이야기하기

○ 서윤이와 현석이가 여행을 다녀와서 나누는 대화 살펴보기

• **그림 설명:** 제주도 여행을 다녀온 경험을 현석이는 글로 남겨 놓지 않았고, 서윤이는 사진과 함께 글로 남겨 놓았습니다.

가

현석아, 방학 때 제주도 여행 잘 다녀왔어? 재미있었니?

어디어디 다녀왔어?

응, 재미있었어.

삼나무 숲길을 걸었는데…… 거기 이름이 뭐더라. 여행할 때에는 다 기억할 것 같았는데…….

여행하고 나서 글로 남겨 놓지 않았구나?

글? 무슨 글을 말하는 거지?

나

서윤아, 너도 지난해 방학 때 제주도 여행 다녀오지 않았어?

어디어디 다녀왔는데?

응, 여행하면서 세계 자연 유산을 많이 알 수 있었어.

한라산, 거문오름, 만장굴, 성산 일출봉을 다녀왔어.

서윤아, 너는 지난해에 갔다 왔는데 그게 다 기억나?

그럼, 그때 찍은 사진과 함께 글로 남겨 놓았더니 여행을 기억하기 좋더라.

● 여행하면서 보고 듣고 느낀 점을 글로 쓰면 좋은 점 알기

가	현석이는 여행을 가서 좋은 추억이 많았는데 글로 남긴 것이 없어서 여행 경험을 정확하게 전하지 못함.
나	서윤이는 여행하면서 본 것을 꼼꼼히 써 놓고 사진을 찍어 두어서 여행 경험을 자신 있게 전할 수 있었음.

핵심

논술형

1 자신이 여행한 경험을 떠올려 보고, 언제, 어디에서, 무엇을 한 일이 기억에 남았는지 쓰시오.

_____

_____

핵심

2 그림 가와 나를 보고 알 수 있는 것으로 알맞지 <u>않은</u> 것에 ×표를 하시오.

(1) 서윤이는 여행 경험을 사진과 함께 글로 남겨 두었어. ( )

(2) 현석이는 제주도 여행이 재미없었다고 말하며 멋쩍어했어. ( )

(3) 현석이는 글로 남긴 것이 없어서 여행 경험을 정확하게 전하지 못했어. ( )

3 그림 가와 나를 보고 현석이에게 해 줄 수 있는 말을 빈칸에 알맞은 말을 넣어 완성하시오.
교과서 문제

• "여행하면서 보고 듣고 느낀 것을 ( ) (으)로 나타내면 여행 경험을 생생하게 다른 사람과 함께 나눌 수 있어."

4 여행하면서 보고 듣고 느낀 점을 글로 쓰면 좋은 점으로 알맞지 <u>않은</u> 것은 무엇입니까? ( )
교과서 문제

① 여행했던 경험을 다시 느낄 수 있다.

② 다른 사람에게 여행 정보를 줄 수 있다.

③ 여행했을 때의 기분을 잘 간직할 수 있다.

④ 여행하면서 보고 들은 것을 나중에 알 수 있다.

⑤ 여행에서 보지 않은 것도 덧붙여 쓰면서 상상력을 키울 수 있다.

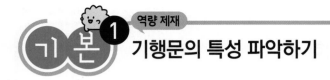
기본 1 기행문의 특성 파악하기

● 여행하며 보고 듣고 느낀 점을 어떻게 글로 썼는지 생각하며 글 읽기

돌하르방 어디 감수광
'가시나요'의 제주 방언

유홍준

❶ 제주행 비행기를 탈 때면 나는 창가 쪽 자리를 선호한다. 하늘에서 보는 제주도의 풍광을 만끽하기 위해서다. / "저희 비행기는 잠시 후 제주 국제공항에 착륙하겠습니다. 안전벨트를 다시 매어 주십시오."

5 기내 방송이 나오면 나는 창가에 바짝 붙어 제주도가 나타나기를 기다린다. 비행기 왼쪽 좌석이면 한라산이 먼저 나타나고 오른쪽이면 쪽빛 바다와 맞닿아 둥글게 돌아가는 해안선이 시야에 펼쳐진다.
짙은 푸른빛

이윽고 비행기가 제주도 상공으로 들어오면 왼
10 쪽 창밖으로는 오름의 산비탈에 수놓듯이 줄지어
'산'과 '산봉우리'의 제주 방언
있는 산담이 아름답고, 오른쪽 창밖으로는 삼나무
'사성'의 제주 방언으로, 무덤 뒤에 반달 모양으로 두둑하게 둘러싼 것을 말함.
방풍림 속에 짙은 초록빛으로 자란 밭작물들이 싱그러워 보인다. 비행기가 선회하여 활주로로 들어
항공기가 곡선을 그리듯 진로를 바꾸어
설 때는 오른쪽과 왼쪽의 풍광이 교체되면서 제주
15 의 들과 산이 섞바뀌어 모두 볼 수 있게 된다. 올 때마다 보는 제주의 전형적인 풍광이지만 그것이

• 글의 종류: 기행문
• 글의 내용: 제주도를 여행한 경험을 소개하고 느낌을 정리한 글입니다.

철 따라 다르고 날씨 따라 다르기 때문에 언제나 신천지에 오는 것 같은 설렘을 느끼게 된다.

중심 내용 제주의 풍광은 언제나 신천지에 오는 것 같은 설렘을 느끼게 한다.

❷ 우리 답사의 첫 유적지는 한라산 산천단이었다. 한라산 산신께 제사드리는 산천단에 가서 답사의 안전을 빌고 가는 것이 순서에도 맞고 또 제주도 5에 온 예의라는 마음도 든다. 산천단은 제주시 아라동 제주대학교 뒤편 소산봉(소산오름) 기슭에 있다. 산천단 주위에는 제단을 처음 만들 당시에 심었을 수령 500년이 넘는 곰솔 여덟 그루가 산천단의 역사
소나뭇과의 상록 침엽 교목
와 함께 엄숙하고도 성스러운 분위기를 보여 준다. 10

중심 내용 우리는 한라산 산천단에 갔다.

❸ 제주의 동북쪽 구좌읍 세화리 송당리 일대는 크고 작은 무수한 오름이 저마다의 맵시를 자랑하며 드넓은 들판과 황무지에 오뚝하여 오름의 섬 제주에서도 오름이 가장 많고 아름다운 '오름의 왕국'이라고 했다. 그중에서도 다랑쉬오름은 '오름의 여왕' 15이라고 불린다.

---

1 이 글과 같이 여정을 적고, 여행으로 얻은 견문과 감상을 쓴 글을 무엇이라고 합니까? ( )

① 편지
② 기행문
③ 기사문
④ 독서 감상문
⑤ 주장하는 글

서술형

2 글쓴이가 제주행 비행기를 탈 때 창가 쪽 자리를 좋아하는 까닭을 쓰시오.

_____

_____

핵심

3 글쓴이가 제주도에 가서 가장 먼저 들른 곳은 어디입니까? ( )

① 산천단
② 비자림
③ 쇠소깍
④ 해수욕장
⑤ 다랑쉬오름

4 오름의 섬 제주에서 '오름의 여왕'이라고 불리는 오름은 어디인지 쓰시오.

( )

다랑쉬라는 이름의 유래에는 여러 설이 있으나 다랑쉬오름 남쪽에 있던 마을에서 보면 북사면을 차지하고 앉아 된바람을 막아 주는 오름의 분화구가 마치 달처럼 둥글어 보인다 하여 붙여졌다는 설이 가장 정겹다.

오름 아랫자락에는 삼나무와 편백나무 조림지가
나무를 심거나 씨를 뿌리거나 하는 따위의 인위적인 방법으로 숲을 이룬 땅
있어 제법 무성하다 싶지만 숲길을 벗어나면 이내 천연의 풀밭이 나오면서 시야가 갑자기 탁 트이고 사방이 멀리 조망된다. ㉠경사면을 따라 불어오는 그 유명한 제주의 바람이 흐르는 땀을 씻어 주어 한여름이라도 더운 줄 모른다. 발길을 옮길 때마다, 한 굽이를 돌 때마다 시야는 점점 넓어지면서 가슴까지 시원하게 열린다.

중심 내용 제주도의 오름에 갔다.

❹ 성산 일출봉은 제주 답사의 기본 경로라 할 만큼 잘 알려져 있고, 영주 십경의 제1경이 '성산에 뜨는 해'인 성산 일출이며, 제주 올레 제1경로가 시
'신선이 사는 섬'이라는 뜻으로 제주를 말함.
작되는 곳일 만큼 제주의 중요한 상징이기도 하다.

㉡제주도와 연결된 서쪽을 제외한 성산 일출봉의 동·남·북쪽 외벽은 깎아 내린 듯한 절벽으로

바다와 맞닿아 있다. 일출봉의 서쪽은 고운 잔디 능선 위에 돌기둥과 수백 개의 기암이 우뚝우뚝 솟아 있는데 그 사이에 계단으로 만든 등산로가 나 있다. ㉢전설에 따르면 설문대 할망은 일출봉 분화구를 빨래 바구니로 삼고 우도를 빨랫돌로 하여 옷을 매일 세탁했다고 한다.

일출봉은 멀리서 볼 때나, 가까이 다가가 올려다볼 때나, 정상에 올라 분화구를 내려다볼 때나 풍광 그 자체의 아름다움과 감동이 있다. 특히나 항공 사진으로 찍은 성산 일출봉은 공상 과학 영화에나 나옴 직한 신비스러운 모습을 보여 준다.

중심 내용 제주의 중요한 상징이기도 한 성산 일출봉에 갔다.

● 기행문을 읽고 여정, 견문, 감상 찾기 예

여정	• 우리 답사의 첫 유적지는 한라산 산천단이었다.
견문	• 제주도와 연결된 서쪽을 제외한 ~ 절벽으로 바다와 맞닿아 있다. • 일출봉의 서쪽은 고운 잔디 능선 위에 ~ 계단으로 만든 등산로가 나 있다. • 전설에 따르면 설문대 할망은 ~ 옷을 매일 세탁했다고 한다.
감상	• 경사면을 따라 불어오는 ~ 더운 줄 모른다. • 발길을 옮길 때마다, ~ 가슴까지 시원하게 열린다.

5 '다랑쉬'라는 이름의 유래는 무엇인지 빈칸에 알맞은 말을 쓰시오.

• 다랑쉬오름 남쪽에 있던 마을에서 보면 오름의 분화구가 마치 ( )처럼 둥글어 보인다 하여 붙여졌다.

6 성산 일출봉에 대한 설명으로 알맞지 <u>않은</u> 것은 무엇입니까? ( )

① 서쪽은 제주도와 연결되어 있다.
② 제주 올레 제1경로가 시작되는 곳이다.
③ 동쪽에 계단으로 만든 등산로가 나 있다.
④ 서쪽은 고운 잔디 능선 위에 돌기둥과 기암이 솟아 있다.
⑤ 동·남·북쪽 외벽은 깎아 내린 듯한 절벽으로 바다와 맞닿아 있다.

7 기행문에 들어가야 할 다음 내용을 무엇이라고 하는지 찾아 알맞게 선으로 이으시오.
교과서 문제

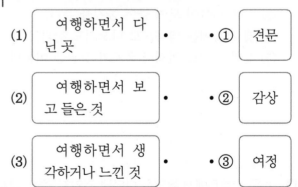

(1) 여행하면서 다닌 곳 • • ① 견문

(2) 여행하면서 보고 들은 것 • • ② 감상

(3) 여행하면서 생각하거나 느낀 것 • • ③ 여정

핵심 역량

8 ㉠~㉢은 견문, 감상 중 무엇에 해당하는지 각각 기호를 쓰시오.

(1) 견문: ( ) (2) 감상: ( )

❺ 우리는 어리목에서 출발하여 만세 동산을 지나 1700 고지인 윗세오름까지 올라 그곳 산장 휴게소에서 준비해 간 도시락을 먹고 영실로 하산하면서 한라산의 아름다움을 만끽했다. 영실에 들어서면 이내 솔밭 사이로 시원한 계곡물이 흐른다. 본래 실이라는 이름이 붙은 곳은 계곡을 말하는 것으로 옛 기록에는 영곡으로 나오기도 한다. 언제 어느 때 가도 계곡물 소리와 바람 소리, 거기에 계곡을 끼고 도는 안개가 신령스러워 영실이라는 이름에 값한다. 무더운 여름날 소나기라도 한차례 지나간 뒤라면 이 계곡을 두른 절벽 사이로 100여 미터의 폭포가 생겨 더욱 장관을 이룬다.

숲길을 지나노라면 아래로는 제주조릿대가 떼를
_{볏과 대나무의 하나}
이루면서 낮은 포복으로 기어가며 온통 푸르게 물들여 놓고, 위로는 하늘을 가린 울창한 나무들이 크면 큰 대로 작으면 작은 대로 아름답고 기이하다.

숲길을 빠져나와 머리핀처럼 돌아가는 가파른 능선 허리춤에 올라서면 홀연히 눈앞에 수백 개의
_{뜻하지 아니하게 갑자기}

뾰족한 기암괴석이 호를 그리며 병풍처럼 펼쳐진다. ㉠오르면 오를수록 이 수직의 기암들이 점점 더 하늘로 치솟아 올라 신비스럽고도 웅장한 모습에 절로 감탄이 나온다.

언제 올라도 한라산 영실은 아름답다. 오백 장군봉을 안방에 드리운 병풍 그림처럼 둘러놓고, 그것을 멀찍이서 바라보며 느린 걸음으로 돌계단을 밟으며 바쁠 것도 힘들 것도 없이 오르노라면 마음이 들뜰 것도 같지만 거기엔 아름다움뿐만 아니라 장엄함과 아늑함이 곁들여 있기에 우리는 함부로 감정을 놀리지 못하고 아래 한 번, 위 한 번, 좌우로 한 번씩 발을 옮기며 그 풍광에 느긋이 취하게 된다.

중심 내용 언제 올라도 아름다운 한라산 영실에 갔다.

● **기행문을 읽고 여정, 견문, 감상 찾기** 예

여정	• 우리는 어리목에서 ~ 한라산의 아름다움을 만끽했다.
견문	• 영실에 들어서면 이내 솔밭 사이로 시원한 계곡물이 흐른다.
감상	• 오르면 오를수록 이 수직의 ~ 절로 감탄이 나온다.

9 영실에 대한 설명으로 알맞은 것을 <u>두 가지</u> 고르시오. (,)

① 계곡물 소리가 들리지 않는다.
② 기암 괴석이 병풍처럼 펼쳐져 있다.
③ 많은 새들이 모여 들어 둥지를 튼다.
④ 옛 기록에는 영곡으로 나오기도 한다.
⑤ 절벽 사이로 언제나 폭포가 장관을 이룬다.

핵심
10 ㉠은 기행문에서 무엇을 나타낸 것인지 보기에서 알맞은 것을 골라 쓰시오.

보기	여정　　견문　　감상

( )

11 글쓴이가 제주도를 여행하면서 들르지 <u>않은</u> 곳은 어디입니까? ( )

① 오름　　② 용두암　　③ 산천단
④ 한라산　　⑤ 성산 일출봉

12 여정, 견문, 감상을 드러내는 표현에 대하여 잘못 말한 친구를 쓰시오.

미소: 여정은 '먼저, 이른 아침에' 따위의 시간을 나타내는 표현을 써.
나은: 견문은 '~(으)로 갔다' 따위의 장소 표현을 써서 어떤 장소를 방문했는지 나타내.
우성: 감상은 '느끼다, 생각하다'라는 낱말을 써서 여행하며 든 생각이나 느낌을 표현해.

( )

여정, 견문, 감상이 드러나게 기행문 쓰고, 여행지 안내장 만들기

1 기행문을 쓴다면 어떤 여행 경험을 쓰고 싶은지 기억에 남는 여행 장소를 쓰시오.

(   )

역량 논술형

2 1번 문제에서 답한 여행 장소에 다녀 온 경험을 기행문으로 쓸 때 준비할 내용을 떠올려 다음 빈칸에 각각 알맞은 내용을 쓰시오.

(1) 기행문을 쓰는 목적	
(2) 그 장소를 고른 까닭	
(3) 읽을 사람	
(4) 필요한 자료	

3 다음 기행문의 짜임에 들어가야 할 내용을 찾아 알맞게 선으로 이으시오.

(1) 처음 •   • ㉠ 여행의 전체 감상

(2) 가운데 •   • ㉡ 여행한 까닭이나 목적

(3) 끝 •   • ㉢ 여행지에서 다닌 곳, 보고 들은 것, 생각하거나 느낀 것

핵심

4 기행문을 쓸 때 어떻게 나타내야 하는지 알맞은 것에 모두 ○표를 하시오.

(1) 여행한 장소를 꾸며서 쓴다. (   )

(2) 생각이나 느낌도 함께 쓴다. (   )

(3) 보고 들은 내용을 생생하고 자세하게 풀어 쓴다. (   )

5 여행지 안내장에 들어갈 내용으로 알맞지 않은 것은 무엇입니까? (   )

교과서 문제

① 먹을거리   ② 문화유산

③ 즐길 거리   ④ 갈 만한 곳

⑤ 자신이 가고 싶은 여행지

6 여행지 안내장을 만들 때 가장 먼저 할 일은 무엇입니까? (   )

① 알리고 싶은 여행지를 고른다.

② 여행지를 알리는 안내장을 만든다.

③ 여행지와 관련 있는 자료를 모은다.

④ 여행지를 알리는 여행 박람회를 연다.

⑤ 여행지를 알리는 안내장의 형태를 고른다.

● 기행문의 짜임 예   **핵심**

처음	여행한 목적	• 경주에 가서 책에서만 보았던 신라의 문화재를 직접 보기 위해서임.
가운데	여정	• 국립경주박물관
	견문	• 얼굴 무늬 수막새를 봄. • 성덕 대왕 신종은 '에밀레'라고 운다고 하여 에밀레종이라고도 불린다는 이야기를 들음.
	감상	• 얼굴 무늬 수막새의 소박한 미소를 보니 신라 사람들이 친근하게 느껴졌음. • 큰 종 앞에 서니 마음이 경건해짐.
끝	전체 감상과 더 알고 싶은 점	• 신라의 역사와 인물, 유물과 관련된 이야기를 더 찾아보고 싶음.

기행문의 특성 파악하기

예 「돌하르방 어디 감수광」에서 기행문에 들어갈 내용 알아보기

견문

❶ ☐☐ 하면서 보고 들은 것

② ☐☐ 여행하면서 다닌 곳

감상
여행하면서 생각하거나 느낀 것

가 우리는 어리목에서 출발하여 만세 동산을 지나 1700 고지인 윗세오름까지 올라 그곳 산장 휴게소에서 준비해 간 도시락을 먹고 영실로 하산하면서 한라산의 아름다움을 만끽했다. 영실에 들어서면 이내 솔밭 사이로 시원한 계곡물이 흐른다. 본래 실이라는 이름이 붙은 곳은 계곡을 말하는 것으로 옛 기록에는 영곡으로 나오기도 한다.

나 숲길을 빠져나와 머리핀처럼 돌아가는 가파른 능선 허리춤에 올라서면 홀연히 눈앞에 수백 개의 뾰족한 기암괴석이 호를 그리며 병풍처럼 펼쳐진다. 오르면 오를수록 이 수직의 기암들이 점점 더 하늘로 치솟아 올라 신비스럽고도 웅장한 모습에 절로 감탄이 나온다.

예 기행문에서 여정, 견문, 감상을 드러내는 표현 방법 알아보기

	내용 예	표현 방법
여정	• 이른 아침에 현대 문화와 옛 문화가 어우러진 인사동에 도착했다. • 우리는 버스를 타고 담양으로 갔다. • 다음 날 저녁에 들른 곳은 고창 고인돌박물관이다.	• '이른 아침에, 다음 날 저녁에, 먼저' 따위와 같은 시간 표현을 씁니다. • '~에 도착했다, ~(으)로 갔다' 따위의 장소 표현을 씁니다.
견문	• 순천만 습지에서 농게와 짱뚱어를 보았다. • 불국사에는 청운교와 백운교가 있다. • 창덕궁이 유네스코 세계 문화유산이 되었다고 한다.	• 본 것을 나타낼 때에는 '~을/를 보다, ~이/가 있다' 따위의 표현이 있습니다. • 여행하며 들은 것을 나타낼 때에는 '~(이)라고 한다, ~을/를 듣다' 따위와 같은 표현이 있습니다.
❸ ☐☐	• 유리 벽 사이로라도 석굴암을 볼 수 있어 천만다행이라고 생각했다. • 무령왕릉 내부를 보는 동안 머리카락이 쭈뼛 서는 듯한 감동이 밀려왔다. • 현대 기술 수준을 앞선 우리 선조의 지혜가 자랑스럽게 느껴졌다.	• '~처럼, ~같이, ~듯한'과 같이 비유를 쓰는 경우가 많습니다. • '생각하다, 느끼다'라는 낱말을 쓰기도 합니다.

**여정, 견문, 감상이
드러나게
기행문 쓰기**

예 자신이 여행한 경험을 기행문의 짜임을 생각하며 정리하기

❹ ☐☐	여행한 목적	• 경주에 가서 책에서만 보았던 신라의 문화재를 직접 보기 위해서임.
가운데	여정	• 국립경주박물관
	견문	• 얼굴 무늬 수막새를 봄. • 성덕 대왕 신종은 '에밀레'라고 운다고 하여 에밀레종이라 고도 불린다는 이야기를 들음.
	감상	• 얼굴 무늬 수막새의 소박한 미소를 보니 신라 사람들이 친 근하게 느껴졌음. • 어마어마하게 큰 성덕 대왕 신종 앞에 서니 마음이 경건해 짐.
끝	전체 감상과 더 알고 싶은 점	• 신라의 역사와 인물, 유물과 관련된 이야기를 더 찾아보고 싶음.

**여행지 안내장
만들기**

알리고 싶은 여행지를 고르기	나는 공주와 부여 지역의 백제 문화를 알려 줄 거야. / 우리 마을의 아름다운 자연환경도 소개하면 좋겠어. 난 우리 마을의 자연환경과 관광지를 알려 주려고 해.
여행지와 관련 있는 ❺ ☐☐을/를 모으기	• 여행지에서 찍은 사진이나 기록한 내용을 찾습니다. • 여행지에 대한 책을 찾아 읽어 봅니다. • 지역 시(도)청, 구(군)청의 누리집을 살펴봅니다. • 여행지 관련 안내서를 찾아봅니다. • 텔레비전 여행 프로그램이나 여행지에 대한 신문 기사를 찾아봅니다.
여행지를 알리는 안내장 형태 고르기	낱장 형태 접은 종이 형태 책 형태
여행지를 알리는 안내장을 만들기	• 여행지 안내장에 들어갈 내용을 정리해 봅니다. • 친구들이 가 보고 싶도록 여행지 안내장을 만들어 봅니다. └→ 안내장은 여러 가지 매체를 이용해 만들 수도 있습니다.

단원 평가

★ 단원 평가 더 풀기 ≫ 평가 교재 38~43쪽

[1~2] 그림을 보고, 물음에 답하시오.

1 서윤이가 제주도를 여행하면서 다녀오지 <u>않은</u> 곳은 어디입니까? ( )

① 한라산 　② 만장굴 　③ 거문오름
④ 성산 일출봉 ⑤ 세계 박람회

2 이 그림에서 서윤이가 뿌듯해한 까닭은 무엇일지 빈칸에 알맞은 말을 쓰시오.

• 사진과 함께 ( )(으)로 남겨 두어서 여행 경험을 자신 있게 전할 수 있어서

3 여행하면서 보고 듣고 느낀 점을 글로 쓰면 좋은 점으로 알맞지 <u>않은</u> 것을 골라 기호를 쓰시오.

> ㉠ 여행했던 경험을 다시 느낄 수 있다.
> ㉡ 여행했을 때의 기분을 잘 간직할 수 있다.
> ㉢ 여행하면서 보고 들은 것을 나중에 알 수 있다.
> ㉣ 다른 사람에게 여행하지 않은 곳의 정보도 자세히 줄 수 있다.

( )

[4~6] 글을 읽고, 물음에 답하시오.

㉮ ㉠우리 답사의 첫 유적지는 한라산 산천단이었다. 한라산 산신께 제사드리는 산천단에 가서 답사의 안전을 빌고 가는 것이 순서에도 맞고 또 제주도에 온 예의라는 마음도 든다.

㉯ 제주의 동북쪽 구좌읍 세화리 송당리 일대는 크고 작은 무수한 오름이 저마다의 맵시를 자랑하며 드넓은 들판과 황무지에 오뚝하여 오름의 섬 제주에서도 오름이 가장 많고 아름다운 '오름의 왕국'이라고 했다. 그중에서도 다랑쉬오름은 '오름의 여왕'이라고 불린다.

다랑쉬라는 이름의 유래에는 여러 설이 있으나 다랑쉬오름 남쪽에 있던 마을에서 보면 북사면을 차지하고 앉아 된바람을 막아 주는 오름의 분화구가 마치 달처럼 둥글어 보인다 하여 붙여졌다는 설이 가장 정겹다.

4 이 글의 종류는 무엇인지 쓰시오.

( )

5 다랑쉬오름에 대한 설명으로 알맞지 <u>않은</u> 것에 ×표를 하시오.

(1) '오름의 여왕'이라고 불린다. ( )
(2) 제주의 동북쪽 구좌읍 세화리와 송당리 일대에 있다. ( )
(3) 다랑쉬라는 이름은 오름에 다람쥐가 많아서 붙여졌다. ( )

6 ㉠에 나타나 있는 것은 무엇입니까? ( )

① 여행한 목적
② 여행하면서 다닌 곳
③ 여행하면서 먹은 것
④ 여행하면서 보고 들은 것
⑤ 여행하면서 생각하거나 느낀 것

[7~11] 글을 읽고, 물음에 답하시오.

> ㉮ 제주도와 연결된 서쪽을 제외한 성산 일출봉의 동·남·북쪽 외벽은 깎아 내린 듯한 절벽으로 바다와 맞닿아 있다. 일출봉의 서쪽은 고운 잔디 능선 위에 돌기둥과 수백 개의 기암이 우뚝우뚝 솟아 있는데 그 사이에 계단으로 만든 등산로가 나 있다. 전설에 따르면 설문대 할망은 일출봉 분화구를 빨래 바구니로 삼고 우도를 빨랫돌로 하여 옷을 매일 세탁했다고 한다.
>
> ㉯ ㉠우리는 어리목에서 출발하여 만세 동산을 지나 1700 고지인 윗세오름까지 올라 그곳 산장 휴게소에서 준비해 간 도시락을 먹고 영실로 하산하면서 한라산의 아름다움을 만끽했다. ㉡영실에 들어서면 이내 솔밭 사이로 시원한 계곡물이 흐른다.
>
> ㉰ 숲길을 빠져나와 머리핀처럼 돌아가는 가파른 능선 허리춤에 올라서면 홀연히 눈앞에 수백 개의 뾰족한 기암괴석이 호를 그리며 병풍처럼 펼쳐진다. ㉢오르면 오를수록 이 수직의 기암들이 점점 더 하늘로 치솟아 올라 신비스럽고도 웅장한 모습에 절로 감탄이 나온다.

7 이 글에서 글쓴이가 들른 곳을 두 가지 고르시오.
　　　　　　　　　　(　 , 　)

① 외돌개　　　　② 한라산
③ 민속 마을　　　④ 사려니 숲길
⑤ 성산 일출봉

8 다음 빈칸에 들어갈 알맞은 말을 각각 쓰시오.

> 설문대 할망은 (1)(　　　　　)을/를 빨래 바구니로 삼고 (2)(　　　　　)을/를 빨랫돌로 하여 옷을 매일 세탁했다고 한다.

9 글 ㉮는 여정, 견문, 감상 중 무엇에 해당하는지 ○표를 하시오.
　　　　　　　　(여정 , 견문 , 감상)

10 ㉠~㉢ 중 여행하면서 생각하거나 느낀 것을 적은 부분은 어디인지 기호를 쓰시오.
　　　　　(　　　　　)

논술형

11 다음은 이 글을 읽고 만든 질문입니다. 질문에 알맞은 답을 쓰시오.

> 만약 자신이 제주도에 간다면 어디를 가 보고 싶나요?

_____

_____

12 기행문에 대한 설명으로 알맞지 <u>않은</u> 것은 무엇입니까?　　　　　　　(　　)

① 여행하고 나서 쓴 글이다.
② 어디를 여행했는지 드러나 있다.
③ 감상은 지나온 시간과 장소를 쓴 것이다.
④ 여행하면서 보고 들은 것을 견문이라고 한다.
⑤ 일기, 편지, 생활문과 같은 여러 가지 형식으로 쓸 수 있다.

13 여정, 견문, 감상을 드러내는 표현을 찾아 알맞게 선으로 이으시오.

(1) 여정　·　　　·① 불국사에는 청운교와 백운교가 있다.

(2) 견문　·　　　·② 우리는 버스를 타고 담양으로 갔다.

(3) 감상　·　　　·③ 현대 기술 수준을 앞선 우리 선조의 지혜가 자랑스럽게 느껴졌다.

14 여행하면서 보고 듣고 느낀 점을 글로 쓰려고 할 때 떠올릴 점으로 거리가 <u>먼</u> 것은 무엇입니까? ( )

② 내가 갔던 곳은?

③ 그곳을 여행한 목적은?

④ 그곳에서 생각하거나 느낀 점은?

① 그곳에서 보고 들은 것 가운데에서 기억에 남는 것은?

⑤ 함께 여행한 사람의 좋은 점은?

15 기행문을 더 생생하게 쓰려면 어떤 자료가 필요할지 쓰시오.

( )

16 기행문의 처음, 가운데, 끝 부분에 어떤 내용이 들어가야 하는지 보기 에서 골라 각각 기호를 쓰시오.

보기
㉠ 여행한 까닭이나 목적
㉡ 여행하면서 있었던 일
㉢ 여행한 뒤에 한 다짐이나 반성, 여행하며 느낀 만족감, 아쉬운 점
㉣ 여행을 떠나기 전의 기대와 설렘, 떠날 때 날씨와 교통편

(1) 처음	
(2) 가운데	
(3) 끝	

17 친구들의 기행문을 읽고 잘한 점을 칭찬한 것으로 알맞지 <u>않은</u> 것은 무엇입니까? ( )

① 여행한 목적이 잘 드러났어.
② 글의 전체 짜임이 자연스러워.
③ 여정, 견문, 감상이 잘 드러났어.
④ 사진이나 그림을 알맞게 넣었어.
⑤ 어려운 말을 사용해서 자세히 썼어.

18 여행지 안내장을 이용하면 좋은 점을 알맞게 말한 친구를 쓰시오.

현지: 여행한 고장에서 본 여행안내 지도로 그 지역에서 유명한 관광지를 알 수 있었어.
승우: 현실 세계에 없는 곳을 그린 그림을 보니 여행 계획을 세우는 데 도움이 되었어.

( )

논술형
19 친구들에게 알리고 싶은 곳을 떠올려 다음 여행지 안내장에 들어갈 내용을 정리하여 쓰시오.

(1) 안내장 제목	
(2) 소개할 곳	
(3) 알릴 내용	

20 여행지와 관련 있는 자료를 모으는 방법으로 알맞지 <u>않은</u> 것은 무엇입니까? ( )

① 각 지역의 누리집을 살펴본다.
② 여행지 관련 안내서를 찾아본다.
③ 여행지에 대한 책을 찾아 읽는다.
④ 자기가 좋아하는 텔레비전 만화 영화를 찾아본다.
⑤ 여행지에서 찍은 사진이나 기록한 내용을 찾아본다.

서술형 평가

[1~3] 글을 읽고, 물음에 답하시오.

가 제주의 동북쪽 구좌읍 세화리 송당리 일대는 크고 작은 무수한 오름이 저마다의 맵시를 자랑하며 드넓은 들판과 황무지에 오뚝하여 오름의 섬 제주에서도 오름이 가장 많고 아름다운 '오름의 왕국'이라고 했다. 그중에서도 다랑쉬오름은 '오름의 여왕'이라고 불린다.

나 오름 아랫자락에는 삼나무와 편백나무 조림지가 있어 제법 무성하다 싶지만 숲길을 벗어나면 이내 천연의 풀밭이 나오면서 시야가 갑자기 탁 트이고 사방이 멀리 조망된다. 경사면을 따라 불어오는 그 유명한 제주의 바람이 흐르는 땀을 씻어 주어 한여름이라도 더운 줄 모른다. 발길을 옮길 때마다, 한 굽이를 돌 때마다 시야는 점점 넓어지면서 가슴까지 시원하게 열린다.

다 성산 일출봉은 제주 답사의 기본 경로라 할 만큼 잘 알려져 있고, 영주 십경의 제1경이 '성산에 뜨는 해'인 성산 일출이며, 제주 올레 제1경로가 시작되는 곳일 만큼 제주의 중요한 상징이기도 하다.

ⓘ제주도와 연결된 서쪽을 제외한 성산 일출봉의 동·남·북쪽 외벽은 깎아 내린 듯한 절벽으로 바다와 맞닿아 있다. 일출봉의 서쪽은 고운 잔디 능선 위에 돌기둥과 수백 개의 기암이 우뚝우뚝 솟아 있는데 그 사이에 계단으로 만든 등산로가 나 있다.

1 글쓴이가 들른 곳은 어디어디인지 쓰시오.

_____

_____

2 ⓘ은 기행문에 들어갈 내용 중 무엇에 해당하는지 [보기]에서 골라 쓰고, 그 뜻을 설명하여 쓰시오.

보기	여정　　　견문　　　감상

_____

_____

3 이 글에서 글쓴이가 들른 곳에 대해 생각하거나 느낀 것이 나타난 문장을 찾아 쓰시오.

_____

_____

_____

4 다음을 보고, 견문을 생생하고 자세하게 풀어 쓰려면 어떤 표현을 써야 하는지 쓰시오.

- 순천만 습지에서 농게와 짱뚱어를 보았다.
- 불국사에는 청운교와 백운교가 있다.
- 창덕궁이 유네스코 세계 문화유산이 되었다고 한다.

_____

_____

_____

5 자신이 여행한 경험 중 한 가지를 골라 기행문의 짜임에 맞게 다음 빈칸에 간단히 정리하여 쓰시오.

처음	(1) 여행한 목적	
가운데	(2) 여정	
	(3) 견문	
	(4) 감상	
끝	(5) 전체 감상과 더 알고 싶은 점	

● 다음 교과서 문장의 파란색 낱말 중에서 알맞은 것을 골라 인물들이 한 말을 완성하시오.

- 비행기가 제주도 상공으로 **들어오면** 왼쪽 창밖으로는 오름의 산비탈에 수놓듯이 줄지어 있는 산담이 아름답다.
- 우리 **답사**의 첫 유적지는 한라산 산천단이었다.
- 항공 사진으로 찍은 성산 일출봉은 공상 과학 **영화**에나 나옴 직한 신비스러운 모습을 보여 준다.
- 위로는 하늘을 가린 울창한 나무들이 크면 큰 대로 작으면 작은 대로 아름답고 **기이하다**.

8

아는 것과
새롭게 안 것

무엇을 배울까요?

 준비

- 낱말의 짜임 알기

 기본

- 낱말을 만드는 방법 알기
- 겪은 일을 떠올리며 글 읽기
- 아는 지식을 활용해 글 읽기

 실천

- 새말 사전 만들기

8 아는 것과 새롭게 안 것

1 낱말의 짜임

단일어	'바늘'처럼 '바'와 '늘'로 나누면 본디의 뜻이 없어져 더는 나눌 수 없는 낱말
복합어	• '사과나무'처럼 뜻이 있는 두 낱말을 합한 낱말 • '맨주먹'처럼 뜻을 더해 주는 말과 뜻이 있는 낱말을 합한 낱말

2 낱말을 만드는 방법

① 낱말에 다른 낱말을 합해 낱말을 만듭니다.
② 뜻을 더해 주는 말에 낱말을 합해 낱말을 만듭니다.
예 낱말을 만드는 방법

낱말에 다른 낱말을 합해 만든 낱말	뜻을 더해 주는 말에 낱말을 합해 만든 낱말
김밥 = 김 + 밥	낚시꾼 = 낚시 + −꾼

3 겪은 일을 떠올리며 글 읽기

① 글의 내용과 관련 있는 겪은 일을 떠올리며 읽습니다.
② 겪은 일을 '본 일, 들은 일, 한 일'로 나누어 정리합니다.

4 아는 지식을 활용해 글 읽기

① 자신이 아는 지식을 떠올리며 글을 읽습니다.
② 자신이 알았던 부분에 밑줄을 그으며 글을 다시 읽어 봅니다.
③ 글을 읽고 새롭게 알거나 자세히 안 점을 정리합니다.

5 아는 지식을 떠올리며 글을 읽으면 좋은 점

① 글 내용을 더 잘 이해할 수 있습니다.
② 글 내용을 깊이 있게 이해할 수 있습니다.
③ 아는 내용과 비교하며 글을 읽을 수 있습니다.

핵 심 개 념 문 제

정답과 해설 ● 26쪽

1 '바늘'은 복합어입니다.
(○ , ×)

2 낱말에 다른 ☐☐을/를 합해 낱말을 만들 수 있습니다.

3 뜻을 더해 주는 말에 낱말을 합해 만든 낱말에 ○표를 하시오.
(김밥 , 낚시꾼)

4 겪은 일을 떠올리며 글을 읽을 때에는 '본 일, 들은 일, 한 일'로 나누어 정리합니다.
(○ , ×)

5 아는 지식을 활용해 글을 읽을 때에는 자신이 아는 지식을 떠올리며 글을 읽고 ☐ ☐☐알거나 자세히 안 점을 정리합니다.

준비 낱말의 짜임 알기

◦ 낱말의 뜻을 자세히 아는 방법을 생각해 보기

1 글쎄, '바늘'과 '방석'을 합친 말 같은데……

시원아, 책을 읽다가 '바늘방석'이라는 말이 나왔는데 뜻을 잘 모르겠어.

시원이와 예원이가 제법인걸. '바늘방석'은 앉아 있기에 몹시 불안스러운 자리를 가리키는 말이란다.

2 예원 ▶ 아, 그러면 '바늘'은 '바느질할 때 쓰는 뾰족한 것'이고 '방석'은 '자리에 앉을 때 쓰는 것'이니까 '바늘방석'은 바늘처럼 뾰족한 방석이라는 뜻이겠구나.

뜻을 잘 모르는 낱말은 이미 내가 아는 뜻으로 그 뜻을 짐작해 볼 수 있어요.
↳ 낱말의 짜임을 알면 좋은 점

・그림 내용: 예원이는 책에서 뜻을 잘 모르는 낱말이 나왔을 때 낱말을 나누어 아는 뜻을 바탕으로 낱말 뜻을 짐작했습니다.

8 단원

3 **4**

그렇지. 이렇게 '바늘방석'이나 '맨주먹'처럼 낱말을 쪼개 살펴보면 뜻을 쉽게 짐작할 수 있단다.

5 선생님, 그럼 '맨주먹'은 '맨-'과 '주먹'으로 나눌 수 있고 '맨-'은 다른 것이 없다는 뜻을 더해 주니까 '맨주먹'은 '아무것도 없는 빈주먹'이라는 뜻이겠네요?

핵심

● 그림에 나오는 낱말의 짜임

단일어	'바늘'처럼 '바'와 '늘'로 나누면 본디의 뜻이 없어져 더는 나눌 수 없는 낱말
복합어	• '바늘방석'처럼 뜻이 있는 두 낱말을 합한 낱말 • '맨주먹'처럼 뜻을 더해 주는 말과 뜻이 있는 낱말을 합한 낱말

핵심

1 예원이는 '바늘방석'의 뜻을 짐작할 때 어떻게 나누어 짐작했는지 빈칸에 알맞은 말을 각각 쓰시오.

바늘	(2)
(1)	자리에 앉을 때 쓰는 것

서술형

2 다음 낱말의 짜임을 살펴보고 뜻을 짐작해 쓰시오.

사과나무		
	+	

뜻:

3 다음 낱말들을 단일어와 복합어로 나누어 각각 알맞은 기호를 쓰시오.
(교과서 문제)

㉠ 자두	㉡ 오이	㉢ 사과
㉣ 수박	㉤ 산딸기	㉥ 복숭아
㉦ 애호박	㉧ 방울토마토	

(1) 단일어: (　　　　　　　　　　)
(2) 복합어: (　　　　　　　　　　)

4 다음 ○에 공통으로 들어갈 말을 빈칸에 쓰시오.
(교과서 문제)

○수건　　　　　　　○수레

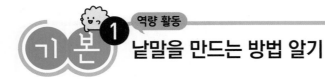

기본 1 역량 활동
낱말을 만드는 방법 알기

○ 사진을 보고 낱말을 어떻게 만들었는지 생각해 보기

구름다리

'구름'은 공중에 높이 떠 있는 것이고, '다리'는 한편에서 다른 편으로 건너다닐 수 있도록 만든 것이야.

'구름'과 '다리'를 합해서 만들었네.

아, 그럼 구름다리는 ㉠ (이)라는 뜻이구나.

▲ 영수

● 낱말을 만드는 방법 | 핵심

구름다리	=	구름 낱말	+	다리 낱말
풋고추	=	풋− 뜻을 더해 주는 말	+	고추 낱말

---

1 영수는 '구름다리' 낱말이 만들어지는 과정을 다음과 같이 생각했습니다. ㉠에 들어갈 '구름다리'의 뜻을 짐작하여 쓰시오.
(교과서 문제)

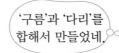

구름 + 다리 → 구름다리

(   )

2 그림을 보고 '−꾼'의 뜻을 바르게 짐작하지 못한 것에 ×표를 하시오.
(교과서 문제)

▲ 나무꾼   ▲ 소리꾼   ▲ 낚시꾼

(1) 어떤 일을 잘하는 사람 (   )
(2) 어떤 일을 처음 하는 사람 (   )
(3) 어떤 일을 전문적으로 하는 사람 (   )

3 다음 낱말의 짜임을 생각하며 빈칸에 알맞은 말을 쓰고 낱말의 뜻을 짐작하여 쓰시오.
(교과서 문제)

(1) 햇과일 = 햇− + [   ]

(2) 뜻: _____

핵심 역량

4 보기 와 같이 주어진 낱말에 다른 낱말을 합쳐서 여러 가지 낱말을 만들어 쓰시오.

보기
골목 + 길   꽃 + 길

(1) ____ 길   (2) ____ 길

기본 ② 역량 제재
겪은 일을 떠올리며 글 읽기

○ 겪은 일을 떠올리며 글 읽기

자연을 닮은 우리 악기

청동말굽

① 아주 먼 옛날, 우리 조상들은 우리 땅과 강을 닮은 악기를 만들어 아름다운 음악을 연주했습니다. 하늘과 땅에 제사를 지낼 때에도, 기쁘거나 슬픈 마음을 나타낼 때에도 사람들은 모여서 악기를 연5 주했어요. 우리나라 악기들은 자연에서 얻은 여덟 가지 재료로 만들어졌어요. 명주실, 대나무, 박, 흙, 가죽, 쇠붙이, 돌, 나무 등 주변에서 흔히 볼 수 있고 쉽게 구할 수 있는 것들이지요. 대한 제국 때 발간된 『증보문헌비고』에서는 이 여덟 악기의 재료10 를 팔음이라고 불렀어요. 여덟 가지 재료에 저마다 독특한 소리가 담겨 있기 때문이지요.

중심 내용 우리 조상들은 자연에서 얻은 여덟 가지 재료로 우리 땅과 강을 닮은 악기를 만들어 아름다운 음악을 연주했다.

• **글의 종류**: 설명하는 글
• **글의 내용**: 우리 조상들이 악기를 만들 때 사용했던 여덟 가지 재료와 그 재료들의 특성을 설명하는 글입니다.

▲ 대나무

② 대나무와 박에서 나오는 청아한 소리는 맑은 봄날의 아침 같아요. 명주실에서 뽑아내는 섬세한 소리5 와 나무에서 나오는 깨끗한 소리는 쨍쨍한 여름 햇살을 닮았어요. 쇠와 흙에서 울리는 우렁차고 광대한 소리는 높은 가을 하늘 같답니다. 돌의 묵직한 소리와 가죽의 탄탄한 소리는 겨울의 웅장함을 느끼게 하지요. 이렇게 옛사람들은 여러 악기의10 소리를 들으며 자연의 이치를 깨달았답니다.

중심 내용 옛사람들은 여러 악기의 소리를 들으며 자연의 이치를 깨달았다.

청아한 속된 티가 없이 맑고 아름다운.
　예 어디선가 청아한 피리 소리가 들렸다.

웅장함 규모 따위가 거대하고 성대함.
　예 산꼭대기에 올라 산세의 웅장함을 느꼈다.

---

1 우리 전통 음악과 관련한 경험을 떠올려 쓰시오.
교과서
문제

_____

_____

2 이 글에서 알 수 있는 우리 조상들이 악기를 만들 때 사용한 재료가 아닌 것을 찾아 쓰시오.
교과서
문제

| 박　흙　돌　가죽　나무　명주실 |
| 대나무　쇠붙이　종이 |

(　　　　　　)

3 우리나라 악기를 만드는 재료로, 자연에서 얻은 여덟 가지 재료를 『증보문헌비고』에서 무엇이라고 불렀는지 이 글에서 찾아 쓰시오.

(　　　　　　)

4 다음 재료로 만든 악기의 소리를 각각 무엇에 비유했는지 찾아 선으로 이으시오.

(1) 돌, 가죽　　•　　•㉠ 겨울의 웅장함

(2) 쇠, 흙　　•　　•㉡ 높은 가을 하늘

(3) 명주실, 나무　•　　•㉢ 맑은 봄날의 아침

(4) 대나무, 박　•　　•㉣ 쨍쨍한 여름 햇살

▲ 가야금 　　　　　　　 ▲ 거문고

▲ 해금 　　　　　　　 ▲ 아쟁

❸ 명주실은 우리 악기를 만드는 데 가장 많이 쓰이는 재료 가운데 하나입니다. 명주실은 누에고치에서 뽑아낸 비단실이에요. 이 비단실로 천도 짜고, 소리 고운 악기도 만들지요. 명주실은 잘 끊어지지 않고 탄력이 있어서 가야금, 거문고, 아쟁, 해금 같은 악기의 줄로 쓰입니다. 가야금은 오동나무로 만든 울림통에 명주실을 열두 줄로 꼬아 얹어

만들어요. 웅장하고 깊은 소리를 내는 거문고의 줄도 명주실로 만들지요. 해금은 낮은음에서 높은 음까지 다양한 소리를 내고, 아쟁은 가야금과 비슷하지만 가야금보다 몸통이 크고 줄이 굵습니다.

(중심 내용) 명주실은 우리 악기를 만드는 데 가장 많이 쓰이는 재료 가운데 하나로, 가야금, 거문고, 아쟁, 해금 같은 악기의 줄로 쓰인다.

❹ 예부터 우리 조상들이 좋아했던 대나무는 굽힐 줄 모르는 곧은 마음을 상징했어요. 대나무를 즐겨 그리는 선비가 많았고, 장인들은 대나무로 여러 가지 물건을 만들었지요. 대나무로 만든 악기도 아주 많아요. 대나무는 속이 비어 있어서 보통 나무와는 다른 소리를 내는 악기를 만들 수 있어요. 그윽하고 평온한 소리가 울려 나오는 대금, 달빛이 빛나는 봄밤에 어울리는 악기인 피리를 만듭니다. 그리고 맑고 청아한 소리를 내는 단소도 만들 수 있습니다.

(중심 내용) 대나무는 속이 비어 있어 보통 나무와는 다른 소리를 내는 악기를 만들 수 있는데, 대나무로 만든 악기에는 대금, 피리, 단소가 있다.

탄력 용수철처럼 튀거나 팽팽하게 버티는 힘.
예 빵빵한 풍선을 누르자 탄력이 느껴졌습니다.

상징 추상적인 개념이나 사물을 구체적인 사물로 나타냄. 또는 그렇게 나타낸 표지 · 기호 · 물건 따위.

---

5 다음 중 명주실로 만드는 악기가 아닌 것은 어느 것입니까? 　　　　　　 (　　　)

① 아쟁
② 해금
③ 거문고
④ 가야금
⑤ 바이올린

7 대나무가 상징하는 것은 무엇입니까? (　　　)

① 욕심 없는 마음
② 나라를 사랑하는 마음
③ 굽힐 줄 모르는 곧은 마음
④ 다른 사람과 비교하는 마음
⑤ 다른 사람을 돕고자 하는 마음

(핵심)(논술형)
6 가야금이나 거문고와 관련 있는 경험을 떠올려 쓰시오.

_____

_____

8 다음과 같은 특징을 가진 악기는 무엇인지 찾아 쓰시오.

• 대나무로 만든다.
• 맑고 청아한 소리를 낸다.

(　　　　　　　　　　　)

기본 2

❺ 초가지붕 위에 주렁주렁 앉아 자라던 박은 물을 푸는 물박, 간장을 퍼내는 장 박, 밥을 담는 주발 박 같은 바가지나 그릇을 만드는 데 많이 쓰였어요. 우리 악기 가운데 생황
5 은 박으로 만든 악기입니다. 생황은 박으로 만든 공명통(소리를 울리게 하는 통)에 서로 길이가 다른 여러 개의 대나무 관이 꽂혀
10 있는 악기에요.

▲ 생황

> **중심 내용** 바가지나 그릇을 만드는 데 많이 쓰인 박으로도 악기를 만들었는데, 박으로 만든 악기에는 생황이 있다.

주렁주렁 열매 따위가 많이 달려 있는 모양.
　예 열매가 주렁주렁 달렸습니다.
특성 일정한 사물에만 있는 특수한 성질.
　예 선인장은 건조한 기후에도 잘 견디는 특성이 있습니다.

❻ 흙은 쓰임이 많은 재료예요. 집을 짓기도 하고 여러 가지 물건을 만들지요. 흙은 원하는 모양을 쉽게 만들 수도 있고, 말리거나 구우면 단단해져요. 우리 조상들은 이런 흙의 특성을 이용해서 훈과 부 같은 악기를 만들었어요. 우묵한 질그릇처럼 생긴 부는 아홉 조각으로 쪼갠 대나무 채로 두드려 소리를 내는 악기예요. 훈은 흙을 빚고 구워서 만든 악기로 입으로 불어 소리를 내요.

▲ 부

> **중심 내용** 흙은 원하는 모양을 쉽게 만들 수 있고, 말리거나 구우면 단단해지는데, 흙으로 만든 악기에는 훈과 부가 있다.

우묵한 가운데가 둥그스름하게 푹 패거나 들어가 있는 상태인.
　예 우묵한 그릇에 국을 담았습니다.
빚고 흙 따위의 재료를 이겨서 어떤 형태를 만들고.
　예 흙으로 독을 빚고 칼로 무늬를 새겼습니다.

8 단원

---

9 다음 중 생황을 만드는 재료는 무엇입니까?
　　　　　　　　　　　　　　(　　)
① 박　　　　　② 흙
③ 돌　　　　　④ 명주실
⑤ 나뭇잎

10 다음 빈칸에 알맞은 말을 세 글자로 쓰시오.
・생황은 박으로 만든 (　　　　　　　)
　에 서로 길이가 다른 여러 개의 대나무 관이
　꽂혀 있는 악기이다.

11 이 글에서 알 수 있는 흙의 특성으로 알맞은 것을 두 가지 고르시오.　　　(　 , 　)
① 빨리 마른다.
② 색깔이 다양하다.
③ 물에 젖지 않는다.
④ 말리거나 구우면 단단해진다.
⑤ 원하는 모양을 쉽게 만들 수 있다.

12 흙으로 만든 악기로, 아홉 조각으로 쪼갠 대나무 채로 두드려 소리를 내는 악기는 무엇인지 찾아 ○표를 하시오.
　　　　　　　　　　　　　(부 , 훈)

❼ 아주 오랜 옛날부터 사람들은 동물의 가죽을 잘 말려서 동그란 나무통에 씌워 두드리며 소리를 냈어요. 때로는 흥겨운 장단을 만들기도 했고, 때로는 깊고 웅장한 소리로 마음속의 슬픔과 두려움을 ⁵몰아내기도 했지요. 가죽으로 만든 악기에는 북과 장구가 있어요. 북은 백성들과 아주 가까운 악기로 힘든 농사일에 흥을 돋우기 위한 풍물놀이에 빠지지 않았어요. 장구는 모래시계를 옆으로 뉘어 놓은 것처럼 허리가 잘록한데, 다른 악기들과 어울려 흥 ¹⁰을 돋워 주지요.

〔중심 내용〕 동물의 가죽으로 만든 악기에는 북과 장구가 있다.

❽ 쇠는 아무나 함부로 다룰 수 없는 귀한 재료였어요. 쇠를 다루는 사람들이 불로 쇠를 녹여 여러 가지 도구를 만들어 쓰기도 하고, 무기를 만들기도 ¹⁵하였지요. 그 때문에 쇠로 만든 악기에도 특별한 힘이 있을 거라고 여겨졌어요.

▲ 편종

사람들은 쇠를 녹여 사방을 깨우는 듯한 소리가 나는 악기를 만들어 특별한 신호를 보내거나, 놀이판의 흥을 높였어요. 쇠를 녹여 만든 우리 악기에는 징, 꽹과리, 편종, 특종, 나발 등이 있어요.

〔중심 내용〕 쇠를 녹여 만든 악기에는 징, 꽹과리, 편종, 특종, 나발 등이 있다.

❾ 나무는 어디에서나 쉽게 구할 수 있고 쓰임도 ⁵많은 재료예요. 나무로 만든 악기에는 박, 어 등이 있어요. 나무의 딱딱한 소리는 여러 악기를 모아 합주할 때 연주의 처음과 끝을 알리는 역할을 했답니다. 어는 나무로 만든 흰 호랑이 등 위에 스물일곱 개의 톱니가 붙어 있는 악기이고, 박은 단단한 나뭇조각 여섯 개의 한쪽 끝

▲ 어

을 모아 묶은 악기예요. 박을 연주하는 사람은 지휘자와 같은 역할을 한답니다.

〔중심 내용〕 어디에서나 쉽게 구할 수 있고 쓰임이 많은 재료인 나무로 만든 악기에는 박, 어 등이 있다.

몰아내기도 어떤 처지나 상태에서 벗어나게 하기도.
사방(四 넉 **사**, 方 방 **방**) 동, 서, 남, 북 네 방위를 통틀어 이르는 말.

편종(編 엮을 **편**, 鐘 쇠북 **종**) 두 층의 걸이가 있는 틀에 12율의 순서로 조율된 종을 한 단에 여덟 개씩 달아 망치로 치는 타악기.

---

13 북과 장구를 만들 때 사용하는 재료를 이 글에서 찾아 쓰시오.

( )

14 사람들이 쇠로 만든 악기에 특별한 힘이 있을 거라고 생각한 까닭을 <u>두 가지</u> 고르시오.

(,)

① 놀이판의 흥을 높였기 때문이다.
② 쇠로 만든 악기가 많지 않았기 때문이다.
③ 사방을 깨우는 듯한 소리를 내기 때문이다.
④ 쇠는 아무나 함부로 다룰 수 없는 귀한 재료였기 때문이다.
⑤ 쇠를 다루는 사람들이 쇠를 녹여 여러 가지 도구를 만들어 쓰고 무기도 만들었기 때문이다.

15 여러 악기를 모아 합주할 때 박을 연주하는 사람은 어떤 역할을 하는지 쓰시오.

( )

16 〔핵심〕 다음 친구는 어떤 방법으로 이 글을 읽었는지 알맞은 것을 찾아 ○표를 하시오.

학교에서 사물놀이를 배운 적이 있어. 신나게 꽹과리를 칠 때 어깨춤을 덩실덩실 출 정도로 흥겨웠지.

(1) 본 일을 떠올리며 읽기 ( )
(2) 한 일을 떠올리며 읽기 ( )
(3) 들은 일을 떠올리며 읽기 ( )

⑩ 돌로 만든 악기는 추위나 더위에 강하기 때문에 음의 변화가 거의 없었어요. 그래서 다른 악기의 음을 맞추거나 고르게 할 때 기준이 된답니다. 돌로 만든 악기에는 편경과 특경이 있어요. 편경은
5 단단한 돌을 'ㄱ' 자 모양으로 깎아서 만든 악기로, 돌조각을 '각퇴'라는 채로 쳐서 소리를 내요. 돌에서 나오는 티 없이 청아한 소리가 일품이에요. 편경은
10 주로 궁중에서 제사를 지낼 때 쓰입니다.

▲ 편경

중심 내용 돌로 만든 악기에는 편경과 특경이 있다.

⑪ 여덟 가지 재료로 만든 우리 옛 악기들은 저마다 독특하고 아름다운 소리를 지닙니다. 하지만 우리 악기들은 더불어 살아가는 사람들처럼 여럿이
15 함께 어우러져야 더 아름다운 소리를 만들어 냅니다. 서로 어울려 연주되는 우리 악기들은 제 소리

만 뽐내지 않아요. 각자의 소리가 한데 어우러지도록 정성을 다하지요. 서로 둥글게 어울려 흥겨운 장단을 만들고 서로 하나 되어 아름다운 가락을 만들어요. 이렇게 하나 된 연주는 하늘에 닿아 사람들의 소원도 전해 주고, 조상님께 닿아 후손들의 5 효심도 전해 주고, 즐거운 놀이판에서 흥겹게 울려 퍼졌답니다.

중심 내용 여덟 가지 재료로 만든 우리 옛 악기들은 저마다 독특하고 아름다운 소리를 지니고 있지만 악기들은 여럿이 함께 어우러져야 더 아름다운 소리를 만들어 낸다.

● 글을 읽고 관련 있는 경험 정리하기 예

본 일	전통 악기 박물관에서 생황이라는 악기를 본 적이 있습니다. 무엇으로 만들었는지 궁금했는데 박으로 만든 악기라는 것을 알게 되었습니다.
들은 일	예술제에서 가야금 연주를 들은 적이 있습니다. 아름다운 가야금 선율을 들으며 가야금이라는 악기가 궁금해졌습니다.
한 일	음악 시간에 단소를 연주해 보았습니다. 소리를 내기 힘들었지만 힘겹게 소리를 냈을 때 단소가 내는 청아한 소리가 참 아름다웠습니다.

티 조그마한 흠. 예 누나는 티 없이 맑은 목소리로 노래했습니다. ┊ 정성(精 정할 정, 誠 정성 성) 온갖 힘을 다하려는 참되고 성실한 마음.

17 돌로 만든 악기가 다른 악기의 음을 맞추거나 고르게 할 때 기준이 된 까닭을 생각하며 빈칸에 알맞은 말을 쓰시오.

• 돌로 만든 악기는 추위나 더위에 강해서 (　　　　　　　)이/가 거의 없었기 때문이다.

18 편경은 주로 언제 쓰입니까? (　　)

① 흥을 돋울 때
② 모내기를 할 때
③ 궁중에서 혼례를 할 때
④ 아이들이 놀이를 할 때
⑤ 궁중에서 제사를 지낼 때

역량 논술형

19 겪은 일을 떠올리며 이 글을 읽고 보기 와 같이 쓰시오.

> 보기 음악 시간에 장구를 배운 일이 생각났다. 장구를 치며 장구 장단에 맞춰 민요를 부른 일을 떠올리며 글을 읽었다.

_____

_____

20 겪은 일을 떠올리며 글을 읽으면 좋은 점을 모두 찾아 기호를 쓰시오.

> ㉠ 글을 자세히 읽지 않아도 된다.
> ㉡ 글 내용을 더 쉽게 이해할 수 있다.
> ㉢ 글 내용에 더 흥미를 가지게 된다.

(　　　　　　)

○ 자신이 아는 지식을 생각하며 글 읽기

우리나라의 멸종 위기 동물

백은영

• 글의 특징: 우리나라에서 멸종되어 가는 동물을 소개하고, 멸종 위기 동물을 보호하기 위해 우리가 할 수 있는 일을 알려 주는 글입니다.

❶ 지금까지 알려진 동물은 약 170만 종이라고 합니다. 앞으로 20~30년 안에 이 동물 가운데 $\frac{1}{4}$ 정도가 지구상에서 완전히 사라질 수도 있다고 합니다. 왜냐하면 지구 온난화와 환경 오염 등으로 동
5 물의 서식지가 줄어들고 있기 때문입니다. 그리고 토종 동물이 다른 나라에서 들어온 동물과 벌이는 생존 경쟁에서 밀려나 사라지는 경우도 있기 때문입니다. 우리나라에도 이렇게 멸종되어 가는 동물이 많이 있습니다. 그럼 지금부터 우리나라에서 사
10 라질 위기에 처한 동물을 만나 보겠습니다.

중심 내용 우리나라에서 사라질 위기에 처한 동물을 만나 보자.

❷ 점박이물범: 나는 점박이물범일세. 잘 사냐고? 음, 할 말이 없군. 지금 우리 가족은 겨우 500마리 남짓 남았을 뿐이거든. 물론 30년 전보다야 낫지만

말이야. 그때만 해도 사람들이 우리를 마구 잡아서 모피와 약을 만들었지만, 지금은 보호 구역도 정해 주더라고. 우리는 주로 백령도 근처에 머무는데 사람이 별로 없어서 지내기가 좋아. 그리고 추운 겨울이 되면 서해 위쪽으로 올라가 지낸다 5 네. 그런데 여기서 잠깐! 사실 무척 걱정되는 게 있어. 우리에게는 새끼를 낳으려면 부빙이 꼭 필요하지. 그런데 지구가 점점 따뜻해지는 바람에 얼음
지구 온난화
들이 녹고 있어. 게다가 사람들이 오염된 물과 쓰레기를 바다에 마구 쏟아 내서 살기가 참 힘들다네. 자네가 우리 대신 사람들한테 잘 좀 말해 줄 수 없겠나?

▲ 점박이물범

중심 내용 사람들이 점박이물범을 마구 잡아 모피와 약을 만들어서 점박이물범이 멸종 위기에 처했다.

멸종(滅 멸할 멸, 種 씨 종) 생물의 한 종류가 아주 없어짐. 또는 생물의 한 종류를 아주 없애 버림.

서식지(棲 깃들일 서, 息 쉴 식, 地 땅 지) 생물 따위가 일정한 곳에 자리를 잡고 사는 곳.

1 「우리나라의 멸종 위기 동물」이라는 글의 제목을 보고 어떤 내용이 펼쳐질지 짐작하여 쓰시오.
교과서 문제

_____

_____

2 멸종 위기 동물에 대해 아는 내용을 알맞게 말하지 못한 친구를 찾아 쓰시오.
교과서 문제

은지: 우리나라의 멸종 위기 동물을 알고 싶어.
기화: 사라져 가는 동물이 많다는 내용을 텔레비전에서 들은 적이 있어.
수경: 옛날에는 반딧불이를 잘 볼 수 있었다는데 지금은 잘 볼 수가 없어.

(   )

3 다음 질문에 알맞은 답을 쓰시오.
교과서 문제

지구 온난화와 동물 서식지가 줄어드는 것은 어떤 관계가 있을까요?

_____

_____

4 점박이물범이 새끼를 낳으려면 무엇이 꼭 필요하다고 했는지 찾아 쓰시오.

(   )

5 산양 ▶

❸ 산양: 내가 염소게, 산양이게? 히히, 염소랑 비슷하게 생겼어도 난 엄연히 산양이야. 자세히 보면 수염도 없고 갈색, 검은색, 회색 털이 뒤섞여 있어. 그리고 내 뿔은 송곳 모양으로, 나이를 먹을 때마다 고리 모양으로 변해. 나는 워낙 험한 바위산에 살기 때문에 지금까지 살아남았어. 이런 내가 설마 인간 때문에 멸종 위기에 처할

10 줄은 정말 몰랐어. 사냥꾼들은 내 털과 고기를 노렸지. 우리가 도망가지 못하게 길도 막아 버렸어. 으으, 무서운 인간들을 피할 방법 좀 알려 줘.

중심 내용 산양의 털과 고기를 노리는 사냥꾼들 때문에 산양은 멸종 위기에 처했다.

❹ 반달가슴곰: 대한민국 사람들은 우리를 참 많이 사랑해요. 그만큼 우리에게 관심도 많고요. 우리

15 친구들을 지리산으로 돌려보낼 때마다 잘 살기를 무척 바라지요. 듣자 하니 50마리까지 늘리는 게

▲ 반달가슴곰

목표라고 해요. 하기는 우리를 귀하게 여길 만해요. 우리는 산에서 도토리, 가래, 산뽕나무의 열매 등을 먹고 여기저기에 똥

5 을 누어요. 바로 그 똥이 흙을 좋게 만들어서 씨앗이 돋아나게 하고 산을 푸르게 만드는 데 도움을 주거든요. 우리가 있어야 지리산의 생태계가 잘 돌아가는 거죠. 하지만 문제는 바로 사람들! 아무리 깊은 산속이라도 사람들이 보여요. 이 험한 데까지 대체 어떻게 오는 거죠?

10

중심 내용 지리산의 생태계가 잘 돌아가도록 하는 반달가슴곰은 깊은 산속까지 잡으러 오는 사람들 때문에 그 수가 무척 적다.

● 아는 지식을 활용해 글 읽기 ①

멸종 위기 동물에 대해 아는 지식	예 반달가슴곰은 가슴에 있는 하얀 반달무늬가 가장 큰 특징이다.
글을 읽고 새롭게 알거나 자세히 안 점	예 반달가슴곰이 있어야 지리산의 생태계가 잘 돌아간다.

험한 땅의 형세가 발을 디디기 어려울 만큼 사납고 가파른.
예 험한 골짜기를 지나 정상에 올랐습니다.

목표(目 눈 목, 標 표할 표) 어떤 목적을 이루려고 지향하는 실제적 대상으로 삼음. 또는 그 대상.

5 다음 중 산양에 대한 설명으로 알맞지 <u>않은</u> 것은 어느 것입니까? ( )

① 수염이 많다.
② 험한 바위산에 산다.
③ 염소랑 비슷하게 생겼다.
④ 갈색, 검은색, 회색 털이 뒤섞여 있다.
⑤ 뿔은 송곳 모양이고 나이를 먹을 때마다 고리 모양으로 변한다.

6 [교과서 문제] 다음 낱말의 짜임을 보고 반달가슴곰이 어떤 곰일지 쓰시오.

'반달가슴곰'은 '반달가슴'과 '곰'을 합해 만든 낱말이다.

( )

7 사람들이 반달가슴곰을 귀하게 여기는 까닭은 무엇입니까? ( )

① 전국에 50마리가 있어서
② 대한민국을 상징하는 동물이어서
③ 깊은 산속에 살아서 잘 볼 수 없어서
④ 반달가슴곰을 보면 잘 산다고 믿어서
⑤ 반달가슴곰의 똥이 흙을 좋게 만들어서 씨앗이 돋아나게 하고 산을 푸르게 만드는 데 도움을 주어서

핵심 논술형

8 이 글을 읽고 산양이나 반달가슴곰에 대해 새롭게 알거나 자세히 안 점을 쓰시오.

_____

_____

▲ 꼬치동자개

❺ 꼬치동자개: 뭘 그리 놀라요? 나 처음 봐요? 하긴 나는 1940년대까지는 도시의 하천에서도 쉽게 잡을 수 있을 정도로 흔한 물고기였죠. 하지만 산업화·도시화가 되면서 환경이 오염되어 마음 놓고 살 곳이 사라져 버렸어요. 나와 친구들은 어느새 멸종 위기 1등급이 되어 버렸고요. 듣기로는 우리를 데려다가 연구해서 수를 늘릴 계획이 있다고 하던데, 그러다 잘못되면 어떡하죠?

중심 내용 산업화·도시화로 인해 꼬치동자개는 멸종 위기 1등급이 되었다.

❻ 멸종 위기에 처한 우리나라의 동물들을 구하려면 어떻게 해야 할까요? 1993년 국제 연합 환경 계획에서 '생물 다양성 국가 연구에 대한 지침'을 발표했습니다. 이를 시작으로 하여 사람들은 단순히 멸종 위기의 동물을 보호하는 데에만 그치는 것이 아니라 생태계 전체를 건강하게 만드는 데 힘을 쏟기

시작했습니다. 멸종 위기 동물을 천연기념물로 지정해 보호하고 우리나라 고유의 생물들을 보존하는 방법을 찾기로 했습니다. 그렇게 해서 생겨난 것이 바로 깃대종과 지표종이랍니다.

중심 내용 우리나라도 멸종 위기 동물을 보호하고 생태계 전체를 건강하게 만드는 데 힘을 쏟고 있다.

❼ 깃대종은 그 지역을 대표하는 생물들이기 때문에 깃대종이 잘 보존된다면 그 지역의 생태계가 잘 유지된다는 증거로 볼 수 있습니다. 우리나라의 대표적인 깃대종으로는 설악산의 산양, 내장산의 비단벌레, 속리산의 하늘다람쥐, 지리산의 반달가슴곰이 있습니다.

▲ 하늘다람쥐

지침 생활이나 행동 따위의 지도적 방법이나 방향을 인도하여 주는 준칙.
예 행동 지침을 마련했습니다.

고유(固 굳을 고, 有 있을 유) 본래부터 가지고 있는 특유한 것.
예 생활한복은 우리 고유의 멋에 실용성을 더해 만들었습니다.

---

9 다음 중 꼬치동자개에 대한 설명으로 옳은 것을 두 가지 찾아 기호를 쓰시오.

> ㉠ 최근 수가 매우 많이 늘었다.
> ㉡ 산업화·도시화가 되면서 살 곳이 사라져 멸종 위기 1등급이 되었다.
> ㉢ 1940년대까지는 도시의 하천에서 쉽게 잡을 수 있을 정도로 흔한 물고기였다.

( )

10 우리나라에서 멸종 위기 동물을 구하기 위해 어떤 노력을 했는지 빈칸에 알맞은 말을 쓰시오.

- 멸종 위기 동물을 ( )(으)로 지정해 보호하고 우리나라 고유의 생물들을 보존하는 방법을 찾기 위해 노력했다.

11 다음 각 지역의 깃대종으로 알맞은 것을 **보기** 에서 찾아 기호를 쓰시오.

> **보기** ㉠ 산양 ㉡ 비단벌레
> ㉢ 반달가슴곰 ㉣ 하늘다람쥐

(1) 설악산: ( )
(2) 내장산: ( )
(3) 속리산: ( )
(4) 지리산: ( )

12 **교과서 문제** 낱말의 짜임을 생각할 때 비단벌레의 모습은 어떠할지 짐작하여 쓰시오.

( )

지표종은 그 지역의 환경이 얼마나 깨끗한지 측정할 수 있는 종을 말합니다. 예를 들어 오래전 탄광에서 일하던 광부들은 카나리아를 이용해 몸에 해로운 유독 가스를 측정했습니다. 공기가 좋은 곳에서 사는 카
5 나리아는 산소가 부족하면 숨을 쉬기가 힘들어 노래
　　광부들이 카나리아를 이용해 유독 가스를 측정할 수 있었던 까닭
를 멈춘답니다. 그래서 광부들은 카나리아가 노래를 부르는 동안에는 안심하고 일을 할 수 있었습니다.

　또한 바로 떠서 먹을 수 있을 정도로 깨끗한 1급수에는 어름치, 열목어 등이 살고, 약간의 처리 과정을
10 거치면 마실 수 있는 2급수에는 은어, 피라미가 삽니다. 물이 흐리고 마실 수 없어 공업용수로 주로 사용하는 3급수에는 물벼룩, 짚신벌레 등이 살며, 4급
　　　　　　　　　　　　　　　　　짚+신+벌레
수에는 물곰팡이, 실지렁이 등이 살 수 있습니다. 이렇게 지표종으로 물의 등급을 알 수 있답니다.

중심 내용 깃대종을 통해 생태계가 잘 유지되는지 확인할 수 있고, 지표종을 통해 그 지역의 환경이 얼마나 깨끗한지 알 수 있다.

측정 일정한 양을 기준으로 하여 같은 종류의 다른 양의 크기를 잼. 기계나 장치를 사용하여 재기도 함.

8 오늘날에는 동물이 멸종하는 것을 막고자 세계 여러 나라에서 많은 노력을 하고 있습니다. 각 나라는 점점 줄어드는 동물을 '멸종 위기종'으로 지정해 보호하기도 합니다. 그렇다면 멸종 위기의 동물을 보호하는 가장 좋은 방법은 무엇일까요? 5 그것은 바로 우리가 동물에게 관심을 기울이고 동물을 보살피며, 환경을 함부로 파괴하지 않고 깨끗하게 유지하는 것입니다.

중심 내용 멸종 위기의 동물을 보호하는 가장 좋은 방법은 동물을 보살피고 환경을 깨끗하게 유지하는 것이다.

●아는 지식을 활용해 글 읽기 ②

멸종 위기 동물에 대해 아는 지식	**예** 지구 온난화 때문에 북극곰이 살 곳이 줄어든다는 이야기를 들었다.
글을 읽고 새롭게 알거나 자세히 안 점	**예** 각 나라에서 점점 줄어드는 동물을 '멸종 위기종'으로 지정해 보호하고 있다.

파괴 조직, 질서, 관계 따위를 와해하거나 무너뜨림.
예 생태계 파괴는 우리 모두가 관심을 가져야 할 문제입니다.

13 다음 설명에 알맞은 말에 ○표를 하시오.
- (깃대종, 지표종)은 그 지역의 환경이 얼마나 깨끗한지 측정할 수 있는 종을 말한다.

14 물의 등급과 지표종을 알맞게 선으로 이으시오.

(1) 　1급수　 · · ㉠ 은어, 피라미

(2) 　2급수　 · · ㉡ 어름치, 열목어

(3) 　3급수　 · · ㉢ 물벼룩, 짚신벌레

(4) 　4급수　 · · ㉣ 물곰팡이, 실지렁이

핵심 **논술형**
15 이 글을 읽고 우리가 멸종 위기의 동물을 보호하는 방법에 대해 새롭게 알거나 자세히 안 점을 쓰시오.

_____

_____

16 아는 지식을 떠올리며 글을 읽으면 좋은 점을 알맞게 말하지 못한 친구를 쓰시오.
교과서
문제

> 하나: 글을 꼼꼼하게 읽지 않아도 돼.
> 유리: 글의 내용을 더 잘 이해할 수 있어.
> 민준: 아는 내용과 비교하며 글을 읽을 수 있어.

(　　　　　　)

 새말 사전 만들기

○ 그림을 보고 초록색으로 쓰인 낱말을 다른 말로 바꾸기

가

우리 솜씨를 뽐낼 수 있는 곳이니까 솜씨 마당이라고 하면 어떨까?

이 알림판에는 여러분이 정성껏 그린 그림이나 여러 가지 작품을 붙일 거예요. 새롭게 만든 알림판 이름을 함께 지어 볼까요?

1

2

나는 우리 생각을 마음껏 나눌 수 있는 곳이니 생각 나눔터라고 하면 좋겠어.

3

4

○ 그림을 보고 초록색으로 쓰인 낱말을 새말로 만들기

나

드디어 워터 파크 가는 날이에요.

누나! 시원하게 물놀이도 하고 재미있게 놀이 기구도 타자.

1

2

그래, 난 물놀이할 때 쓰려고 ㉠튜브도 꼼꼼히 챙겼어.

제가 ㉡내비게이션에 갈 곳을 누를게요.

3

고맙구나.

4

내비게이션이 쉽고 빠르게 길을 안내해 주는 도우미 노릇을 하니 정말 편리하구나.

핵심

● 우리 주변에서 볼 수 있는 낱말을 새말로 만들어 보기 예

 워터 파크 ➡ 물놀이 세상

1 가에서 여자아이와 남자아이는 각각 알림판에 어떤 이름을 짓자고 했는지 알맞은 것끼리 선으로 이으시오.

(1) 여자아이 ● ● ① 솜씨 마당

(2) 남자아이 ● ● ② 생각 나눔터

2 자신이라면 알림판의 이름을 무엇이라고 짓고 싶은지 그 까닭과 함께 쓰시오.
교과서 문제

(1) 새로운 이름	
(2) 그 이름을 지은 까닭	

핵심

3 나에서 ㉠, ㉡을 각각 새말로 만들어 쓰시오.

(1) ㉠ 튜브→ ( )

(2) ㉡ 내비게이션→ ( )

논술형

4 우리 주변에서 볼 수 있는 사물이나 장소 따위를 보기와 같이 새말로 만들어 보고, 만든 방법과 그 까닭을 알맞게 쓰시오.

보기	낱말	주스	새말	과일즙
	만든 방법	과일+즙	만든 까닭	과일에서 즙을 내어 마시는 것이기 때문에

낱말	(1)	새말	(2)
만든 방법	(3)	만든 까닭	(4)

 기본

낱말을 만드는 방법 알기

1. 낱말에 다른 **❶**◻◻을/를 합해 낱말을 만듭니다.

| 김밥 | = | 김 | + | 밥 |

| 새우잠 | = | 새우 | + | 잠 |

2. **❷**◻을/를 더해 주는 말에 낱말을 합해 낱말을 만듭니다.

| 풋고추 | 풋밤 | 풋사과 |
| 나무꾼 | 소리꾼 | 낚시꾼 |

 기본

겪은 일을 떠올리며 글 읽기

예 겪은 일을 떠올리며 「자연을 닮은 우리 악기」를 읽기

텔레비전에서 「수제천」이라는 곡을 전통 악기로 연주하는 모습이 떠올랐어.

풍물놀이를 할 때 북, 장구, 꽹과리 같은 전통 악기를 실제로 본 적이 있어.

 기본

아는 지식을 활용해 글 읽기

예 「우리나라의 멸종 위기 동물」을 읽고 자신이 아는 멸종 위기 동물을 떠올려 보고, 새롭게 알거나 자세히 안 점 정리하기

자신이 아는 지식 예	새롭게 알거나 자세히 안 점 예
• 반달가슴곰은 가슴에 있는 하얀 반달무늬가 가장 큰 특징이다. • 고래가 줄어들자 고래잡이를 막는 법을 만들었다는 내용을 책에서 읽었다.	• 반달가슴곰이 있어야 지리산의 생태계가 잘 돌아간다. • 각 나라는 점점 줄어드는 동물을 '멸종 위기종'으로 지정해 **❸**◻◻하기도 한다.

[1~2] 그림을 보고, 물음에 답하시오.

1 예원이가 책을 읽다가 뜻을 잘 모르겠다고 한 낱말은 무엇입니까? (   )

① 바늘   ② 방석
③ 뾰족한   ④ 바느질
⑤ 바늘방석

2 예원이가 1번 문제에서 답한 낱말의 뜻을 짐작한 방법을 쓰시오.

(   )

3 다음 낱말은 어떤 낱말을 합해 만든 것인지 빈칸에 알맞은 낱말을 각각 쓰시오.

사과나무 = (1)[   ] + (2)[   ]

4 다음 중 단일어는 무엇입니까?   (   )

① 햇밤   ② 덧신
③ 검붉다   ④ 복숭아
⑤ 산딸기

5 낱말의 짜임을 알면 좋은 점을 잘못 말한 친구는 누구인지 쓰시오.

성훈: 잘 아는 낱말의 뜻을 짐작할 수 있어.
혜주: 낱말을 어떻게 만들었는지 이해할 수 있어.
지민: 낱말을 합해서 새로운 낱말을 만들 수 있어.

(   )

6 보기 를 보고 '새우잠'의 뜻을 짐작하여 쓰시오.

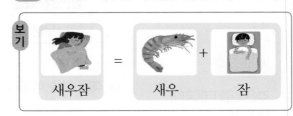

보기   새우잠 = 새우 + 잠

_____

_____

7 그림을 보고 '풋―'의 뜻을 쓰시오.

 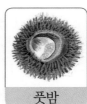

풋고추   풋밤   풋사과

(   )

8 다음 중 낱말의 짜임이 바르지 못한 것은 어느 것입니까? (　　)

① 햇과일 = 햇– + 과일
② 돌다리 = 돌 + 다리
③ 책가방 = 책가 + 방
④ 풋사과 = 풋– + 사과
⑤ 뛰놀다 = 뛰다 + 놀다

9 주어진 낱말에 다른 낱말을 합하여 여러 가지 낱말을 만드시오.

(1) 　　(2)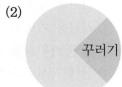

[10~13] 글을 읽고, 물음에 답하시오.

　명주실은 우리 악기를 만드는 데 가장 많이 쓰이는 재료 가운데 하나입니다. 명주실은 누에고치에서 뽑아낸 비단실이에요. 이 비단실로 천도 짜고, 소리 고운 악기도 만들지요. 명주실은 잘 끊어지지 않고 탄력이 있어서 가야금, 거문고, 아쟁, 해금 같은 악기의 줄로 쓰입니다. 가야금은 오동나무로 만든 울림통에 명주실을 열두 줄로 꼬아 얹어 만들어요. 웅장하고 깊은 소리를 내는 거문고의 줄도 명주실로 만들지요. 해금은 낮은음에서 높은음까지 다양한 소리를 내고, 아쟁은 가야금과 비슷하지만 가야금보다 몸통이 크고 줄이 굵습니다.

　예부터 우리 조상들이 좋아했던 대나무는 굽힐 줄 모르는 곧은 마음을 상징했어요. 대나무를 즐겨 그리는 선비가 많았고, 장인들은 대나무로 여러 가지 물건을 만들었지요. 대나무로 만든 악기도 아주 많아요. 대나무는 속이 비어 있어서 보통 나무와는 다른 소리를 내는 악기를 만들 수 있어요. 그윽하고 평온한 소리가 울려 나오는 대금, 달빛이 빛나는 봄밤에 어울리는 악기인 피리를 만듭니다. 그리고 맑고 청아한 소리를 내는 단소도 만들 수 있습니다.

10 다음에서 설명하는 재료는 무엇입니까? (　　)

- 우리 악기를 만드는 데 가장 많이 쓰이는 재료 가운데 하나이다.
- 누에고치에서 뽑아낸 비단실이다.
- 가야금, 거문고, 아쟁, 해금 같은 악기의 줄로 쓰인다.

① 박　　　　　　② 흙
③ 대나무　　　　④ 명주실
⑤ 쇠붙이

11 대나무가 어떤 마음을 상징하는지 쓰시오.

(　　　　　　　　　　　　　　)

12 대나무로 만든 악기 세 가지를 고르시오.
(　　,　　,　　)

① 해금　　　　　② 아쟁
③ 대금　　　　　④ 피리
⑤ 단소

논술형
13 이 글과 관련 있는 경험을 떠올려 쓰시오.

_____

_____

14 다음 빈칸에 알맞은 말을 쓰시오.

(1) 자신이 겪은 일을 떠올리며 글을 읽으면 글 내용을 더 쉽고 깊이 있게 (　　　　　)할 수 있다.
(2) 같은 글을 읽더라도 겪은 일이 서로 다르기 때문에 (　　　　　)을/를 느끼는 부분이 서로 다를 수 있다.

[15~18] 글을 읽고, 물음에 답하시오.

㉮ 산양: 내가 염소게, 산양이게? 히히, 염소랑 비슷하게 생겼어도 난 엄연히 산양이야. 자세히 보면 수염도 없고 갈색, 검은색, 회색 털이 뒤섞여 있어. 그리고 내 뿔은 송곳 모양으로, 나이를 먹을 때마다 고리 모양으로 변해. 나는 워낙 험한 바위산에 살기 때문에 지금까지 살아남았어. 이런 내가 설마 인간 때문에 멸종 위기에 처할 줄은 정말 몰랐어. 사냥꾼들은 내 털과 고기를 노렸지. 우리가 도망가지 못하게 길도 막아 버렸어. 으으, 무서운 인간들을 피할 방법 좀 알려 줘.

㉯ 반달가슴곰: 대한민국 사람들은 우리를 참 많이 사랑해요. 그만큼 우리에게 관심도 많고요. 우리 친구들을 지리산으로 돌려보낼 때마다 잘 살기를 무척 바라지요. 듣자 하니 50마리까지 늘리는 게 목표라고 해요. 하기는 우리를 귀하게 여길 만해요. 우리는 산에서 도토리, 가래, 산뽕나무의 열매 등을 먹고 여기저기에 똥을 누어요. 바로 그 똥이 흙을 좋게 만들어서 씨앗이 돋아나게 하고 산을 푸르게 만드는 데 도움을 주거든요. 우리가 있어야 지리산의 생태계가 잘 돌아가는 거죠. 하지만 문제는 바로 사람들! 아무리 깊은 산속이라도 사람들이 보여요. 이 험한 데까지 대체 어떻게 오는 거죠?

㉰ 오늘날에는 동물이 멸종하는 것을 막고자 세계 여러 나라에서 많은 노력을 하고 있습니다. 각 나라는 점점 줄어드는 동물을 '멸종 위기종'으로 지정해 보호하기도 합니다. 그렇다면 멸종 위기의 동물을 보호하는 가장 좋은 방법은 무엇일까요? 그것은 바로 우리가 동물에게 관심을 기울이고 동물을 보살피며, 환경을 함부로 파괴하지 않고 깨끗하게 유지하는 것입니다.

15 낱말의 짜임을 생각하여, 빈칸에 들어갈 말을 쓰시오.

> • '바위산'은 (1) '(　　　　　　)'과/와
> (2) '(　　　　　　)'을 합해 만든 낱말이다.

16 다음에서 설명하는 동물에 ○표를 하시오.

> 산을 푸르게 만드는 데 도움을 주고 지리산의 생태계가 잘 돌아가게 하지만 사람들 때문에 멸종 위기의 동물이 되었다.

(　산양 , 반달가슴곰　)

17 멸종 위기의 동물을 위해서 우리가 할 수 있는 일을 두 가지 고르시오. (　 , 　)

① 환경을 보호한다.
② 식물을 기르지 않는다.
③ 험한 바위산을 모두 없앤다.
④ 산에 가서 도토리를 모두 주워 온다.
⑤ 동물에게 관심을 기울이고 동물을 보살핀다.

〔논술형〕

18 이 글을 읽고 새롭게 알거나 자세히 안 점을 쓰시오.

_____

_____

[19~20] 그림을 보고, 물음에 답하시오.

> 드디어 워터 파크 가는 날이에요.

19 가족은 어디를 가려고 하는지 쓰시오.

(　　　　　　　　　　)

20 19번 문제에서 답한 말을 새말로 만들어 쓰시오.

(　　　　　　　　　　)

서술형 평가

1 다음 낱말의 짜임을 보고 '검붉다'의 뜻을 짐작해 쓰시오.

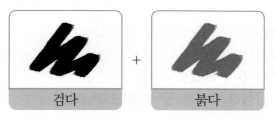

검다 + 붉다

_____

_____

[2~3] 글을 읽고, 물음에 답하시오.

> 쇠는 아무나 함부로 다룰 수 없는 귀한 재료였어요. 쇠를 다루는 사람들이 불로 쇠를 녹여 여러 가지 도구를 만들어 쓰기도 하고, 무기를 만들기도 하였지요. 그 때문에 쇠로 만든 악기에도 특별한 힘이 있을 거라고 여겼어요. 사람들은 쇠를 녹여 사방을 깨우는 듯한 소리가 나는 악기를 만들어 특별한 신호를 보내거나, 놀이판의 흥을 높였어요. 쇠를 녹여 만든 우리 악기에는 징, 꽹과리, 편종, 특종, 나발 등이 있어요.

2 사람들은 쇠로 만든 악기에 왜 특별한 힘이 있을 거라고 생각했는지 쓰시오.

_____

_____

3 글의 내용과 관련 있는 자신이 겪은 일을 떠올려 쓰시오.

_____

_____

[4~5] 글을 읽고, 물음에 답하시오.

> 지금부터 우리나라에서 사라질 위기에 처한 동물을 만나 보겠습니다.
>
> 점박이물범: 나는 점박이물범일세. 잘 사냐고? 음, 할 말이 없군. 지금 우리 가족은 겨우 500마리 남짓 남았을 뿐이거든. 물론 30년 전보다야 낫지만 말이야. 그때만 해도 사람들이 우리를 마구 잡아서 모피와 약을 만들었지만, 지금은 보호 구역도 정해 주더라고. 우리는 주로 백령도 근처에 머무는데 사람이 별로 없어서 지내기가 좋아. 그리고 추운 겨울이 되면 서해 위쪽으로 올라가 지낸다네. 그런데 여기서 잠깐! 사실 무척 걱정되는 게 있어. 우리에게는 새끼를 낳으려면 부빙이 꼭 필요하지. 그런데 지구가 점점 따뜻해지는 바람에 얼음들이 녹고 있어. 게다가 사람들이 오염된 물과 쓰레기를 바다에 마구 쏟아 내서 살기가 참 힘들다네. 자네가 우리 대신 사람들한테 잘 좀 말해 줄 수 없겠나?

4 점박이물범이 걱정된다고 한 것은 무엇인지 쓰시오.

_____

_____

5 글을 읽고 새롭게 알거나 자세히 안 점을 쓰시오.

_____

_____

 **낱말퀴즈**

● 다음 교과서 문장의 파란색 낱말 중에서 알맞은 것을 골라 인물들이 한 말을 완성하시오.

- 왜냐하면 지구 온난화와 환경 오염 등으로 동물의 **서식지**가 줄어들고 있기 때문입니다.
- 우리나라에도 이렇게 **멸종**되어 가는 동물이 많이 있습니다.
- 그럼 지금부터 우리나라에서 사라질 **위기**에 처한 동물을 만나 보겠습니다.
- 그래서 광부들은 카나리아가 노래를 부르는 동안에는 **안심**하고 일을 할 수 있었습니다.

9  여러가지 방법으로 읽어요

무엇을 배울까요?

 준비
- 글을 찾아 읽은 경험 나누기

 기본
- 글의 종류에 따른 읽기 방법 알기
- 필요한 글을 찾아 정리하기

 실천
- 자신만의 읽기 방법 찾아보기

9 여러 가지 방법으로 읽어요

1 글의 종류에 따른 읽기 방법

설명하는 글	• 설명하려는 대상이 무엇인지 생각합니다. • 대상의 무엇을 자세히 설명하는지 생각합니다. • 대상을 보고 이미 아는 것을 떠올립니다. • 대상에 대해 새롭게 안 것을 찾습니다.
주장하는 글	• 글쓴이의 주장을 파악합니다. • 주장을 뒷받침하는 근거를 찾습니다. • 주장을 뒷받침하는 알맞은 근거인지 생각합니다. • 자신의 생각과 비교해 같은 점을 찾습니다. • 자신의 생각과 비교해 비판하는 태도로 읽습니다.

2 읽는 목적에 따른 읽기 방법

훑어 읽기 (알고 싶은 내용을 찾을 때)	• 제목을 가장 먼저 읽고 필요한 내용이 있는지 생각합니다. • 글 전체를 다 읽지 않고 중요한 낱말을 읽으면서 필요한 내용이 있는지 찾아봅니다. • 제목뿐만 아니라 사진도 살펴보며 필요한 내용이 있을지 짐작합니다.
자세히 읽기 (자세한 내용을 알고 싶을 때)	• 필요한 내용을 찾으며 자세히 읽습니다. • 중요한 내용이나 그것을 뒷받침하는 내용에 밑줄을 그으며 읽습니다. • 자신이 아는 내용과 새롭게 안 내용을 비교하며 자세히 읽습니다.

예 「아름다운 비색을 지닌 고려청자」를 읽는 목적에 알맞게 읽기

제목에 나온 비색은 어떤 색깔을 말하는 것일까? 이 글에는 사진도 같이 있구나. 발표할 만한 내용이 있을지 낱말들을 중심으로 찾아봐야지.

→ 자신에게 필요한 내용인지 알려면 처음부터 끝까지 자세히 읽기보다 제목을 보고 내용을 짐작하거나 관심 있는 내용이 있는지 훑어봐야 합니다.

핵 심 개 념 문 제

정답과 해설 ● 30쪽

1 설명하는 글을 읽을 때에는 설명하려는 ☐☐이/가 무엇인지 생각하며 읽습니다.

2 글쓴이의 주장을 파악하고 주장을 뒷받침하는 근거를 찾으며 읽어야 하는 글은 무엇입니까?

( )

3 알고 싶은 내용을 찾기 위해 글을 읽을 때에는 ☐☐을/를 가장 먼저 읽고 필요한 내용이 있는지 생각합니다.

4 알고 싶은 내용을 찾기 위해 글을 읽을 때에는 글 전체를 다 읽어야 합니다.

(○ , ×)

5 자세한 내용을 알기 위해 글을 읽을 때에는 필요한 내용을 찾으며 ☐☐☐ 읽습니다.

 **글을 찾아 읽은 경험 나누기**

○ 지윤이가 어떤 글을 언제 찾아 읽는지 알아보기

그림 ㉮	⑩ 삼국 시대의 역사가 궁금해서 역사책을 찾아 읽음.
그림 ㉯	⑩ 『우주의 신비』라는 책 제목을 보고 관심이 생겨서 책을 읽음.
그림 ㉰	⑩ 드론이 어떤 것인지 알고 싶어서 관련 책을 찾아 읽음.
그림 ㉱	⑩ 사회 숙제를 하려고 인터넷 자료를 찾아 읽음.

●글을 찾아 읽은 경험 나누기 ⑩

글의 종류	역사책
그 글을 읽은 까닭	삼국 시대의 역사에 대해 궁금했기 때문이다.
글에서 받은 도움	삼국 시대에 일어난 역사적 사실을 알 수 있었다.

1 (교과서 문제) 지윤이가 어떤 경우에 글을 찾아 읽었는지 알맞은 것 두 가지를 고르시오. (,)

① 삼국 시대가 궁금해서 역사책을 찾아 읽었다.
② 드론에 대해 알고 싶어서 관련 책을 찾아 읽었다.
③ 로봇 조립 방법을 알고 싶어서 설명서를 찾아 읽었다.
④ 음식 만드는 방법을 알고 싶어서 요리책을 찾아 읽었다.
⑤ 동물들이 나오는 이야기가 재미있어 보여서 이솝 이야기를 읽었다.

2 (핵심) 자신이 어떤 경우에 글을 찾아 읽는지 생각해 보고 보기 와 같이 쓰시오.

> 보기 환경 오염을 막는 방법을 알고 싶어서 관련 자료를 찾아 읽었다.

_____

3 (논술형) 2번 문제에서 답한 경우에 글이나 자료를 찾아 읽고 어떤 도움을 받았는지 쓰시오.

_____

_____

4 (교과서 문제) 다음 친구가 필요한 글을 어떻게 찾으면 좋을지 잘못 알려 준 것을 찾아 ×표를 하시오.

 과학 숙제로 돌의 종류를 조사해야 해.

(1) 도서관에서 돌을 설명한 책을 찾아보면 좋겠어. ( )
(2) 과학관 안내 책자에서 돌을 설명한 내용을 찾아봐. ( )
(3) 바닷가에 가서 자신이 좋아하는 모양의 돌을 주워 봐. ( )

기본 ① 글의 종류에 따른 읽기 방법 알기

○ 무엇을 설명한 글인지 생각하며 읽기

점과 선으로 만든 암호

> • 글의 종류: 설명하는 글
> • 글의 특징: 정보 무늬의 뜻과 사용 방법, 특징, 모양을 설명하는 글입니다.

❶ 최근 출판하는 책이나 광고, 알림판 따위에서 네모 모양의 표식을 자주 볼 수 있다. 네모 모양 안에 검은 선과 점을 배열했는데, 이것을 정보 무늬[QR코드]라고 한다. 큐아르(QR)는 '빠른 응답'이라
5 는 영어의 줄임 말이다.

> 중심내용 네모 모양 안에 검은 선과 점을 배열한 표식을 정보 무늬[QR코드]라고 하는데, 큐아르(QR)는 '빠른 응답'이라는 영어의 줄임 말이다.

▣ 위치 지정 유형
▣ 정렬 유형
✤ 자료와 오류 정정 무늬

▣: 세 귀퉁이에 있어 읽는 방향을 지정한다.
▣: 비틀어져 있어도 읽을 수 있도록 도와준다.
▲ 막대 표시에서 발전한 정보 무늬의 원리

❷ 정보 무늬는 여러 가지 정보를 확인할 수 있는 표식이다. 정보 무늬를 쓰기 전에는 막대 표시를 주로 썼다. 막대 표시는 숫자 20개를 저장할 수 있는 무늬로서 물건을 살 때 쉽게 계산할 수 있다.
5 그러나 정보 무늬는 숫자 7089개, 한글 1700자 정도를 저장할 수 있다. 또 정보 무늬는 일부를 지워도 사용할 수 있다. 정보 무늬의 세 귀퉁이에 위치를 지정하는 문양이 있기 때문이다. 이 문양이 있어 정보 무늬를 어느 각도에서 찍어도 내용을 확인할 수
10 있다.

> 중심내용 정보 무늬는 많은 양의 숫자와 한글을 저장할 수 있으며, 정보 무늬의 일부를 지워도 사용할 수 있고 어느 각도에서 찍어도 내용을 확인할 수 있다.

표식 무엇을 나타내 보이는 일정한 방식.
응답(應 응할 응, 答 대답 답) 부름이나 물음에 응하여 답함.
  예 동생은 몇 번을 불러도 아무 응답이 없었습니다.

귀퉁이 물건의 모퉁이나 삐죽 나온 부분.
  예 민영이는 탁자 귀퉁이에 걸터 앉아 있습니다.
지정(指 가리킬 지, 定 정할 정) 가리키어 확실하게 정함.

---

1 이 글의 종류로 알맞은 것을 찾아 기호를 쓰시오.
교과서
문제

> ㉠ 이야기 글
> ㉡ 주장하는 글
> ㉢ 설명하는 글

(   )

2 글쓴이가 설명하려는 대상은 무엇입니까?
교과서
문제
(   )

① 점과 선
② 막대 표시
③ 정보 무늬
④ 책이나 광고
⑤ 여러 모양의 표식

3 큐아르(QR)의 뜻은 무엇인지 쓰시오.
교과서
문제
(   )

4 다음 중 정보 무늬에 대한 설명으로 알맞은 것을 두 가지 골라 기호를 쓰시오.
교과서
문제

> ㉠ 숫자 20개를 저장할 수 있다.
> ㉡ 막대 표시를 쓰기 전에 주로 썼다.
> ㉢ 세 귀퉁이에 위치를 지정하는 문양이 있다.
> ㉣ 숫자 7089개, 한글 1700자 정도를 저장할 수 있다.

(   )

❸ 정보 무늬는 스마트폰으로 사용할 수 있다. 스마트폰 응용 프로그램으로 정보 무늬를 찍으면 관련 내용이 있는 누리집으로 이동하거나, 관련 사진이나 동영상을 볼 수 있다. 또 정보 무늬에 색깔이나 신기한 그림을 넣어 만들기도 한다.

중심 내용 정보 무늬는 스마트폰으로 사용할 수 있으며, 색깔이나 신기한 그림을 넣어 만들기도 한다.

❹ 정보 무늬는 여러 분야에서 활용한다. 백화점이나 할인점에서는 정보 무늬로 할인 정보를 제공한다. 신문 광고에 있는 정보 무늬를 찍으면 3차원으로 움직이는 광고가 나오기도 하고, 책에 있는 정보 무늬를 찍으면 등장인물이 튀어나와 책의 정보와 줄거리를 알려 주기도 한다. 박물관이나 미술관에서는 자료나 작품을 더 알아볼 수 있도록 정보 무늬에 설명을 담아 제공하기도 한다.

중심 내용 정보 무늬는 여러 분야에서 활용한다.

❺ 정보 무늬는 누구나 만들 수 있다. 예를 들어 개인 정보를 담은 명함을 만들 수도 있다. 명함에 있는 정보 무늬로 자신의 사진이나 동영상을 보여 주거나 이름이나 연락처를 자동으로 저장할 수 있다.

중심 내용 정보 무늬는 누구나 만들 수 있다.

●설명하는 글을 읽는 방법 예

설명하려는 대상이 무엇인지 생각하기	정보 무늬
대상의 무엇을 자세히 설명하는지 생각하기	정보 무늬의 뜻, 사용 방법, 특징, 모양 따위
대상을 보고 이미 아는 것을 떠올리기	예 정보 무늬의 모양
대상에 대해 새롭게 안 것을 찾기	예 정보 무늬 사용 방법, 특징 따위

누리집 인터넷 홈페이지의 순우리말.
활용(活 살 활, 用 쓸 용) 충분히 잘 이용함.

제공(提 끌 제, 供 이바지할 공) 무엇을 내주거나 갖다 바침.
명함 성명, 주소, 직업, 신분 따위를 적은 네모난 종이쪽.

5 이 글에서 설명하는 내용이 <u>아닌</u> 것은 무엇입니까? ( )

① 정보 무늬의 뜻
② 정보 무늬의 특징
③ 정보 무늬의 모양
④ 정보 무늬의 문제점
⑤ 정보 무늬의 사용 방법

6 다음은 '정보 무늬'에 대해 설명하는 내용을 항목별로 나누어 정리한 것입니다. 빈칸에 알맞은 말을 쓰시오.

뜻	여러 가지 정보를 확인할 수 있는 표식
사용 방법	
특징	누구나 만들 수 있고, 여러 분야에서 사용함.
모양	네모 모양 안에 검은 선과 점이 있음.

논술형

7 이 글 전체를 읽고, 글쓴이의 설명 가운데에서 내용이 정확한지 알아보고 싶은 것과 그 까닭을 쓰시오.

내용의 정확성 판단하기	
(1) 알아보고 싶은 것	(2) 그 까닭

핵심

8 이와 같은 종류의 글을 읽는 방법을 알맞지 <u>않게</u> 말한 친구의 이름을 쓰시오.

하나: 글쓴이의 주장을 파악하며 읽어야 해.
지은: 설명하려는 대상이 무엇인지 생각해야 해.
상우: 대상을 보고 이미 아는 것을 떠올리며 읽어야 해.

( )

○ 글쓴이의 의견을 생각하며 글 읽기

미래 사회의 변화에 대처하는 자세

❶ 가까운 미래에는 제4차 산업 혁명이 일어나 많은 것이 달라진다고 합니다. 인공 지능이 발달하고 새로운 기술을 개발해서 지금까지 살던 모습과는 다를 것입니다.

5 그렇다면 미래 사회에 필요한 사람은 어떤 사람일까요?

❷ 첫째, 정해진 답을 찾기보다 새로운 방식으로 문제를 해결하는 사람입니다. 정해진 문제는 사람보다 인공 지능이 더 잘 해결할 수도 있습니다. 그
10 러나 새로운 방식을 생각하는 것은 인공 지능보다 사람이 더 잘할 수 있습니다.

❸ 둘째, 새로운 변화에 대응하는 사람입니다. 미래 연구자들은 다가올 미래에는 여러 가지 사회·환경 문제처럼 예전에 없던 새로운 변화를 맞을 것이
15 라고 합니다. 그러므로 미래 사회에는 막힌 생각보다 변화에 부드럽게 대처하려는 생각을 해야 합니다.

- **글의 종류:** 주장하는 글
- **글의 특징:** 미래 사회에 필요한 사람이 되자고 주장하는 글입니다.

❹ 셋째, 서로 돕고 존중하는 사람입니다. 인공 지능과 새로운 기술이 삶을 빠르게 바꿀 수 있습니다. 이럴 때 함께 마음을 모아 서로 돕고 존중해야 사회를 따뜻하게 만들 수 있습니다.

❺ 앞으로 우리는 거대한 미래의 충격과 변화 앞에 5
서도 흔들리지 않는 열정과 패기로 서로를 존중해야 합니다.

● **주장하는 글을 읽는 방법** 예

글쓴이의 주장 파악하기	미래 사회에 필요한 사람이 되자.
주장을 뒷받침하는 근거를 찾기	미래 사회에 필요한 사람이 갖추어야 할 것
주장을 뒷받침하는 알맞은 근거인지 생각하기	미래 사회에는 지금과는 다른 사람이 필요하다는 근거의 내용이 모두 주장하고자 하는 것과 관련이 있으므로 알맞다.
자신의 생각과 비교해 같은 점을 찾거나 비판하는 태도로 읽기	미래 사회에서는 많은 것이 달라질 것이므로 새로운 변화에 대응하는 사람이 필요하다고 생각한다.

대처 어떤 사건에 알맞은 조치를 취함.
예 대처 방안을 마련했습니다.

패기 어떤 어려운 일이라도 해내려는 굳센 기상이나 정신.
예 이번에 새로 당선된 회장은 패기가 넘쳤습니다.

9 글쓴이의 주장은 무엇인지 쓰시오.
( )

10 이 글에서 제시한 미래 사회에 필요한 사람을 <u>세 가지</u> 고르시오. (, ,)
① 정해진 답을 찾는 사람
② 답을 빠르게 찾는 사람
③ 서로 돕고 존중하는 사람
④ 새로운 변화에 대응하는 사람
⑤ 새로운 방식으로 문제를 해결하는 사람

(논술형)
11 글쓴이의 주장에 동의하는지 동의하지 않는지 정하고 그렇게 생각하는 까닭을 쓰시오.

_____

_____

(핵심)
12 이와 같은 주장하는 글을 읽는 방법으로 알맞지 <u>않은</u> 것은 무엇입니까? ( )
① 글쓴이의 주장을 파악한다.
② 글쓴이의 생각에 무조건 찬성한다.
③ 주장을 뒷받침하는 근거를 찾는다.
④ 주장을 뒷받침하는 알맞은 근거인지 생각한다.
⑤ 자신의 생각과 비교해 비판하는 태도로 읽는다.

필요한 글을 찾아 정리하기

역량 제재

규빈이가 고려청자를 조사해 발표하려고 여러 가지
글을 찾아볼 때 어떤 방법으로 읽었을지 짐작하며
읽기

아름다운 비색을 지닌 고려청자

류재만

규빈

제목에 나온 비색은 어떤 색깔을
말하는 것일까? 이 글에는 사진도 같이
있구나. 발표할 만한 내용이 있을지
낱말들을 중심으로 찾아봐야지.

❶ 고려청자는 청자의 빛깔, 독특한 장식 기법과
아름다운 형태로 유명하다. 고려청자를 만든 시기
에는 중국과 우리나라에서만 질 높은 청자를 만들
수 있었다. 우리나라보다 중국이 먼저 청자를 만들
5 고 세상에 알렸지만, 고려는 청자를 만드는 우수한
기술력과 아름다움을 인정받아 다른 나라 사람들
에게 사랑을 받았다.

중심 내용 고려청자는 청자의 빛깔, 독특한 장식 기법과 아름다운 형태로 유명하다.

- 글의 종류: 설명하는 글
- 글의 특징: 고려청자의 빛깔, 상감 기법, 쓰임, 우수성 따위를 설명하는 글입니다.

❷ 고려청자는 무엇보다 아름다운 빛깔로 더욱 주
목받았다. 청자의 빛깔은 맑고 은은한 푸른 녹색이
다. 이는 유약 안에 아주 작은 기포가 많아 빛이
반사되면서 은은하고 투명하게 비쳐 보이기 때문
이다. 청자의 색이 짙고 푸른색 윤이 나는 구슬인 5
비취옥과 색깔이 닮았기 때문에 '비색'이라 불렀는
데, 중국 송나라의 태평 노인이 『수중금』이라는 책
에서 고려청자의 빛깔을 비색이라 부르며 천하제
일이라고 칭찬했다.

기체가 들어가 거품처럼 둥그렇게 부풀어 있는 것

중심 내용 고려청자는 무엇보다 아름다운 빛깔로 더욱 주목을 받았는데, 맑고 은은한 푸른 녹색인 고려청자의 색을 '비색'이라 불렀다.

❸ 청자의 상감 기법은 어느 나라에서도 찾아볼 수 없 10
는 우리 고유의 독창적인 도자기 장식 기법이다. 상감
기법은 그릇을 빚고 굳었을 때 그릇 바깥쪽에 조각칼로
무늬를 새긴 다음, 검은색이나 흰색의 흙을 메운 뒤 무
늬가 드러나도록 바깥쪽을 매끄럽게 다듬는 기법이다.

비색 밝고 은은한 녹색에 가까운 빛깔. 고려청자의 신비로운 색깔을 말함.

주목 관심을 가지고 주의 깊게 살핌. 또는 그 시선.
예 전학 온 아이는 독특한 말투로 주목을 끌었습니다.

---

1 이 글은 무엇에 대한 글인지 쓰시오.

(   )

2 규빈이가 이 글을 읽은 까닭은 무엇입니까?

교과서
문제

(   )

① 고려청자의 우수한 점을 알고 싶어서
② 고려청자를 조사해 발표하기 위해서
③ 고려청자의 모양을 자세히 알고 싶어서
④ 중국과 우리나라의 청자를 비교해 보고 싶어서
⑤ 동생에게 고려청자에 대해 자세하게 알려 주고 싶어서

3 이 글의 내용으로 알맞은 것에 ○표를 하시오.

(1) 중국보다 우리나라가 먼저 청자를 만들었다. (   )

(2) 고려청자를 만든 시기에는 여러 나라에서 질 높은 청자를 만들었다. (   )

(3) 고려는 청자를 만드는 우수한 기술력과 아름다움을 인정받아 다른 나라 사람들에게 사랑을 받았다. (   )

4 고려청자의 빛깔이 맑고 은은한 푸른색인 까닭을 쓰시오.

_____

_____

이 기법은 금속 공예나 나전 칠기에 장식 기법으로 쓰고 있었지만, 고려 도공들이 도자기를 만들 때 장식에 처음으로 응용
5 했다. 상감 기법으로 만든 고려청자는 구름과 학 무늬를 새긴 '청자 상감 운학문 매병'이 대표적이다.

> **중심 내용** 청자의 상감 기법은 어느 나라에서도 찾아볼 수 없는 우리 고유의 독창적인 도자기 장식 기법이다.

❹ 이러한 청자의 형태는 기존의 단순한 그릇 모양의 형태에서 여러 형태의 청자로 발전했다. 그 당
10 시 고려인들은 대접과 접시, 잔, 항아리, 병, 찻잔, 상자 따위를 비롯해 심지어 베개와 기와까지도 청자로 만들었다. 특히 죽순, 표주박, 복숭아, 원앙, 사자, 용, 거북과 같이 여러 동식물의 모양을 본떠 만든 향로, 주전자, 꽃병, 연적 따위가 오늘날까지
　　　　향을 피우는 조그마한 화로
15 내려오고 있다. 이처럼 그릇의 실용성을 넘어 예술적 아름다움을 지닌 청자는 고려인의 생활 속에서 널리 쓰였다.

> **중심 내용** 청자의 형태는 기존의 단순한 그릇 모양의 형태에서 여러 형태의 청자로 발전했다.

❺ 고려청자는 맑고 은은한 비색으로 유려한 곡선을 강조하며 상감 기법으로 회화적인 아름다운 무늬를 표현한 것이 특색이다. 우리는 이러한 고려청
5 자로 고려인들의 독창성과 뛰어난 기술력을 엿볼 수 있다. 이는 중국의 청자를 받아들이면서 그저 모방에 그치는 것이 아니라, 아름다운 비색과 독특한 상감 기법으로 발전했다는 점이다. 따라서 고려청자는 여러 가지 모양과 형태의 아름다움을 일궈
10 낸 고려인들의 노력과 열정을 그대로 담고 있다.

> **중심 내용** 우리는 고려청자로 고려인들의 독창성과 뛰어난 기술력을 엿볼 수 있다.

● 규빈이가 글을 읽은 방법

- 제목을 가장 먼저 읽고 필요한 내용이 있는지 생각함.
- 글 전체를 다 읽지 않고 중요한 낱말을 읽으면서 필요한 내용이 있는지 찾아봄.

핵심

연적 벼루에 먹을 갈 때 쓰는, 물을 담아 두는 그릇. 보통은 도자기로 만들지만 쇠붙이나 옥, 돌 따위로도 만든다.

유려한 글이나 말, 곡선 따위가 거침없이 미끈하고 아름다운.
⑩ 그는 <u>유려한</u> 말솜씨를 뽐내며 발표를 시작했습니다.

---

5 다음 중 청자로 만든 것이 <u>아닌</u> 것은 어느 것입니까?　　　　　　　　　　　(　)

① 꽃병　　② 연적　　③ 향로
④ 식탁　　⑤ 주전자

핵심

6 규빈이가 이 글을 읽은 방법으로 알맞은 것의 기호를 쓰시오.

> ㉠ 글 전체를 자세히 읽으며 더 알고 싶은 내용에 밑줄을 그었다.
> ㉡ 글 전체를 다 읽지 않고 중요한 낱말을 읽으면서 필요한 내용이 있는지 찾아보았다.

(　　　　)

7 규빈이가 6번 문제에서 답한 방법으로 읽은 까닭을 찾아 ○표를 하시오.

(1) 글쓴이의 주장과 근거를 파악하기 위해서
　　　　　　　　　　　　　　　　(　)

(2) 자신에게 필요한 내용만 빨리 읽기 위해서
　　　　　　　　　　　　　　　　(　)

(3) 글의 내용을 자세히 살펴보며 꼼꼼하게 읽기 위해서　　　　　　　　　　(　)

논술형

8 규빈이처럼 글을 읽은 경험을 쓰시오.

_____

_____

○ 지완이가 외국에서 온 친구에게 고려청자를 알려 주기 위해 어떤 방법으로 읽었을지 짐작하며 읽기

아름다운 비색을 지닌 고려청자

류재만

외국에서 온 친구는 고려청자를 잘 모를 거야. 고려청자를 자세히 알려 주고 싶어. 고려청자의 뛰어난 점이 무엇인지 자세히 살펴보고 내가 아는 내용과 비교해 읽어 봐야지.

지완

❶ 고려청자는 청자의 빛깔, 독특한 장식 기법과 아름다운 형태로 유명하다. 고려청자를 만든 시기에는 중국과 우리나라에서만 질 높은 청자를 만들 수 있었다. 우리나라보다 중국이 먼저 청자를 만들고 세상에 알렸지만, 고려는 청자를 만드는 우수한 기술력과 아름다움을 인정받아 다른 나라 사람들에게 사랑을 받았다.

（중심 내용） 고려청자는 청자의 빛깔, 독특한 장식 기법과 아름다운 형태로 유명하다.

❷ 고려청자는 무엇보다 아름다운 빛깔로 더욱 주목받았다. 청자의 빛깔은 맑고 은은한 푸른 녹색이다. 이는 유약 안에 아주 작은 기포가 많아 빛이 반사되면서 은은하고 투명하게 비쳐 보이기 때문이다. 청자의 색이 짙고 푸른색 윤이 나는 구슬인 비취옥과 색깔이 닮았기 때문에 '비색'이라 불렀는데, 중국 송나라의 태평 노인이 『수중금』이라는 책에서 고려청자의 빛깔을 비색이라 부르며 천하제일이라고 칭찬했다.

（중심 내용） 고려청자는 무엇보다 아름다운 빛깔로 더욱 주목을 받았는데, 맑고 은은한 푸른 녹색인 고려청자의 색을 '비색'이라 불렀다.

❸ 청자의 상감 기법은 어느 나라에서도 찾아볼 수 없는 우리 고유의 독창적인 도자기 장식 기법이다. 상감 기법은 그릇을 빚고 굳었을 때 그릇 바깥쪽에 조각칼로 무늬를 새긴 다음, 검은색이나 흰색의 흙을 메운 뒤 무늬가 드러나도록 바깥쪽을 매끄럽게 다듬는 기법이다.

9 지완이가 이 글을 읽은 까닭을 찾아 기호를 쓰시오.

> ㉠ 박물관에서 고려청자를 보고 감동받아서
> ㉡ 상감 청자가 중국의 청자보다 뛰어난 까닭을 알기 위해서
> ㉢ 외국에서 온 친구에게 고려청자를 자세히 알려 주기 위해서

( )

10 고려청자는 무엇무엇으로 유명한지 세 가지 고르시오. (, ,)

① 청자의 빛깔
② 아름다운 형태
③ 독특한 장식 기법
④ 고려청자를 만드는 재료
⑤ 청자를 만드는 데 걸리는 시간

11 고려청자의 색을 무엇이라 불렀는지 빈칸에 알맞은 말을 쓰시오.

• 고려청자는 맑고 은은한 푸른 녹색인데, 청자의 색이 짙고 푸른색 윤이 나는 구슬인 비취옥과 색깔이 닮았기 때문에 '( )' (이)라고 불렀다.

서술형
12 고려청자의 상감 기법에 대한 내용을 요약해 쓰시오.

_____

_____

이 기법은 금속 공예나 나전 칠기에 장식 기법으로 쓰고 있었지만, 고려 도공들이 도자기를 만들 때 장식에 처음으로 응용
5 했다. 상감 기법으로 만든 고려청자는 구름과 학 무늬를 새긴 '청자 상감 운학문 매병'이 대표적이다.

중심 내용 청자의 상감 기법은 어느 나라에서도 찾아볼 수 없는 우리 고유의 독창적인 도자기 장식 기법이다.

❹ 이러한 청자의 형태는 기존의 단순한 그릇 모양의 형태에서 여러 형태의 청자로 발전했다. 그 당
10 시 고려인들은 대접과 접시, 잔, 항아리, 병, 찻잔, 상자 따위를 비롯해 심지어 베개와 기와까지도 청자로 만들었다. 특히 죽순, 표주박, 복숭아, 원앙, 사자, 용, 거북과 같이 여러 동식물의 모양을 본떠 만든 향로, 주전자, 꽃병, 연적 따위가 오늘날까지
15 내려오고 있다. 이처럼 그릇의 실용성을 넘어 예술적 아름다움을 지닌 청자는 고려인의 생활 속에서

널리 쓰였다.

중심 내용 청자의 형태는 기존의 단순한 그릇 모양의 형태에서 여러 형태의 청자로 발전했다.

❺ 고려청자는 맑고 은은한 비색으로 유려한 곡선을 강조하며 상감 기법으로 회화적인 아름다운 무늬를 표현한 것이 특색이다. 우리는 이러한 고려
5 청자로 고려인들의 독창성과 뛰어난 기술력을 엿볼 수 있다. 이는 중국의 청자를 받아들이면서 그저 모방에 그치는 것이 아니라, 아름다운 비색과 독특한 상감 기법으로 발전했다는 점이다. 따라서 고려청자는 여러 가지 모양과 형태의 아름다움을
10 일궈 낸 고려인들의 노력과 열정을 그대로 담고 있다.

중심 내용 우리는 고려청자로 고려인들의 독창성과 뛰어난 기술력을 엿볼 수 있다.

● **지완이가 글을 읽은 방법**

- 필요한 내용을 찾으며 자세히 읽음.
- 중요한 내용이나 그것을 뒷받침하는 내용에 밑줄을 그으며 읽음.

핵심

13 고려청자의 우수성을 정리한 것으로 알맞지 <u>않은</u> 것에 ×표를 하시오.

(1) 단순한 형태 ( )
(2) 유려한 곡선 ( )
(3) 아름다운 무늬 ( )
(4) 고려인들의 독창성과 뛰어난 기술력 ( )

14
교과서 문제
지완이가 어떤 방법으로 글을 읽었는지 생각하며 빈칸에 들어갈 말을 보기 에서 골라 쓰시오.

보기
내용 비교 밑줄

(1) 필요한 ( )을/를 찾으며 자세히 읽는다.
(2) 중요한 내용이나 그것을 뒷받침하는 내용에 ( )을/를 그으며 읽는다.
(3) 자신이 아는 내용과 새롭게 안 내용을 ( )하며 자세히 읽는다.

핵심

15 고려청자의 특징을 조사할 목적으로 이 글을 읽을 때 알맞게 읽지 <u>못한</u> 사람을 쓰시오.

승민: 제목만 살펴보았어.
민수: 내용을 자세히 살펴보며 꼼꼼히 읽었어.
혜정: 이해하기 어려운 점이나 궁금한 점은 없는지 생각하며 읽었어.

( )

역량

16 규빈이와 지완이가 글을 읽은 방법이 서로 어떻게 다른지 보기 에서 골라 기호를 쓰시오.

보기
㉠ 자신에게 필요한 내용을 자세히 살펴보며 읽었다.
㉡ 글 전체의 내용을 훑어 읽으면서 필요한 내용이 있는지 확인했다.

(1) 규빈: ( ) (2) 지완: ( )

실천 역량 활동 자신만의 읽기 방법 찾아보기

9 단원

핵심

● 독서가들의 읽기 방법을 알아보기

세종 대왕

세종 대왕은 같은 책을 백 번 읽고 백 번 쓰면 책 내용을 잊지 않는다고 했다.

헬렌 켈러

헬렌 켈러는 듣지도, 보지도, 말하지도 못해 책을 읽는 데 어려움이 있었다. 하지만 헬렌 켈러는 손끝으로 책을 읽을 수 있게 되었다. 헬렌 켈러는 평소 느끼지 못했던 대상과 감정을 상상하며 책을 읽었다.

방정환

어린이날을 만든 아동 문학가 방정환은 어린이가 글을 읽은 다음에는 반드시 관련한 곳에 직접 가 봐야 한다고 했다. 글 내용을 오랫동안 기억하려면 직접 겪어 보라고 했다.

● 자신만의 읽기 방법 예

읽기 방법	메모하며 읽기
주로 읽는 때와 장소	집에서 과제를 해결할 때
읽기 방법의 좋은 점	읽은 내용을 정리할 수 있다.
적용할 수 있는 책이나 글	중요한 내용이 있는 책, 알고 싶은 정보가 있는 책

1 세종 대왕의 읽기 방법으로 책을 읽으면 좋은 점은 무엇이라고 했습니까? ( )

① 많은 책을 읽을 수 있다.
② 책을 빨리 읽을 수 있다.
③ 책 내용을 잊지 않을 수 있다.
④ 책 내용을 모두 외울 수 있다.
⑤ 제목만 읽어도 내용을 알 수 있다.

3 읽고 싶은 책이나 글을 찾아 제목을 쓰시오.

교과서 문제

( )

2 다음 독서가들의 읽기 방법을 찾아 알맞게 선으로 이으시오.

(1) 방정환 •

• ㉠ 대상과 감정을 상상하며 읽기

(2) 헬렌 켈러 •

• ㉡ 글과 관련한 곳 직접 가 보기

역량 논술형

4 3번 문제에서 답한 책이나 글을 읽는 자신만의 읽기 방법과 그렇게 읽을 때 좋은 점은 무엇인지 쓰시오.

(1) 읽기 방법	
(2) 좋은 점	

글을 찾아 읽은 경험 나누기

⑩ 여러 가지 글을 찾아 읽고 어떤 도움을 받았는지 친구들과 이야기하기

곤충을 보고 궁금한 점을 책을 읽고 알 수 있었어.

뉴스 내용을 잘 이해하지 못했는데 인터넷에서 글을 찾아보고 알 수 있었어.

친환경 에너지가 무엇인지 잘 몰랐는데 책을 읽고 알 수 있었어.

글의 종류에 따른 읽기 방법 알기

설명하는 글 「점과 선으로 만든 암호」	설명하려는 ❶ ☐☐이/가 무엇인지 생각하기	정보 무늬
	대상의 무엇을 자세히 설명하는지 생각하기	정보 무늬의 뜻, 사용 방법, 특징, ❷ ☐☐ 따위
	대상을 보고 이미 아는 것을 떠올리기	⑩ 정보 무늬의 모양
	대상에 대해 새롭게 안 것을 찾기	⑩ 정보 무늬 사용 방법, 특징 따위
주장하는 글 「미래 사회의 변화에 대처하는 자세」	글쓴이의 ❸ ☐☐ 파악하기	미래 사회에 필요한 사람이 되자.
	주장을 뒷받침하는 근거를 찾기	미래 사회에 필요한 사람이 갖추어야 할 것은 무엇일까?
	주장을 뒷받침하는 알맞은 근거인지 생각하기	미래 사회에는 지금과 다른 사람이 필요하다.
	자신의 생각과 비교해 같은 점을 찾기	⑩ 미래 사회에서는 많은 것이 달라진다.
	자신의 생각과 비교해 비판하는 태도로 읽기	⑩ 변화에 부드럽게 대처하려는 생각이 필요하다.

필요한 글을 찾아 정리하기

예 「아름다운 비색을 지닌 고려청자」를 읽는 방법

훑어 읽기	자세히 읽기
제목에 나온 비색은 어떤 색깔을 말하는 것일까? 이 글에는 사진도 같이 있구나. 발표할 만한 내용이 있을지 낱말들을 중심으로 찾아봐야지. ▲ 규빈	외국에서 온 친구는 고려청자를 잘 모를 거야. 고려청자를 자세히 알려 주고 싶어. 고려청자의 뛰어난 점이 무엇인지 자세히 살펴보고 내가 아는 내용과 비교해 읽어 봐야지. ▲ 지완
⬇	⬇
• ❹ □□을/를 가장 먼저 읽고 필요한 내용이 있는지 생각합니다. • 글 전체를 다 읽지 않고 중요한 낱말을 읽으면서 필요한 내용이 있는지 찾아봅니다. • 제목뿐만 아니라 ❺ □□도 살펴보며 필요한 내용이 있을지 짐작합니다.	• 필요한 내용을 찾으며 ❻ □□□ 읽습니다. • 중요한 내용이나 그것을 뒷받침하는 내용에 밑줄을 그으며 읽습니다. • 자신이 아는 내용과 새롭게 안 내용을 비교하며 자세히 읽습니다.

9
단원

자신만의 읽기 방법 찾아보기

예 읽기 방법을 생각하고 친구들과 이야기하기

단원 평가

[1~2] 그림을 보고, 물음에 답하시오.

◀ 지윤

삼국 시대가 궁금해서 역사책을 찾아 읽었어.

우주의 신비?

제목을 보고 관심이 생겨서 책을 읽었어.

1 지윤이가 책을 찾아 읽은 까닭으로 알맞은 것에 **모두** ○표를 하시오.

(1) 삼국 시대가 궁금해서 ( )

(2) 학교 숙제를 하기 위해서 ( )

(3) 제목을 보고 관심이 생겨서 ( )

2 자신은 어떤 경우에 글을 읽었는지 쓰시오.

( )

3 다음 중 여러 가지 글을 찾아 읽고 도움을 받은 경험을 알맞게 말하지 **못한** 친구는 누구인지 쓰시오.

> 하율: 동생과 동물이 나오는 책을 읽었어.
> 상희: 곤충을 보고 궁금한 점을 책을 읽고 알 수 있었어.
> 태하: 뉴스 내용을 잘 이해하지 못했는데 인터넷에서 글을 찾아보고 알 수 있었어.

( )

4 글을 읽은 경험을 살려 다음 친구가 필요한 글을 어떻게 찾으면 좋을지 쓰시오.

미술 시간에 교통질서 지키기 광고를 그리기로 했어.

( )

[5~8] 글을 읽고, 물음에 답하시오.

점과 선으로 만든 암호

최근 출판하는 책이나 광고, 알림판 따위에서 네모 모양의 표식을 자주 볼 수 있다. 네모 모양 안에 검은 선과 점을 배열했는데, 이것을 정보 무늬[QR코드]라고 한다. 큐아르(QR)는 '빠른 응답'이라는 영어의 줄임 말이다.

정보 무늬는 여러 가지 정보를 확인할 수 있는 표식이다. 정보 무늬를 쓰기 전에는 막대 표시를 주로 썼다. 막대 표시는 숫자 20개를 저장할 수 있는 무늬로서 물건을 살 때 쉽게 계산할 수 있다. 그러나 정보 무늬는 숫자 7089개, 한글 1700자 정도를 저장할 수 있다. 또 정보 무늬는 일부를 지워도 사용할 수 있다. 정보 무늬의 세 귀퉁이에 위치를 지정하는 문양이 있기 때문이다. 이 문양이 있어 정보 무늬를 어느 각도에서 찍어도 내용을 확인할 수 있다.

5 이 글에서 설명하는 대상은 무엇인지 쓰시오.

( )

6 다음 중 큐아르(QR)의 뜻으로 알맞은 것은 무엇입니까? ( )

① 점과 선 ② 막대 표시
③ 빠른 응답 ④ 느린 응답
⑤ 복잡한 암호

논술형

7 이 글에서 내용이 정확한지 알아보고 싶은 것을 쓰시오.

_____

_____

8 이와 같은 종류의 글을 읽는 방법으로 알맞지 <u>않은</u> 것은 무엇입니까?   (   )

① 문장의 길이를 생각하며 읽는다.
② 대상에 대해 새롭게 안 것을 찾는다.
③ 설명하려는 대상이 무엇인지 생각한다.
④ 대상을 보고 이미 아는 것을 떠올린다.
⑤ 대상의 무엇을 자세히 설명하는지 생각한다.

[9~12] 글을 읽고, 물음에 답하시오.

> 미래 사회에 필요한 사람은 어떤 사람일까요?
> 첫째, 정해진 답을 찾기보다 새로운 방식으로 문제를 해결하는 사람입니다. 정해진 문제는 사람보다 인공 지능이 더 잘 해결할 수도 있습니다. 그러나 새로운 방식을 생각하는 것은 인공 지능보다 사람이 더 잘할 수 있습니다.
> 둘째, 새로운 변화에 대응하는 사람입니다. 미래 연구자들은 다가올 미래에는 여러 가지 사회·환경 문제처럼 예전에 없던 새로운 변화를 맞을 것이라고 합니다. 그러므로 미래 사회에서는 막힌 생각보다 변화에 부드럽게 대처하려는 생각을 해야 합니다.
> 셋째, 서로 돕고 존중하는 사람입니다. 인공 지능과 새로운 기술이 삶을 빠르게 바꿀 수 있습니다. 이럴 때 함께 마음을 모아 서로 돕고 존중해야 사회를 따뜻하게 만들 수 있습니다.
> 앞으로 우리는 거대한 미래의 충격과 변화 앞에서도 흔들리지 않는 열정과 패기로 서로를 존중해야 합니다.

9 이 글의 종류로 알맞은 것에 ○표를 하시오.

(설명하는 글 , 주장하는 글)

10 글쓴이가 미래 사회에 어떤 사람이 필요하다고 했는지 세 가지를 고르시오. (,   ,   )

① 막힌 생각을 하는 사람
② 정해진 답을 찾는 사람
③ 서로 돕고 존중하는 사람
④ 새로운 변화에 대응하는 사람
⑤ 새로운 방식으로 문제를 해결하는 사람

11 글쓴이의 주장은 무엇입니까?   (   )

① 환경 보호에 힘쓰자.
② 서로 존중하는 사회를 만들자.
③ 미래 사회에 필요한 사람이 되자.
④ 인공 지능이 해결할 수 있는 분야를 넓히자.
⑤ 앞으로 다가올 새로운 변화를 미리 예측하자.

논술형
12 11번 문제에서 답한 글쓴이의 주장에 대한 자신의 생각을 까닭을 들어 쓰시오.

_____

_____

13 주장하는 글을 읽을 때 고려할 점으로 알맞지 <u>않은</u> 것은 무엇입니까?   (   )

① 주장과 근거가 적절한가?
② 설명하는 내용이 무엇인가?
③ 글쓴이의 주장은 무엇인가?
④ 자신의 생각과 다른 점은 무엇인가?
⑤ 주장을 뒷받침하는 근거는 무엇인가?

[14~18] 글을 읽고, 물음에 답하시오.

외국에서 온 친구는 고려청자를 잘 모를 거야. 고려청자를 자세히 알려 주고 싶어. 고려청자의 뛰어난 점이 무엇인지 자세히 살펴보고 내가 아는 내용과 비교해 읽어 봐야지.

▲ 지완

청자의 상감 기법은 어느 나라에서도 찾아볼 수 없는 우리 고유의 독창적인 도자기 장식 기법이다. 상감 기법은 그릇을 빚고 굳었을 때 그릇 바깥쪽에 조각칼로 무늬를 새긴 다음, 검은색이나 흰색의 흙을 메운 뒤 무늬가 드러나도록 바깥쪽을 매끄럽게 다듬는 기법이다. 이 기법은 금속 공예나 나전 칠기에 장식 기법으로 쓰고 있었지만, 고려 도공들이 도자기를 만들 때 장식에 처음으로 응용했다.

14 지완이가 이 글을 읽은 까닭으로 알맞은 것을 찾아 ○표를 하시오.

(1) 발표 자료를 찾기 위해서 ( )
(2) 고려청자를 만들어 보고 싶어서 ( )
(3) 고려청자를 조사해 외국에서 온 친구에게 알려 주기 위해서 ( )

15 다음에서 설명하는 기법은 무엇인지 찾아 쓰시오.

그릇을 빚고 굳었을 때 그릇 바깥쪽에 조각칼로 무늬를 새긴 다음, 검은색이나 흰색의 흙을 메운 뒤 무늬가 드러나도록 바깥쪽을 매끄럽게 다듬는 도자기 장식 기법이다.

( )

16 지완이가 이 글을 읽은 방법은 무엇인지 빈칸에 알맞은 말을 쓰시오.

• 중요한 내용이나 그것을 뒷받침하는 내용에 ( )을/를 그으며 읽었다.

17 지완이와 같은 방법으로 글을 읽은 경험을 쓰시오.

( )

☆18 지완이와 같이 자신에게 필요한 정보가 글에 있다는 것을 이미 알고 읽는 방법으로 알맞지 않은 것은 무엇입니까? ( )

① 제목만 보고 내용을 짐작한다.
② 중요한 내용에 밑줄을 그으며 읽는다.
③ 필요한 내용을 찾으며 자세히 읽는다.
④ 자신이 아는 내용과 새롭게 안 내용을 비교하며 자세히 읽는다.
⑤ 설명하는 글의 내용 가운데에서 의심스러운 부분은 없는지 꼼꼼히 따지며 읽는다.

19 헬렌 켈러의 읽기 방법은 무엇입니까? ( )

헬렌 켈러는 듣지도, 보지도, 말하지도 못해 책을 읽는 데 어려움이 있었다. 하지만 헬렌 켈러는 손끝으로 책을 읽을 수 있게 되었다. 헬렌 켈러는 평소 느끼지 못했던 대상과 감정을 상상하며 책을 읽었다.

① 메모하며 읽기
② 한 문장을 두 번씩 읽기
③ 여러 번 반복해 읽고 쓰기
④ 글과 관련한 곳 직접 가 보기
⑤ 대상과 감정을 상상하며 읽기

20 글 종류에 따라 글을 읽는 방법에 맞게 선으로 이으시오.

(1) 주장하는 글 • • ㉠ 설명하는 내용을 이해하고 설명이 맞는지 확인하며 읽는다.

(2) 설명하는 글 • • ㉡ 주장에 따른 근거가 알맞은지 생각하며 글쓴이의 주장을 비판하는 태도로 읽는다.

서술형 평가

1 글을 읽은 경험을 살려 민정이가 어떻게 자료를 찾으면 좋을지 쓰시오.

> 민정: 과학 숙제로 돌의 종류를 조사해야 해.

_____

_____

[2~3] 글을 읽고, 물음에 답하시오.

> 　정보 무늬는 스마트폰으로 사용할 수 있다. 스마트폰 응용 프로그램으로 정보 무늬를 찍으면 관련 내용이 있는 누리집으로 이동하거나, 관련 사진이나 동영상을 볼 수 있다. 또 정보 무늬에 색깔이나 신기한 그림을 넣어 만들기도 한다.
> 　정보 무늬는 여러 분야에서 활용한다. 백화점이나 할인점에서는 정보 무늬로 할인 정보를 제공한다. 신문 광고에 있는 정보 무늬를 찍으면 3차원으로 움직이는 광고가 나오기도 하고, 책에 있는 정보 무늬를 찍으면 등장인물이 튀어나와 책의 정보와 줄거리를 알려 주기도 한다.

2 정보 무늬를 사용하는 방법을 쓰시오.

_____

_____

3 이와 같이 설명하는 글을 읽는 방법을 한 가지 쓰시오.

_____

[4~6] 글을 읽고, 물음에 답하시오.

> 제목에 나온 비색은 어떤 색깔을 말하는 것일까? 발표할 만한 내용이 있을지 낱말들을 중심으로 찾아봐야지.

▲ 규빈

아름다운 비색을 지닌 고려청자

　고려청자는 무엇보다 아름다운 빛깔로 더욱 주목받았다. 청자의 빛깔은 맑고 은은한 푸른 녹색이다. 이는 유약 안에 아주 작은 기포가 많아 빛이 반사되면서 은은하고 투명하게 비쳐 보이기 때문이다. <u>청자의 색이 짙고 푸른색 윤이 나는 구슬인 비취옥과 색깔이 닮았기 때문에 '비색'이라 불렸는데, 중국 송나라의 태평 노인이 『수중금』이라는 책에서 고려청자의 빛깔을 비색이라 부르며 천하제일이라고 칭찬했다.</u>

4 이 글을 읽고 고려청자의 빛깔에 대한 내용을 요약하여 쓰시오.

_____

_____

5 규빈이가 이 글에서 밑줄 그은 부분만 읽었다면 그 까닭은 무엇일지 쓰시오.

_____

_____

6 이 글에 자신에게 필요한 정보가 있다는 것을 알고 고려청자의 특징을 조사하기 위해 읽는다면 어떻게 읽으면 좋을지 쓰시오.

_____

_____

● 다음 교과서 문장의 파란색 낱말 중에서 알맞은 것을 골라 인물들이 한 말을 완성하시오.

- 점과 선으로 만든 **암호**
- 백화점이나 할인점에서는 정보 무늬로 할인 **정보**를 제공한다.
- 둘째, 새로운 변화에 **대응**하는 사람입니다.
- 앞으로 우리는 거대한 미래의 충격과 변화 앞에서도 흔들리지 않는 열정과 **패기**로 서로를 존중해야
  합니다.

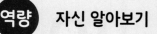

10

주인공이 되어

무엇을 배울까요?

 준비

• 기억에 남는 일 이야기하기

 기본

• 일상생활의 경험이 잘 드러난 글 읽기
• 경험을 이야기로 표현하는 방법 알기

 실천

• 겪은 일을 이야기로 만들기

10 주인공이 되어

1 일상생활의 경험이 잘 드러난 글 읽기

① 이야기에 나오는 등장인물의 관계와 특징을 정리해 봅니다.
② 이야기에 나타난 인물, 사건, 배경을 정리해 봅니다.
③ 이야기에서 주인공의 경험이 나타난 부분을 찾고 어떻게 나타냈는지 살펴봅니다.
⑩ 「잘못 뽑은 반장」에서 주인공의 경험을 어떻게 나타냈는지 알아보기

주인공의 경험	이야기로 표현한 방법
명찬이 반장을 설명해 주는 부분	읽는 사람을 생각하면서 씀.
제하가 학교에 오기를 기다리는 마음을 나타낸 부분	억지로 꾸며 쓰지 않고 겪은 일을 그대로 풀어서 자신의 생각과 함께 솔직하게 씀.
방학을 앞두고 한 해 동안 로운이와 친구들이 변화한 모습을 나타낸 부분	긴 기간에 걸친 사건을 어떻게 해결했는지 잘 나타냄.

2 겪은 일을 이야기로 만들 때 생각할 점

① 읽는 사람이 관심을 보일 수 있는 경험을 씁니다.
② 글을 읽는 사람이 이해할 수 있게 씁니다.
③ 사건을 어떻게 전개하고 어떻게 해결했는지가 나타나도록 씁니다.
④ 사람들이 흥미를 보이며 읽을 수 있도록 씁니다.
⑤ 내가 말하고자 하는 주제가 잘 드러나도록 이야기 흐름에 맞게 씁니다.

3 겪은 일을 이야기로 만들기

① 이야기로 쓰고 싶은 경험을 떠올립니다.
② 어떤 주제로 이야기를 쓰고 싶은지 생각해 주제나 내용에 맞는 제목을 정합니다. └→ 글쓴이가 나타내고자 하는 생각
③ 어떤 등장인물이 필요한지 떠올려 보고, 그 인물의 특징을 생각해 씁니다.
④ 이야기의 흐름대로 사건과 배경을 간단히 정리합니다.
⑤ 경험을 이야기로 만들 때 생각해야 할 점을 떠올리며 이야기를 완성하고 이야기에 어울리는 그림도 그려 봅니다.

핵 심 개 념 문 제
정답과 해설 ● 33쪽

1 일상생활의 경험이 드러난 글을 읽을 때에는 이야기에 나오는 등장인물의 관계와 특징을 정리해 봅니다.
(○ , ×)

2 일상생활의 경험이 잘 드러난 글을 읽을 때에는 이야기에 나타난 인물, ( ), 배경을 정리해 봅니다.

3 겪은 일을 이야기로 만들 때에는 내가 관심을 보일 수 있는 경험을 씁니다.
(○ , ×)

4 겪은 일을 이야기로 만들 때에는 □□을/를 어떻게 전개하고 어떻게 해결했는지가 나타나도록 씁니다.

5 겪은 일을 이야기로 만들 때, 어떤 주제로 이야기를 쓰고 싶은지 생각해 주제나 내용에 맞는 ( )을/를 정합니다.

 기억에 남는 일 이야기하기

○ 그림을 보고, 기억에 남는 일 떠올려 보기

• 그림 내용: 그림 **가**~**라**는 자신의 경험 중 기억에 남는 일을 떠올린 것입니다.

세 살 때
밀가루로 장난한 일

일곱 살 때
부모님께 꾸중을 들은 일

여덟 살 때
처음으로 한 운동회

5학년 때 친구들과 함께한
학교 발야구 대회

● 기억에 남는 일 이야기하기 **예**

작년에 할아버지 댁에 가서 딸기를 땄던 일이 생각 나.

1 그림 **가**~**라**에 나타난 일이 <u>아닌</u> 것은 어느 것입니까? ( )

① 5학년 때 합창대회에 나간 일
② 세 살 때 밀가루로 장난한 일
③ 5학년 때 학교 발야구 대회를 한 일
④ 일곱 살 때 부모님께 꾸중을 들은 일
⑤ 여덟 살 때 처음으로 운동회를 한 일

핵심 논술형
2 자신의 경험을 떠올려 보고 가장 기억에 남는 일을 쓰시오.

_____

_____

3 교과서 문제 기억에 남는 일 가운데에서 한 가지를 골라 기억 카드를 만들려고 합니다. 다음 기억 카드의 앞면 내용에 어울리는 감정을 **보기** 에서 찾아 카드 뒷면의 빈칸에 쓰시오.

보기   놀람   슬픔   행복함

지난봄 운동회에서
친구들과 재미있게
경기한 일
윤주찬

〈앞면〉   〈뒷면〉

기본 1 일상생활의 경험이 잘 드러난 글 읽기

○ 주인공의 경험을 어떻게 이야기로 나타냈는지 생각하며 글 읽기

잘못 뽑은 반장

• 글: 이은재 • 그림: 서영경

• 글의 종류: 이야기
• 글의 특징: 주인공(이로운)의 경험을 이야기로 나타낸 글로, 로운이가 반장이 되고 성장해 가는 과정이 나타나 있습니다.

앞 이야기

이야기의 주인공 '이로운'은 말썽 많고 숙제도 잘 안 해 오는 아이로, 몸이 불편한 누나 이루리를 부끄러워한다. 2학기 반장 선거에서 반장으로 뽑히나, 처음에는 '잘못 뽑은 반장'이라고 놀림을 받고 선생님과 친구들의 신임을 받는 1학기 반장 황제하가 반장 도우미를 한다. 하지만 이로운은 조금씩 친구들과 사이가 좋아지고, 황제하는 이를 시기한다. 그러던 어느 날 황제하가 멋진 모습만 보여 주려고 거짓으로 했던 행동들을 이로운이 밝히고, 황제하는 선생님과 친구들의 실망한 눈빛에 충격을 받아 학교에 나오지 않는다. 반장으로서 한마당 잔치의 합창 준비를 하면서 어려움을 느낀 이로운은 황제하네 집을 찾아간다.

❶ 다음 날 아침, 나는 일찌감치 학교로 갔다. 밤새 잠을 설쳐서 그런지 눈두덩이 뻐근했다. 나는 자리에 앉아서 출입문 쪽만 뚫어져라 살폈다. 복도에서 발소리가 날 때마다 가슴을 졸이며 기다렸지만 제하는 나타나지 않았다. 가슴이 바짝바짝 마르는 것 같았다.

'이 자식이 정말 전학 갈 생각인가!'

나는 불안한 마음으로 뻑뻑한 눈을 비비며 기다렸다. 어느새 수업 시작 시간이 다 되어 갔다. 시간이 갈수록 짜증이 밀려왔다.

'치사한 놈, 내가 자존심 다 접고 먼저 사과했는데…… . 만나기만 해 봐라!'

나는 주먹을 꽉 움켜쥐고 부르르 떨었다. 바로 그 때 교실 뒷문으로 익숙한 얼굴 하나가 불쑥 나타났다. 제하였다. 눈을 비비고 봐도 틀림없이 황제하였다. 야호! 나는 조금 전까지 주먹을 떨면서 벼르던 것도 잊고, 하마터면 함성을 지를 뻔했다. 제하를 발견한 정규가 달려가서 반갑게 인사를 건넸다.

중심 내용 가슴을 졸이며 제하가 오기를 기다린 '나'는 제하가 학교에 오자 무척 기뻐했다.

● **주인공의 경험을 이야기에서 어떻게 나타냈는지 살펴보기 ①** **핵심**

주인공의 경험	이야기로 나타낸 방법
제하가 학교에 오기를 기다리는 마음을 나타낸 부분	억지로 꾸며 쓰지 않고 겪은 일을 그대로 풀어서 자신의 생각과 함께 솔직하게 씀.

신임 믿고 일을 맡김. 또는 그 믿음.

바짝바짝 매우 긴장하거나 힘주는 모양.

---

1 이 이야기의 주인공은 누구인지 쓰시오.

( )

2 앞 이야기의 내용을 통해 알 수 있는 제하와 로운이 사이에서 있었던 일은 무엇입니까? ( )

① 로운이가 제하를 질투했다.
② 로운이와 제하가 말싸움을 했다.
③ 로운이가 제하의 도우미를 하게 되었다.
④ 제하가 거짓으로 했던 행동들을 로운이가 밝혔다.
⑤ 로운이가 제하에게 '잘못 뽑은 반장'이라고 놀렸다.

핵심
3 제하가 학교에 오기를 기다리는 로운이의 마음을 어떻게 나타냈는지 알맞은 것에 ○표를 하시오.

(1) 억지로 꾸며서 과장되게 썼다. ( )
(2) 인물의 마음이 전혀 드러나지 않게 썼다.
( )
(3) 겪은 일을 그대로 풀어서 자신의 생각과 함께 솔직하게 썼다. ( )

4 제하가 학교에 왔을 때 로운이의 마음은 어떠했겠습니까?

( )

❷ "제하야, 아픈 데는 괜찮아진 거야?"

"응, 다 나았어."

제하는 아무렇지 않게 대답했다. 싱글싱글 웃는 걸 보니 정말 괜찮은 것 같았다. 전학 가는 건 포기한 걸까! 궁금해서 죽을 지경이었지만 먼저 다가가서 물어볼 용기가 나지 않았다. 그런데 제하가 나를 보고 복도로 나오라는 눈짓을 보냈다. 나는 기다렸다는 듯이 튕겨 나갔다. 제하는 앞장서서 가더니 화장실 옆 계단 구석에서 멈췄다.

"너, 전학 안 가기로 한 거냐?"

내 말에 녀석은 잠깐 **뜸을 들이다**가 천천히 고개를 끄덕였다.

오, 신이시여! 황제하가 이렇게 멋져 보이는 순간이 다 있다니!

"잘 생각했다. 당연히 그래야지. 반장 도우미가 반장 허락도 없이 전학 간다는 게 말이 되냐?"

나는 농담처럼 말하면서 느물느물 웃었다. 녀석도 피식 웃었다. 우리는 똑같이 뒷머리를 긁적거리면서 잠깐 동안 소리 없이 웃었다. 기분이 이상했다.

"생각해 봤는데, 네 말이 맞는 것 같아. 나도 비겁한 놈은 되기 싫거든. 사실은 네 덕분에 내가 잘못 생각한 게 많다는 걸 알았어. 전에는 뭐든지 무조건 잘하기만 하면 다들 나를 깔보지 못할 거라고 생각했거든. 아빠가 없어도……."

아빠가 없다는 말에 나는 깜짝 놀랐다.

㉠"우리 아빠와 엄마, 오래전에 이혼했어. 난 엄마랑 할머니랑 같이 살아."

내 마음을 읽었는지 제하가 묻지도 않은 말을 했다. 나는 아무 대꾸도 하지 못하고 우두커니 서 있었다. 녀석이 그런 말까지 하리라고는 짐작도 하지 못했다. 완벽하게만 보이던 녀석에게 그런 아픔이 있었다니 뜻밖이었다.

뜸을 들이다 일이나 말을 할 때에, 쉬거나 여유를 갖기 위해 서둘지 않고 한동안 가만히 있는 경우를 비유적으로 이르는 말.

우두커니 넋이 나간 듯이 가만히 한자리에 서 있거나 앉아 있는 모양.
⑩ 먼 산만 <u>우두커니</u> 바라보았습니다.

---

5 제하와 로운이가 대화를 나눈 장소는 어디입니까?

(   )

6 이 글의 내용으로 알맞은 것은 무엇입니까?

(   )

① 제하는 아빠와 같이 산다.
② 제하는 전학을 가지 않기로 했다.
③ 제하는 자신이 잘못한 것이 없다고 했다.
④ 제하가 반장 도우미 역할을 그만하겠다고 했다.
⑤ 제하와 로운이는 서로에 대해 매우 잘 알고 있다.

7 제하가 뭐든지 잘하려고 노력한 까닭은 무엇입니까?

(   )

① 멋있어 보이기 위해서
② 아빠에게 칭찬받기 위해서
③ 친구들과 잘 지내고 싶어서
④ 반장의 역할에 최선을 다하기 위해서
⑤ 친구들이 자신을 깔보지 못하도록 하기 위해서

8 ㉠의 말을 들은 로운이의 마음은 어떠할지 쓰시오.

(   )

"힘들겠구나. 난 아빠랑 잠깐 떨어져 있는 것도 싫어서 투덜거리는데."

나도 모르게 목소리가 기어들어 갔다. 제하가 나지막이 웃었다.

5 "그래도 넌 나처럼 잘 못하는 걸 잘하는 척하지는 않잖아. 난 항상 내 생각만 했어. 그런데 네가 그게 부끄러운 일이라는 걸 알려 줬어. 이제 나도 너처럼 못하는 건 못한다고 솔직하게 말할 거야. 그게 진짜 당당해지는 방법이라는 걸 알았어."

10 "난 진짜 잘하는 게 하나도 없고, 못하니까 못한다고 한 건데……."

나는 또다시 뒷머리를 긁적였다.

"우리 이제부터 한번 잘 지내 보자."

제하가 내 어깨를 툭 치더니 한쪽 손을 쑥 내밀

15 었다. 제하의 말투가 너무 다정해서 귀가 간질거렸다. 나는 망설이지 않고 녀석의 손을 덥석 잡았다.

제하의 손은 따뜻하고 보드라웠다.

우리가 다정하게 교실로 들어오는 걸 보고 대광이가 고개를 갸우뚱했다. 등을 꼿꼿이 펴고 자리로 걸어가는 제하는 황제처럼 당당해 보였다. 가만 보니 꽤 괜찮은 녀석 같다. 아무리 생각해도 제 5 하네 집에 찾아간 건 잘한 일이다. 사람은 가끔 용기를 낼 필요가 있다. 그럼 나처럼 생각지도 못한 수확을 거둘 수 있으니까. 이제 합창 연습도 문제가 없다고 생각하니 가만히 있어도 벙긋벙긋 웃음이 나왔다. 10

중심 내용 제하는 전학을 안 가기로 했다고 했고, '나'와 제하는 서로 솔직한 마음을 이야기하며 화해했다.

기어들어 움츠러져 들어.
당당해지는 남 앞에 내세울 만큼 모습이나 태도가 떳떳해지는.

덥석 왈칵 달려들어 단번에 빨리 물거나 움켜잡는 모양.
예 강아지가 인형을 덥석 물었습니다.

---

9 제하가 생각하는 '진짜 당당해지는 방법'은 무엇인지 쓰시오.

(   )

10 로운이는 왜 제하네 집에 찾아간 것이 잘한 일이라고 생각했습니까? (   )

① 제하에게 사과를 받아서
② 제하의 약점을 알게 되어서
③ 합창 연습에 나가지 않게 되어서
④ 제하와 함께 합창 대회에 나갈 수 있게 되어서
⑤ 제하와 화해하고 제하에 대해 더 많이 알게 되고 이해하게 되어서

11 _{교과서
문제} 다음은 등장인물 가운데 누구의 특징을 정리한 것인지 알맞은 인물에 ○표를 하시오.

> 주인공과 좋지 않은 관계였으나 서로 이해하고 인정한다.

(로운 , 대광 , 제하   )

논술형
12 로운이가 겪은 일과 비슷한 일을 경험한 적이 있는지 떠올려 쓰시오.

_____

_____

❸ 제하가 합창 연습을 맡으면서부터 우리 반 노래 실력은 몰라보게 달라졌다.

"역시 제하는 다르다니까."

화음을 나눠서 멋지게 지휘하고, 한 사람씩 일일이 노래를 지도해 주는 제하를 보며 아이들은 저절로 고개를 끄덕였다. 이제 제하를 보고 빈정거리는 아이는 거의 없었다. 나는 다시 예전의 모습을 찾아가는 제하를 볼 때마다 흐뭇했다.

다른 반은 다 반장이 연습을 시키는데 우리 반만 반장 도우미가 한다며 한심하게 쳐다보는 아이들도 있었지만, 나는 예전처럼 사납게 으르렁대지 않았다.

"그럼 제하 대신 내가 다시 지휘할까? 원한다면 얼마든지 할 수 있는데."

"됐다, 됐어. 뭐라고 안 할 테니까 제발 그것만은 참아 줘."

합창 연습 때마다 나를 아래위로 훑어보며 혀를 차던 금주가 제일 큰 목소리로 말했다. 그때부터는 다른 아이들도 더 이상 불만을 품지 않았다. 그 대신 나는 연습을 시작하기 전에 아이들이 마실 물을 떠다 놓고, 연습이 끝난 뒤에는 교실 정리도 도맡아서 했다. 반장이니까 그렇게 해서라도 책임을 다하고 싶었다. 대광이가 도와주어서 힘든 일도 아니었다.

"와, 선생님은 우리 반이 요즘처럼 평화로울 수 있다는 게 믿어지지가 않는구나. 이게 꿈이니, 생시니?"

선생님은 수업 중에도 이따금 아이들을 둘러보면서 큰 소리로 웃곤 했다.

중심 내용 제하가 돌아온 후 합창 연습은 순조롭게 진행되었고 아이들은 서로 이해하기 시작했다.

화음(和 화할 화, 音 소리 음) 높이가 다른 둘 이상의 음이 함께 울릴 때 어울리는 소리.

책임(責 꾸짖을 책, 任 맡길 임) 맡아서 해야 할 임무나 의무. ⑩ 반장은 책임이 무겁습니다.

---

13 글 ❸에서 일어난 중요한 사건이 무엇인지 빈칸에 알맞은 말을 쓰시오.
교과서 문제

반 아이들이 제하와 (   )을/를 함.

14 글 ❸에서 사건이 일어난 장소는 어디입니까?
교과서 문제
(   )

① 복도
② 교실
③ 강당
④ 운동장
⑤ 도서관

15 글 ❸의 내용으로 보아 로운이의 마음은 어떠합니까?
교과서 문제
(   )

① 제하가 얄밉다.
② 책임을 다하고 싶다.
③ 반장 역할이 힘들다.
④ 제하 대신 지휘를 하고 싶다.
⑤ 제하와 자신을 비교하는 친구들이 싫다.

논술형

16 글 ❸에서 재미있는 부분을 쓰시오.

_____

_____

❹ 정신없이 분주한 열흘이 지나가고 마침내 한마당 잔치가 열리는 날이 되었다.

엄마는 미리 얘기했던 대로 누나와 명찬이 반장을 데려왔다. 명찬이 반장은 얼굴이 하얗고, 손이 작고 고운 아이였다. 다운 증후군을 앓고 있는 명찬이 반장은 운동장에서 나를 보자마자 생글생글 웃으면서 인사를 건넸다. / "형아, 안녕!"

어눌한 말투였지만 밝고 경쾌한 목소리였다. 옆에 선 누나가 수줍게 웃었다. 보기만 해도 좋은 모양이다. 누나가 좋아하는 명찬이 반장이 다운 증후군을 앓고 있다니 좀 의외였다. 하지만 내가 멀뚱멀뚱 쳐다보는데도 한결같이 해맑게 웃고 있는 그 아이의 눈을 한참 보고 있으려니 내 입가에도 어느새 웃음이 번졌다. 누나가 명찬이 반장을 좋아하는 이유를 알 것 같았다.

"명찬이 반장, 나 형아 아니야. 너랑 똑같은 열한

살이니까 앞으로는 그냥 이름 불러."

"응, 로운이 반장."

그렇게 대답하고 나서 명찬이 반장은 뭐가 부끄러운지 얼굴을 가리고 큭큭 웃었다.

주위에 있던 어른들이 우리를 힐끔힐끔 돌아보았지만 신경 쓰지 않았다. 아이들이 지나가면서 수군거릴 때는 주먹을 을러대며 입 모양으로 "뭘 봐." 하고 겁을 줘서 쫓아 버렸다. 그때마다 누나가 존경스러운 눈빛으로 나를 쳐다봐서 기분이 좋았다.

중심 내용 마침내 한마당 잔치가 열리는 날이 되었고, 엄마는 누나와 명찬이 반장을 데려왔다.

● 주인공의 경험을 이야기에서 어떻게 나타냈는지 살펴보기 ②

주인공의 경험	이야기로 나타낸 방법
명찬이 반장을 설명해 주는 부분	읽는 사람을 생각하면서 쓴 것이 일기와는 다름.

분주한 이리저리 바쁘고 수선스러운.

어눌한 말을 유창하게 하지 못하고 떠듬떠듬하는 면이 있는.

---

17 보기 에서 설명하는 인물은 누구인지 쓰시오.

교과서 문제

보기

관계	누나의 친구
특징	• 다운 증후군을 앓고 있다. • 로운이 누나가 좋아한다.

(   )

18 로운이 누나가 명찬이 반장을 좋아하는 까닭은 무엇이겠습니까? (   )

① 반장이기 때문에
② 공부를 잘하기 때문에
③ 누나를 잘 도와주기 때문에
④ 얼굴이 하얗고 손이 고운 아이이기 때문에
⑤ 한결같이 해맑게 웃고 있어 다른 사람의 기분까지 좋게 만들기 때문에

19 다음은 글 ❹에서 일어난 사건을 정리한 표입니다. 빈칸에 알맞은 말을 쓰시오.

교과서 문제

일어난 일	때와 장소	로운이의 마음
한마당 잔치에서 로운이가 누나와 명찬이 반장을 만남.	(1) 때: (2) 장소:	(3)

핵심 **서술형**

20 이 글에서 명찬이 반장을 설명해 주는 부분이 일기와 다른 점은 무엇인지 쓰시오.

_____

_____

❺ 어느새 찬 바람이 씽씽 불고, 겨울 방학이 코앞으로 다가왔다. 그새 나는 키가 오 센티미터나 자랐다. 아이들의 우유를 **널름널름** 받아 마셔서 그런 것 같았다. 초콜릿을 전보다 덜 먹어서 그런지 몸무게는 오히려 약간 줄었다. 내 키가 훌쩍 자란 걸 확인한 뒤로 백희는 속이 울렁거려도 꾹 참고 우유를 마시기 시작했다. 우유가 먹기 싫어서 꾀를 피우던 다른 아이들도 그랬다. 우유가 더 먹고 싶을 땐 좀 아쉽기도 했지만 잘된 일이다. 반장은 자신보다 반 아이들을 먼저 생각해야 한다는 걸 알게 됐기 때문이다. 우유를 먹고 내 마음의 키도 한 뼘쯤 더 자란 모양이었다.

중심 내용 어느새 겨울 방학이 다가왔고 '나'는 키가 오 센티미터나 자랐다.

❻ 재미있는 일이 한 가지 더 있었다. 다음에 반장 선거에 나가겠다는 아이들이 부쩍 늘어난 것이다. 대광이뿐만 아니라 샌님 민호, 겁쟁이 동배, 하마 금주까지 꽤 여럿이 벌써부터 모이기만 하면 내년

에 있을 반장 선거 얘기로 열을 올렸다.

"로운이도 하는데 우리라고 못하겠어!"

그 아이들이 한결같이 입을 모아 하는 말이다. 맞는 말이니까 난 그냥 웃는다. 요즘은 나를 '잘못 뽑은 반장'이니, '해로운'이니 하면서 놀려 대는 아이들이 거의 없어서 하루하루가 신나고 즐겁다.

더 재미있는 건 누나까지 내년에 명찬이 반장 뒤를 이어서 반장이 되겠다고 떠드는 것이다. 아무래도 내년 봄에는 사방에서 넘쳐 나는 반장 후보들로 한바탕 몸살을 앓을 모양이다. 그때 나도 다시한번 반장 선거에 나가 볼까, 어쩔까?

중심 내용 다음에 반장 선거에 나가겠다는 아이들이 부쩍 늘었고, 누나도 내년에 반장이 되겠다고 했다.

● 주인공의 경험을 이야기에서 어떻게 나타냈는지 살펴보기 ③

주인공의 경험	이야기로 나타낸 방법
방학을 앞두고 한 해 동안 로운이와 친구들이 변화한 모습을 나타낸 부분	일기나 생활문에 비해 긴 기간에 걸친 사건을 어떻게 해결했는지 잘 나타냄.

핵심

널름널름 무엇을 자꾸 빠르게 받아 가지는 모양.
㉠ 언니는 할머니께서 물건을 주시는 대로 **널름널름** 받았습니다.

부쩍 어떤 사물이나 현상의 상태, 빈도, 양 따위가 매우 거침새 없이 갑자기 늘거나 주는 모양.

21 교과서 문제 이 글에서 로운이의 성격이나 모습의 변화로 알맞은 것을 찾아 기호를 쓰시오.

> ㉠ 친구들에게 신임을 얻는 반장 ➡ 학교에 나오지 않는 아이
> ㉡ 말썽 많고 숙제도 잘 안 해 오는 아이 ➡ 친구들을 돕고 봉사할 줄 아는 반장

( )

22 이 글에서 주인공인 로운이와 함께 이야기의 흐름에서 꼭 있어야 할 등장인물은 누구인지와 그 까닭을 함께 쓰시오.

_____

_____

23 이 글이 일기나 생활문과 다른 점으로 알맞은 것을 찾아 ○표를 하시오.

(1) 일기나 생활문보다 간단하다. ( )
(2) 일기는 일기를 쓴 자신의 생각만 알 수 있지만 이 글은 다른 사람의 생각도 알 수 있다.

( )

역량 서술형
24 다음 로운이의 경험을 이 글에서 어떻게 나타냈는지 쓰시오.

> 방학을 앞두고 한 해 동안 로운이와 친구들이 변화한 모습을 나타낸 부분

_____

_____

○ 진주가 비 오는 날에 겪은 일 살펴보기

오늘 비가 와서 3교시 체육 수업은 체육관에서 한대!

◀민영

다행이다. 그런데 성훈이하고는 다른 편이었으면…….

▲성훈 ▲진주

② 야! 민영이 막아!

자기는 얼마나 잘한다고…….

진주랑 성훈이는 좀 더 대화를 하는 게 좋겠어. 서로 하고 싶은 말 없니?

④ 상담실

③ 너도 잘 못 막으면서 왜 나한테만 그래?

그것도 못 막냐?

⑤

• **그림 내용:** 진주와 성훈이가 체육 시간에 다투었다가 서로 오해를 풀고 화해한 일이 나타나 있습니다.

핵심

● 진주가 경험한 일 정리하기

인물	민영, 진주, 성훈, 선생님
사건	• 체육관에서 체육 수업을 할 수 있어 좋아했으나 진주는 성훈이와 같은 편을 하고 싶지 않았다. • 체육 시간에 간이 축구를 하다가 진주와 성훈이가 다투었다. • 상담실에서 선생님과 진주와 성훈이가 이야기를 나누었다.
때와 장소의 변화	2교시 쉬는 시간 → 교실 3교시 체육 시간 → 체육관 3교시 쉬는 시간 → 상담실

1 이 그림에 등장하는 인물이 <u>아닌</u> 사람은 누구입니까? (   )
교과서 문제

① 민영   ② 진주
③ 성훈   ④ 선생님
⑤ 성훈이 아버지

2 이 그림에서 일어난 사건으로 알맞지 <u>않은</u> 것을 찾아 기호를 쓰시오.
교과서 문제

> ㉠ 진주와 성훈이는 선생님과 간식을 먹었다.
> ㉡ 체육 시간에 간이 축구를 하다가 진주와 성훈이가 다투었다.
> ㉢ 체육관에서 체육 수업을 할 수 있어 좋아했으나 진주는 성훈이와 같은 편을 하고 싶지 않았다.

(   )

핵심

3 이 그림에서 사건이 일어났던 때와 장소의 변화를 생각하며 빈칸에 알맞은 말을 쓰시오.

2교시 쉬는 시간	(1)
↓	
3교시 체육 시간	체육관
↓	
3교시 쉬는 시간	(2)

서술형

4 그림의 내용을 이야기로 어떻게 만들면 좋을지 쓰시오.

_____

_____

○ 진주가 비 오는 날에 겪은 일을 바탕으로 하여 꾸며 쓴 이야기 읽기

대화가 필요해

❶ "상은아, 오늘도 비 온다. 체육은 할 수 있을까?"

인국이가 교실에 들어서며 나를 보고 말을 걸었다.

"그러게, 지긋지긋한 여름 장마다. 그렇지?"

"응, 그래도 난 이 비 덕분에 너랑 친해져서 좋기

5 도 해."

"자식, 또 그때 얘기야?"

㉠『인국이는 4학년이 끝나 갈 즈음 우리 반에 전학 온 친구다. 전학 온 첫날부터 친구들 주변을 돌아다니며 소란스럽게 말을 걸고, 우리가 대화를 하

10 거나 게임을 할 때 끼어들어서 나는 물론 친구들은 인국이를 그렇게 좋아하지 않았다.』그러던 인국이와 5학년이 되어 이렇게 친해진 건 며칠 째 봄비가 내리던 날 체육 시간 때문이었다.

중심내용 비 오는 날 '나(상은)'는 인국이와 친해지게 되었던 봄비가 내리는 체육 시간을 떠올렸다.

• 글의 특징: 진주가 비 오는 날에 겪은 일을 바탕으로 하여 꾸며 쓴 글로, 이야기를 읽는 사람들이 잘 이해할 수 있도록 나타냈습니다.

⑩ 단원

❷ 그날 우리 반 친구들은 비 때문에 못 할 줄 알았던 체육을 체육관에서 할 수 있어 기분이 좋았다. 하지만 난 평소에 못마땅하게 여겼던 인국이랑 같은 편을 하고, 체육을 잘하는 민영이와 다른 편을 하여 기분이 별로였다.

5 뼁! / 역시나 상대편에서 민영이에게 공을 넘겨주었다. 난 민영이를 쫓아갔다.

"야! 막아!"

골키퍼 인국이가 소리쳤다.

'쳇! 또 먼저 나서네. 자기는 얼마나 잘한다 10 고…….'

다행히 내가 공을 뺏어 옆으로 보냈는데 그게 하필 상대편 정훈이 발에 맞은 것이다. '아차!' 하는 순간 내 눈에 보인 건 골대를 향해 가는 공을 뒤에서 쫓아가는 우리 편 골키퍼 인국이였다. 15

장마 여름철에 여러 날을 계속해서 비가 내리는 현상이나 날씨. 또는 그 비. ⑩ 장마가 빨리 끝났으면 좋겠습니다.

소란스럽게 시끄럽고 어수선한 데가 있게.
⑩ 아이들이 소란스럽게 떠들고 있습니다.

---

5 글 ❶에서 대화하고 있는 인물을 두 명 쓰시오.

( )

6 글 ❷에서 '나'의 기분이 별로였던 까닭은 무엇입니까? ( )

① 축구 경기에서 져서

② 체육 시간에 넘어져서

③ 인국이가 자꾸 말을 걸어서

④ 비가 와서 체육 수업을 하지 못해서

⑤ 인국이와 같은 편을 하고, 민영이와 다른 편을 하여서

핵심

7 진주의 경험이 나타난 그림 ❶~❺와 이 글을 비교했을 때 인물, 사건, 배경의 변화로 알맞지 않은 것을 찾아 기호를 쓰시오.

> ㉠ 인물 이름이 변함.
> ㉡ 인물이 겪은 일이 변함.
> ㉢ 인물을 설명하는 부분이 있음.
> ㉣ 글의 앞부분에 새로운 이야기를 만듦.

( )

8 진주가 경험을 바탕으로 이야기를 쓸 때 ㉠처럼 인국이를 자세히 설명한 까닭이 무엇일지 빈칸에 알맞은 말을 쓰시오.

교과서 문제

• 이야기를 읽는 사람들이 잘 ( ) 할 수 있게 하기 위해서이다.

"야! 너 뭐 하는 거야! 그것도 하나 못 막냐?"

내가 마음속에 억눌렀던 말을 꺼내며 인국이에게 달려들었다.

"너도 똑바로 못 막았잖아! 왜 자꾸 나한테만 화 내는 건데?"

그 순간 '나한테만'이라는 인국이 말에 난 뜨끔했지만 선생님께서 우릴 말리실 때까지 말싸움을 계속 이어 갔다.

중심 내용 체육 시간에 간이 축구를 하다가 '나'와 인국이가 다투었다.

❸ 체육 시간이 끝나고 선생님께서 나와 인국이를 부르셨다.

"오늘 일도 그렇고, 너희가 지내는 모습을 보니 서로 대화를 하는 게 좋을 것 같아서 말이야. 인국이, 상은이, 서로에게 하고 싶은 말 없니?"

나는 눈치를 보며 우물쭈물했다. 인국이가 먼저 말을 꺼냈다.

"저는 상은이랑 친하게 지내고 싶은데 상은이는

자꾸 저한테만 더 화를 내는 느낌이에요."

"그랬구나. 상은이도 알았니?"

"아, 아니요. 전 그냥 인국이가 자꾸 말하는 데 끼어들어서 좋지 않게 생각했어요. 인국아, 그 점 미안하게 생각해."

"그래, 서로 마음을 잘 몰랐던 것 같구나. 시간을 줄 테니 좀 더 이야기하고 교실로 들어오렴."

중심 내용 체육 시간이 끝나고 선생님께서 '나'와 인국이를 상담실로 불렀고 '나'와 인국이는 이야기를 나누며 오해를 풀고 화해했다.

핵심

● 「대화가 필요해」에서 이야기의 흐름에 해당하는 부분 찾아보기

이야기의 흐름	이야기를 시작하고 배경과 인물을 설명하는 단계	사건이 일어나기 시작하는 단계	등장인물의 갈등이 꼭대기에 이르는 단계	사건을 해결하고 마무리하는 단계
	↓	↓	↓	↓
「대화가 필요해」	인국이와 비에 대해 이야기 나누는 부분	체육 시간에 대해 알려 주는 부분	상은이와 인국이가 싸우는 부분	선생님과 함께 이야기하는 부분

억눌렀던 어떤 감정이나 마음 따위가 일어나거나 나타나지 않도록 스스로 참았던.

우물쭈물 행동 따위를 분명하게 하지 못하고 자꾸 망설이며 몹시 흐리멍덩하게 하는 모양.

9 이 글의 내용으로 보아 진주가 제목을 「대화가 필요해」라고 지은 까닭을 짐작하여 쓰시오.

교과서 문제

(   )

핵심

10 이 글에서 등장인물의 갈등이 꼭대기에 이르는 단계에 해당하는 것을 찾아 ○표를 하시오.

(1) 선생님과 함께 이야기하는 부분   (   )

(2) 상은이와 인국이가 싸우는 부분   (   )

(3) 체육 시간에 대해 알려 주는 부분   (   )

(4) 인국이와 비에 대해 이야기 나누는 부분

(   )

논술형

11 이 글의 마지막 부분은 어떤 내용으로 이어지는 것이 좋을지 쓰시오.

_____

_____

12 겪은 일을 이야기로 만들 때 생각할 점을 알맞게 말하지 못한 사람을 쓰시오.

> 혜진: 사건을 지어서 쓰지 않도록 해야 해.
> 인주: 사건을 어떻게 전개하고 어떻게 해결했는지가 나타나야 해.
> 수경: 내가 말하고자 하는 주제가 잘 드러나도록 이야기 흐름에 맞게 써야 해.

(   )

겪은 일을 이야기로 만들기

◦ 기억에 남는 일을 떠올려 자신이 주인공인 이야기를 써 보기

막상 내 경험을
이야기로 쓰려고 하니
어떻게 하면 좋을지
모르겠어.

선생님께서 배운
내용을 생각하며
차례대로 해 보라고
하셨지?

●이야기로 쓰고 싶은 경험 떠올리기 예

• 친구와 오해로 다툰 일
• 전학 온 친구와 친해진 일
• 동생과 장난감을 조립한 일
• 선생님의 속마음을 알게 된 일
• 운동장에 떨어진 휴지를 주워서 선생님께 칭찬을 받은 일

1 그림 속 남자아이는 기억에 남는 일을 떠올려 자신이 주인공인 이야기를 쓰려고 합니다. 남자아이처럼 이야기로 쓰고 싶은 경험을 떠올려 한 가지 쓰시오.

(   )

2 1번 문제에서 답한 경험을 이야기로 쓸 때 어떤 주제로 이야기를 만들고 싶은지 쓰고 주제나 내용에 맞는 제목도 함께 쓰시오.

(1) 주제	
(2) 제목	

3 ㉠~㉢을 이야기를 쓰는 차례대로 기호를 쓰시오.

㉠ 주제와 제목을 정한다.
㉡ 어떤 등장인물이 필요한지 생각한다.
㉢ 이야기로 쓰고 싶은 경험을 떠올린다.
㉣ 이야기의 흐름대로 사건과 배경을 정리한다.
㉤ 이야기를 완성하고 어울리는 그림을 그린다.

(   ) ➡ (   ) ➡ (   ) ➡ (   ) ➡ (   )

4 경험을 이야기로 만든 후 확인할 내용이 <u>아닌</u> 것에 ×표를 하시오.

(1) 글에 어울리는 제목을 붙였는가? (   )
(2) 때와 장소가 변하지 않도록 썼는가?(   )
(3) 담고자 하는 생각과 경험을 글에 잘 나타냈는가?   (   )

단원 마무리

**기억에 남는 일
이야기하기**

세 살 때 밀가루로
장난한 일이 생각 나.

일곱 살 때 부모님께
꾸중을 들은 일이 생각 나.

여덟 살 때 처음으로 한
운동회가 생각 나.

5학년 때 친구들과 함께한
학교 발야구 대회가 생각 나.

기 본

**일상생활의 경험이
잘 드러난 글 읽기**

⟨예⟩ 「잘못 뽑은 반장」을 읽고 주인공의 경험을 어떻게 이야기로 나타냈는지 살펴보기

주인공의 경험이 나타난 부분	이야기로 나타낸 방법
명찬이 반장을 설명해 주는 부분	❶ ☐☐ 사람을 생각하면서 씀.
제하가 학교에 오기를 기다리는 마음을 나타낸 부분	억지로 꾸며 쓰지 않고 겪은 일을 그대로 풀어서 자신의 생각과 함께 ❷ ☐ ☐☐☐ 씀.
방학을 앞두고 한 해 동안 로운이와 친구들이 ❸ ☐☐☐ 모습을 나타낸 부분	일기나 생활문에 비해 긴 기간에 걸친 사건을 어떻게 해결했는지 잘 나타냄.

**경험을 이야기로
표현하는 방법
알기**

예 「대화가 필요해」를 읽고 진주가 실제로 겪은 일과 꾸며 쓴 이야기를 비교해 보기

	실제로 겪은 일	이야기에 나오는 일
인물	민영, 진주, 성훈, 선생님	민영, 상은, 인국, 선생님
❹ ☐☐	체육 시간에 대해 설명함. ➡ 진주와 성훈이가 다툼. ➡ 진주와 성훈이가 선생님과 함께 이야기함.	인국이와 비에 대해 이야기 나눔. ➡ 체육 시간에 대해 알려 줌. ➡ 상은이와 인국이가 다툼. ➡ 상은이와 인국이가 선생님과 함께 이야기함.
배경	교실, 체육관, 상담실	교실, 체육관, 상담실

예 「대화가 필요해」에서 이야기의 흐름에 해당하는 부분 찾기

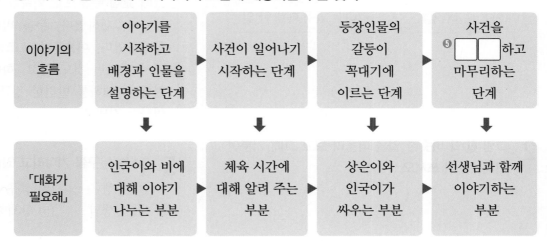

이야기의 흐름	이야기를 시작하고 배경과 인물을 설명하는 단계	사건이 일어나기 시작하는 단계	등장인물의 갈등이 꼭대기에 이르는 단계	사건을 ❺☐☐하고 마무리하는 단계
「대화가 필요해」	인국이와 비에 대해 이야기 나누는 부분	체육 시간에 대해 알려 주는 부분	상은이와 인국이가 싸우는 부분	선생님과 함께 이야기하는 부분

**겪은 일을
이야기로
만들기**

① 이야기로 쓰고 싶은 경험 떠올리기 ➡ ② 이야기의 주제와 제목 정하기

③ 어떤 ❻☐☐☐☐이/가 필요한지 생각하기 ➡ ④ 이야기의 흐름대로 사건과 배경을 간단히 정리하기

➡ ⑤ 이야기를 완성하고 어울리는 그림 그리기

[1~4] 그림을 보고, 물음에 답하시오.

1 그림 ㉮와 ㉯에서 있었던 일을 알맞게 선으로 이으시오.

(1) 그림 ㉮ •   • ㉠ 꾸중을 들은 일

(2) 그림 ㉯ •   • ㉡ 운동회를 한 일

2 그림 ㉮와 비슷한 일을 떠올려 보고 그때 기분이 어떠했는지 쓰시오.

(   )

3 그림 ㉯와 비슷한 기억을 떠올린 친구는 누구인지 쓰시오.

> 진주: 길을 잃어 헤맨 기억이 떠올라.
> 태현: 달리기 대회에 나갔던 일이 떠올라.
> 현우: 친구와 교실에서 장난을 치다가 혼난 적이 있어.

(   )

4 그림 ㉮, ㉯와 같이 자신이 기억에 남는 일을 떠올려 보고, 그때 어떤 느낌이 들었는지 함께 쓰시오.

_____

_____

[5~8] 글을 읽고, 물음에 답하시오.

> 나는 자리에 앉아서 출입문 쪽만 뚫어져라 살폈다. 복도에서 발소리가 날 때마다 가슴을 졸이며 기다렸지만 제하는 나타나지 않았다. 가슴이 바짝바짝 마르는 것 같았다.
> '이 자식이 정말 전학 갈 생각인가!'
> 나는 불안한 마음으로 **뻑뻑한** 눈을 비비며 기다렸다. 어느새 수업 시작 시간이 다 되어 갔다. 시간이 갈수록 짜증이 밀려왔다.
> '치사한 놈, 내가 자존심 다 접고 먼저 사과했는데……. 만나기만 해 봐라!'
> 나는 주먹을 꽉 움켜쥐고 부르르 떨었다. 바로 그때 교실 뒷문으로 익숙한 얼굴 하나가 불쑥 나타났다. 제하였다. 눈을 비비고 봐도 틀림없이 황제하였다. 야호! 나는 조금 전까지 주먹을 떨면서 벼르던 것도 잊고, 하마터면 함성을 지를 뻔했다. 제하를 발견한 정규가 달려가서 반갑게 인사를 건넸다.

5 '나'는 누구를 기다리고 있습니까? (   )

① 동생   ② 정규   ③ 부모님
④ 선생님   ⑤ 황제하

6 '나'의 기분 변화로 알맞은 것은 어느 것입니까? (   )

① 즐거움 – 반가움 – 실망함
② 무서움 – 초조함 – 지루함
③ 반가움 – 초조함 – 화가 남
④ 불안함 – 반가움 – 짜증이 남
⑤ 초조함 – 짜증이 남 – 반가움

논술형
7 이 글에서 '내'가 겪은 일과 비슷한 일을 경험한 적이 있다면 언제 누구와 겪은 일인지 쓰시오.

_____

_____

8 이 글에서 '내'가 겪은 일을 이야기에서 어떻게 표현했는지 알맞게 말한 것을 찾아 기호를 쓰시오.

> ㉠ 억지로 꾸며서 썼다.
> ㉡ 자신의 생각이나 느낌은 쓰지 않았다.
> ㉢ 겪은 일을 그대로 풀어서 자신의 생각과 함께 솔직하게 썼다.

(   )

[9~14] 글을 읽고, 물음에 답하시오.

㉮ 정신없이 분주한 열흘이 지나가고 마침내 한마당 잔치가 열리는 날이 되었다.

　엄마는 미리 얘기했던 대로 누나와 명찬이 반장을 데려왔다. 명찬이 반장은 얼굴이 하얗고, 손이 작고 고운 아이였다. 다운 증후군을 앓고 있는 명찬이 반장은 운동장에서 나를 보자마자 생글생글 웃으면서 인사를 건넸다.

　"형아, 안녕!"

　어눌한 말투였지만 밝고 경쾌한 목소리였다. 옆에 선 누나가 수줍게 웃었다. 보기만 해도 좋은 모양이다. 누나가 좋아하는 명찬이 반장이 다운 증후군을 앓고 있다니 좀 의외였다. 하지만 내가 멀뚱멀뚱 쳐다보는데도 한결같이 해맑게 웃고 있는 그 아이의 눈을 한참 보고 있으려니 내 입가에도 어느새 웃음이 번졌다. 누나가 명찬이 반장을 좋아하는 이유를 알 것 같았다.

㉯ 어느새 찬바람이 씽씽 불고, 겨울 방학이 코앞으로 다가왔다. 그새 나는 키가 오 센티미터나 자랐다. 아이들의 우유를 널름널름 받아 마셔서 그런 것 같았다. 초콜릿을 전보다 덜 먹어서 그런지 몸무게는 오히려 약간 줄었다.

9 다음에서 설명하는 등장인물을 쓰시오.

> • 다운 증후군을 앓고 있다.
> • '나'의 누나가 좋아한다.

(   )

10 글 ㉮에서 일어난 사건을 정리하여 빈칸에 쓰시오.

(1) 일어난 일	
(2) 때와 장소	

11 명찬이 반장을 좋아하는 누나에 대한 로운이의 마음으로 알맞은 것에 ○표를 하시오.

(얄미움 , 이해함)

12 글 ㉯의 시간적 배경은 언제입니까? (   )
① 봄　　　　　　② 여름
③ 가을　　　　　④ 겨울
⑤ 새학기

13 '나'는 무엇을 먹어서 키가 오 센티미터나 자란 것 같다고 생각했습니까?

(   )

14 이 글에서 명찬이 반장을 설명해 주는 부분을 어떻게 표현했습니까? (   )
① 운율감을 느낄 수 있도록 썼다.
② 명찬이 반장의 특징에 대해 설명하지 않았다.
③ 명찬이 반장과 '나'의 관계를 설명하지 않았다.
④ 일기와는 다르게 읽는 사람을 생각하면서 썼다.
⑤ 읽는 사람이 흥미를 느낄 수 있도록 과장하여 썼다.

단원 평가

[15~17] 진주가 겪은 일을 나타낸 그림을 보고, 물음에 답하시오.

15 진주가 겪은 일을 생각하며 빈칸에 알맞은 말을 각각 쓰시오.

(1) 체육관에서 (   ) 수업을 할 수 있어 좋아했으나 진주는 성훈이와 같은 편을 하고 싶지 않았다.

(2) 체육 시간에 간이 축구를 하다가 진주와 (   )(이)가 다투었다.

16 사건이 일어난 장소의 변화로 알맞은 것은 어느 것입니까? (   )

① 교실 → 체육관   ② 체육관 → 교실
③ 상담실 → 교실   ④ 교실 → 상담실
⑤ 상담실 → 체육관

서술형

17 그림의 내용을 이야기로 만드는 방법을 **보기** 와 같이 쓰시오.

> **보기** 인물의 마음이 잘 나타나도록 쓴다.

_____

_____

[18~20] 진주가 자신의 경험을 바탕으로 하여 꾸며 쓴 글을 읽고, 물음에 답하시오.

㉮ "상은아, 오늘도 비 온다. 체육은 할 수 있을까?"

인국이가 교실에 들어서며 나를 보고 말을 걸었다.

"그러게, 지긋지긋한 여름 장마다. 그렇지?"

"응, 그래도 난 이 비 덕분에 너랑 친해져서 좋기도 해." / "자식, 또 그때 얘기야?"

인국이는 4학년이 끝나 갈 즈음 우리 반에 전학 온 친구다. 전학 온 첫날부터 친구들 주변을 돌아다니며 소란스럽게 말을 걸고, 우리가 대화를 하거나 게임을 할 때 끼어들어서 나는 물론 친구들은 인국이를 그렇게 좋아하지 않았다. 그러던 인국이와 5학년이 되어 이렇게 친해진 건 며칠째 봄비가 내리던 날 체육 시간 때문이었다.

㉯ 그날 우리 반 친구들은 비 때문에 못 할 줄 알았던 체육을 체육관에서 할 수 있어 기분이 좋았다. 하지만 난 평소에 못마땅하게 여겼던 인국이랑 같은 편을 하고, 체육을 잘하는 민영이와 다른 편을 하여 기분이 별로였다.

㉰ "야! 너 뭐 하는 거야! 그것도 하나 못 막냐?"

내가 마음속에 억눌렀던 말을 꺼내며 인국이에게 달려들었다. / "너도 똑바로 못 막았잖아! 왜 자꾸 나한테만 화내는 건데?"

18 다음에 해당하는 부분을 찾아 글의 기호를 쓰시오.

> 이야기를 시작하고 배경과 인물을 설명하는 단계

글 (   )

19 인국이에 대한 설명으로 알맞은 것을 찾아 ○표를 하시오.

(1) 축구를 매우 잘했다. (   )
(2) 친구들에게 인기가 많았다. (   )
(3) 4학년이 끝나 갈 즈음 전학 왔다. (   )

20 진주가 겪은 일을 이야기로 쓰면서 인국이를 자세히 설명한 까닭은 무엇이겠는지 쓰시오.

(   )

서술형 평가

[1~2] 글을 읽고, 물음에 답하시오.

> ㉮ 이 자식이 정말 전학 갈 생각인가!'
>
> 나는 불안한 마음으로 **뻑뻑한** 눈을 비비며 기다렸다. 어느새 수업 시작 시간이 다 되어 갔다. 시간이 갈수록 짜증이 밀려왔다.
>
> '치사한 놈, 내가 자존심 다 접고 먼저 사과했는데……. 만나기만 해 봐라!'
>
> 나는 주먹을 꽉 움켜쥐고 부르르 떨었다. 바로 그때 교실 뒷문으로 익숙한 얼굴 하나가 불쑥 나타났다. 제하였다. 눈을 비비고 봐도 틀림없이 황제하였다. 야호!
>
> ㉯ "너, 전학 안 가기로 한 거냐?"
>
> 내 말에 녀석은 잠깐 뜸을 들이다가 천천히 고개를 끄덕였다.
>
> 오, 신이시여! 황제하가 이렇게 멋져 보이는 순간이 다 있다니!
>
> ㉰ "우리 이제부터 한번 잘 지내 보자."
>
> 제하가 내 어깨를 툭 치더니 한쪽 손을 쑥 내밀었다. 제하의 말투가 너무 다정해서 귀가 간질거렸다. 나는 망설이지 않고 녀석의 손을 덥석 잡았다. 제하의 손은 따뜻하고 보드라웠다.

1 이 글에서 일어난 일을 정리하여 쓰시오.

_____

_____

2 글 ㉮에서 주인공의 마음을 어떻게 나타냈는지 쓰시오.

_____

_____

[3~4] 진주가 겪은 일을 나타낸 그림을 보고, 물음에 답하시오.

3 진주의 경험을 이야기로 꾸며 쓸 때 마지막 부분을 어떤 내용으로 쓰면 좋을지 쓰시오.

_____

_____

4 진주가 겪은 일을 이야기로 만들 때 생각할 점을 한 가지 쓰시오.

_____

_____

● 다음 교과서 문장의 파란색 낱말 중에서 알맞은 것을 골라 인물들이 한 말을 완성하시오.

- 2학기 반장 선거에서 반장으로 뽑히나, 처음에는 '잘못 뽑은 반장'이라고 놀림을 받고 선생님과 친구들의 **신임**을 받는 1학기 반장 황제하가 반장 도우미를 한다.
- 나도 **비겁한** 놈은 되기 싫거든.
- 녀석이 그런 말까지 하리라고는 **짐작**도 하지 못했다.
- 전학 온 첫날부터 친구들 주변을 돌아다니며 **소란스럽게** 말을 걸었다.

• 『한끝 초등 국어』는 다음 저작물의 교과서 수록 부분을 재인용하여 만들었습니다.

단원	제재 이름	지은이	나온 곳	한끝 쪽수
1	4번 그림 (「소심 대왕의 깊은 고민」)	김현태·윤태익	『어린이를 위한 시크릿: 꿈을 이루는 일곱 가지 비밀』, 살림어린이, 2007.	15쪽
2	유관순 그림 자료	윤여환	유관순열사기념사업회	29쪽
2	「출렁출렁」	박성우	『난 빨강』, ㈜창비, 2010.	32쪽
2	「허리 밟기」	정완영	『가랑비 가랑가랑 가랑파 가랑가랑』, ㈜사계절출판사, 2015.	33쪽
2	「덕실이가 말을 해요」	김우경	『수일이와 수일이』, ㈜우리교육, 2001.	34쪽
2	「꽃」	정여민	『마음의 온도는 몇 도일까요?』, 주니어김영사, 2016.	39쪽
3	글 ㉮		국립중앙박물관 누리집 (http://www.museum.go.kr)	50쪽
3	「직업과 옷 색깔」 (원제목: 「무슨 일을 하는지 보여 주는 옷 색깔」)	박영란·최유성	『색깔 속에 숨은 세상 이야기』, 아이세움, 2007.	54쪽
5	어린이 교통사고 시 상태별 현황 그림 자료		도로교통공단 교통사고분석시스템[TAAS] 누리집(http://taas.koroad.or.kr)	84쪽
5	글 ㉮, 글 ㉯ (원제목: 「인공 지능, 인류의 희망일까 재앙일까?」)	황연성	『생각이 꽃피는 토론 2』, 이비락, 2018.	86쪽
5	「학교 안에서 스마트폰 사용이 필요한가」 (원제목: 「학교 안 스마트폰 사용, 법으로 금지해야 할까?」)		천재 학습 백과 누리집 (http://koc.chunjae.co.kr)	90쪽
6	「고사리손으로 교통사고 대책 마련 눈길」	김혜진	『무등일보』, 2016. 11. 28.	107쪽
7	「돌하르방 어디 감수광」	유홍준	『여행자를 위한 나의 문화유산 답사기 2』, (주)창비, 2016.	120쪽

단원	제재 이름	지은이	나온 곳	한끝 쪽수
8	「자연을 닮은 우리 악기」	청동말굽	『바람 소리 물소리 자연을 닮은 우리 악기』, (주)문학동네, 2008.	135쪽
	「우리나라의 멸종 위기 동물」 (원제목:「우리나라의 멸종 위기 생물들」)	백은영	『지켜라! 멸종 위기의 동식물』, 도서출판 뭉치, 2013.	140쪽
	「우리나라의 멸종 위기 동물」 (원제목:「우리나라의 멸종 위기 생물들」) 사진 자료		『지켜라! 멸종 위기의 동식물』, 도서출판 뭉치, 2013.	140쪽
9	「아름다운 비색을 지닌 고려청자」	류재만	『미술교육논총 17』,「청자의 이해 지도에 관한 연구」, 2003.	157쪽
10	「잘못 뽑은 반장」 (원제목:「꿈」)	이은재 글, 서영경 그림	『잘못 뽑은 반장』, 주니어 김영사, 2009.	172쪽

한 권으로 끝내기!
교과서 학습부터 **평가 대비**까지 **한 권으로 끝**!
국어 공부의 진리입니다.

한끝과 함께 언제, 어디서든 즐겁게 공부해!

한끝으로 끝내고, 이제부터 활짝 웃는 거야!

15개정 교육과정

한끝 정답과 해설

정답이구멍~

초등국어
5·1

visang

ABOVE IMAGINATION

우리는 남다른 상상과 혁신으로
교육 문화의 새로운 전형을 만들어
모든 이의 행복한 경험과 성장에 기여한다

한끝

정답과 해설

초등
국어 **5·1**

정답과 해설 진도교재

1 대화와 공감

핵심 개념 문제   10쪽

1 ○   2 말투   3 관계
4 (2) ○   5 ○

준비 대화의 특성 이해하기   11쪽

1 딴생각   2 ㉡   3 ④
4 예 손뼉을 치면서 활짝 웃으며 밝은 목소리로 말한다.

1 태일이는 잠깐 딴생각하느라 소희가 한 말을 제대로 듣지 못해 소희에게 어제 일을 다시 물어보았습니다.

2 태일이는 소희의 화가 난 마음을 이해했습니다.

3 대화를 할 때에는 상대의 기분을 생각하며 말해야 합니다.

4 칭찬할 때에는 즐겁거나 기쁜 마음으로 말하기 때문에 이런 마음이 잘 드러나게 칭찬해야 합니다.

기본 ❶ 상대가 잘한 일이나 상대의 장점을 찾아 칭찬하기   12~13쪽

1 ㉠, ㉢   2 ③   3 분명하고
4 현진   5 ①, ③, ④   6 (2) ○
7 말로만 하는 칭찬이 아니라 말하는 사람의 마음이 느껴지도록 진심을 담아 칭찬한다. 등
8 (1) 예 최지호 (2) 예 나는 최지호를 칭찬합니다. 지호는 하루도 소홀하지 않고 시간표 당번 역할을 잘하기 때문입니다. 나도 지호처럼 내가 맡은 역할을 열심히 하려고 노력할 것입니다.

1 우리는 칭찬을 들으면 기분이 좋아지고 칭찬을 해 준 사람에게 고마운 마음이 듭니다.

2 칭찬 한 마디는 자신을 긍정적으로 바라보게 합니다.

3 칭찬을 할 때에는 두루뭉술하게 칭찬하지 말고 칭찬하는 내용이 무엇인지를 분명하고 자세하게 말해야 합니다.

4 현진이가 칭찬하는 내용을 분명하고 자세하게 말했습니다.

5 '둘째, 셋째, 마지막으로' 다음에 설명한 내용을 살펴봅니다.

6 ㉡은 결과보다 과정을 칭찬하는 방법으로 말한 것입니다.

7 달콤한 칭찬의 말이라도 진실된 마음이 없으면 그것은 결코 힘을 발휘할 수 없다고 했습니다.

8 이 글에 나타난 칭찬하는 방법을 떠올리며 씁니다.

> **채점 기준** (1)에는 친구의 이름을 쓰고, (2)에는 칭찬하는 방법에 맞게 칭찬하는 말을 썼으면 정답으로 합니다.

기본 ❷ 상대를 배려하며 조언하기   14~16쪽

1 도현   2 뒤 구르기   3 ㉡
4 예 정인이는 원하지 않는데 동욱이가 정인이의 고민을 마음대로 해결하려고 했기 때문이다.
5 ⑤   6 ④   7 ④
8 ㉢   9 ①
10 예 자기 자신이 잘할 수 있다고 믿으라는 말을 해 주고 싶다.
11 ②
12 예 자신의 이야기처럼 관심을 보이고 공감하는 태도를 보였다.

1 동욱이는 고민을 말하고 싶어 하지 않는 정인이에게 고민을 이야기하라고 재촉했습니다.

2 정인이가 동욱이에게 털어놓은 고민이 무엇인지 살펴봅니다.

3 동욱이는 정인이의 고민을 듣고 선생님이나 친구들에게 도와 달라고 말하면 된다고 해결 방법을 제시했고, 자신이 대신 얘기해 주겠다고 했습니다.

4 동욱이는 고민을 들어 주는 올바른 방법을 잘 알지 못하고 조언했습니다.

> **채점 기준** 제시된 답과 비슷한 내용을 썼으면 정답으로 합니다.

5 그림 ❶에 모모의 고민이 나와 있습니다.

6 마법사는 모모에게 함께 웃어 보자고 했습니다.

7 모모는 한바탕 웃고 나니까 기분이 훨씬 좋아졌다고 했습니다.

8 기분이 나쁜 상태에서는 다른 사람의 말을 잘 받아들이지 않기 때문에 마법사는 모모의 기분이 좋아진 다음에 말한 것입니다.

9 마법사는 사랑의 첫걸음은 바로 자기 자신을 사랑하는 것이라고 했습니다.

10 모든 일에 자신이 없고 소심하고 망설이는 모모에게 어떤 조언을 해 줄 수 있을지 떠올려 봅니다.

> **채점 기준** 모모에게 도움이 될 수 있는 말을 진심을 담아 썼으면 정답으로 합니다.

11 상대에게 도움이 될 수 있는 말을 해야 합니다.

12 자신의 경험을 떠올려 씁니다.

> **채점 기준** 조언을 해 준 친구의 태도를 떠올려 썼으면 정답으로 합니다.

기본 ❸ 서로 공감하며 대화하기 17~19쪽

> **1** 친절왕　　**2** ㉠, ㉡　　**3** ③
> **4** 주아　　**5** ⑤
> **6** 예 남을 돕는 아버지를 자랑스럽게 생각하고 존경할 것 같다.
> **7** ④　　**8** ④
> **9** (1) 나 (2) 가 (3) 다　　**10** 공감
> **11** 예 괜찮아. 다음에 또 도전하면 되지. 어떻게 하면 글을 잘 쓸 수 있는지 더 배워야겠어.

1 주민이는 자신의 아버지께서 119 구조대로 부서를 옮기시고는 친절왕이 되셨다고 했습니다.

2 주민이 아버지는 누구든 도움이 필요한 사람이 있으면 꼭 도와주시는 분입니다.

3 민재는 남을 돕는 주민이 아버지 이야기를 듣고 대단하시다고 생각했습니다.

4 민재와 주민이는 서로의 감정이나 생각을 받아 주며 즐겁게 대화했습니다.

5 주민이는 솔직히 아버지께서 자신한테만 관심을 보여 주셨으면 하는 마음이 컸다고 했습니다.

6 자신의 아버지께서 주민이 아버지와 비슷한 성격이라면 어떤 생각이 들지 씁니다.

> **채점 기준** 아버지에 대해 어떤 마음이 들지 구체적으로 썼으면 정답으로 합니다.

7 민재는 주민이의 말에 공감하며 대화했습니다.

8 민재와 주민이는 서로의 말에 공감하며 대화했습니다.

9 그림에서 친구들이 생각하고 있는 내용을 살펴봅니다.

10 상대방의 감정과 생각에 공감하며 말해야 합니다.

11 시현이의 감정과 생각에 공감하며 대화합니다.

> **채점 기준** 상대의 기분을 생각하며 자신의 마음을 나타내는 말을 썼으면 정답으로 합니다.

실천 친구들의 고민을 듣고 해결 방법 제안하기 20쪽

> **1** ⑤　　　　　**2** 지현
> **3** 예 정성껏 편지를 쓰고 예쁘게 꽃을 만들어 드립니다.
> **4** ①, ②
> **5** 늦잠 자는 것이 고쳐지지 않는 것 등　　**6** ㉣

1 컴퓨터 게임을 하는 시간을 줄이려면 컴퓨터 게임 대신 다른 재미있는 취미를 만들어 보는 것이 좋습니다.

2 지현이가 고민에 알맞은 해결 방법을 제시했습니다.

3 각자 해결 방법을 떠올려 적어 봅니다.

> **채점 기준** 자신의 경험을 떠올려 보고 알맞은 방법을 조언하는 내용을 썼으면 정답으로 합니다.

4 고민하는 상황과 고민하는 까닭이 드러나게 써야 합니다.

5 가는 '저는 요즘 자꾸 늦잠을 잡니다.'라는 문장으로 시작했습니다.

6 단순히 멋있어 보이는 조언은 도움이 되지 않습니다.

단원 마무리

❶ 용기　　❷ 자세하게　　❸ 과정
❹ 해결　　❺ 도움

단원 평가

1 부모님 심부름을 하고 오느라 늦었다. 등

2 처지 등　　**3** ①　　**4** ⑤

5 ①, ②, ⑤　　**6** ㉣

7 예 주호는 청소를 열심히 하고 친구를 위해 봉사를 잘하니까 '봉사왕 주호'라고 부르면 좋겠다.

8 고민을 말하고 싶지 않은 마음 등

9 (3) ○　　**10** ②, ⑤　　**11** 소심하며

12 남들을 의식하지 말고 자기 자신을 좋아하고 사랑하라고 했다. 등

13 ㉠　　**14** ⑤　　**15** 관심

16 공감하는 마음 등　　**17** 유라

18 ㉢

19 예 저녁에 편안한 마음으로 일찍 잠자리에 듭니다.

20 예 칭찬할 때에는 밝고 즐겁게, 조언할 때에는 진정한 마음을 담아서

1 은주는 부모님 심부름을 하고 오느라 소희와의 약속 시간에 늦었습니다.

2 그림 ❷에 은주의 처지를 이해하는 소희의 말이 나와 있습니다.

3 말을 주고받을 때 말하는 사람과 말을 듣는 사람 모두에게 적절한 표정과 말투가 중요합니다.

보충 자료 말을 주고받을 때 표정과 말투가 중요한 까닭

말하는 사람에게 적절한 표정과 말투가 중요한 까닭	• 자신이 하고 싶은 말을 실감 나게 나타낼 수 있기 때문에 • 표정이나 말투에 따라 말뜻이 달라지기도 하기 때문에
말을 듣는 사람에게 적절한 표정과 말투가 중요한 까닭	• 상대가 하는 말을 이해하는 데 도움이 되기 때문에 • 말하는 사람의 감정이나 마음 상태를 알 수 있기 때문에

4 칭찬은 상대의 좋은 점, 상대가 잘한 점 등을 말하는 것입니다.

5 칭찬을 효과적으로 하기 위해서는 어떤 방법으로 칭찬해야 하는지 글에서 찾아봅니다.

6 ㉣은 분명하고 자세하게 칭찬했습니다.

7 친구에게 어떤 칭찬거리가 있는지 생각해 보고, 칭찬거리가 잘 드러나게 특별한 별명을 지어 봅니다.

채점 기준 주변 친구 중에 칭찬하고 싶은 친구를 골라 그 친구를 칭찬하는 까닭과 어울리는 별명을 썼으면 정답으로 합니다.

8 동욱이는 고민을 말하고 싶어 하지 않는 정인이에게 고민을 말하라고 재촉했습니다.

9 동욱이는 뒤 구르기를 못하면 선생님이나 친구들에게 도와 달라고 하면 되지 뭘 그렇게 걱정하냐고 했습니다.

10 대화의 앞부분에 ②번의 잘못된 점이 나타나 있고, 대화의 뒷부분에 ⑤번의 잘못된 점이 나타나 있습니다.

11 모모는 자신이 모든 일에 자신이 없고 소심하며 망설이는 것이 고민이라고 했습니다.

12 마법사는 모모에게 남들을 의식하지 말고 너 자신을 좋아하고 사랑하라고 조언했습니다.

13 상대가 이해하기 쉽게 조언을 해 주어야 합니다.

14 주민이는 자신의 아버지는 무관심은 나쁜 것이라고 하시면서 누구든 도움이 필요하면 꼭 도와주시는 분이라고 했습니다.

15 주민이는 아버지께서 남을 돕는다고 뛰어다니시다가 정작 자신과 할 일을 하시지 못한 적이 꽤 많아서 자신한테만 관심을 보여 주셨으면 하는 마음이 컸습니다.

16 민재는 속상해하는 주민이의 마음에 공감하며 말했습니다.

17 정아는 유라를 도와주고 싶지만 혹시라도 유라가 기분 나빠할까 봐 걱정하고 있습니다.

18 ㉢이 상대의 마음을 가장 많이 생각하며 말했습니다.

19 자신의 경험을 떠올려 해결 방법을 써 봅니다.

채점 기준 아침에 일찍 일어날 수 있는 알맞은 방법을 조언하는 내용으로 썼으면 정답으로 합니다.

20 자신의 평소 대화 태도를 생각하여 대화를 할 때 가슴에 새겨두고 싶은 글귀를 써 봅니다.

서술형 평가 25쪽

1 예 진지한 표정과 조용한 목소리로 말해야 한다.

2 분명하고 자세하게 칭찬한다. / 결과보다 과정을 칭찬한다. / 평가하지 말고 설명하는 칭찬을 한다. / 가능성을 키워 주는 칭찬을 한다. 등

3 상대에게 고민을 말하도록 재촉하지 않는다. 등

4 예 나도 너처럼 친구와 다투고 화해하고 싶었던 적이 있었어. 직접 말하기는 쑥스러워서 미안한 마음을 담은 편지를 써서 친구에게 줬더니 친구의 기분이 풀어졌었어.

5 예 얘들아, 정말 미안하지만 조금 작은 목소리로 대화해 줄 수 있을까? 쉬는 시간이기는 하지만 책을 읽는 데 집중이 안 되어서 너희가 조금만 작게 말해 주면 좋을 것 같아.

6 예 컴퓨터 게임 대신 운동이나 독서와 같이 다른 재미있는 취미를 만들어 봅니다.

1 진심으로 미안한 마음이 드러나야 합니다.

> **채점 기준** 미안한 마음이 드러나는 표정과 말투를 썼으면 정답으로 합니다.

2 진심을 담아 제시된 방법처럼 칭찬을 해야 칭찬이 그 힘을 발휘할 수 있습니다.

> **채점 기준** 제시된 답 중에서 한 가지를 썼으면 정답으로 합니다.

3 동욱이는 정인이가 고민을 말하고 싶어 하지 않는데도 고민을 말하라고 재촉했습니다.

> **채점 기준** 상대에게 고민을 말하도록 재촉하지 않는다는 내용을 썼으면 정답으로 합니다.

4 자신의 경험을 떠올리며 써 봅니다.

> **채점 기준** 친구와 다투고 나서 화해하는 알맞은 방법을 조언하는 내용으로 썼으면 정답으로 합니다.

5 친구들의 감정을 생각하며 말합니다.

> **채점 기준** 친구들의 감정을 생각하며 조용히 해 달라고 말하는 내용을 썼으면 정답으로 합니다.

6 실천할 수 있는 방법을 떠올려 써 봅니다.

> **채점 기준** 자신의 경험을 떠올려 보고 알맞은 방법을 조언하는 내용으로 썼으면 정답으로 합니다.

2 작품을 감상해요

핵심 개념 문제 28쪽

1 ○   **2** 말하는 이   **3** 경험
4 ×   **5** 목소리

준비 경험을 떠올리며 작품을 읽을 때 좋은 점 알기 29~31쪽

1 (1) 1902년 12월 16일 (2) 충청남도 천안의 작은 마을
2 ⑤   **3** ②, ⑤   **4** 우리글
5 ④   **6** 대한 독립 만세!
7 일본이 학교를 강제로 닫았기 때문이다. 등
8 ④
9 일본 헌병들이 총과 칼을 휘두르며 사람들을 죽거나 다치게 했다. 등
10 ②, ③, ④   **11** 유진   **12** (2) ×

1 유관순은 1902년 12월 16일, 충청남도 천안의 작은 마을에서 태어났습니다.

2 유관순이 살았던 시대에 우리나라는 일본의 침략을 받고 시달리고 있었습니다.

3 아버지께서는 나라의 힘을 기르려면 서양 문물을 받아들이고 신학문을 배워야 하고, 젊은이들을 잘 가르쳐야 빼앗긴 나라를 되찾을 수 있다고 생각하셨습니다.

4 유관순은 아버지의 가르침을 따라 방학 동안에는 고향에 내려가 우리글을 모르는 마을 사람들에게 열심히 글을 가르쳤습니다.

5 1919년 3월 1일, 서울 탑골 공원에서 독립 만세 운동이 시작되었습니다.

6 유관순은 친구들과 함께 목이 터져라 "대한 독립 만세!"를 외쳤습니다.

7 1919년 3월 10일, 일본은 학교를 강제로 닫았습니다. 그래서 기숙사에 있던 학생들은 뿔뿔이 흩어졌고, 유관순도 고향으로 돌아왔습니다.

8 고향으로 돌아온 유관순은 독립 만세를 부를 준비를 했습니다.

9 아우네 장터에 독립 만세 소리가 커지자 일본 헌병들이 총과 칼을 휘둘러 사람들을 죽거나 다치게 했습니다.

10 유관순은 우리나라가 독립을 해야 한다는 굳은 신념을 갖고 있었습니다.

11 일제 강점기 상황이 드러난 이 글의 내용과 관련한 경험을 알맞게 떠올린 사람은 유진입니다.

12 경험을 떠올리며 글을 읽는다고 해서 글 내용을 모두 외울 수 있는 것은 아닙니다.

기본 ① 경험을 떠올리며 시 읽기　　32~33쪽

1 ①, ②, ③　　　**2** ②, ③
3 누군가를 많이 보고 싶어 하는 마음 등
4 ③　　　　　**5** 호연, 주경　　**6** ③
7 (1) ㉢, ㉣　(2) ㉠, ㉡
8 예 아버지 흰머리를 뽑아 드렸다. 아버지께서는 뽑으라고 하시는데 나는 아버지께서 아프실까 봐 조심조심 뽑았던 것이 떠올랐다.
9 ③, ⑤

1 각 연의 처음 내용을 살펴봅니다.

2 각 연에서 말하는 이가 길을 있는 힘껏 잡아당겨 무엇을 하고 싶어 했는지 생각해 봅니다.

3 갑자기 보고 싶은 사람이 생각날 때 길을 잡아당기고 싶다고 했으므로 누군가를 그리워하는 마음이 느껴집니다.

4 시를 쓴 사람과 쓴 장소를 찾아보는 것은 시와 관련 있는 경험을 떠올리는 데 도움이 되지 않습니다.

5 말하는 이가 겪은 일과 비슷한 경험이나 겪은 일은 달라도 비슷한 생각이나 느낌을 떠올려야 합니다.

6 '나'는 할머니 허리를 밟아 드렸습니다.

7 '내'가 할머니 허리를 밟으면서 어떤 생각을 했을지, 할머니께서는 '내'가 허리를 밟아 주어서 어떤 생각을 하셨을지 짐작해 봅니다.

8 할머니의 허리를 밟아 드린 경험과 비슷한 경험을 떠올려 봅니다.

> **채점 기준** 웃어른의 허리를 밟아 드리거나 안마를 해 드린 경험, 동생이나 친구의 다리나 팔을 주물러 준 경험과 비슷한 경험을 떠올려 썼으면 정답으로 합니다.

---

9 말하는 이는 할머니 아픈 허리는 왜 밟아야 시원한지 궁금해하고 있고, 너무 세게 밟으면 할머니께서 아프실까 봐 조심조심하고 있습니다.

기본 ② 경험을 떠올리며 이야기 읽기　　34~38쪽

1 ②　　　　　　**2** (1) 주인　(2) 정한다
3 ㉠, ㉢, ㉣
4 예 컴퓨터 게임에 푹 빠져 있는 것이 내 모습과 닮아서 재미있었다.
5 ㉡　　　　**6** ②　　　　**7** 성현
8 ⑤　　　　**9** 개　　　　**10** 지현
11 ①　　　　**12** ㉠
13 속상한 마음, 서운한 마음 등
14 ③, ⑤　　　**15** (3) ○
16 예 나도 수일이처럼 나와 똑같이 생긴 누군가가 내 일을 대신해 줬으면 좋겠다고 생각한 적이 있다.
17 (1) 손톱　(2) 쥐　　　　　**18** ②
19 예 수일이는 가짜 수일이를 만들어서 즐거운 시간을 보낸다. 하지만 점점 가짜 수일이가 진짜 행세를 하여 수일이가 가짜 수일이를 만든 것을 후회한다.
20 (2) ×

1 수일이가 하는 게임은 컴퓨터로 하는 게임입니다.

2 게임 속에서 수일이는 수일이 생각대로 컴퓨터 속 사람들을 이끌고 다니며 귀신들을 물리치고 새로운 세상을 만들어 갑니다.

3 사람들을 구해 내는 일이 손에 땀이 날 만큼 아슬아슬하고 짜릿짜릿하고, 대왕 귀신을 물리쳤을 땐 한편으로 뿌듯하기도 하다고 했습니다.

4 컴퓨터 게임에 푹 빠져 있는 수일이의 모습을 보고 어떤 생각이나 느낌이 드는지 씁니다.

> **채점 기준** 자신의 경험과 비교하여 생각이나 느낌을 썼으면 정답으로 합니다.

5 컴퓨터 바깥의 세상은 수일이 마음대로 할 수 없는 세상이라고 했습니다.

> **오답 피하기**
> ㉠은 컴퓨터 게임 속 세상입니다.

6 수일이는 진짜 자신이 하나만 더 있었으면 좋겠다고 했습니다.

7 수일이는 덕실이가 말을 한 것을 보고 깜짝 놀랐습니다.

8 덕실이가 말을 해서 깜짝 놀란 수일이는 아주 잠깐 동안 입이 벌어져서 다물어지지 않았습니다.

9 엄마의 말로 보아 덕실이는 수일이네서 키우는 개라는 것을 알 수 있습니다.

10 엄마께서는 수일이에게 "너 또 학원 가기 싫으니까 엉뚱한 소리로 빠져나가려고 그러지?"라고 하셨습니다.

11 엄마는 학원에 가지 않고 쓸데없는 소리만 하는 수일이를 보고 화가 나셨습니다.

12 ⓛ, ⓒ은 우리가 사는 현실 세계와 이 작품 속 세계의 비슷한 점입니다.

13 자신의 말을 믿어 주지 않는 엄마 때문에 속상하고 서운한 마음이 들어서 눈물이 나오려고 했을 것입니다.

14 수일이는 컴퓨터 오락도 좀 마음 놓고 하고, 밖에 나가서 아이들하고 공도 차며 실컷 놀고 싶다고 했습니다.

15 수일이는 자신이 둘이 되어서 자기 대신 학원에 좀 다녀 줬으면 좋겠다고 했습니다.

16 주인공과 자신의 경험을 견주어 보면 인물의 마음을 더 잘 이해할 수 있습니다.

> **채점 기준** 자신의 경험과 비슷한 부분을 썼으면 정답으로 합니다.

17 덕실이는 수일이에게 네 손톱을 깎아서 쥐한테 먹이면 그 쥐가 너하고 똑같은 모습으로 바뀔지도 모른다고 했습니다.

18 ②의 내용은 이미 이야기에 나와 있습니다.

19 수일이와 덕실이가 집을 나와 어떤 일을 했을지 상상해 쓰세요.

> **채점 기준** 덕실이와 함께 밖으로 나간 수일이가 가짜 수일이를 만들었을지, 만들었다면 어떤 일이 일어났을지 자유롭게 상상해 썼으면 정답으로 합니다.

20 같은 이야기를 읽고 글을 쓰더라도 자신의 지식이나 경험에 따라 생각이나 느낌이 다르게 나타날 수 있습니다.

실천 경험을 떠올리며 시 쓰기 39쪽

1 ③
2 (1) 예 내가 더 나중에 보아서 미안하다.
　(2) 예 평소에 꽃에 무관심했던 점이 미안하게 느껴졌다.
3 민호, 창현
4 예 내가 먼저 손 내민 줄 알았지만
　섭섭한 마음 뒤로하며
　나를 향해 더 많이 성큼 손 내밀고 있었다

1 말하는 이는 봄날에 꽃을 보고, 꽃에 먼저 관심을 가지지 못한 것을 미안해하고 있습니다.

2 시에서 인상 깊은 표현을 찾고, 그 표현이 왜 인상 깊게 느껴졌는지 자신의 생각이나 느낌을 씁니다.

3 이 시의 내용과 비슷하게 꽃을 본 경험을 떠올린 친구는 민호와 창현이입니다.

4 경험을 떠올리며 시의 표현을 바꾸어 씁니다.

> **채점 기준** 꽃을 보았거나 소중한 것을 지나쳐 버렸던 경험을 떠올려 시의 내용을 바꾸어 썼으면 정답으로 합니다.

단원 마무리 40~41쪽

❶ 실감　　❷ 마음　　❸ 허리
❹ 할머니　　❺ 경험　　❻ 손톱
❼ 쥐　　❽ 꽃　　❾ 미안

단원 평가 42~44쪽

1 일본　　**2** ㉠　　**3** 민정, 도현
4 (3) ◯　　**5** ③
6 예 일제 강점기에 벌어진 일을 다룬 영화를 본 것이 기억났다.
7 ③, ④, ⑤　　**8** ③　　**9** ③
10 ④, ⑤　　**11** 할머니　　**12** 학원
13 하루 종일 학원에 다니는 것 등
14 (2) ◯　　**15** 똑같은
16 예 만들 수 없을 것이다. 수일이가 꿈을 꾸고 있는지도 모르기 때문이다.
17 ㉡, ㉢　　**18** 꽃　　**19** 화해
20 (2) ◯ (3) ◯

1 1919년 3월 10일, 일본은 학교를 강제로 닫았고, 기숙사에 있던 학생들은 뿔뿔이 흩어졌습니다.

2 유관순은 사촌 언니와 함께 독립 만세를 부를 동지들을 모으고 가족과 함께 태극기를 만들었습니다.

3 나라를 되찾기 위해 노력하는 유관순의 모습이 담겨 있습니다.

4 유관순은 많은 사람 앞에서 나라를 되찾아야 한다고 외쳤습니다.

5 일본 헌병들은 총과 칼을 휘두르면서 사람들을 막았고 이에 많은 사람이 죽거나 다쳤습니다.

6 각자 자신의 경험을 떠올려 씁니다.

> **채점 기준** 유관순이 일본에게 빼앗긴 나라를 되찾기 위해 독립 만세 운동을 하는 내용을 읽고 떠오른 경험을 썼으면 정답으로 합니다.

7 이외에도 책이나 영상에서 본 것을 떠올리면 더욱 실감 나게 읽을 수 있습니다.

8 시와 관련 있는 경험을 떠올리려면 일단 시에서 말하는 이가 어떤 경험을 하고 어떤 생각을 했는지 살펴봐야 합니다.

9 '내'가 꼭꼭 밟아야 할머니의 아프신 허리가 시원하기 때문입니다.

10 ①, ②는 할머니의 마음입니다.

11 ㉠은 할머니께서 말씀하시는 부분이므로 할머니 목소리를 흉내 내며 읽는 것이 좋습니다.

12 엄마는 '내'가 학원에 가기 싫어서 엉뚱한 소리를 한다고 생각하셨습니다.

13 '나'는 덕실이에게 하루 종일 학원에 왔다 갔다 하기 바쁘다고 말했습니다.

14 자신의 경험과 비슷한 부분을 찾아보면서 글을 읽었습니다.

15 손톱을 깎아서 쥐한테 먹이면 수일이와 똑같은 모습으로 바뀔지도 모른다고 했습니다.

16 가짜 수일이를 만들 수 있을지 없을지 상상해 씁니다.

> **채점 기준** 만들 수 있다고 상상했으면 어떻게 만들었을지, 만들 수 없다고 상상했으면 왜 그렇게 생각하는지 등을 썼으면 정답으로 합니다.

17 학원에 가는 건 현실 세계에서도 있을 수 있는 일입니다.

18 이 시는 봄에 핀 꽃을 보고 먼저 알아보지 못해 미안한 마음이 들었던 경험을 쓴 시입니다.

19 시의 1, 2연을 친구와 싸운 후에 화해하기를 바랐던 자신의 경험을 떠올려 바꾸어 썼습니다.

20 같은 작품이라도 사람마다 경험이 다르기 때문에 생각이나 느낌이 다를 수 있습니다.

서술형 평가
45쪽

1 예 내용을 더 쉽게 이해할 수 있다. / 내용을 더 생생하게 느낄 수 있다. / 책이나 영상에서 본 것을 떠올리면 더욱 실감 나게 읽을 수 있다. / 인물의 마음을 더 잘 이해할 수 있다.

2 학교와 집에 빨리 가고 싶고, 그리운 사람을 보고 싶기 때문이다. 등

3 (1) 예 출렁출렁
(2) 예 이 표현에서 길을 잡아당겨 원하는 것이 이루어졌으면 하는 간절한 마음이 느껴지기 때문이다.

4 (1) 예 수일이가 마음껏 놀고 싶어서 자신이 하나 더 있었으면 좋겠다고 말한 장면이다.
(2) 예 왜냐하면 나도 친구들과 놀고 싶은데 숙제를 다 하지 못했을 때 비슷하게 생각한 적이 있기 때문이다.

5 예 친구들이 가짜 수일이와 더 재미있게 놀아서 수일이가 외로워질 것 같다.

6 • 시의 분위기를 살려 목소리의 크기나 높낮이에 변화를 준다. 등
  • 시의 행과 연을 생각하며 알맞게 쉬어 읽는다. 등

1 경험을 떠올리며 작품을 읽으면 작품을 이해하는 데 도움이 됩니다.

> **채점 기준** 제시된 답 중에서 한 가지를 썼으면 정답으로 합니다.

2 말하는 이는 1연에서는 학교에 빨리 가고 싶어서, 2연에서는 집에 빨리 가고 싶어서, 3연에서는 그리운 사람을 보고 싶어서 있는 힘껏 길을 잡아당겼습니다.

> **채점 기준** 1연에서는 학교에 빨리 가고 싶기 때문에, 2연에서는 집에 빨리 가고 싶기 때문에, 3연에서는 그리운 사람을 보고 싶기 때문이라는 내용을 썼으면 정답으로 합니다.

> **보충 자료** 시에서 말하는 이가 겪은 일
>
> | | |
> |---|---|
> | 1연 | 학교에 지각하겠다 싶을 때 있는 힘껏 길을 잡아당겨 학교가 시에서 말하는 이 앞으로 온다고 상상했습니다. |
> | 2연 | 춥고 배고파 죽겠다 싶을 때 있는 힘껏 길을 잡아당겨 저녁을 차린 집이 버스 정류장 앞으로 온다고 상상했습니다. |
> | 3연 | 보고 싶은 사람이 있을 때 있는 힘껏 길을 잡아당겨 그리운 사람이 자신에게 안겨 온다고 상상했습니다. |

3 각자 말하는 이의 마음이 느껴진다고 생각한 표현을 찾고 그 표현을 선택한 까닭을 씁니다.

> **채점 기준** (1)에는 이 시에 나타난 표현 가운데 말하는 이의 마음이 느껴지는 표현을 쓰고, (2)에는 그 표현을 선택한 까닭을 썼으면 정답으로 합니다.

4 각자 인상 깊다고 생각한 장면을 쓰고 그 장면을 선택한 까닭을 씁니다.

> **채점 기준** (1)에는 이 글에서 인상 깊은 장면을 쓰고, (2)에는 그 장면이 인상 깊었던 까닭을 썼으면 정답으로 합니다.

5 수일이가 자신과 똑같은 가짜 수일이를 만나 어떤 일이 일어나고 그 일 때문에 어떤 기분이 들지 상상해 씁니다.

> **채점 기준** 가짜 수일이가 어떻게 행동했을지 떠올리며 그때 수일이가 어떤 기분이 들었을지 상상해 썼으면 정답으로 합니다.

6 시를 낭송할 때에는 바꾸어 쓴 시의 분위기에 맞게 목소리의 크기나 높낮이에 변화를 주며 시를 읽어야 하고, 시의 행과 연을 생각하며 알맞게 쉬어 읽어야 합니다.

> **채점 기준** 제시된 답 두 가지를 모두 썼으면 정답으로 합니다.

3 글을 요약해요

핵심 개념 문제   48쪽

1 ○   **2** 열거   **3** 중심 문장
4 ㉡   **5** ×

준비 설명하는 글을 읽은 경험 나누기   49~50쪽

1 ④   **2** 예 박물관 유물에 얽힌 역사
3 (1) 예 지난 주말에 집에서 떡볶이를 만들려고 설명하는 글을 읽었다.
(2) 예 떡볶이를 만드는 방법이다.
(3) 예 떡볶이를 만들 때 알맞은 차례를 알 수 있었다.
4 새싹 채소
5 예 물뿌리개로 얼마나 자주 물을 뿌려 주어야 하는지에 대한 부분이다.
6 (1) ○ (2) ○ (4) ○
7 (3) ×
8 예 펼친 카드 가운데에서 같은 과일이 다섯 개가 되면 재빨리 종을 친다.
9 예 약을 먹을 때 주의할 점을 알려 주는 글
10 ㉢

1 친구들은 설명하는 글을 읽은 경험을 떠올려 말하고 있습니다.

2 남자아이는 박물관에서 본 유물이 어떤 것인지 궁금해서 설명하는 글을 읽고 있습니다.

3 설명하는 글을 언제 어디에서 읽었는지, 무엇을 설명하는 글이었는지, 글을 읽고 어떤 도움을 받았는지 떠올려 봅니다.

4 새싹 채소를 가꾸는 방법을 설명하는 글입니다.

5 새싹 채소를 가꾸는 방법을 설명한 글에서 설명이 더 필요한 부분을 찾아봅니다.

6 어떤 것을 설명하는지, 설명이 정확한지 생각하며 읽고, 글을 읽는 목적을 생각하며 읽어야 합니다.

7 국립중앙박물관 가는 길은 나와 있지 않습니다.

8 같은 과일 다섯 개가 바닥에 펼쳐지면 가장 먼저 종을 친 사람이 카드를 가져올 수 있습니다.

> **채점 기준** 과일 카드 놀이 방법을 설명한 글을 읽고 카드를 얻는 방법을 알맞게 찾아 썼으면 정답으로 합니다.

9 생활 주변에서 설명하는 글을 찾아 씁니다.

10 설명하는 글을 읽으면 필요한 정보를 얻을 수 있고, 일의 방법과 규칙, 어떤 일을 할 때 그 일의 차례를 알 수 있습니다.

기본❶ 여러 가지 설명 방법 알기　　51~52쪽

> **1** (1) 다보탑과 석가탑은 공통점이 있습니다.
> (2) 두 탑의 모습은 매우 다릅니다.
> **2** 공통점　　　**3** ⑤　　　**4** ①
> **5** (1) ❶ (2) ❷, ❸, ❹　　　**6** ②
> **7** (1) ㉠
> (2) 예 설명하려는 대상에 대해 여러 가지 내용을 늘어놓기 좋을 것 같아서이다.

1 문단에서 가장 중요하다고 생각하는 문장을 찾아봅니다.

2 두 가지 이상의 대상에서 공통점과 차이점을 찾아 설명하는 방법을 비교·대조라고 합니다.

3 ㉠에는 석가탑과 다보탑의 공통점이 들어가야 합니다. 단순하면서도 세련된 멋이 있는 것은 석가탑만이 가진 특징입니다.

4 세계의 탑을 설명한 글로, 이탈리아, 프랑스, 중국의 탑에 대해 설명했습니다.

5 ❶ 문단은 설명하려는 대상을 소개하고 있고, ❷, ❸, ❹ 문단은 설명하려는 대상의 예를 보여 주고 있습니다.

6 설명하려는 대상의 특징을 나열해 설명하는 방법을 열거라고 합니다.

7 열거의 설명 방법에 알맞은 틀이 무엇인지 생각해 봅니다. 알맞은 틀을 떠올리면 내용을 쉽게 정리할 수 있습니다.

기본❷ 구조를 생각하며 글 요약하기　　53~55쪽

> **1** 예 발표 자료로 쓰려고 문화재를 설명하는 글을 요약했다. / 교과서의 내용을 요약해 공책에 옮겨 쓴 적이 있다.
> **2** ③　　　**3** (1) 비늘 (2) 아가미 (3) 옆줄
> **4** ㉢　　　**5** 희수　　　**6** ①
> **7** 예 환자들이 있는 병원에서는 위생이 매우 중요한데, 흰색 옷은 더러워졌을 때 쉽게 알아차릴 수 있기 때문이다.
> **8** (1) ㉠ (2) ㉢　**9** ③, ⑤　　　**10** ②
> **11** • 법관은 검은색 옷을 입는다.
> • 군인은 주변 환경과 상황에 따라 옷 색깔을 달리하여 입는다.
> **12** (2) ×

1 설명하는 글을 읽고 중요한 내용을 간단하게 정리해 본 경험을 떠올려 봅니다.

> **채점 기준** 설명하는 글을 요약해 본 경험을 알맞게 떠올려 썼으면 정답으로 합니다.

2 어류 피부의 비늘, 아가미, 옆줄과 같이 어류의 여러 기관에 대해 설명한 글입니다.

3 어류 피부의 비늘, 아가미, 옆줄이 무슨 일을 하는지 살펴봅니다.

4 글을 요약하면 글에서 중요한 내용을 더 쉽게 기억할 수 있습니다.

5 직업의 특성에 따라 특정 색깔의 옷이 일을 하는 데 도움이 되기 때문에 사람은 직업에 따라 고유한 색깔 옷을 입기도 합니다.

6 의사, 간호사, 약사, 위생사, 요리사는 흰색 옷을 입는다고 했습니다.

7 감염에 민감한 환자들이 있는 병원에서는 위생이 매우 중요한 문제인데, 흰색 옷은 옷이 더러워졌을 때 쉽게 알아차릴 수 있기 때문에 의사나 간호사는 흰색 옷을 입습니다.

> **채점 기준** 글에서 의사나 간호사가 흰색 옷을 입는 까닭을 알맞게 찾아 썼으면 정답으로 합니다.

8 문단마다 중심 문장을 찾아봅니다.

9 법관의 검은색 옷은 법 앞에서 모든 사람이 평등하다는 뜻과 다른 것에 물들지 않고 공정하게 재판해야 한다는 의미를 담고 있습니다.

10 여러 가지 특징을 나열해 직업과 옷 색깔의 관계를 설명했습니다.

11 문단마다 중심 문장을 찾고, '처음-가운데-끝'으로 정리해 봅니다.

12 중요하지 않은 내용은 지우고, 세부 내용은 대표하는 말로 바꾸어 중심 내용을 정리합니다.

기본❸ 대상을 생각하며 설명하는 글 쓰기 　　56쪽

1 (1) 예 투명 인간
　(2) 예 투명 인간이 불가능한 까닭
　(3) 예 열거
2 비교·대조
3 ②　　　　**4** ②　　　　**5** ④

1 누구나 아는 내용보다는 잘 알려지지 않은 정보를 주는 것이 좋으며, 설명하고 싶은 대상의 특징을 잘 드러낼 수 있는 설명 방법을 생각해 봅니다.

2 두 대상에서 공통점과 차이점을 찾아 설명하기에 좋은 방법은 비교·대조입니다.

3 고양이와 강아지를 기를 때 어떤 공통점과 차이점이 있는지 알 수 있는 자료여야 합니다.

4 비교·대조의 설명 방법에 알맞은 틀을 골라 봅니다.

5 추측하는 말이나 주장하는 말은 사용하지 않습니다.

실천 자료를 찾아 읽고 요약하기 　　57쪽

1 (1) 예 로봇과 사람의 차이　(2) 예 친구들이 로봇을 좋아해서 로봇에 대하여 궁금해하는 점을 알려 주기 위해서이다.　　**2** ⑤
3 (1) 예 열거　(2) 예시 답안 참고
4 ⓒ, ⊙, ⓔ, ⑩, ⓛ

1 모둠에서 탐구하고 싶은 주제를 정해 써 봅니다.

2 자료의 출처를 확인하고 믿을 만한 내용인지, 최근 자료인지 살펴봅니다.

---

3 탐구 주제에 알맞은 설명 방법을 정하고, 그 틀에 맞추어 내용을 간단히 정리해 봅니다.

예시 답안

목탑 ─ 우리나라의 탑 ─ 전탑
모전석탑 ─ 　　　　　　 ─ 석탑

4 모둠 친구들이 주제를 중심으로 여러 가지 자료를 함께 찾아 글을 쓰는 방법을 생각해 봅니다.

단원 마무리 　　58~59쪽

1 공통점　**2** 석가탑　**3** 열거
4 특징　**5** 중심 문장　**6** 직업
7 흰색　**8** 자료　**9** 틀

단원 평가 　　60~62쪽

1 수민　　　**2** ④　　　**3** (3) ◯
4 예 장난감을 조립하는 차례를 알려 주는 설명서가 있다. / 약을 먹을 때 주의할 점을 알려 주는 글이 있다.
5 ②, ③, ⑤　**6** ⓛ　　　**7** ②
8 ⑤　　　　**9** 비교·대조　**10** ①
11 (1) 피사의 사탑　(2) 에펠 탑　(3) 동방명주 탑
12 (1) ◯　　　**13** 예시 답안 참고
14 ⓛ, ⓔ　**15** ③　　　**16** (2) ◯
17 ②　　　**18** 지민　　**19** ④
20 ①

1 설명하는 글은 어떤 지식이나 정보를 읽는 이가 이해하기 쉽게 전달하는 글입니다.

2 글의 내용으로 보아 가위는 필요하지 않습니다.

3 (1), (2)의 내용은 설명하는 글에 나와 있습니다.

4 주변에서 설명하는 글을 찾아봅니다.

> **채점 기준** 주변에서 볼 수 있는 설명하는 글을 한 가지 찾아 무엇을 설명하는지 알맞게 썼으면 정답으로 합니다.

5 설명하는 글을 읽으면 필요한 정보를 얻을 수 있고, 일의 방법과 규칙을 알 수 있으며 어떤 일을 할 때 그 일의 차례를 알 수 있습니다.

6 두 번째 문단의 중심 문장은 '다보탑과 석가탑은 공통점이 있습니다.'입니다.

7 '십자 모양의 받침이 있다.'는 다보탑에만 해당하는 내용입니다.

8 다보탑과 석가탑의 공통점과 차이점을 찾아 설명했습니다.

9 두 가지 이상의 대상에서 공통점과 차이점을 찾아 설명하는 방법을 비교·대조라고 합니다.

10 세계 여러 도시에 있는 유명한 탑을 설명한 글입니다.

11 이탈리아 토스카나주의 피사의 사탑, 프랑스 파리의 에펠 탑, 중국 상하이의 동방명주 탑을 예로 들어 세계의 탑을 설명했습니다.

12 열거는 표현하려는 대상이나 내용을 구체적으로 알려 주는 데 좋은 방법입니다.

13 열거의 설명 방법에 알맞은 틀을 찾아 내용을 정리합니다.

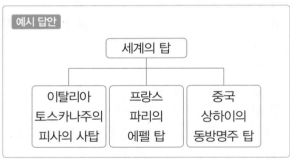

예시 답안

세계의 탑
├ 이탈리아 토스카나주의 피사의 사탑
├ 프랑스 파리의 에펠 탑
└ 중국 상하이의 동방명주 탑

> **채점 기준** 열거의 설명 방법에 알맞은 틀을 골라 글의 내용을 알맞게 정리해 썼으면 정답으로 합니다.

14 글을 요약하면 중요한 내용을 더 쉽게 기억할 수 있습니다.

15 의사, 약사, 간호사, 요리사는 흰색 옷을 입습니다.

16 이 글은 열거의 설명 방법을 사용해 여러 가지 특징을 나열하여 직업과 옷 색깔의 관계를 설명했습니다.

17 문단마다 중심 문장을 찾아야 합니다.

18 누구나 잘 아는 내용보다는 잘 알려지지 않은 정보를 주는 것이 좋습니다.

19 읽는 사람이 이해할 수 있는 말을 사용해서 써야 합니다.

20 가장 먼저 모둠 친구들이 함께 설명할 주제를 정해야 합니다.

서술형 평가
63쪽

1 예 두 대상에서 공통점과 차이점을 찾아 설명했다.

2 (1) 장식이 많고 화려하다. 등
(2) 불국사 대웅전 앞뜰에 서 있다. 등
(3) 단순하면서도 세련된 멋이 있다. 등

3 예 의사나 간호사는 보통 흰색 옷을 입고, 법관은 검은색 옷을 입는다. 이처럼 사람들은 직업에 따라 입는 옷 색깔이 다양하다.

4 (1) **예** 투명 인간이 불가능한 까닭
(2) **예** 투명 인간의 특징, 투명 인간이 실제로 있을 수 있을지에 대한 의견
(3) **예** 과학 잡지, 투명 인간 관련 서적, 인터넷 블로그

1 다보탑과 석가탑의 공통점과 차이점을 찾아 설명한 글입니다.

> **채점 기준** 비교·대조의 방법을 알고 두 대상에서 공통점과 차이점을 찾아 설명했다는 내용 등으로 썼으면 정답으로 합니다.

2 주어진 틀의 모양을 보고 어떤 내용이 들어가면 좋을지 생각해 봅니다.

> **채점 기준** 다보탑과 석가탑의 공통점과 차이점을 찾아 주어진 틀에 알맞게 정리해 썼으면 정답으로 합니다.

3 문단마다 중심 문장을 찾아 글의 내용을 간추려 써 봅니다.

> **채점 기준** 문단마다 중심 문장을 찾아 글의 내용을 알맞게 요약해 썼으면 정답으로 합니다.

4 친구들에게 설명하고 싶은 내용을 쓰고, 설명하는 글을 쓰기 위해 어떤 자료를 어디에서 수집해야 할지 생각해 봅니다.

> **채점 기준** 친구들에게 설명하고 싶은 내용을 쓰고, 설명하는 글을 쓰기 위해 필요한 자료의 내용과 자료를 수집할 곳을 모두 알맞게 썼으면 정답으로 합니다.

4 글쓰기의 과정

핵 심 개 념 문 제　66쪽

1 주어　　**2** 음식을
3 ㉢　　**4** 다발 짓기　　**5** ○

준비　문장을 구성하는 성분 알기　67쪽

1 (2) ○
2 (1) 토끼가 등　(2) 새입니다 등　(3) 강아지를 등
3 (1) ②　(2) ③　(3) ①
4 매콤한, 익은, 고추처럼에 △표, 떡볶이가, 빨갛다에 ○표　　**5** 예 나는 사과를 먹었습니다.

1 선수가 무엇을 잡았는지 설명하지 않았습니다. '선수가 공을 잡았습니다.' 등으로 고쳐 써야 합니다.

2 알맞은 말을 넣어 그림에 어울리는 문장을 완성해 봅니다.

3 문장에서 동작이나 상태의 주체가 되는 말을 주어라고 하고, 문장에서 주어의 움직임, 상태, 성질 따위를 풀이하는 말을 서술어라고 하며, 문장에서 동작의 대상이 되는 말을 목적어라고 합니다.

4 '매콤한', '익은', '고추처럼'은 '떡볶이'와 '빨갛다'를 자세하게 꾸며 줍니다.

5 '무엇이, 누가'에 해당하는 주어, '무엇을'에 해당하는 목적어, '무엇이다, 어찌하다, 어떠하다'에 해당하는 서술어를 모두 넣어 문장을 만듭니다.

기본❶　쓸 내용 떠올리기　68~69쪽

1 (1) 학급 신문　(2) 겪은 일　　**2** ⑤
3 (1) 쓰고 싶은 내용을 자유롭게 떠올림.
　　(2) 쓸 내용을 몇 가지로 나누어 떠올림.
4 ②　　　　**5** ①, ⑤
6 예 달걀말이를 스스로 만들어 본 경험이 글의 주요 내용이기 때문에
7 (1) 예 학급 신문에 겪은 일을 소개하기 위해서
　　(2) 예 같은 반 친구들과 선생님
　　(3) 예 주말에 가족과 겪은 일

1 민재는 학급 신문에 글을 실어야 할 상황에서 자신이 지난달에 겪은 일을 소개하는 글을 쓰려고 합니다.

2 민재는 같은 반 친구들이 읽을 글이니 친구들이 재미있어할 내용으로 써야겠다고 생각했습니다.

3 (1)은 쓰고 싶은 내용을 자유롭게 떠올린 것이고, (2)는 겪은 일을 힘들었던 일, 즐거웠던 일, 신기했던 일로 나누어 떠올린 것입니다.

4 민재는 즐거웠던 일 가운데에서 음식을 만든 경험을 골라 글을 썼습니다.

5 달걀말이에 필요한 재료, 삼촌의 조언 따위를 떠올렸습니다.

6 달걀말이를 스스로 만들어 본 경험이 글의 주요 내용이기 때문에 「도전! 달걀말이」라는 제목을 붙인 것입니다.

7 글 쓰는 상황이나 목적, 읽을 사람을 고려해서 쓸 내용을 떠올리고 주제를 정해야 합니다.

기본❷　떠올린 내용을 조직하고 글로 나타내기　70~71쪽

1 (2) ○
2 아침 일찍 일어나 아빠와 함께 공원으로 운동을 간 일 등　　**3** ②
4 (1) 더 자고 싶어서 툴툴거림. 등
　　(2) 턱걸이를 다섯 개나 성공함. 등
　　(3) 기분이 참 상쾌함. 등
5 (1) 1　(2) 2　(3) 4　(4) 3　(5) 5　　**6** 가운데
7 ③, ⑤　　　　**8** 민혁

1 아빠와 함께 공원으로 아침 운동을 다녀온 경험에 대해 생각이나 느낌을 나타낸 글입니다.

2 글쓴이는 아침 일찍 일어나 아빠와 함께 공원으로 운동을 갔습니다.

3 집에서 공원으로 장소가 변하고 있습니다.

4 시간 흐름과 장소 변화에 따라 일어난 일을 정리하고, 흐름에 맞게 생각이나 느낌을 묶는 것을 '다발 짓기'라고 합니다.

5 글쓴이에게 일어난 일을 시간의 흐름에 따라 차례대로 정리해 봅니다.

6 시간 흐름에 따라 생각이나 느낌을 처음, 가운데, 끝으로 묶었습니다.

7 글쓴이는 할머니와 헤어질 때가 되니 섭섭했고, 더 자주 오셨으면 좋겠다고 생각했습니다.

8 다발 짓기에 나타내지 않은 일과 생각이나 느낌을 더 자세하고 실감 나게 표현했습니다.

기본❸ 호응 관계가 알맞은 문장 쓰기   72쪽

1 (1) ② (2) ② (3) ①   **2** ⑤
3 (1) ⓛ (2) ⓒ (3) ⓘ   **4** 새
5 ④
6 나는 동생보다 키가 더 크고, 몸무게가 더 무겁다. 등

---

1 '내일', '할아버지께서', '바다가'에 어울리는 문장 성분을 찾아 문장을 완성해 봅니다.

2 문장에서 앞에 어떤 말이 오고 짝인 말이 뒤따라오는 것을 호응이라고 합니다.

3 각 문장에 쓰인 호응 관계의 종류를 생각해 봅니다.

4 '지저귀다'는 '새 따위가 계속하여 소리 내어 울다.'라는 뜻으로, 주어 '다람쥐가'와 호응이 되지 않습니다.

5 '다람쥐가'에 호응하는 서술어를 넣어 고쳐 써야 합니다.

6 주어 '키가'에 호응하는 서술어 '크다'를 넣어 고쳐 씁니다.

실천 자신의 생각을 글로 나타내기   73쪽

1 예 주말에 가족과 함께 등산을 간 일
2 (1) **예** 주말에 가족과 등산을 감.
  (2) **예** 서로 도와 가면서 산을 오름. / 산 위에서 도시락을 먹음.
  (3) **예** 산에서 다 내려옴.
  (4) **예** 마음이 설레고 좋음.
  (5) **예** 힘들어도 기분은 상쾌했음. / 산에서 먹는 도시락은 꿀맛이었음.
  (6) **예** 몸이 건강해지는 느낌이 들었음.
3 예 가족과 함께 한 즐거운 등산   **4** ⓛ, ⓔ

---

1 친구들과 나누고 싶은 재미있는 경험을 떠올려 씁니다.

2 일어난 일을 시간 흐름과 장소 변화에 따라 정리하고, 어울리는 생각이나 느낌을 처음-가운데-끝으로 묶습니다.

> **채점 기준** 일어난 일을 차례대로 정리하고, 그에 어울리는 생각이나 느낌을 묶어 다발 짓기로 잘 나타냈으면 정답으로 합니다.

3 글의 주요 내용을 잘 나타낼 수 있는 제목을 붙여 봅니다.

4 경험한 내용을 자세하게 잘 나타냈는지, 문장 성분이 호응하도록 글을 잘 썼는지, 글의 내용을 잘 조직했는지 등을 살펴봅니다.

단원 마무리   74~75쪽

❶ 누가   ❷ 목적어   ❸ 사람
❹ 자유   ❺ 생각   ❻ 끝
❼ 시간   ❽ 높임   ❾ 서술어

단원 평가   76~78쪽

1 ①   **2** ③, ⑤   **3** 목적어
4 ③, ④   **5** 꽃이 피었습니다.
6 ③   **7** 학급 신문   **8** (1) ○
9 ③   **10** 삼촌의 조언 등
11 예 달걀말이를 스스로 만들어 본 경험이 글의 주요 내용이기 때문이다.
12 ⑤   **13** (1) 아빠 (2) 공원
14 기분이 참 상쾌함. 등   **15** ⓘ
16 예 할머니께서는 저녁을 드시고 나서 댁으로 가셨다. 생각보다 오래 계셨지만 그래도 헤어질 때가 되니 섭섭했다. 우리 집에 더 자주 오셨으면 좋겠다고 생각하다가 다음부터 내가 할머니 댁에 자주 찾아가야겠다고 생각했다.
17 ⓒ   **18** (2) ○   **19** ⑤
20 (1) 아버지께서 운전을 하신다. 등
  (2) 나는 어제 빵을 먹었다. 등
  (3) 골키퍼가 날아온 공을 잡았다. 등
  (4) 잡곡밥은 맛이 좋고, 색깔이 아름답다. 등

1 '토끼가'는 '무엇이'에 해당하는 부분으로, 문장에서 동작이나 상태의 주체가 되는 주어입니다.

2 '새입니다'는 '무엇이다'에 해당하는 부분으로, 주어의 움직임, 상태, 성질 따위를 풀이하는 서술어입니다.

3 '음식을'은 '무엇을'에 해당하는 부분으로, 문장에서 동작의 대상이 되는 목적어입니다.

보충 자료	문장을 구성하는 성분
주어	동작이나 상태의 주체가 되는 말
서술어	주어의 움직임, 상태, 성질 따위를 풀이하는 말
목적어	동작의 대상이 되는 말

4 '매콤한, 익은, 고추처럼'은 문장에 반드시 있어야 하는 부분은 아니지만 '떡볶이'와 '빨갛다'를 자세하게 꾸며 줍니다.

5 주어 '꽃이'와 서술어 '피었습니다'가 문장에서 꼭 있어야 하는 부분입니다.

6 ③이 주어(동생이), 목적어(장난감을), 서술어(샀다)가 모두 들어간 문장입니다.

7 민재는 학급 신문에 실을 글을 한 편 써 달라는 부탁을 받았습니다.

8 겪은 일을 힘들었던 일, 즐거웠던 일, 신기했던 일로 나누어 떠올렸습니다.

9 민재는 삼촌 댁에서 삼촌께서 해 주신 달걀말이를 먹고 너무 맛있어서 만드는 방법을 배워 왔습니다.

10 달걀말이에 필요한 재료, 삼촌의 조언, 달걀말이를 드신 아버지의 반응 따위를 떠올렸습니다.

11 글의 주요 내용을 잘 나타내는 제목을 붙여야 합니다.

> 채점 기준 달걀말이를 스스로 만들어 본 경험이 글의 주요 내용이기 때문이라는 내용 등으로 까닭을 썼으면 정답으로 합니다.

12 자신의 경험에 대해 생각이나 느낌을 나타내기 위해서 이 글을 썼습니다.

13 글쓴이는 아침 일찍 일어나 아빠와 함께 공원으로 운동을 갔습니다.

14 글쓴이는 아빠와 함께 아침 운동을 하니 기분이 참 상쾌했다고 했습니다.

15 ⊙에는 일어난 일만 나타나 있습니다.

16 다발 짓기의 내용을 글로 표현할 때에는 일어난 일과 일어난 일에 대한 글쓴이의 생각이나 느낌을 더 자세하고 실감 나게 씁니다.

> 채점 기준 다발 짓기의 내용을 보고, 뒤에 이어질 '끝' 부분의 내용을 잘 썼으면 정답으로 합니다.

17 '바다가 보았다.'는 '바다가 보였다.', '할아버지께서 잔다.'는 '할아버지께서 주무신다.'로 써야 호응 관계가 알맞습니다.

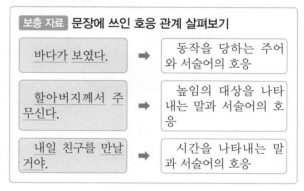

보충 자료	문장에 쓰인 호응 관계 살펴보기
바다가 보였다.	➡ 동작을 당하는 주어와 서술어의 호응
할아버지께서 주무신다.	➡ 높임의 대상을 나타내는 말과 서술어의 호응
내일 친구를 만날 거야.	➡ 시간을 나타내는 말과 서술어의 호응

18 '도둑이'가 동작을 당하는 주어이고, '잡혔다'는 주어에 호응하는 서술어입니다.

19 '별이'는 '반짝인다'와 호응이 되지만, '구름이'는 '반짝인다'와 호응이 되지 않습니다. '구름이'에 호응하는 서술어를 넣어 고쳐 써야 합니다.

20 문장의 호응 관계를 생각하며 문장을 바르게 고쳐 써 봅니다.

서술형 평가 79쪽

1 아이가 엄마께 선물을 드렸습니다. 등

2 예시 답안 참고

3 아침 일찍 일어나 아빠와 함께 공원으로 운동을 갔다. 등

4 예 시간 흐름과 장소 변화에 따라 일어난 일을 정리하고 그 흐름에 맞게 생각이나 느낌을 처음-가운데-끝으로 묶었다.

5 (1) 시간을 나타내는 말과 서술어의 호응
(2) 높임의 대상을 나타내는 말과 서술어의 호응
(3) 동작을 당하는 주어와 서술어의 호응

1 누가 엄마께 선물을 어떻게 했다는 내용이 없어서 문장이 어색합니다.

> **채점 기준** 문장이 어색한 까닭을 알고, '아이가 엄마께 선물을 드렸습니다.' 등으로 알맞게 고쳐 썼으면 정답으로 합니다.

2 쓸 내용을 몇 가지로 나누어 떠올리거나 쓰고 싶은 내용을 자유롭게 떠올려 봅니다.

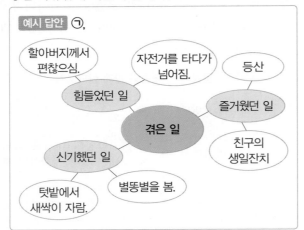

예시 답안 ㉠

예시 답안 ㉡
자전거를 타다가 넘어진 일   등산을 간 일
친구의 생일잔치에 간 일
텃밭에서 새싹이 자란 일   별똥별을 본 일

> **채점 기준** 글로 쓸 내용을 떠올리는 방법 중 한 가지를 골라 겪은 일을 알맞게 떠올려 썼으면 정답으로 합니다.

3 글쓴이는 아침 일찍 일어나 아빠와 함께 공원으로 운동을 갔습니다.

> **채점 기준** 글쓴이에게 있었던 일을 알맞게 정리해 썼으면 정답으로 합니다.

4 시간 흐름과 장소 변화에 따라 일어난 일을 정리하고, 흐름에 맞게 생각이나 느낌을 묶는 것을 다발 짓기라고 합니다.

> **채점 기준** 일어난 일과 그에 어울리는 생각이나 느낌을 어떻게 묶었는지 알맞게 썼으면 정답으로 합니다.

5 각 문장의 밑줄 그은 부분은 어떤 종류의 호응 관계를 나타낸 것인지 생각해 봅니다.

> **채점 기준** (1)에는 시간을 나타내는 말과 서술어의 호응, (2)에는 높임의 대상을 나타내는 말과 서술어의 호응, (3)에는 동작을 당하는 주어와 서술어의 호응을 모두 알맞게 썼으면 정답으로 합니다.

---

5 글쓴이의 주장

핵심개념문제   82쪽

1 동형어   **2** 다의어   **3** (2) ✕
4 중심   **5** ○

준비 상황에 따라 여러 가지로 해석되는 낱말 알기   83쪽

1 다리   **2** ④   **3** 정훈, 기호
4 타다

1 그림 ❷에서 남자아이는 태빈이의 말을 듣고 '다리'의 뜻을 '사람의 다리'로 이해하여 걱정하는 표정을 지었습니다.

2 ㉠과 ㉡은 한 낱말이 여러 가지 뜻을 가진 경우이므로 다의어이고, ㉡과 ㉢은 형태는 같지만 뜻이 서로 다른 낱말인 동형어입니다.

3 다의어가 본디 뜻과 관련 있는 부분이 조금씩 바뀌면서 만들어졌다고 짐작해 볼 수 있습니다.

4 '타다(타고, 탄다)'는 상황에 따라 여러 가지 뜻으로 해석됩니다.

기본① 글을 읽고 상황에 따라 여러 가지로 해석되는 낱말의 뜻 파악하기   84~85쪽

1 보행   **2** ①, ⑤   **3** 사고
4 ③, ④, ⑤   **5** ③, ④, ⑤   **6** ⑤
7 우리   **8** (2) ○

1 보행 중에 교통사고로 사망하는 어린이가 많다는 것이 이 글에서 제시한 문제입니다.

2 초등학생들이 바깥 활동이 잦은 데다 위험 상황을 판단하고 그에 대처하는 능력이 부족하기 때문입니다.

3 '사고'는 여러 가지 뜻을 가진 낱말로, 이 글에서는 '뜻밖에 일어난 불행한 일.'의 뜻으로 쓰였습니다.

4 국어사전에서 어울리는 뜻을 찾거나 낱말의 앞뒤 내용을 살펴보고 관련 있는 뜻을 찾거나, 대신 쓸 수 있는 낱말이 무엇일지 생각하여 뜻을 파악합니다.

5 ❸에 나타난 내용을 살펴봅니다.

6 신호가 바뀐 뒤에도 신호 위반을 하는 차가 있을 수 있기 때문에 서두르지 말고 좌우를 살핀 뒤 건너야 합니다.

> 정답 친해지기 **어린이 보행 중 교통사고를 줄이는 방법**
> • 운전자에게 어린이 보행 안전 교육을 철저히 해야 한다.
> • 어린이를 고려한 보행 안전시설도 더 필요하다.
> • 어린이 스스로도 보행 중 교통사고를 당하지 않도록 노력해야 한다.

7 제시된 뜻은 '우리'의 뜻입니다.

8 국어사전에서 어울리는 뜻을 찾거나 대신 쓸 수 있는 낱말을 생각해 보거나 문장의 앞뒤 내용을 살펴보고 뜻을 짐작해 봅니다.

기본❷ 글을 읽고 글쓴이의 주장 파악하기   86~87쪽

1 사회적·경제적 불평등을 심하게 할 것이다. / 힘이 강한 나라나 집단이 힘이 약한 나라나 사람들을 지배할 수도 있다. / 인간이 인공 지능에게 지배를 받게 될지도 모른다. 등
2 ②, ④, ⑤   **3** ㉢
4 예 인공 지능 개발에 따른 위험
5 인류, 인공 지능   **6** ㉠
7 희망   **8** (3) ◯

1 ❷, ❸, ❹문단의 중심 내용을 살펴봅니다.

> 채점 기준 제시된 답 세 가지를 모두 썼으면 정답으로 합니다.

2 이 글에서 많이 쓰인 낱말을 보고 이 글이 인공 지능 개발에 대해 부정적인 의견을 나타낸 글이라는 것을 알 수 있습니다.

3 ㉢의 내용을 보고는 글쓴이의 주장을 파악할 수 없습니다.

4 인공 지능 개발은 위험하다는 글쓴이의 생각이 잘 드러나게 씁니다.

5 '인류, 인공 지능'은 글쓴이가 주장을 펼치기 위해 사용한 낱말이며 '반대'는 글쓴이의 주장과 관련이 없는 낱말로, 한 번 쓰였습니다.

---

6 ❶문단에서 중심 내용이 드러난 문장은 '인공 지능은 인류 미래에 꼭 있어야 할 기술입니다.'입니다.

7 글 ❶는 인공 지능이 인류 미래에 꼭 있어야 할 기술임을 주장하는 글로, 빈칸에는 '희망'이라는 낱말이 들어가야 합니다.

8 (1)과 (2)는 인공 지능 개발을 부정적으로 보는 주장입니다.

기본❸ 근거의 적절성을 파악하며 글 읽기   88~89쪽

1 쓰기 윤리   **2** ㉠
3 법으로 처벌을 받을 수도 있다. 등
4 물질, 정신   **5** 쓰기 윤리를 지키자. 등
6 ②, ③, ⑤
7 예 글쓴이가 왜 주장을 내세우는지를 설명하고 있기 때문에 적절하다.
8 (1) ✕

1 글을 쓸 때에도 다른 사람에게 피해를 주지 않으려면 규범을 지켜야 하는데, 글을 쓰는 과정에서 지켜야 하는 여러 가지 규범을 '쓰기 윤리'라고 합니다.

2 ❶문단은 '글을 쓸 때에도 다른 사람에게 피해를 주지 않으려면 규범을 지켜야 한다.'가 중심 내용입니다.

3 ❷문단에서 쓰기 윤리를 지키지 않는 것은 법을 어기는 일이므로 진실이 아닌 내용을 진실인 것처럼 쓰는 경우 법으로 처벌을 받을 수도 있다고 했습니다.

4 ❸문단에서 쓰기 윤리를 지키지 않으면 다른 사람에게 물질이나 정신 피해를 줄 수 있다고 했습니다.

5 글쓴이는 쓰기 윤리를 지켜야 한다는 주장을 하고 있습니다.

6 쓰기 윤리를 지켜야 하는 까닭을 글에서 찾아봅니다. ❷~❹문단에 근거가 드러나 있습니다.

7 ❷~❹문단은 쓰기 윤리를 지키지 않으면 어떤 일이 일어나는지 설명하고 있습니다.

> 채점 기준 제시된 답과 비슷한 내용을 썼으면 정답으로 합니다.

8 적절한 근거가 많을수록 글쓴이의 주장이 더욱 설득력 있게 느껴집니다.

실천 주장에 대한 찬반 의견 나누기

1 스마트폰　　**2** ㉡　　　　**3** (2) ○ (3) ○
4 예 공부 시간에 다른 친구에게 방해가 된다.
5 반대　　　**6** ④, ⑤　　　**7** 도현
8 예 제시한 근거가 주장과 관련이 있는지 알아본다. / 제시한 근거가 주장을 더욱 설득력 있게 하는지 알아본다. / 제시한 근거에 알맞은 낱말을 썼는지 알아본다.

1 학교 안 스마트폰 사용에 대한 의견이 드러난 글입니다.

2 ㉮는 학교 안 스마트폰 사용을 법으로 금지하는 것에 대해 찬성하는 입장입니다.

3 학교에서 스마트폰을 사용하면 안 좋은 점으로 무엇을 제시했는지 찾아봅니다.

4 3번 문제에서 답한 근거와 비슷하거나 포함 관계에 있는 내용을 쓰지 않습니다.

> **채점 기준** 학교 안에서 스마트폰을 사용하면 좋지 않은 점이나 학교 안 스마트폰 사용을 법으로 금지했을 때 좋은 점을 썼으면 정답으로 합니다.

5 ㉯는 학교 안 스마트폰 사용을 법으로 금지하면 안 된다는 주장을 펼치고 있습니다.

6 학교에서 스마트폰을 사용하는 것을 금지했을 때 나타나는 역효과와 올바른 대처 방안을 제시한 것을 글에서 찾아봅니다.

7 미유는 ㉮의 주장과 같은 의견입니다.

8 주장을 뒷받침하는 근거가 적절해야 주장하는 내용도 믿을 수 있고, 설득력이 있습니다.

> **채점 기준** 제시된 답 가운데에서 한 가지를 썼으면 정답으로 합니다.

단원 마무리

❶ 동형어　　❷ 다의어　　❸ 뜻
❹ 인공 지능　❺ 규칙　　　❻ 일자리
❼ 위험　　　❽ 쓰기　　　❾ 문화
❿ 주장

단원 평가

1 다리　　　　　　**2** (1) ① (2) ②
3 다의어　　　　　**4** ②　　　　**5** ⑤
6 (1) ○　　　　　**7** 어떤 일이 생기지 등
8 인공 지능을 가졌느냐 아니냐에 따라 부자는 더 부자가 되고 가난한 사람은 더욱 가난해질 것이기 때문이다. 등
9 ①　　　　**10** (3) ○　　　**11** ③, ⑤
12 사람들의 의견을 모으고 제도를 마련한다. 등
13 ⑤　　　　**14** 쓰기 윤리　**15** ㉡, ㉢
16 (1) 관련 (2) 낱말 (3) 설득력
17 적절하다.　　**18** 찬성
19 학교 안에서 스마트폰을 사용하면 학생들이 수업에 집중하지 못해 학업에 방해가 된다. 등
20 ③, ⑤

1 '다리'라는 낱말이 상황에 따라 다양하게 쓰이기 때문에 뜻을 헷갈려 한 것입니다.

2 ㉠'다리'는 사람의 신체 부위인 다리이고, ㉡'다리'는 두 곳을 잇는 다리로, ㉠과 ㉡은 동형어입니다.

3 동형어는 서로 다른 낱말이므로 국어사전에서는 구분해 제시합니다.

4 '고개를 들고', '짐을 들었다'가 어울리므로 빈칸에는 '들다'가 들어가야 합니다.

5 운전자에게 어린이 보행자를 보호할 수 있는 안전 교육을 실시해 어린이 보행 중 교통사고가 일어나지 않도록 해야 한다고 했습니다.

6 (1)번 방법 외에도 문장에서 대신 쓸 수 있는 낱말을 생각해 보거나 낱말의 앞뒤 내용을 살펴보고 뜻을 찾을 수 있습니다.

7 6번에서 확인한 방법으로 낱말의 뜻을 찾아 씁니다.

8 '첫째'에 해당하는 내용을 살펴봅니다.

> **채점 기준** 제시된 답과 같은 내용을 썼으면 정답으로 합니다.

9 지금보다 더 발달한 인공 지능이 등장하면 인간은 인공 지능의 지배를 받게 될지도 모른다고 했습니다.

10 이 글은 인공 지능이 일으킬 위험을 강조하고 있습니다.

11 ㉯에서 각 문단의 중심 내용을 파악해 봅니다.

12 사람들의 의견을 모으고 제도를 마련하여 인공 지능이 인간의 일자리를 빼앗지 않도록 하면 된다고 했습니다.

13 인공 지능은 인류 미래에 꼭 있어야 할 기술이라고 했습니다.

14 글쓴이는 글을 쓸 때 쓰기 윤리를 지키며 써야 한다고 주장했습니다.

15 '첫째, 둘째' 뒤에 나온 내용이 근거에 해당합니다.

16 주장하는 글을 읽을 때에는 근거의 적절성을 살펴야 합니다.

17 제시한 근거가 주장과 관련이 있고, 주장을 더욱 설득력 있게 만들어 주며 알맞은 낱말을 사용했으므로 적절하다고 판단할 수 있습니다.

18 학교 안 스마트폰 사용을 법으로 금지해야 한다는 주제에 찬성하고 있습니다.

19 학생들이 수업에 집중하지 못해 학업에 방해가 되므로 학교 안에서 스마트폰을 사용하는 것을 법으로 금지한다면 학생들이 스마트폰에 정신을 빼앗기지 않아 좀 더 수업에 집중할 수 있을 것이라고 했습니다.

> **채점 기준** 제시된 답과 같은 내용을 썼으면 정답으로 합니다.

20 ③, ⑤는 학교 안에서 스마트폰을 사용했을 때 안 좋은 점입니다.

서술형 평가
97쪽

1 예 마른 나뭇가지는 불에 잘 <u>탄다</u>. / 나는 그네를 <u>타고</u>, 친구는 시소를 <u>탄다</u>.

2 예 신호가 초록색으로 바뀐 후 길을 건너고, 신호가 바뀐 뒤에도 좌우를 살피고 늘 조심한다.

3 예시 답안 참고

4 (1) 인공 지능은 인류 미래에 꼭 있어야 할 기술이다. 등
(2) 인공 지능에 제대로 된 규칙을 부여해 잘 통제하고 활용하면 인류에게 도움이 될 것이다. 등

5 예 소음 때문에 다른 사람에게 피해를 줄 수 있다. / 조용하고 평화로운 학교 분위기를 만들 수 있다.

6 예시 답안 참고

1 '타다'를 국어사전에서 찾아보면 뜻이 다양하게 실려 있습니다.

> **채점 기준** 국어사전에서 '타다'를 찾아보고 그 중에 두 가지 뜻을 골라 각각 그 뜻을 담은 문장을 썼으면 정답으로 합니다.

2 어린이들이 어떤 경우에 사고를 당할 수 있다고 했는지 살펴보고, 어린이들이 지켜야 할 안전 수칙은 무엇인지 써 봅니다.

> **채점 기준** 제시된 답과 같은 내용을 썼으면 정답으로 합니다.

3 동형어나 다의어는 상황에 따라 여러 가지 뜻으로 해석되므로 정확하게 뜻을 찾아야 합니다.

> **예시 답안** 대신 쓸 수 있는 낱말을 생각해 본다. / 국어사전에서 어울리는 뜻을 찾아 확인한다. / 낱말의 앞뒤 내용을 살펴보고 관련 있는 뜻을 찾는다.

> **채점 기준** 제시된 답 가운데 한 가지를 썼으면 정답으로 합니다.

4 이 글은 인공 지능이 인류의 미래에 꼭 있어야 할 기술이라는 주장이 담긴 글입니다.

> **채점 기준** (1)에는 인공 지능이 인류 미래에 꼭 있어야 할 기술이라는 내용을 쓰고, (2)에는 인공 지능에 제대로 된 규칙을 잘 부여해 통제하고 활용하면 인류에게 도움이 될 것이라는 내용을 썼으면 정답으로 합니다.

5 주장을 뒷받침할 수 있는 근거를 씁니다.

> **채점 기준** 교실이나 복도에서 큰 소리로 떠들었을 때 좋지 않은 점이나 교실이나 복도에서 떠들지 않았을 때 좋은 점을 근거로 썼으면 정답으로 합니다.

6 자신의 주장을 정한 뒤 주장을 설득력 있게 해 주는 근거를 씁니다.

예시 답안	
주장	예 반대한다.
근거	예 학교 안에서 스마트폰을 사용하다가 잃어버리는 일이 자주 일어나고, 공부 시간에 스마트폰을 사용하면 다른 친구에게 방해가 되기 때문이다.

> **채점 기준** 찬성하거나 반대하는 것 중 한 가지를 고르고, 적절한 근거를 썼으면 정답으로 합니다.

6 토의하여 해결해요

준비 토의 뜻과 필요성 알기   101쪽

1 운동장   **2** (1) ㄱ (2) ㄴ   **3** ⑤
4 예 가족 여행 장소를 정할 때

1 그림 ㉮의 알림 글과 그림 ㉯의 친구들이 나눈 대화를 살펴보면 알 수 있습니다.

2 그림 ㉮에서 친구들은 알림 글을 보고 결정된 내용을 알았고, 그림 ㉯에서는 문제를 해결하기 위해 친구들이 의견을 나누고 있습니다.

3 토의는 어떤 문제를 여러 사람이 협력해 해결하는 방법입니다.

4 일상생활에서 여러 사람이 협력해 문제 해결 방법을 찾아야 하는 때를 여러 상황에서 떠올려 봅니다.

기본❶ 토의 절차와 방법 알기   102~105쪽

1 개교기념일 행사   **2** 주제
3 (1) ×
4 개교기념일을 뜻깊게 보내는 방법
5 ㉮   **6** (1) ② (2) ①   **7** 준영
8 (1) 예 우리 학교 역사 찾기 행사를 합시다.
  (2) 예 우리 학교 역사를 찾아보면 학교가 어떤 과정으로 바뀌어 왔는지 알 수 있습니다.
9 ①
10 예 대회를 하면 학생들의 관심은 높아지겠지만 삼행시의 내용이 학교와 상관없을 수도 있다.
11 (1) 연대표 (2) 낮을 등   **12** (1) ○ (2) ○
13 '우리 학교 역사 찾기' 행사   **14** ④
15 (1) 의견 마련하기 (2) 의견 모으기   **16** 우진

1 선생님께서는 개교기념일 행사를 학생들의 의견을 모아 진행하기로 했다고 알려 주셨습니다.

2 토의 주제를 정하기 위해 토의하고 싶은 주제를 자유롭게 이야기하자고 했습니다.

3 토의는 여러 사람의 의견을 모아 공동체의 문제를 더 나은 방향으로 해결하는 말하기이므로 우리 모두와 관련이 있는 주제여야 합니다.

4 토의 주제를 '개교기념일을 뜻깊게 보내는 방법'으로 정하였습니다.

5 ㉮~㉰의 친구들은 '개교기념일을 뜻깊게 보내는 방법'에 대한 자신의 의견을 말하고 있습니다.

6 ㉮ 친구의 학교 도서관에 책이 많다는 것과 자신이 대출한 도서 수는 토의 주제에 맞지 않는 내용이고, ㉯ 친구의 전교생이 함께 해외여행을 다녀오는 것은 실천하기 어렵습니다.

7 자신의 의견을 뒷받침할 수 있는 알맞은 근거를 함께 제시해야 합니다.

8 주제에 맞게 자신의 의견을 써 보고, 그 의견이 좋은 까닭을 써 봅니다.

> **채점 기준** 개교기념일을 뜻깊게 보내는 방법에 대한 자신의 의견과 그 의견이 좋은 까닭을 모두 알맞게 썼으면 정답으로 합니다.

9 다른 사람의 의견을 따라 말할 필요는 없습니다.

10 학교 이름으로 삼행시 짓기 대회를 하자는 의견의 단점이 무엇인지 생각해 봅니다.

> **채점 기준** 개교기념일을 뜻깊게 보내는 방법으로 삼행시 짓기 대회의 단점을 알맞게 썼으면 정답으로 합니다.

11 학교 옛 사진 찾기나 연대표 만들기 활동은 학교 역사를 흥미롭게 알아볼 수 있는 장점이 있지만, 재미가 없어 학생들의 관심이 낮을 수 있다는 단점이 있습니다.

12 우리가 실천할 수 있는 의견인지 살펴봐야 합니다.

13 의견이 알맞은지 판단하는 기준을 모두 만족하는 '우리 학교 역사 찾기' 행사로 결정했습니다.

14 좋은 의견이 많으면 여러 가지 의견을 정할 수 있습니다.

15 토의 주제를 정하고 의견을 마련한 후 의견의 장단점을 살펴보고 기준에 따라 알맞은 의견을 결정합니다.

16 다른 사람의 의견을 존중하며 듣습니다.

기본 ② 토의 주제를 파악하고 의견 나누기   106쪽

1 학급의 날에 무엇을 할까? 등
2 ①, ②, ④
3 (1) ㉃ (2) ㉠ (3) ㉃
4 예 우리의 장기를 활용해 후배들과 즐겁고 뜻깊은 시간을 보낼 수 있기 때문에 알맞다.

1 선생님의 제안을 듣고 학급의 날에 무엇을 할지 고민했습니다.

2 우리 모두와 관련이 있는 문제인지, 해결 방법을 찾을 수 있는지, 우리가 변화를 이끌어 낼 수 있는 문제인지 살펴봐야 합니다.

3 (1)은 ㉃의 단점, (2)는 ㉠의 단점, (3)은 ㉃의 장점으로 알맞습니다.

4 의견의 장단점을 생각해 보고 알맞은 주장과 근거인지 판단합니다.

> **채점 기준** 개교기념일을 뜻깊게 보내는 방법으로 '찾아가는 선배들' 활동을 하자는 의견의 장단점을 생각하여 알맞은 의견인지 판단하여 잘 썼으면 정답으로 합니다.

기본 ③ 글을 읽고 토의하기   107~108쪽

1 어린이 보호 구역   **2** ⑤
3 ④, ⑤   **4** 하민   **5** ②, ⑤
6 예 모두에게 안전한 학교를 만드는 방법
7 (1) 예 우리 학교 안전 지도를 만들면 좋겠다.
(2) 예 학교 곳곳에 있는 안전하지 않은 곳을 널리 알려 사고를 예방할 수 있기 때문이다.
8 (2) ○

1 학교 앞 어린이 보호 구역에서 유치원생이 교통사고로 목숨을 잃은 사고가 있었습니다.

2 과거에도 같은 곳에서 비슷한 사고가 있었기에 학생들은 학교 앞 어린이 보호 구역이 자신들의 안전을 지켜 주지 못한다는 것을 알았습니다.

3 '안전한 학교 만들기' 안건으로 회의를 하고, 전교생이 구청장님께 학교 앞 어린이 보호 구역 환경 개선을 요구하는 편지를 썼습니다.

4 학교 안전과 관련한 예를 떠올립니다.

5 어린이 보호 구역 표지판이 너무 작아 가로수에 가려 잘 보이지도 않는 데다 밤에는 어린이 보호 구역을 알아보기조차 힘들다고 하였습니다.

6 우리 학교의 안전과 관련하여 우리 모두와 관련이 있는 문제이면서 해결 방법을 찾을 수 있는 주제, 우리가 변화를 이끌어 낼 수 있는 주제를 정해 봅니다.

7 안전한 학교를 만들기 위해 정한 주제에 맞게 주장과 근거를 정리해 써 봅니다.

> **채점 기준** 우리 학교의 안전과 관련해서 정한 주제에 맞게 자신의 의견을 정리하여 잘 썼으면 정답으로 합니다.

8 우리 모두가 실천할 수 있는 의견으로 결정해야 하므로 (1)은 알맞지 않습니다.

실천 알맞은 주제를 정해 의견 나누기   109쪽

1 (1) ② (2) ③ (3) ①
2 예 운동장에 나갈 때 빨리 줄을 설 수 있는 방법
3 (1) 예 3분 모래시계 사용을 제안한다.
(2) 예 가장 먼저 줄을 서는 친구가 모래시계를 뒤집어 놓고 친구들에게 줄 서는 시간임을 알려 준다. 이렇게 하면 남은 시간을 확인하기 쉬워서 친구들이 좀 더 빨리 준비할 수 있다.
4 ③

1 각 그림에 나타난 문제 상황이 무엇인지 살펴봅니다.

2 우리 주변에서 토의가 필요한 상황을 생각해 봅니다.

3 토의 주제에 맞는 의견을 정하고, 자신의 의견이 어떤 점에서 좋은지 자세히 제시합니다.

> **채점 기준** 2번 문제에서 정한 토의 주제에 따라 자신의 의견과 그 의견이 좋은 까닭을 알맞게 썼으면 정답으로 합니다.

4 의견의 장점과 단점 모두 자세히 제시해야 합니다.

단원 마무리
110~111쪽

❶ 주제   ❷ 의견   ❸ 기준
❹ 변화   ❺ 장점   ❻ 모으기

단원 평가
112~114쪽

1 ⑤   **2** ㉣   **3** 토의
4 ㉣, ㉡, ㉠, ㉢   **5** 주제   **6** ①, ③, ⑤
7 (3) ○   **8** ③, ⑤
9 예 다른 사람의 의견을 끝까지 듣고 자신의 의견을 말한다.
10 ③
11 학교 이름으로 삼행시 짓기 대회를 하자. 등
12 예 학교 옛 사진 찾기나 연대표 만들기 활동을 하면 학교 역사도 흥미롭게 알아볼 수 있다.
13 (1) ✕
14 학급의 날에 무엇을 할까? 등
15 ①, ②, ④   **16** ㉠
17 학교 앞 어린이 보호 구역 등
18 예 우리 학교 안전 지도를 만들면 좋겠다. 우리가 스스로 학교에서 안전하지 않은 곳을 찾아보고 이를 보완하는 방법을 찾아보는 것도 효과적인 안전 교육일 수 있다.
19 ③
20 예 복도에서 안전하게 생활하는 방법

1 운동장을 안전하게 쓰는 방법에 대해 여러 사람이 참여하여 의논하고 있습니다.

2 문제 해결 과정에 여러 사람이 참여하여 문제 해결 방법을 찾고 있습니다.

3 어떤 문제를 여러 사람이 협력해 해결하는 방법을 '토의'라고 합니다.

4 토의 주제를 정하고 의견을 마련한 후 의견이 알맞은지 검토하여 의견을 결정합니다.

5 토의 주제를 정하기 위해 토의하고 싶은 주제를 자유롭게 이야기하고 있습니다.

6 우리 모두와 관련이 있는 주제, 해결 방법을 찾을 수 있는 주제, 우리가 변화를 이끌어 낼 수 있는 주제여야 합니다.

7 알맞은 근거를 함께 제시하지 않고 자신의 의견을 내세우기만 했습니다.

8 마루는 친구의 말을 끝까지 듣지 않았고, 손을 들고 말할 기회를 얻지 않았습니다.

9 알맞은 까닭을 들어 자신의 주장을 말하고, 토의 주제와 관련한 이야기를 하며, 다른 사람의 의견을 존중하며 듣습니다.

10 내 마음에 들지 않는 의견이라도 좋은 의견일 수 있으므로 기준에 따라 의견이 알맞은지 판단해야 합니다.

11 학생 1은 학교 이름으로 삼행시 짓기 대회를 하면 좋겠다고 했습니다.

12 학교 역사 찾기 행사의 장점을 생각해 봅니다.

> **채점 기준** 개교기념일을 뜻깊게 보내는 방법으로 학교 역사 찾기 행사의 장점을 생각하여 잘 썼으면 정답으로 합니다.

13 소수 의견이라도 도움이 된다면 얼마든지 받아들일 수 있습니다.

14 선생님께서는 다음 주 가운데 하루를 학급의 날로 잡아서 학생들이 계획한 대로 보내자고 하셨습니다.

15 우리 모두와 관련이 있는 문제인지, 해결 방법을 찾을 수 있는 문제인지, 우리가 변화를 이끌어 낼 수 있는 문제인지 살펴봅니다.

16 바르고 고운 말을 쓰자는 의견은 토의 주제에 맞지 않습니다.

17 학교 앞 어린이 보호 구역에서 유치원생이 교통사고로 목숨을 잃었다고 했습니다.

18 토의 주제에 알맞게 자신의 의견을 써 봅니다.

> **채점 기준** 토의 주제에 맞게 자신의 의견과 그 의견이 좋은 까닭을 잘 썼으면 정답으로 합니다.

19 '친구들이 재미있어 하는가'는 의견이 알맞은지 살펴보는 기준으로 알맞지 않습니다.

20 복도에서 안전하게 생활하기 어려운 상황이 나타나 있습니다.

서술형 평가

1 (1) 예 적절한 문제 해결 방법을 찾을 수 있다.

(2) 예 가족 여행 장소를 정할 때

2 토의 주제 정하기, 의견 마련하기, 의견 모으기, 의견 결정하기의 순서로 진행되었다. 등

3 (1) 예 '찾아가는 선배들' 활동을 했으면 좋겠다.

(2) 예 우리의 장기를 활용해 후배들과 즐겁고 뜻깊은 시간을 보낼 수 있다.

4 예 토의 주제에 맞는 내용인가?

5 (1) 예 청소할 때 일인 일역을 효과적으로 운영하는 방법

(2) 예 일인 일역이 잘 이루어지지 않으면 교실이 더러워지고 자신의 역할을 열심히 하는 친구만 힘들어진다.

1 일상생활에서 여러 사람이 협력해 문제 해결 방법을 찾아야 하는 때를 생각해 봅니다.

> **채점 기준** 일상생활에서 토의를 해야 하는 까닭과 토의를 해야 할 때를 모두 알맞게 썼으면 정답으로 합니다.

2 그림에 나타난 토의 절차를 살펴봅니다.

> **채점 기준** '토의 주제 정하기, 의견 마련하기, 의견 모으기, 의견 결정하기' 순서로 진행되었다는 내용을 썼으면 정답으로 합니다.

3 학급의 날을 어떻게 보내면 좋을지 의견을 제시하고 그 의견이 좋은 까닭을 설명해 봅니다.

> **채점 기준** 학급의 날을 어떻게 보내면 좋을지 자신의 의견과 그 의견이 좋은 까닭을 잘 썼으면 정답으로 합니다.

4 토의 주제에 맞는 내용인지, 알맞은 주장과 근거를 들었는지, 실천할 수 있는지 등을 살펴봐야 합니다.

> **채점 기준** 의견이 알맞은지 판단하는 기준을 알맞게 썼으면 정답으로 합니다.

5 우리 주변에서 일어나는 여러 가지 문제 상황 가운데 우리 모두와 관련이 있는 문제인지, 해결 방법을 찾을 수 있는 문제인지, 우리가 변화를 이끌어 낼 수 있는 문제인지 생각하여 토의 주제를 정해 봅니다.

> **채점 기준** 토의 주제를 정하는 방법에 맞게 토의 주제를 정해 쓰고, 그 토의 주제를 정한 까닭을 알맞게 썼으면 정답으로 합니다.

7 기행문을 써요

핵심 개념 문제

1 ○　　**2** 견문　　**3** (1) ○ (3) ○

4 ○　　**5** 자료

준비 기행문을 읽거나 쓴 경험 이야기하기

1 예 지난 여름 방학에 제주도로 간 여행에서 한라산을 올랐던 것이 기억에 남는다.

2 (2) ✕　　**3** 글　　**4** ⑤

1 자신이 재미있게 여행한 경험을 떠올려 봅니다.

> **채점 기준** 언제 어디로 여행을 갔는지, 무엇이 기억에 남았는지 자세히 썼으면 정답으로 합니다.

2 현석이는 제주도 여행이 재미있었다고 했지만 서윤이에게 여행 경험을 정확하게 전하지 못하는 것을 멋쩍어하고 있습니다.

3 현석이는 여행하면서 보고 듣고 느낀 점을 글로 써 놓지 않아 여행 경험을 정확하게 전하지 못했습니다.

4 여행하면서 보지 않은 것을 덧붙여 쓰면 안 됩니다.

기본 ❶ 기행문의 특성 파악하기

1 ②

2 하늘에서 보는 제주도의 풍광을 만끽하기 위해서이다. 등

3 ①　　　　**4** 다랑쉬오름　　**5** 달

6 ③　　　　**7** (1) ③ (2) ① (3) ②

8 (1) ㉡, ㉢ (2) ㉠　　**9** ②, ④

10 감상　　**11** ②　　**12** 나은

1 기행문은 여정을 적고, 여행으로 얻은 견문과 감상을 쓴 글입니다.

2 하늘에서 보는 제주도의 풍광을 만끽하기 위해서 제주행 비행기를 탈 때 창가 쪽 자리를 선호한다고 했습니다.

3 답사의 첫 유적지는 한라산 산천단이라고 했습니다.

4 제주의 동북쪽 구좌읍 세화리 송당리 일대는 오름이 가장 많고 아름다워 '오름의 왕국'이라고 하며 그중에서도 다랑쉬오름은 '오름의 여왕'이라고 불리는 곳입니다.

5 다랑쉬오름 남쪽에 있던 마을에서 보면 북사면을 차지하고 앉아 된바람을 막아 주는 오름의 분화구가 마치 달처럼 둥글어 보인다고 하여 '다랑쉬'라는 이름이 붙여졌다고 했습니다.

6 성산 일출봉의 서쪽은 고운 잔디 능선 위에 돌기둥과 기암이 솟아 있는데 그 사이에 계단으로 만든 등산로가 나 있습니다.

7 여정, 견문, 감상이 무엇인지 생각해 봅니다.

8 ㉠은 생각하거나 느낀 것, ㉡은 본 것, ㉢은 들은 것에 해당합니다.

9 영실에는 언제 어느 때 가도 계곡물 소리가 들리며, 무더운 여름날 소나기라도 지나간 뒤에는 절벽 사이로 100여 미터의 폭포가 생긴다고 했습니다.

10 ㉠은 한라산에서 든 생각이나 느낌을 정리한 것으로, 감상에 해당합니다.

11 산천단, 오름, 성산 일출봉, 한라산을 들렀습니다.

12 견문을 생생하고 자세하게 풀어 쓸 때 본 것은 '~을/를 보다, ~이/가 있다'와 같은 표현을, 들은 것은 '~(이)라고 한다, ~을/를 듣다'와 같은 표현을 씁니다.

기본❷+실천 여정, 견문, 감상이 드러나게 기행문 쓰고, 여행지 안내장 만들기 **123쪽**

1 예 해인사
2 (1) 예 친구들에게 내 경험을 알려 주려고
(2) 예 해인사에서 봤던 팔만대장경이 기억에 남아서 (3) 예 우리 반 친구들 (4) 예 사진, 입장권
3 (1) ㉡ (2) ㉢ (3) ㉠   **4** (2) ○ (3) ○
5 ⑤   **6** ①

---

1 자신이 가 본 곳 가운데 기억에 남는 곳을 떠올려 봅니다.

2 기행문을 쓰기 전에 기행문을 쓸 준비를 하는 과정으로 각자 여행 경험을 떠올려 정리해 봅니다.

3 처음 부분에는 여행한 까닭이나 목적, 가운데 부분에는 여정, 견문, 감상, 끝부분에는 여행의 전체 감상을 씁니다.

4 시간과 장소가 잘 드러나게 써야 하지만 꾸며서 쓰면 안 됩니다.

5 여행지의 갈 만한 곳, 먹을거리, 즐길 거리, 문화유산, 자신의 생각 등이 들어갈 수 있습니다.

6 알리고 싶은 여행지를 고른 다음 자료를 모으고, 형태를 골라 안내장을 만들어 여행 박람회를 엽니다.

단원 마무리
124~125쪽

❶ 여행   ❷ 여정   ❸ 감상
❹ 처음   ❺ 자료

단원 평가
126~128쪽

1 ⑤   **2** 글   **3** ㉣
4 기행문   **5** (3) ×   **6** ②
7 ②, ⑤   **8** (1) 일출봉 분화구 (2) 우도
9 견문   **10** ㉢
11 예 도로 확장 공사로 문제가 되었던 비자림에 가 보고 싶다.
12 ③   **13** (1) ② (2) ① (3) ③
14 ⑤   **15** 예 사진 / 사용한 입장권
16 (1) ㉠, ㉣ (2) ㉡ (3) ㉢   **17** ⑤
18 현지
19 (1) 예 세계 자연 유산, 거문오름 (2) 예 거문오름 (3) 예 거문오름의 동식물, 거문오름의 역사와 문화, 거문오름 탐방
20 ④

1 한라산, 거문오름, 만장굴, 성산 일출봉을 다녀왔다고 하였습니다.

2 여행하면서 본 것을 꼼꼼히 써 놓고 사진을 찍어 두어서 여행 경험을 자신 있게 전할 수 있었기 때문입니다.

3 다른 사람에게 여행한 곳의 정보를 줄 수 있습니다.

4 여정과 여행으로 얻은 견문과 감상을 쓴 기행문입니다.

5 다랑쉬라는 이름은 다랑쉬오름 남쪽에 있던 마을에서 보면 오름의 분화구가 마치 달처럼 둥글어 보인다 하여 붙여졌습니다.

6 산천단에 들렀다는 내용이 나타났습니다.

7 글쓴이는 성산 일출봉과 한라산을 들렀습니다.

8 설문대 할망과 관련해 들은 전설을 찾아봅니다.

9 성산 일출봉을 여행하면서 보고 들은 것을 적은 부분입니다.

10 ㉠은 여행하면서 다닌 곳(여정), ㉡은 여행하면서 보고 들은 것(견문)에 해당합니다.

11 제주도 어디를 여행하고 싶은지 생각해 봅니다.

> **채점 기준** 자신이 제주도에서 가 보고 싶은 곳을 잘 썼으면 정답으로 합니다.

12 감상은 여행하며 든 생각이나 느낌을 말합니다.

13 여정, 견문, 감상이 잘 드러나게 표현하려면 어떤 표현을 써야 하는지 생각해 봅니다.

14 기행문은 여행한 곳에 대한 견문과 감상이 주된 내용인 글이므로 함께 여행한 사람의 좋은 점을 떠올릴 필요는 없습니다.

15 여행하면서 찍은 사진이나 사용한 입장권, 기록한 쪽지 따위로 기행문을 더 생생하게 쓸 수 있습니다.

16 여행한 목적, 여행을 떠나기 전의 기대와 설렘 등은 처음에, 여정, 견문, 감상과 같이 여행하면서 있었던 일은 가운데에, 전체 감상은 끝에 씁니다.

17 읽을 사람을 예상해서 이해하기 쉬운 말로 써야 합니다.

18 여행지 안내장은 현실 세계에 없는 곳을 소개하지는 않습니다.

19 가 본 곳 또는 좋은 여행지라고 생각하는 곳을 떠올립니다.

> **채점 기준** 친구들에게 알리고 싶은 여행지와 알릴 내용을 자세히 썼으면 정답으로 합니다.

20 텔레비전 여행 프로그램을 찾아볼 수도 있습니다.

서술형 평가 129쪽

1 오름과 성산 일출봉에 들렀다. 등

2 ㉠은 견문이다. 견문은 여행하며 보거나 들은 것을 말한다. 등

3 경사면을 따라 불어오는 그 유명한 제주의 바람이 흐르는 땀을 씻어 주어 한여름이라도 더운 줄 모른다. 발길을 옮길 때마다, 한 굽이를 돌 때마다 시야는 점점 넓어지면서 가슴까지 시원하게 열린다.

4 **예** 본 것을 나타낼 때에는 '~을/를 보다, ~이/가 있다.' 따위의 표현을 쓰고, 여행을 하며 들은 것을 나타낼 때에는 '~(이)라고 한다, ~을/를 듣다' 따위의 표현을 쓴다.

5 (1) **예** 경주에 가서 책에서만 보았던 신라의 문화재를 직접 보기 위해서이다. (2) **예** 국립경주박물관에 갔다. (3) **예** 얼굴 무늬 수막새 등을 보았다. (4) **예** 소박한 미소를 보니 신라 사람들이 친근하게 느껴졌다. (5) **예** 신라의 역사와 인물, 유물과 관련된 이야기를 더 찾아보고 싶다.

1 글쓴이는 오름과 성산 일출봉을 갔습니다.

> **채점 기준** 오름과 성산 일출봉을 들렀다는 내용 등을 잘 썼으면 정답으로 합니다.

2 ㉠은 성산 일출봉에서 본 것으로 견문에 해당합니다.

> **채점 기준** 견문이라고 쓰고, 견문의 뜻을 잘 썼으면 정답으로 합니다.

3 글 **나**의 끝부분에 오름에 대한 감상이 나타나 있습니다.

> **채점 기준** 오름을 여행하며 든 생각이나 느낌을 잘 찾아 썼으면 정답으로 합니다.

4 어떤 장소를 방문해 본 것과 들은 것을 어떤 표현을 써서 나타냈는지 살펴봅니다.

> **채점 기준** 본 것과 들은 것을 나타낼 때 써야 하는 표현을 알맞게 썼으면 정답으로 합니다.

5 여행한 까닭이나 목적, 여행지에서 다닌 곳, 보고 들은 것, 생각하거나 느낀 것, 여행의 전체 감상을 써 봅니다.

> **채점 기준** 자신이 여행한 경험을 기행문의 짜임에 맞게 모두 잘 정리하여 썼으면 정답으로 합니다.

8 아는 것과 새롭게 안 것

준비 낱말의 짜임 알기   133쪽

1 (1) 바느질할 때 쓰는 뾰족한 것 (2) 방석
2 사과가 열리는 나무. 등
3 (1) ㉠, ㉡, ㉢, ㉣, ㉥ (2) ㉤, ㉦, ㉧
4 손

1 그림 ❷의 내용을 살펴봅니다.

2 '사과나무'는 '사과'와 '나무'를 합한 낱말로, '사과가 열리는 나무.'라는 뜻입니다.

> **채점 기준** 낱말의 짜임을 살펴보고 '사과나무'의 뜻을 알맞게 짐작하여 썼으면 정답으로 합니다.

3 단일어와 복합어의 뜻을 생각해 봅니다.

4 '손수건'과 '손수레'에 공통으로 들어간 말은 '손'입니다.

기본❶ 낱말을 만드는 방법 알기   134쪽

1 도로나 계곡 따위를 건너질러 공중에 걸쳐 놓은 다리. 등
2 (2) ×
3 (1) 과일 (2) 그해에 새로 난 과일. 등
4 (1) 예 눈 (2) 예 동무

1 '구름'과 '다리'의 뜻을 알아보고 '구름다리'의 뜻을 짐작해 봅니다.

2 '–꾼'은 다른 낱말에 붙어 새로운 낱말을 만들고 뜻을 더해 줍니다. '–꾼'은 제시된 답 외에도 '어떤 일을 즐겨 하는 사람'의 뜻도 있습니다.

3 낱말의 짜임을 생각하며 뜻을 짐작해 봅니다.

4 주어진 낱말에 다른 낱말을 합해서 복합어를 만들어 봅니다.

기본❷ 겪은 일을 떠올리며 글 읽기   135~139쪽

1 예 음악 시간에 전통 악기를 연주해 보았다. / 경복궁에 가서 전통 음악 연주를 들었다.
2 종이   **3** 팔음
4 (1) ㉠ (2) ㉡ (3) ㉣ (4) ㉢
5 ⑤
6 예 예술제에서 가야금 연주를 들은 적이 있다. 아름다운 가야금 선율을 들으며 가야금이라는 악기가 궁금해졌다.
7 ③   **8** 단소   **9** ①
10 공명통   **11** ④, ⑤   **12** 부
13 가죽   **14** ④, ⑤   **15** 지휘자
16 (2) ○   **17** 음의 변화   **18** ⑤
19 예 텔레비전에서 「수제천」이라는 곡을 전통 악기로 연주하는 모습을 본 경험을 떠올리며 읽었다.
20 ㉡, ㉢

1 우리 전통 음악과 관련한 경험을 떠올려 봅니다.

2 우리나라 악기들은 자연에서 얻은 여덟 가지 재료(명주실, 대나무, 박, 흙, 가죽, 쇠붙이, 돌, 나무) 등으로 만들어졌다고 했습니다.

3 여덟 가지 재료에 저마다 독특한 소리가 담겨 있어 '팔음'이라고 불렀습니다.

4 글 ❷의 내용을 살펴봅니다.

5 명주실은 잘 끊어지지 않고 탄력이 있어서 가야금, 거문고, 아쟁, 해금 같은 악기의 줄로 쓰인다고 했습니다.

6 가야금이나 거문고와 관련 있는 경험을 떠올려 봅니다.

> **채점 기준** 가야금이나 거문고와 관련 있는 경험을 알맞게 썼으면 정답으로 합니다.

7 대나무는 굽힐 줄 모르는 곧은 마음을 상징하여 예부터 즐겨 그리는 선비가 많았고, 장인들은 대나무로 여러 가지 물건을 만들었습니다.

8 제시된 내용은 단소에 대한 설명입니다.

9 생황은 박으로 만든 악기입니다.

10 글 ❺에서 생황에 대해 설명하고 있습니다.

11 흙은 원하는 모양을 쉽게 만들 수 있고, 말리거나 구우면 단단해집니다.

12 우묵한 질그릇처럼 생긴 부는 대나무 채로 두드려 소리를 냅니다.

> **오답 피하기**
> 훈: 흙을 빚고 구워서 만든 악기로 입으로 불어 소리를 냅니다.

13 가죽으로 만든 악기에는 북과 장구가 있다고 했습니다.

14 쇠는 아무나 함부로 다룰 수 없는 귀한 재료였으며 쇠를 다루는 사람들이 쇠를 녹여 여러 가지 도구와 무기를 만들었기 때문에 쇠로 만든 악기에도 특별한 힘이 있을 거라고 여겼습니다.

15 여러 악기를 모아 합주할 때 박을 연주하는 사람은 지휘자와 같은 역할을 합니다.

16 친구는 한 일을 떠올리며 글을 읽었습니다.

17 돌로 만든 악기는 추위나 더위에 강하기 때문에 음의 변화가 거의 없어서 다른 악기의 음을 맞추거나 고르게 할 때 기준이 되었습니다.

18 편경은 주로 궁중에서 제사를 지낼 때 쓰입니다.

19 글을 읽고 관련 있는 경험을 떠올려 봅니다.

> **채점 기준** 글의 내용에 알맞은 경험을 떠올리며 읽었다는 내용으로 썼으면 정답으로 합니다.

> **정답 친해지기** 「자연을 닮은 우리 악기」를 읽고 관련 있는 경험 정리하기 ⑩
>
> | | |
> |---|---|
> | 본 일 | 전통 악기 박물관에서 생황이라는 악기를 본 적이 있습니다. 무엇으로 만들었는지 궁금했는데 박으로 만든 악기라는 것을 알게 되었습니다. |
> | 들은 일 | 예술제에서 가야금 연주를 들은 적이 있습니다. 아름다운 가야금 선율을 들으며 가야금이라는 악기가 궁금해졌습니다. |
> | 한 일 | 음악 시간에 단소를 연주해 보았습니다. 소리를 내기 힘들었지만 힘겹게 소리를 냈을 때 단소가 내는 청아한 소리가 참 아름다웠습니다. |

20 겪은 일을 떠올리며 글을 읽으면 자신이 알고 있는 내용과 비교하며 글을 읽을 수도 있습니다.

> **기본 ❸** 아는 지식을 활용해 글 읽기　140~143쪽
>
> **1** ⑩ 우리나라에서 점점 사라지는 동물에 대한 이야기일 것 같다. / 환경을 보호하자는 내용이 나올 것 같다.
>
> **2** 은지
>
> **3** ⑩ 동물들이 사는 곳의 온도가 높아져서 살기 어려워진다.
>
> **4** 부빙　　　　　**5** ①
>
> **6** 가슴에 반달무늬가 있는 곰이다. 등
>
> **7** ⑤
>
> **8** ⑩ 산양이 사람들 때문에 멸종 위기에 처했다는 것을 새롭게 알았다.
>
> **9** ㉃, ㉅　　　　　**10** 천연기념물
>
> **11** (1) ㉠ (2) ㉃ (3) ㉂ (4) ㉅
>
> **12** ⑩ 벌레의 몸이 비단처럼 보일 것 같다.
>
> **13** 지표종
>
> **14** (1) ㉃ (2) ㉠ (3) ㉅ (4) ㉂
>
> **15** ⑩ 우리가 동물에게 관심을 기울이고 동물을 보살피며, 환경을 함부로 파괴하지 않고 깨끗하게 유지하는 것이 멸종 위기의 동물을 보호하는 가장 좋은 방법이라는 것을 새롭게 알았다.
>
> **16** 하나

1 글의 제목을 보고 어떤 내용이 펼쳐질지 생각해 봅니다.

2 멸종 위기 동물에 대해 아는 내용을 알맞게 말하지 못한 사람은 은지입니다.

3 지구 온난화로 인해 동물들이 사는 곳의 온도가 높아지면 동물들이 살기 어려워질 것입니다.

4 점박이물범이 새끼를 낳으려면 부빙이 꼭 필요한데 지구가 점점 따뜻해져서 얼음들이 녹고 있다고 했습니다.

5 산양을 자세히 보면 수염이 없고 갈색, 검은색, 회색 털이 뒤섞여 있다고 했습니다.

6 낱말의 짜임을 생각해 보면 '반달가슴곰'은 가슴에 반달무늬가 있는 곰이라는 것을 짐작할 수 있습니다.

7 반달가슴곰이 있어야 지리산의 생태계가 잘 돌아가기 때문에 사람들은 반달가슴곰을 귀하게 여깁니다.

8 자신이 아는 지식을 떠올리며 이 글을 읽고 새롭게 알거나 자세히 안 점을 써 봅니다.

> 채점 기준 글을 읽고 산양이나 반달가슴곰에 대해 새롭게 알거나 자세히 안 점을 알맞게 썼으면 정답으로 합니다.

9 꼬치동자개는 사람들이 자신들을 데려다가 연구해서 수를 늘릴 계획이 있다고 하던데, 그러다 잘못되면 어떡하냐고 걱정했습니다.

10 문단 ❻에 우리나라가 멸종 위기 동물을 보호하기 위해 한 노력이 나타나 있습니다.

11 각 지역을 대표하는 생물들을 알아봅니다.

12 '비단벌레'는 '비단'과 '벌레'를 합해서 만든 낱말입니다.

13 깃대종은 그 지역을 대표하는 생물들입니다.

14 지표종으로 물의 등급을 알 수 있습니다.

15 멸종 위기의 동물을 보호하는 방법에 대해 자신이 아는 지식을 떠올리며 이 글을 읽고 새롭게 알거나 자세히 안 점을 써 봅니다.

> 채점 기준 글의 내용을 떠올리며 멸종 위기의 동물을 보호하는 방법에 대해 썼으면 정답으로 합니다.

16 아는 지식을 떠올리며 글을 읽으면 글의 내용을 더 잘 이해할 수 있고 깊이 있게 이해할 수 있습니다. 또 아는 내용과 비교하며 글을 읽을 수 있습니다.

실천 새말 사전 만들기 144쪽

1 (1) ① (2) ②
2 (1) 예 재주 마당 (2) 예 재주를 보여 주는 공간이기 때문이다.
3 (1) 예 바람 주머니 (2) 예 길 도우미
4 (1) 예 크레파스 (2) 예 색깔 막대
　(3) 예 색깔 + 막대 (4) 예 여러 색이 있는 막대 모양의 도구이기 때문이다.

1 알림판의 이름을 여자아이는 솜씨 마당이라고, 남자아이는 생각 나눔터라고 하면 좋겠다고 했습니다.

2 알림판의 이름을 무엇이라고 지으면 좋을지 그 까닭과 함께 써 봅니다.

---

3 '튜브'와 '내비게이션'의 뜻을 생각하며 새말로 바꾸어 써 봅니다.

4 주변에서 볼 수 있는 사물이나 장소 따위를 새말로 만들어 봅니다.

> 채점 기준 주변에서 볼 수 있는 사물이나 장소 따위를 새말로 만들어 빈칸에 모두 알맞은 말을 썼으면 정답으로 합니다.

단원 마무리 145쪽

❶ 낱말　　❷ 뜻　　❸ 보호

단원 평가 146~148쪽

1 ⑤
2 '바늘'과 '방석'으로 나누어 아는 뜻을 바탕으로 짐작했다. 등
3 (1) 사과 (2) 나무
4 ④　　　　**5** 성훈
6 예 새우처럼 등을 구부리고 자는 잠. / 불편하게 모로 누워 자는 잠.
7 '처음 나온' 또는 '덜 익은' 등　　**8** ③
9 (1) 예 발 (2) 예 잠　　　　**10** ④
11 굽힐 줄 모르는 곧은 마음 등　　**12** ③, ④, ⑤
13 예 음악 시간에 단소를 연주해 보았다. 소리를 내기 힘들었지만 힘겹게 소리를 냈을 때 단소가 내는 청아한 소리가 참 아름다웠다.
14 (1) 이해 등 (2) 흥미 등
15 (1) 바위 (2) 산　　　　**16** 반달가슴곰
17 ①, ⑤
18 예 대한민국 사람들이 반달가슴곰의 수를 늘리려고 하고 있다.
19 워터 파크　　**20** 예 물놀이 세상 / 물놀이 공원

---

1 예원이는 책을 읽다가 '바늘방석'이라는 낱말이 나왔는데 뜻을 잘 모르겠다고 했습니다.

2 예원이는 '바늘'과 '방석'으로 나누어 '바늘방석'의 뜻을 짐작했습니다.

3 '사과나무'는 '사과'와 '나무'를 합해 사과가 열리는 나무라는 뜻을 나타냅니다.

4 나누면 본디의 뜻이 없어져 더는 나눌 수 없는 낱말을 '단일어'라고 합니다.

> **오답 피하기** 복합어
> • '바늘방석'처럼 뜻이 있는 두 낱말을 합한 낱말
> • '맨주먹'처럼 뜻을 더해 주는 말과 뜻이 있는 낱말을 합한 낱말

5 낱말의 짜임을 알면 잘 모르는 낱말의 뜻을 짐작할 수 있습니다.

6 낱말의 짜임을 보고 낱말의 뜻을 짐작해 봅니다.

7 '풋－'은 '처음 나온' 또는 '덜 익은'의 뜻으로, 다른 낱말에 붙어 새로운 낱말을 만들고 뜻을 더해 줍니다.

8 '책가방'은 '책'과 '가방'을 합해 만든 낱말입니다.

9 주어진 말에 다른 낱말을 합해서 여러 가지 낱말을 만들어 봅니다.

10 명주실에 대한 설명입니다.

11 대나무는 굽힐 줄 모르는 곧은 마음을 상징합니다.

12 해금과 아쟁은 명주실로 만든 우리 악기입니다.

13 글과 관련 있는 한 일, 본 일, 들은 일 등을 떠올려 봅니다.

> **채점 기준** 글을 읽고 관련 있는 경험을 정리하여 썼으면 정답으로 합니다.

14 겪은 일을 떠올리며 글을 읽으면 좋은 점이 무엇인지 생각해 봅니다.

15 낱말의 짜임을 생각할 때 '바위산'은 바위로 뒤덮여 있는 산임을 알 수 있습니다.

16 반달가슴곰에 대한 설명입니다.

17 산양과 반달가슴곰이 왜 멸종 위기의 동물이 되었는지 생각해 보고 글 **나**의 내용도 살펴봅니다.

18 멸종 위기의 동물에 대해 자신이 아는 사실을 떠올려 보고 새롭게 알거나 자세히 안 점을 써 봅니다.

> **채점 기준** 글을 읽고 새롭게 알거나 자세히 안 점을 알맞게 썼으면 정답으로 합니다.

19 가족은 워터 파크를 가고 있습니다.

20 '워터 파크'의 뜻을 생각하며 새말로 만들어 써 봅니다.

서술형 평가

149쪽

1 검은빛을 띠면서 붉다. 등

2 쇠는 아무나 함부로 다룰 수 없는 귀한 재료였기 때문이다. 등

3 **예** 풍물놀이를 할 때 북, 장구, 꽹과리 같은 전통 악기를 실제로 본 적이 있다.

4 **예** 새끼를 낳으려면 부빙이 꼭 필요한데 지구가 따뜻해져서 얼음들이 녹고 있는 것이 걱정스럽다고 했다.

5 **예** 사람들이 점박이물범을 마구 잡아서 모피와 약을 만들어서 멸종 위기에 처했다는 것을 새롭게 알았다.

1 낱말의 짜임을 보고 낱말의 뜻을 짐작해 봅니다.

> **채점 기준** '검붉다'의 뜻을 알맞게 짐작하여 썼으면 정답으로 합니다.

2 쇠는 아무나 함부로 다룰 수 없는 귀한 재료였기 때문에 쇠로 만든 악기에도 특별한 힘이 있을 거라고 여겼습니다.

> **채점 기준** '쇠는 아무나 함부로 다룰 수 없는 귀한 재료였기 때문이다.' 등의 내용을 썼으면 정답으로 합니다.

3 글을 읽고 한 일, 본 일, 들은 일 등을 떠올려 봅니다.

> **채점 기준** 글을 읽고 자신이 겪은 일을 알맞게 썼으면 정답으로 합니다.

4 새끼를 낳으려면 부빙이 꼭 필요한데 지구가 따뜻해져 얼음이 녹고 있어서 걱정스럽다고 했습니다.

> **채점 기준** '지구가 따뜻해져서 얼음들이 녹고 있다.' 등의 내용을 포함하여 썼으면 정답으로 합니다.

5 이 글을 읽고 새롭게 알거나 자세히 안 점을 정리해 봅니다.

> **채점 기준** 글의 내용과 관련하여 새롭게 알거나 자세히 안 점을 썼으면 정답으로 합니다.

> **보충 자료** 아는 지식을 떠올리며 글을 읽으면 좋은 점
> • 글 내용을 더 잘 이해할 수 있습니다.
> • 글 내용을 깊이 있게 이해할 수 있습니다.
> • 아는 내용과 비교하며 글을 읽을 수 있습니다.

9 여러 가지 방법으로 읽어요

152쪽

1 대상　　　**2** 주장하는 글　**3** 제목
4 ×　　　　　**5** 자세히

준비 글을 찾아 읽은 경험 나누기
153쪽

1 ①, ②
2 예 악기 연주 방법을 잘 몰라서 설명서를 찾아 읽었다.
3 예 악기 연주 방법을 몰랐는데 설명서를 찾아보고 악기를 연주할 수 있었다.　**4** (3) ×

1 지윤이가 어떤 글을 언제 찾아 읽었는지 생각해 봅니다.

2 자신이 어떤 책을 많이 읽는지 생각해 봅니다.

3 글을 읽고 어떤 도움을 받았는지 생각해 봅니다.

> **채점 기준** 글이나 자료를 읽고 어떤 도움을 받았는지 알맞게 썼으면 정답으로 합니다.

4 글을 읽은 경험을 살려 돌의 종류를 조사하기 위해 어떻게 글을 찾으면 좋을지 생각해 봅니다.

기본❶ 글의 종류에 따른 읽기 방법 알기
154~156쪽

1 ⓒ　　　　　**2** ③
3 '빠른 응답'이라는 뜻이다. 등　**4** ⓒ, ⓔ
5 ④
6 예 스마트폰 응용 프로그램으로 정보 무늬를 찍음.
7 (1) 예 정보 무늬는 그 일부를 지워도 사용할 수 있다는 내용이다.　(2) 예 일부를 지웠는데 사용할 수 있다는 것을 믿기 어렵기 때문이다.
8 하나
9 미래 사회에 필요한 사람이 되자. 등
10 ③, ④, ⑤
11 예 글쓴이의 주장에 동의한다. 미래 사회의 변화에 잘 적응하려면 사람도 그에 맞게 변화해야 하기 때문이다.
12 ②

---

1 정보 무늬에 대해 설명하는 글입니다.

2 글쓴이는 정보 무늬에 대해 설명하려고 합니다.

3 큐아르(QR)는 영어의 줄임 말로, '빠른 응답'이라는 뜻입니다.

4 ㉠은 막대 표시에 대한 설명이고, 정보 무늬를 쓰기 전에 막대 표시를 주로 썼습니다.

5 정보 무늬의 문제점에 대한 내용은 설명하지 않았습니다.

6 정보 무늬의 사용 방법을 설명한 부분을 찾아 정리합니다.

> **정답 친해지기** 「점과 선으로 만든 암호」에서 설명하는 내용을 항목별로 나누어 정리하기
>
> | 뜻 | 여러 가지 정보를 확인할 수 있는 표식 |
> | --- | --- |
> | 사용 방법 | 스마트폰 응용 프로그램으로 정보 무늬를 찍음. |
> | 특징 | 누구나 만들 수 있고, 여러 분야에서 사용함. |
> | 모양 | 네모 모양 안에 검은 선과 점이 있음. |

7 정보 무늬에 대한 설명 가운데 내용이 정확한지 확인하고 싶은 부분을 찾고, 그렇게 생각한 까닭은 무엇인지 써 봅니다.

> **채점 기준** 내용이 정확한지 알아보고 싶은 것과 그 까닭을 알맞게 썼으면 정답으로 합니다.

8 설명하는 글을 읽을 때에는 설명하는 내용이 정확한지 파악하며 읽어야 합니다.

> **정답 친해지기** 설명하는 글을 읽는 방법
> • 설명하려는 대상이 무엇인지 생각한다.
> • 대상의 무엇을 자세히 설명하는지 생각한다.
> • 대상을 보고 이미 아는 것을 떠올린다.
> • 대상에 대해 새롭게 안 것을 찾는다.

9 이 글은 '미래 사회에 필요한 사람이 되자.'는 주장이 나타난 글입니다.

10 글의 가운데 부분을 살펴봅니다.

11 글쓴이의 주장에 동의하는지 생각해 보고 자신의 주장을 뒷받침하는 근거도 생각해 봅니다.

> **채점 기준** 글쓴이의 주장을 판단하여 어떻게 생각하는지 알맞게 썼으면 정답으로 합니다.

12 주장하는 글을 읽을 때에는 주장이 무엇인지 생각하면서 주장에 타당한 근거를 들었는지 확인하며 읽습니다.

기본❷ 필요한 글을 찾아 정리하기   157~160쪽

1 고려청자   **2** ②   **3** (3) ○
4 유약 안에 아주 작은 기포가 많아 빛이 반사되면서 은은하고 투명하게 비쳐 보이기 때문이다. 등
5 ④   **6** ㉡   **7** (2) ○
8 📖 도서관에서 글을 찾으며 필요한 내용만 빨리 찾아 읽은 적이 있다.
9 ㉢   **10** ①, ②, ③   **11** 비색
12 그릇 바깥쪽에 조각칼로 무늬를 새긴 다음, 검은색이나 흰색의 흙을 메운 뒤 무늬가 드러나도록 바깥쪽을 매끄럽게 다듬는 기법이다. 등
13 (1) ✕
14 (1) 내용 (2) 밑줄 (3) 비교
15 승민   **16** (1) ㉡ (2) ㉠

1 이 글은 고려청자에 대한 글입니다.

2 규빈이는 고려청자에 대한 발표 자료를 찾기 위해 이 글을 읽었습니다.

3 고려청자를 만든 시기에는 중국과 우리나라에서만 질 높은 청자를 만들 수 있었고, 우리나라보다 중국이 먼저 청자를 만들었습니다.

4 글 ❷에서 고려청자의 빛깔에 대해서 설명하고 있습니다.

5 글 ❹에서 고려청자의 사용에 대해 알 수 있습니다.

6 규빈이는 필요한 내용이 있는지 찾아보려고 전체 내용을 훑어 읽었습니다.

7 자신에게 필요한 내용인지 알려면 처음부터 끝까지 자세히 읽기보다 제목을 보고 내용을 짐작하거나 관심 있는 내용이 있는지 훑어봐야 합니다.

8 규빈이처럼 전체 내용을 훑어 읽은 경험을 떠올려 봅니다.

> **채점 기준** 훑어 읽기의 방법으로 글을 읽은 경험을 썼으면 정답으로 합니다.

9 지완이는 외국에서 온 친구에게 고려청자를 알려 주기 위해서 글을 읽었습니다.

10 고려청자는 청자의 빛깔, 독특한 장식 기법, 아름다운 형태로 유명하다고 했습니다.

11 청자의 색이 짙고 푸른색 윤이 나는 구슬인 비취옥과 색깔이 닮았기 때문에 '비색'이라고 불렀습니다.

12 상감 기법이 무엇인지 정리해 봅니다.

> **채점 기준** 상감 기법에 대해 알맞게 정리하여 썼으면 정답으로 합니다.

13 고려청자는 단순한 형태로 그치지 않았습니다.

14 지완이는 필요한 내용을 찾으면서 중요한 내용에 밑줄을 그으며 자세히 읽었습니다.

15 글의 내용을 자세히 살펴보며 읽고, 고려청자의 특징을 설명하는 부분에 집중해 읽어야 합니다.

16 읽기 목적에 따라 읽는 방법이 어떻게 다른지 알아봅니다.

실천 자신만의 읽기 방법 찾아보기   161쪽

1 ③   **2** (1) ㉡ (2) ㉠
3 📖 어린이 신문
4 (1) 📖 메모하며 읽는다. (2) 📖 글 내용을 꼼꼼하게 읽을 수 있다.

1 같은 책을 백 번 읽고 백 번 쓰면 책의 내용을 잊지 않는다고 했습니다.

2 헬렌 켈러는 대상과 감정을 상상하며 읽고, 방정환은 글을 읽은 다음 관련한 곳에 직접 가 봐야 한다고 했습니다.

3 읽고 싶은 책이나 자료를 찾아봅니다.

4 자신이 좋아하는 책 읽기 방법을 떠올려 보고, 그렇게 읽을 때 좋은 점을 생각해 봅니다.

> **채점 기준** 자신만의 읽기 방법과 그렇게 읽으면 좋은 점을 알맞게 썼으면 정답으로 합니다.

단원 마무리   162~163쪽

❶ 대상   ❷ 모양   ❸ 주장
❹ 제목   ❺ 사진 등   ❻ 자세히

1 (1) ○ (3) ○

2 예 친구가 좋은 책이라고 알려 줘서 읽었다.

3 하율

4 예 인터넷에서 교통질서 지키기 광고지를 검색해 본다.

5 정보 무늬[큐아르 코드]   **6** ③

7 예 정보 무늬를 어느 각도에서 찍어도 내용을 확인할 수 있다는 내용이 정확한지 확인하고 싶다.

8 ①   **9** 주장하는 글

10 ③, ④, ⑤   **11** ③

12 예 글쓴이의 주장에 동의한다. 미래 사회에는 많은 것이 달라질 것이므로, 변화에 적응하고 미래 사회에 필요한 사람이 되도록 노력해야 한다고 생각하기 때문이다.

13 ②   **14** (3) ○

15 상감 기법   **16** 밑줄

17 예 친환경 에너지에 대해 동생에게 알려 주려고 책에서 중요한 내용에 밑줄을 그으며 자세히 읽은 적이 있다.

18 ①   **19** ⑤

20 (1) ㉡ (2) ㉠

1 지윤이는 삼국 시대가 궁금해서 역사책을 찾아 읽었고, 『우주의 신비』라는 책의 제목을 보고 관심이 생겨서 책을 찾아 읽었습니다.

2 글을 읽은 경험을 떠올려 봅니다.

3 하율이는 글을 읽은 경험만 말했습니다.

4 교통사고를 다룬 기사를 찾아보거나 교통안전을 다룬 내용을 책에서 찾아볼 수도 있습니다.

5 글의 제목과 내용을 통해 정보 무늬에 대해 설명하는 글임을 알 수 있습니다.

6 큐아르는 '빠른 응답'이라는 영어의 줄임 말입니다.

7 자신이 아는 지식이나 경험을 떠올리며 설명하는 내용이 믿을 만한지 생각해 봅니다.

> 채점 기준 글에서 내용이 정확한지 알아보고 싶은 것을 찾아 썼으면 정답으로 합니다.

8 설명하는 글을 읽을 때 설명하는 내용이 정확한지 확인하며 읽어야 합니다.

9 이 글은 주장하는 글입니다.

10 각 문단의 내용을 정리해 봅니다.

11 이 글에서 무엇을 강조하는지 확인해 봅니다.

12 글쓴이의 주장에 동의하는지, 자신의 주장을 뒷받침하는 근거는 무엇인지 생각해 봅니다.

> 채점 기준 글쓴이의 주장에 대한 자신의 생각을 알맞게 썼으면 정답으로 합니다.

13 ② '설명하는 내용이 무엇인가?'는 설명하는 글을 읽을 때 생각할 내용입니다.

14 지완이는 외국에서 온 친구에게 고려청자를 자세히 알려 주고 싶어서 이 글을 읽었습니다.

15 제시된 내용은 상감 기법에 대한 설명입니다.

16 지완이는 자세히 읽기 방법으로 글을 읽었습니다.

17 자세히 읽기 방법으로 글을 읽은 경험을 떠올려 봅니다.

18 제목을 통하여 내용을 짐작하는 것은 훑어 읽을 때의 방법입니다.

19 헬렌 켈러는 대상과 감정을 상상하며 글을 읽었습니다.

20 설명하는 글은 어떤 지식이나 정보를 읽는 이에게 전달하고 이해시키기 위해 쉽게 풀어서 쓴 글이고, 주장하는 글은 어떤 주제에 대하여 자기의 생각이나 주장을 조리 있고 짜임새 있게 밝혀 쓴 글입니다.

1 예 과학관 안내 책자에서 돌을 설명한 내용을 찾아본다.

2 스마트폰의 응용 프로그램으로 정보 무늬를 찍는다. 등

3 예 설명하려는 대상이 무엇인지, 대상의 무엇을 자세히 설명하는지 생각한다.

4 맑고 은은한 푸른 녹색, 비취옥 색을 닮아 비색이라고 함. 등

5 고려청자를 조사해 발표할 때 필요한 내용이기 때문이다. 등

6 예 내용을 이해하려고 글의 내용을 자세히 살펴보며 읽는다.

1 도서관에서 돌을 설명한 책을 찾아보거나 인터넷에서 돌을 설명한 내용을 찾을 수 있습니다.

> **채점 기준** 돌의 종류를 조사해야 하는 친구에게 알맞은 자료를 찾는 방법을 썼으면 정답으로 합니다.

2 스마트폰 응용 프로그램으로 정보 무늬를 찍으면 관련 내용이 있는 누리집으로 이동하거나, 관련 사진이나 동영상을 볼 수 있습니다.

> **채점 기준** 정보 무늬의 사용 방법을 설명한 부분을 찾아 썼으면 정답으로 합니다.

3 설명하는 글을 읽을 때에는 제시된 내용 외에도 대상을 보고 이미 아는 것을 떠올리고 대상에 대해 새롭게 안 것을 찾으며 읽어야 합니다.

> **채점 기준** 설명하는 글을 읽는 방법을 알맞게 썼으면 정답으로 합니다.

4 이 글에서 알 수 있는 고려청자의 빛깔을 정리해 봅니다.

> **채점 기준** 고려청자의 빛깔에 대해 설명한 내용을 간추려 썼으면 정답으로 합니다.

5 규빈이는 제목을 가장 먼저 읽고, 자신에게 필요한 내용이 있는지 찾아보았습니다.

> **채점 기준** 제시된 답과 같은 내용으로 썼으면 정답으로 합니다.

6 고려청자의 특징을 조사하기 위해 이 글을 읽을 때에는 내용을 자세히 살펴보며 꼼꼼히 읽고, 글의 내용이 이해하기 어렵거나 궁금한 점은 없는지 생각하며 읽어야 합니다.

> **채점 기준** 자세히 읽기의 방법을 썼으면 정답으로 합니다.

보충 자료	읽는 목적에 따른 읽기 방법
훑어 읽기	• 제목을 가장 먼저 읽고 필요한 내용이 있는지 생각합니다. • 글 전체를 다 읽지 않고 중요한 낱말을 읽으면서 필요한 내용이 있는지 찾아봅니다. • 제목뿐만 아니라 사진도 살펴보며 필요한 내용이 있을지 짐작합니다.
자세히 읽기	• 필요한 내용을 찾으며 자세히 읽습니다. • 중요한 내용이나 그것을 뒷받침하는 내용에 밑줄을 그으며 읽습니다. • 자신이 아는 내용과 새롭게 안 내용을 비교하며 자세히 읽습니다.

10 주인공이 되어

핵 심 개 념 문 제   170쪽

1 ○   **2** 사건   **3** ✕

4 사건   **5** 제목

준비 기억에 남는 일 이야기하기   171쪽

1 ①   **2 예** 우리 모둠이 힘을 모아 학급 신문을 만들었던 일이 생각난다.   **3** 행복함

1 합창대회에 나간 일은 나타나 있지 않습니다.

2 기억에 남는 일을 떠올려 봅니다.

> **채점 기준** 기억에 남는 일을 썼으면 정답으로 합니다.

3 제시된 일에 어울리는 감정은 행복함입니다.

기본 ❶ 일상생활의 경험이 잘 드러난 글 읽기   172~177쪽

1 이로운   **2** ④   **3** (3) ○

4 무척 반갑고 기쁘다. 등

5 화장실 옆 복도 등   **6** ②

7 ⑤   **8** 뜻밖이고 당황스럽다. 등

9 못하는 것은 못한다고 솔직하게 말하는 것이다. 등

10 ⑤   **11** 제하

12 예 친구와 다투고 마음이 불편했는데, 오해를 풀고 화해한 적이 있다.

13 합창 연습   **14** ②   **15** ②

16 예 친구들이 한심하다고 하는데도 로운이가 재치 있게 넘기는 부분이다.

17 명찬이 반장   **18** ⑤

19 (1) 열흘 뒤 등 (2) 학교 등 (3) 누나를 이해함. 등

20 읽는 사람을 생각하면서 쓴 것이 일기와 다르다. 등   **21** ㉡

22 예 황제하이다. 제하와 로운이가 갈등을 겪으면서 서로 성장했기 때문이다.

23 (2) ○

24 예 일기나 생활문에 비해 긴 기간에 걸친 사건을 어떻게 해결했는지 잘 나타냈다.

1 이 이야기의 주인공은 '이로운'입니다.

2 제하가 거짓으로 했던 행동들을 로운이가 밝혔습니다.

3 제하가 학교에 오기를 기다리는 로운이의 마음을 나타낸 부분은 억지로 꾸며 쓰지 않고 겪은 일을 그대로 풀어서 자신의 생각과 함께 솔직하게 썼습니다.

4 '야호! ~ 함성을 지를 뻔했다.' 등의 표현을 통해 알 수 있습니다.

5 제하와 로운이는 복도로 나와 화장실 옆 계단 구석에서 대화를 나누었습니다.

6 제하는 전학을 가지 않기로 했고, 제하는 부모님이 이혼하셔서 엄마, 할머니와 같이 살고 있다고 했습니다.

7 제하는 뭐든지 잘하기만 하면 다들 자신을 깔보지 못할 거라고 생각했다고 했습니다.

8 ㉠의 말을 들은 로운이의 행동과 생각을 살펴봅니다.

9 제하가 한 말을 살펴봅니다.

10 로운이는 용기를 내어 제하네 집에 찾아갔기 때문에 제하와 화해할 수 있었고, 제하를 이해하게 되었습니다.

11 제하에 대한 특징을 정리한 것입니다.

12 로운이가 겪은 일을 알아보고 자신의 경험을 떠올려 봅니다.

> **채점 기준** 로운이가 겪은 일을 파악하고 그와 비슷한 경험을 썼으면 정답으로 합니다.

13 글 ❸에서 일어난 중요한 일은 반 아이들이 제하와 합창 연습을 한 것입니다.

14 글 ❸의 배경은 교실입니다.

15 로운이는 반장으로서 책임을 다하고 싶었습니다.

16 이 글에서 재미있었던 부분을 찾아봅니다.

> **채점 기준** 글에서 재미있었던 부분을 썼으면 정답으로 합니다.

17 등장인물의 관계와 특징을 정리해 봅니다.

18 명찬이 반장은 다운 증후군을 앓고 있지만 늘 해맑게 웃고 있었습니다.

19 중요한 사건과 그 사건이 일어난 때와 장소, 주인공의 마음을 정리해 봅니다.

20 이 글은 경험을 이야기로 나타낸 글입니다. 일기와 다른 점이 무엇인지 생각해 봅니다.

> **채점 기준** 일기와 다른 점을 바르게 썼으면 정답으로 합니다.

21 긴 기간에 걸쳐 인물이 어떻게 변했는지 정리해 봅니다.

22 등장인물과 사건 등을 정리해 보고 꼭 있어야 할 등장인물을 생각해 봅니다.

23 이 글은 또 일기나 생활문보다 자세하며 흥미를 끌 수 있습니다.

24 이 글은 일기와는 다르게 읽는 사람을 생각하면서 썼고, 억지로 꾸며서 쓰지 않고 겪은 일을 그대로 풀어서 자신의 생각과 함께 솔직하게 썼습니다.

> **채점 기준** 사건을 어떻게 전개하고 해결했는지 등 주인공이 겪은 일을 이야기로 나타낸 방법을 바르게 썼으면 정답으로 합니다.

기본 ❷ 경험을 이야기로 표현하는 방법 알기   178~180쪽

1 ⑤   **2** ㉠
3 (1) 교실 등 (2) 상담실 등
4 예 일이 일어난 차례대로 쓴다. / 인물의 마음이 잘 나타나도록 쓴다.
5 상은, 인국   **6** ⑤   **7** ㉡
8 이해
9 대화로 서로 오해를 풀었으면 하는 진주의 생각을 담았다. 등
10 (2) ○
11 예 상은이가 인국이와 대화하면서 사이가 좋아진 내용이 잘 나타나도록 쓰는 것이 좋을 것 같다.
12 혜진

1 성훈이 아버지는 등장하지 않습니다.

2 진주와 성훈이는 선생님과 상담실에서 이야기를 나누었습니다.

3 각 사건이 일어난 때와 장소를 생각해 봅니다.

4 진주와 성훈이의 사이가 안 좋은 까닭을 이해할 수 있게 쓰는 것도 좋습니다.

> **채점 기준** 겪은 일을 이야기로 만드는 방법을 알맞게 썼으면 정답으로 합니다.

5 상은이와 인국이가 대화하고 있습니다.

6 '나'는 체육 시간에 못마땅하게 여겼던 인국이와 같은 편을 하고, 체육을 잘하는 민영이와 다른 편을 하여 기분이 별로였습니다.

7 인물이 겪은 일은 변하지 않았습니다.

8 이야기는 여러 사람이 읽는 글이므로 읽는 사람을 생각하며 써야 합니다.

9 글의 내용과 관련지어 생각해 봅니다.

10 (1)은 사건을 해결하고 마무리하는 단계, (3)은 사건이 일어나기 시작하는 단계, (4)는 이야기를 시작하고 배경과 인물을 설명하는 단계입니다.

11 마지막 부분은 사건을 어떻게 해결했는지 나타나도록 써야 합니다.

> **채점 기준** 글의 흐름에 어울리고 사건이 어떻게 해결되는지 나타나는 내용을 썼으면 정답으로 합니다.

12 필요하다면 사건을 지어 쓸 수도 있습니다. 글을 읽는 사람이 이해할 수 있게 쓰는 것이 중요합니다.

실천 겪은 일을 이야기로 만들기   181쪽

> **1** 예 체육 대회 때 달리기를 한 일
> **2** (1) 무엇이든 최선을 다하는 것이 중요하다.
>   (2) 일등보다 더 빛나는 것
> **3** ©, ○, ○, ©, ○   **4** (2) ×

1 이야기로 쓰고 싶은 경험을 떠올려 봅니다.

2 주제는 글쓴이가 나타내고자 하는 생각입니다. 이야기의 제목은 읽는 사람이 흥미를 느낄 수 있도록 짓습니다.

> **채점 기준** 겪은 일을 떠올려 이야기로 쓸 때 주제와 제목을 어울리게 썼으면 정답으로 합니다.

---

3 겪은 일을 이야기로 만드는 순서를 생각해 봅니다.

4 자신의 경험을 이야기로 만들 때에는 주제가 잘 드러나게 쓰고 읽는 사람이 이해할 수 있게 때와 장소의 변화를 잘 나타내야 합 니다.

단원 마무리   182~183쪽

❶ 읽는   ❷ 솔직하게   ❸ 변화한
❹ 사건   ❺ 해결   ❻ 등장인물

단원 평가   184~186쪽

1 (1) ○ (2) ○   **2** 예 속상했다. / 슬펐다.
3 태현
4 예 5학년 때 친구들과 합창 연습을 하고 무척 뿌듯했던 일이 떠오른다.
5 ⑤   **6** ⑤
7 예 생일잔치에 짝을 초대했는데 오지 않아서 실망했다. 그런데 늦게라도 짝이 와 줘서 반갑고 고마웠던 적이 있다.
8 ©   **9** 명찬이 반장
10 (1) 한마당 잔치에서 '내'가 누나와 명찬이 반장을 만남. 등 (2) 열흘 뒤, 학교 등
11 이해함   **12** ④
13 (친구들의) 우유   **14** ④
15 (1) 체육 (2) 성훈   **16** ①
17 예 일이 일어난 차례대로 쓴다. / 진주와 성훈이가 사이가 안 좋은 까닭을 이해하도록 쓴다.
18 가   **19** (3) ○
20 읽는 사람들이 잘 이해할 수 있게 하기 위해서 등

1 그림을 살펴보고 어떤 일이 있었는지 생각해 봅니다.

2 꾸중을 들었거나 그와 비슷한 일을 떠올려 그때의 기분을 써 봅니다.

3 그림 ❹와 비슷한 기억을 떠올린 친구는 태현입니다.

4 기억에 남는 일을 떠올려 그때 자신의 느낌과 함께 써 봅니다.

5 '나'는 제하가 학교에 오기를 기다리고 있습니다.

6 제하를 기다리는 '나'는 제하가 나타나기 전까지는 초조하고 짜증이 나다가 제하가 교실로 들어서자 무척 반가워하고 있습니다.

7 '나'와 같이 누군가를 기다려 본 경험을 떠올려 봅니다.

> 채점 기준 '나'와 비슷한 경험을 떠올려 썼으면 정답으로 합니다.

8 제하가 학교에 오기를 기다리는 마음을 나타낸 부분으로, 억지로 꾸며 쓰지 않고 겪은 일을 그대로 풀어서 자신의 생각과 함께 솔직하게 썼습니다.

9 각 등장인물의 관계와 특징을 정리해 봅니다.

10 이야기에서 일어난 일과 배경을 정리해 봅니다.

11 글 **가**의 끝부분을 통해 로운이가 누나를 이해한다는 것을 알 수 있습니다.

12 '찬바람이 씽씽 불고, 겨울 방학이 코앞으로 다가왔다.'에서 겨울임을 알 수 있습니다.

13 '나'는 우유를 먹어서 키가 큰 것 같다고 했습니다.

14 명찬이 반장을 설명해 주는 부분은 읽는 사람을 생각하면서 썼습니다.

15 그림에서 일어난 사건을 순서대로 정리해 봅니다.

16 교실에서 체육관으로 장소가 변했습니다.

17 경험을 이야기로 표현하는 방법을 생각해 봅니다.

> 채점 기준 겪은 일을 이야기로 나타내는 방법을 알맞게 썼으면 정답으로 합니다.

> 보충 자료 **겪은 일을 이야기로 만드는 방법**
> • 이야기로 쓰고 싶은 경험을 떠올립니다.
> • 어떤 주제로 이야기를 쓰고 싶은지 생각해 주제나 내용에 맞는 제목을 정합니다.
> • 어떤 등장인물이 필요한지 떠올려 보고, 그 인물의 특징을 생각해 봅니다.
> • 이야기의 흐름대로 사건과 배경을 간단히 정리합니다.
> • 경험을 이야기로 만들 때 생각해야 할 점을 떠올리며 이야기를 완성하고 이야기에 어울리는 그림도 그려 봅니다.

18 인국이와 비에 대해 이야기 나누는 부분이 이야기를 시작하고 배경과 인물을 설명하는 단계에 해당합니다.

19 인국이는 4학년이 끝나 갈 즈음 전학 왔는데, 대화하거나 게임할 때 끼어들어서 친구들이 별로 좋아하지 않았습니다.

20 인국이에 대해 자세히 설명한 것은 이야기를 읽는 사람들이 잘 이해할 수 있게 하기 위해서입니다.

서술형 평가 187쪽

1 제하와 '내'가 화해했다. 등
2 ⓔ 억지로 꾸며 쓰지 않고 겪은 일을 그대로 풀어서 자신의 생각과 함께 솔직하게 썼다.
3 ⓔ 진주와 성훈이가 대화하면서 사이가 좋아진 내용이 잘 나타나도록 쓴다.
4 글을 읽는 사람이 이해할 수 있게 쓴다. / 사람들이 흥미를 보이며 읽을 수 있도록 쓴다. 등

1 '나'는 제하와 화해하고 서로 이해하게 되었습니다.

> 채점 기준 글에서 일어난 일을 알맞게 정리하여 썼으면 정답으로 합니다.

2 주인공의 경험을 이야기에서 어떻게 나타냈는지 살펴봅니다.

> 채점 기준 제시된 답의 내용으로 썼으면 정답으로 합니다.

3 마지막 부분은 사건을 어떻게 해결했는지 잘 나타나도록 써야 읽는 사람이 이해할 수 있고 나타내고자 하는 생각을 잘 표현할 수 있습니다.

> 채점 기준 제시된 답과 비슷한 내용으로 썼으면 정답으로 합니다.

4 이외에도 말하고자 하는 주제가 잘 드러나도록 이야기 흐름에 맞게 써야 하며 사건을 어떻게 전개하고 어떻게 해결했는지가 나타나도록 써야 합니다.

> 채점 기준 겪은 일을 이야기로 나타낼 때 생각할 점을 알맞게 썼으면 정답으로 합니다.

정답과 해설 평가 교재

1 대화와 공감

단원평가 1회 　　　　2~3쪽

1 ㉡ 　　**2** ⑤ 　　**3** ③

4 예 누군가에게 용기를 준다. / 자신을 긍정적으로 바라보게 한다. / 올바른 습관을 기르고 능력을 키우는 데 도움이 된다. / 다른 사람과의 관계를 좋아지게 한다.

5 ② 　　　　　**6** 뒤 구르기

7 ⑤ 　　　　　**8** ④ 　　　　　**9** 공감

10 예 컴퓨터 게임 대신 운동이나 독서와 같이 다른 재미있는 취미를 만들어 봅니다.

1 태일이는 소희가 방금 전에 이야기할 때 딴생각하느라 소희의 말을 잘 못 들었습니다.

2 소희는 은주가 약속 시간에 늦게 된 사정을 듣고 은주를 걱정했다고 말하며 은주의 처지를 이해해 주었습니다.

3 칭찬이 힘이 센 까닭과 칭찬이 힘을 발휘할 수 있게 칭찬하는 방법을 설명하는 글입니다.

4 ㉮에 나타난 내용을 살펴봅니다.

> **채점 기준** 제시된 답 가운데에서 한 가지를 썼으면 정답으로 합니다.

5 칭찬을 할 때에는 과장하지 않고 사실대로 진심을 담아 칭찬해야 칭찬이 힘을 발휘할 수 있습니다.

6 정인이는 체육 시간에 뒤 구르기가 잘 안 돼서 모둠끼리 여러 가지 동작을 꾸밀 때 방해가 되는 것 같아 걱정하고 있습니다.

7 정인이는 원하지 않는데 동욱이가 정인이의 고민을 마음대로 해결하려고 했기 때문에 정인이는 화를 냈습니다.

8 주민이가 자신의 아버지에 대해 이야기한 말을 듣고 민재는 감탄했습니다.

9 '공감'은 다른 사람의 감정, 의견, 주장 따위에 대해 자신도 그렇다고 느끼는 것입니다.

10 자신의 경험을 떠올려 해결 방법을 제시해 봅니다.

> **채점 기준** 컴퓨터 게임을 하는 시간을 줄이는 방법을 실천할 수 있는 방법으로 알맞게 떠올려 썼으면 정답으로 합니다.

단원평가 2회 　　　　4~5쪽

1 ⑤

2 분명하고 자세하게 칭찬해야 해요.

3 수민

4 ⑤ 　　　　**5** ㉢ 　　　　**6** ①, ②

7 예 그렇구나. 색칠하는 데 시간이 부족할 텐데 내가 도와줄게.

8 (1) 책 　(2) 쉬는 　　　　　**9** ⑤

10 ①, ②, ③

1 말을 할 때에는 상황에 어울리는 표정과 말투를 해야 하는데, 표정과 말투로 말하는 사람의 이름, 나이, 사는 곳 등은 알 수 없습니다.

2 누군가를 칭찬할 때 두루뭉술하게 칭찬하지 말고 칭찬하는 내용이 무엇인지를 분명하고 자세하게 말하는 것이 좋다고 했습니다.

> **채점 기준** 분명하고 자세하게 칭찬을 해야 한다고 썼으면 정답으로 합니다.

3 제시된 글에서는 분명하고 자세하게 칭찬해야 한다고 설명했으므로 두 친구 가운데 분명하고 자세하게 칭찬한 친구는 '수민'이입니다.

4 대화의 처음 부분에서 모모는 마법사에게 자신의 고민을 말하고 있습니다.

5 기분이 나쁜 상태에서는 다른 사람의 말을 잘 받아들이지 않기 때문에 마법사는 먼저 한바탕 함께 웃으면서 모모의 기분이 좋아지게 한 다음에 조언하는 말을 해 주었습니다.

6 상대에게 고민을 말하도록 강요하지 않고, 상대에게 도움이 되는 내용을 조언해야 합니다.

7 유라의 감정이나 생각에 공감하며 정아의 입장에서 유라에게 도움을 주겠다는 표현을 써 봅니다.

> **채점 기준** 유라의 마음을 생각하며 공감하는 대화를 썼으면 정답으로 합니다.

8 명진이는 윤성이와 준호가 떠들어서 책을 읽는 것이 방해되지만 쉬는 시간이라 조용히 해 달라고 말하지 못하고 있습니다.

9 서로의 감정이나 생각에 공감하며 대화해야 합니다.

10 해결 쪽지를 보고 도움이 되는 조언인지 판단할 때에는 고민을 잘 이해하고 썼는지, 해결 방법이 자세한지, 일상생활에서 실천할 수 있는 내용인지 살펴보아야 합니다.

서술형평가
6쪽

1 예 기쁜 표정과 손뼉을 치며 신나는 목소리로 말할 것 같다. / 활짝 웃으며 엄지 손가락을 높이 들고 밝은 목소리로 말할 것 같다.

2 예 달리기에 소질이 있는 것 같아. 이렇게 꾸준히 연습하다 보면 달리기 경기에서 우승할 수 있을 거야.

3 예 동욱아, 친구의 고민을 들어 줄 때에는 고민을 말하라고 강요하면 안 되고, 친구가 받아들일 수 있는 내용을 조언해야 해.

4 예 나도 비슷한 경험이 있어서 네 마음을 잘 이해할 수 있어. 뒤 구르기가 잘 안된다면 먼저 집에서 연습을 열심히 해 보는 게 어떨까? 혼자 하기 어렵다면 부모님께 연습을 도와 달라고 부탁드리는 것도 좋아. 그래도 뒤 구르기가 잘 되지 않는다면 그때는 선생님과 친구들에게 솔직히 이야기하는 게 좋을 것 같아. 네가 충분히 노력했다면 친구들과 선생님도 이해해 주실 거야.

5 예 공감하며 대화하면 서로 싸울 일이 없을 것 같다는 생각을 했다.

6 예 일찍 자는 것이 중요하니까 자는 시간을 정해 놓고 규칙적으로 잠을 자는 것이 좋을 것 같습니다.

---

1 말을 주고받을 때에는 상황에 어울리는 표정과 몸짓, 말투를 해야 자신이 하고 싶은 말을 실감 나게 표현할 수 있고, 상대방도 말을 잘 이해할 수 있습니다.

채점 기준	점수
누군가를 칭찬할 때 어울리는 표정, 몸짓, 말투를 모두 알맞게 쓴 경우	5점
누군가를 칭찬할 때 어울리는 표정, 몸짓, 말투 가운데 두 가지만 알맞게 쓴 경우	3점
누군가를 칭찬할 때 어울리는 표정, 몸짓, 말투 가운데 한 가지만 알맞게 쓴 경우	1점

2 글에서는 가능성을 키워 주는 칭찬을 하라고 했으므로 친구의 잠재 능력과 노력 등을 떠올리며 칭찬할 수 있습니다.

채점 기준	점수
가능성을 키워 주는 칭찬하는 말을 쓴 경우	5점

3 동욱이는 정인이에게 고민을 이야기하라고 재촉하고, 정인이에게 도움이 되지 않는 해결 방법을 강요하고 있습니다.

채점 기준	점수
억지로 고민을 말하라고 강요하면 안 된다는 내용과 친구가 받아들일 수 있는 내용을 조언해야 한다는 것 두 가지를 모두 쓴 경우	5점
동욱이가 잘못한 점 중 한 가지만 충고하는 말을 쓴 경우	3점

> **보충 자료** 동욱이가 고민을 듣는 과정에서 잘못한 점
>
> | 동욱이의 말 | 동욱이가 잘못한 점 |
> |---|---|
> | 동욱: (궁금해하며) 그러지 말고 말해 봐. 무슨 일인데? 다른 사람한테 절대로 말하지 않을게. | 정인이에게 고민을 말하라고 재촉했습니다. |
> | 동욱: (큰 소리로) 뭐, 네가 뒤 구르기를 못한다고? 그럼 선생님이나 친구들에게 도와 달라고 하면 되지, 뭘 그렇게 걱정해.
 동욱: 그럼 내가 말해 줄까? | 정인이의 고민을 제대로 듣지도 않고 해결 방법을 말했습니다. |

4 정인이의 감정이나 마음을 배려하며 구체적이고 실천할 수 있는 조언을 해야 합니다. 자신의 생각을 강요하지 않고 상대가 받아들일 수 있는 내용을 조언해 봅니다.

채점 기준	점수
체육 시간에 뒤 구르기가 잘 안돼서 고민하는 정인이에게 조언하는 말을 알맞게 쓴 경우	5점

5 다른 사람의 감정, 의견, 주장 따위에 대해 자신도 그렇다고 느끼는 것을 공감이라고 합니다.

채점 기준	점수
제시된 답이나 그 외에 '공감하며 대화하는 것이 어렵다는 것을 알았다.', '공감하며 대화하려면 생각을 많이 해야 한다.' 등의 내용을 쓴 경우	5점

6 일상생활에서 충분히 실천할 수 있는 해결 방법을 자세하게 씁니다.

채점 기준	점수
아침에 일찍 일어나는 방법을 실천할 수 있는 방법으로 알맞게 떠올려 쓴 경우	5점

1 (1) 상을 받았지만 상을 받지 못한 정우를 보고 마음껏 기뻐할 수 없는 상황 등
(2) 상을 받지 못해 아쉽지만 상을 받은 시현이를 축하해 주어야 하는 상황 등

2 친구의 감정이나 생각에 공감하며 등

3 (1) **예** 시현아, 글쓰기 대회에서 상 받았지? 정말 축하해.
(2) **예** 정우야, 정말 고맙다. 너도 같이 상을 받았으면 좋았을 텐데······.

1 시현이는 상을 받았지만 정우는 상을 못 받은 상황입니다.

채점 기준	점수
시현이의 입장에서 (1)의 내용을 알맞게 쓰고, 정우의 입장에서 (2)의 내용을 알맞게 쓴 경우	10점
(1)과 (2) 가운데 한 가지만 바르게 쓴 경우	5점

2 상대를 배려하고, 친구의 감정이나 생각에 공감하며 대화해야 합니다.

채점 기준	점수
'친구의 감정이나 생각에 공감하며'라는 내용을 쓴 경우	5점

3 정우는 상을 받은 시현이를 진심으로 칭찬해 주고, 시현이는 상을 받지 못한 정우를 위로해 주는 내용으로 대화를 꾸밉니다.

채점 기준	점수
친구의 감정이나 생각에 공감하며 시현이와 정우의 입장에서 알맞게 쓴 경우	15점

2 작품을 감상해요

1 ④, ⑤　　　**2** 하루　　　**3** ④
4 ③, ④, ⑤
5 **예** 큰 소리로 원하는 것을 말하면 이루어지는 상상을 한다.　**6** 쥐　　　**7** ①, ④
8 **예** 가짜 수일이가 진짜 행세를 해서 수일이가 가짜 수일이를 만든 것을 후회할 것 같다.
9 꽃　　　**10** ㉠

1 유관순은 고향으로 돌아와 동지들을 모아 독립 만세를 부를 준비를 하고, 여러 마을을 찾아다니며 독립 만세 운동에 참여할 것을 부탁했습니다.

2 일제 강점기에 독립을 위해 노력하는 유관순의 모습을 보고 관련된 경험을 떠올린 친구는 '하루'입니다.

3 경험을 떠올리며 글을 읽으면 글의 내용이나 인물의 마음을 더 쉽게 이해할 수 있습니다.

4 각 연에서 어떤 마음이 느껴지는지 살펴봅니다.

5 이 시에서 말하는 이는 간절히 바라는 일이 있을 때 길을 잡아당기는 상상을 했습니다.

> **채점 기준** 간절히 바라는 일이 있을 때 자신이 어떻게 행동하거나 생각하는지 각자 떠올려 썼으면 정답으로 합니다.

6 덕실이는 수일이에게 수일이의 손톱을 깎아서 쥐한테 먹이면 그 쥐가 수일이와 똑같은 모습으로 바뀔지도 모른다고 했습니다.

7 글에서 수일이가 처한 상황, 한 일, 생각이나 감정 등을 떠올려 보고 비슷한 경험을 말한 내용을 찾아봅니다.

8 주인공과 자신의 경험을 비교해 인물의 마음을 이해해 보고, 주인공에게 일어날 일을 상상해 봅니다.

> **채점 기준** 어떤 일이 벌어질지, 수일이의 마음은 어떠할지 등을 떠올려 썼으면 정답으로 합니다.

9 시에서 말하는 이는 봄날에 꽃을 보고 자신이 더 나중에 보아서 미안한 마음이 들었습니다.

10 시에 나타난 말하는 이의 경험과 관련 있는 경험이 아닌 것을 찾아봅니다.

1 ㉠

2 예 일제 강점기에 벌어진 일을 다룬 영화를 본 기억이 났다.

3 허리 **4** (1) ② (2) ①

5 ④ **6** ⑤

7 작품 속 세계에서는 강아지와 대화할 수 있지만 현실 세계에서는 그럴 수 없다. 등

8 ② **9** ㉡, ㉢

10 예 친구가 손을 내밀었다

1 일본은 유관순을 감옥에 가두었습니다.

2 비슷한 경험을 떠올려 보거나 책이나 영상 따위를 보고 안 지식을 활용하여 떠오른 생각이나 느낌을 써 봅니다.

> **채점 기준** 글의 내용과 비슷하거나 관련 있는 자신의 경험을 떠올려 썼으면 정답으로 합니다.

3 할머니께서는 '내'가 꼭꼭 밟을수록 아프신 허리가 시원하기 때문에 ㉠과 같이 말씀하신 것입니다.

4 '나'는 할머니의 허리를 너무 세게 밟으면 할머니께서 아프실 것 같아 겁이 났고, 할머니는 손자가 밟아 주어 허리가 시원하고 기분이 좋으십니다.

5 시에 나타난 인물의 마음과 시에서 인물이 한 일 등을 찾아보고, 그와 관련 있는 경험이 아닌 것을 찾습니다.

6 자신이 한 명 더 있으면 좋겠다고 생각한 것은 덕실이가 아니라 수일이입니다.

7 작품 속 세계는 현실 세계와 비슷하거나 같은 점도 있지만 현실 세계에서는 일어나지 않는 일들이 일어날 수 있도록 상상해 만들기도 합니다.

> **채점 기준** 강아지인 덕실이가 말을 하는 점을 현실 세계와 다르다고 썼으면 정답으로 합니다.

8 자신이 더 나중에 보아서 미안하다고 꽃에게 미안한 마음을 표현한 시입니다.

9 자연과 친구가 될 수 있고, 지나쳐 온 소중한 것을 다시 한번 생각해 보자는 뜻이 담긴 시입니다.

10 시에서 말하는 이가 처한 상황이나 느낌을 자신의 경험과 비교하여 바꾸어 표현합니다.

1 예 유관순이 나라를 지키기 위해 자기 목숨이 위태로운 상황에서도 용기를 낸 점이 훌륭하다고 생각했다.

2 예 할머니 아프신 허리가 나았으면 좋겠다. / 할머니 허리를 너무 세게 밟으면 할머니께서 아프실 것 같다.

3 예 아버지 흰머리를 뽑아 드릴 때 아버지께서 아프실까 봐 조심조심 뽑았던 것이 떠오른다.

4 예 나도 정말 하고 싶지 않은 일이 있었을 때 나와 똑같이 생긴 누군가가 있어서 대신해 주었으면 좋겠다고 생각했던 경험이 떠올랐다.

5 예 꽃이 나를 바라보는 것이 귀엽게 느껴졌다. / 평소에 꽃에 무관심했던 점이 미안했다.

1 글을 읽고 어떤 생각이나 느낌이 들었는지 떠올려 보고, 다른 사람의 생각이나 느낌을 듣고 비교하여 봅니다.

채점 기준	점수
목숨을 걸고 나라를 되찾기 위해 독립 운동을 한 유관순의 이야기를 읽고 든 생각이나 느낌을 쓴 경우	6점

2 먼저, 시의 첫 행에서 '내'가 할머니의 아프신 허리를 밟아 드리고 있음을 알 수 있습니다. '나'는 할머니 아프신 허리가 나아지시기를 바라고 있고, 할머니 허리를 너무 세게 밟으면 아프실 것 같아 걱정하고 있습니다.

채점 기준	점수
제시된 답 중에서 한 가지를 쓴 경우	6점

3 시에서 말하는 이가 할머니 허리를 밟아 드린 것과 비슷한 일이나 말하는 이의 마음과 비슷한 마음이 들었던 경험을 떠올려 봅니다.

채점 기준	점수
시의 내용과 비슷한 경험을 떠올려 쓴 경우	6점

4 수일이는 자신이 둘이 되어 다른 한 명이 대신 학원에 다녀 줬으면 좋겠다고 생각했습니다. 수일이의 생각과 비슷한 생각을 했던 경험이나 글 ㉯에 나온 이야기를 듣거나 읽어 본 경험을 떠올려 볼 수 있습니다.

채점 기준	점수
자신이 둘이 되었으면 좋겠다고 생각했던 경험이나 손톱을 깎아서 쥐한테 먹이면 자신이 둘이 될 수도 있다는 이야기를 들었던 경험 등을 떠올려 쓴 경우	6점

5 시에 나타난 말하는 이의 경험을 통해 어떤 생각이나 느낌이 떠오르는지 써 봅니다.

채점 기준	점수
봄꽃을 보고 미안한 마음이 들었던 경험을 쓴 시를 읽고 알맞은 생각이나 느낌을 쓴 경우	6점

수행평가   13쪽

1 예 꽃에게 무관심했던 자신이 부끄러웠기 때문이다. / 예쁜 꽃이 피어도 보아 주지 않아 미안한 마음이 들었기 때문이다.

2 예 친구를 내가 먼저 도와준 줄 알았는데 나중에 알고 보니 그 친구가 먼저 나를 도와준 적이 있었다.

3 예시 답안 참고

1 시에서 말하는 이는 봄이 되어 핀 꽃을 자기가 먼저 본 줄 알았는데, 이미 꽃이 피어 있었다는 걸 알고 더 일찍 꽃을 보지 못해서 미안해하고 있습니다.

채점 기준	점수
제시된 답과 비슷한 내용을 쓴 경우	10점

2 봄꽃과 관련된 경험, 무언가를 늦게 알게 되어서 미안했던 경험 등을 떠올려 봅니다.

채점 기준	점수
꽃을 본 경험이나 소중한 무언가를 미처 알지 못하고 늦게 알게 되어 미안했던 경험 등을 떠올려 쓴 경우	10점

3 시로 표현하고 싶은 경험이 잘 드러나도록, 시를 바꾸어 써 봅니다.

> 예시 답안   친구
>
> 친구가 손을 내밀었다
>
> 나만 화해하고 싶은 줄 알았는데
> 마음이 갈라지는 길목에서
> 먼저 손을 내어 주기를 날마다 기다리고 있었다
>
> 내가 먼저 손 내민 줄 알았지만
> 섭섭한 마음 뒤로하며
> 나를 향해 더 많이 성큼 손 내밀고 있었다
>
> 내가 더 나중에 다가가서 미안하다.

채점 기준	점수
시의 내용을 자신의 경험에 맞게 바꾸어 쓴 경우	10점

3 글을 요약해요

단원평가 1회   14~15쪽

1 ⑤   **2** 현진   **3** (1) ① (2) ②
4 ㉠
5 두 대상에서 공통점과 차이점을 찾아 설명했다. 등
6 ⑤   **7** ④   **8** ①
9 예 '열거'의 설명 방법이 알맞다. 투명 인간이 불가능한 까닭을 나열해 설명하는 것이 좋을 것 같아서이다.
10 ㉤, ㉡, ㉥, ㉠, ㉢, ㉣

1 국립중앙박물관의 이용을 안내하는 글로, 쉬는 날과 관람 방법, 관람 시간, 관람료 따위를 알려 줍니다.

2 설명하는 글을 읽은 경험을 떠올려 말한 친구는 '현진'입니다.

3 열거의 설명 방법은 표현하려는 대상이나 내용을 구체적으로 알려 주는 데 좋은 방법이고, 비교·대조의 설명 방법은 두 가지 이상의 대상에서 공통점이나 차이점을 찾아 설명하기에 좋은 방법입니다.

4 첫 번째 문단의 중심 문장은 '다보탑과 석가탑에는 공통점과 차이점이 있습니다.'입니다.

> 보충 자료 「다보탑과 석가탑」을 읽고 각 문단의 중심 문장 찾기
>
> | 문단 | 중심 문장 |
> |---|---|
> | 1 | 다보탑과 석가탑에는 공통점과 차이점이 있습니다. |
> | 2 | 다보탑과 석가탑은 공통점이 있습니다. |
> | 3 | 두 탑의 모습은 매우 다릅니다. |

5 다보탑과 석가탑의 공통점과 차이점을 찾아 설명한 글입니다.

> 채점 기준 '비교·대조'의 설명 방법을 알고, 두 대상에서 공통점과 차이점을 찾아 설명했다는 내용을 썼으면 정답으로 합니다.

6 첫 번째 문단의 중심 문장은 '사람은 직업에 따라 고유한 색깔 옷을 입기도 한다.'입니다.

7 열거의 설명 방법으로, 여러 가지 특징을 나열해 직업과 옷 색깔의 관계를 설명했습니다.

8 글을 요약할 때에는 중요하지 않은 내용은 지우고 세부 내용을 대표하는 말로 바꾸어 중심 내용을 정리한 뒤 글의 구조에 알맞게 틀을 그리고 내용을 정리합니다.

> **보충 자료 구조를 생각하며 글을 요약하는 방법**
> • 문단마다 중심 문장을 찾습니다.
> • 대상을 설명하는 방법이 무엇인지 확인합니다.
> • 중요하지 않은 내용은 지우고, 세부 내용은 대표하는 말로 바꾸어 중심 내용을 정리합니다.
> • 글의 구조에 알맞게 틀을 그리고 내용을 정리합니다.

9 설명하려는 내용에 가장 적절한 설명 방법이 무엇인지 생각해 봅니다.

> **채점 기준** '투명 인간이 불가능한 까닭'을 설명하기에 알맞은 설명 방법을 쓰고, 그 설명 방법을 정한 까닭을 적절하게 썼으면 정답으로 합니다.

10 가장 먼저 모둠 친구들이 함께 설명할 주제를 정한 뒤 주제와 관련 있는 자료를 함께 찾아야 합니다.

> **보충 자료 모둠 친구들이 함께 하나의 주제를 정해 설명하는 글을 쓰는 방법**
> ① 모둠 친구들이 함께 설명할 주제를 정합니다.
> ② 주제와 관련 있는 자료를 함께 찾습니다.
> ③ 자료를 함께 읽고 설명하고 싶은 내용을 정합니다.
> ④ 내용에 알맞은 설명 방법을 정합니다.
> ⑤ 알맞은 설명 방법으로 내용을 정리합니다.
> ⑥ 내용과 자료에 따라 설명하는 글을 씁니다.

단원평가 2회 16~17쪽

1 설명하는 글

2 예 필요한 정보를 얻을 수 있다. / 어떤 일을 할 때 그 일의 차례를 알 수 있다. / 일의 방법과 규칙을 알 수 있다.

3 (1) ① (2) ③ (3) ②

4 ③　　　　**5** ㉠

6 어류의 여러 기관 등

7 예 어류 피부는 비늘로 덮여 있어 몸을 보호해 주고, 아가미는 물속에 녹아 있는 산소를 흡수한다. 또 어류는 옆줄로 환경 변화를 알아낸다.

8 ③, ⑤　　　　**9** ③

10 (1) ○ (2) ○

---

1 지영이는 로봇을 조립하는 차례를 설명하는 글을, 서연이는 인터넷에서 낱말의 뜻과 유래를 설명하는 글을 읽은 경험을 말했습니다.

2 설명하는 글을 읽으면 필요한 정보를 얻을 수 있고, 어떤 일을 할 때 그 일의 차례를 알 수 있으며, 일의 방법과 규칙을 알 수도 있습니다.

> **채점 기준** 설명하는 글을 읽고 새롭게 알 수 있는 점 한 가지를 알맞게 썼으면 정답으로 합니다.

3 이탈리아 토스카나주에는 피사의 사탑, 프랑스 파리에는 에펠 탑, 중국 상하이에는 동방명주 탑이 있습니다.

4 이 글은 세계의 탑을 열거의 설명 방법을 사용해 설명하고 있습니다.

> **보충 자료 열거의 설명 방법**
> 　설명하려는 대상의 특징을 나열해 설명하는 방법을 열거라고 합니다. 열거는 표현하려는 대상이나 내용을 구체적으로 알려 주는 데 좋은 방법입니다.

5 설명하려는 대상의 특징을 나열해 설명한 글을 정리하기에 알맞은 틀은 ㉠입니다.

6 어류 피부의 비늘, 아가미, 옆줄 등 어류의 다양한 기관을 설명하는 글입니다.

7 글에서 중요한 내용만 알기 쉽게 정리해 봅니다.

> **채점 기준** 어류 피부의 비늘, 아가미, 몸통의 옆줄에 대한 내용을 알기 쉽게 정리해 썼으면 정답으로 합니다.

8 글을 요약하면 글에서 중요한 내용만을 쉽게 알 수 있고, 중요한 내용을 더 쉽게 기억할 수 있게 해 주며 많은 내용을 공부할 때 도움이 됩니다.

9 설명하는 글을 쓸 때에는 읽는 사람이 이해할 수 있는 말을 사용해야 합니다.

> **보충 자료 설명하는 글을 쓸 때 주의할 점**
> • 확실하지 않은 정보를 제공하면 안 됩니다.
> • 추측하는 말이나 주장하는 말은 설명하는 글에 어울리지 않습니다.
> • 읽는 사람이 이해할 수 있는 말을 사용해야 합니다.
> • 읽는 사람에게 잘 알려지지 않은 정보를 주어야 합니다.

10 자료의 출처를 확인하고 믿을 만한 내용인지, 최근 자료인지 살펴보아야 합니다.

1 (예) 국어 숙제를 하려고 인터넷 자료와 백과사전을 찾아 읽었다. 잘 모르는 낱말의 뜻과 유래를 알 수 있었다.

2 (1) 십자 모양의 받침 주변에 돌계단을 만들고 그 위에 사각·팔각·원 모양의 돌을 쌓았다. 등

(2) 통일 신라 시대에 만들었다. 등

(3) 단순하면서도 세련된 멋이 있다. 등

3 직업의 특성에 따라 특정 색깔의 옷이 일을 하는 데 도움이 되기 때문이다. 등

4 (예) 사람은 직업에 따라 고유한 색깔 옷을 입기도 한다. 의사나 간호사는 보통 흰색 옷을 입고, 법관은 검은색 옷을 입는다.

5 (1) (예) 구피(물고기)

(2) (예) 구피를 기를 때 주의할 점

(3) (예) 열거

1 설명하는 글을 읽고 어떤 도움을 받았는지 떠올려 씁니다.

채점 기준	점수
무엇을 설명하는 글이었는지, 그 글을 읽고 어떤 도움을 받았는지 알맞게 쓴 경우	6점
무엇을 설명하는 글인지 썼으나 그 글을 읽고 어떤 도움을 받았는지 쓰지 못한 경우	2점

2 (1)에는 다보탑에 대한 내용이 들어가야 하고, (2)에는 두 탑의 공통점이 들어가야 합니다. 그리고 (3)에는 석가탑에 대한 내용이 들어가야 합니다.

채점 기준	점수
(1)～(3)에 들어갈 내용을 모두 알맞게 정리해 쓴 경우	6점
(1)～(3) 중 두 가지만 알맞게 쓴 경우	4점
(1)～(3) 중 한 가지만 알맞게 쓴 경우	2점

3 직업의 특성에 따라 특정 색깔의 옷이 일을 하는 데 도움이 되기 때문에 직업에 따라 고유한 색깔 옷을 입기도 합니다.

채점 기준	점수
직업의 특성에 따라 특정 색깔의 옷이 일을 하는 데 도움이 되기 때문이라는 내용을 알맞게 쓴 경우	6점

4 문단마다 중심 문장을 찾아 내용을 간추려 봅니다.

채점 기준	점수
문단마다 중심 문장을 찾아 글의 내용을 알맞게 간추린 경우	6점

5 설명 방법을 정할 때에는 설명하고 싶은 대상의 특징을 잘 드러낼 수 있는 설명 방법을 생각해 봅니다.

채점 기준	점수
설명하고 싶은 대상, 설명하고 싶은 내용, 설명 방법을 모두 알맞게 쓴 경우	6점
설명하고 싶은 대상과 내용을 썼으나 알맞은 설명 방법을 쓰지 못한 경우	3점

1 (예) 직업과 옷 색깔의 관계를 설명하기 위해서이다.

2 (예) 여러 가지 특징을 나열해 직업과 옷 색깔의 관계를 설명했다.

3 예시 답안 참고

1 이 글은 직업과 옷 색깔의 관계를 설명하는 글입니다.

채점 기준	점수
글의 종류가 '설명하는 글'임을 알고, 글쓴이가 글을 쓴 목적을 알맞게 파악해 쓴 경우	5점

2 이 글은 직업에 따른 옷 색깔에 대해 여러 가지 특징을 나열해 설명하고 있습니다. 설명하려는 대상의 특징을 나열해 설명하는 방법을 '열거'라고 합니다.

채점 기준	점수
'열거'의 설명 방법을 알고, 여러 가지 특징을 나열해 직업과 옷 색깔의 관계를 설명했다는 내용 등으로 알맞게 쓴 경우	10점

3 문단마다 중심 문장을 찾고, 중요하지 않은 내용은 지운 후 세부 내용을 대표하는 말로 바꾸어 중심 내용을 정리해 봅니다. 글을 요약할 때에는 중심 문장을 그대로 옮겨 쓰기보다 자기 말로 바꾸어 자연스럽게 써 봅니다.

> 예시 답안 사람은 직업에 따라 고유한 색깔 옷을 입는다. 의사나 간호사는 보통 흰색 옷을 입고, 법관은 검은색 옷을 입는다. 또 군인은 주변 환경과 상황에 따라 옷 색깔을 달리하여 입는다. 이처럼 사람들은 직업에 따라 입는 옷 색깔이 다양하다.

채점 기준	점수
글의 구조를 생각하며 글을 요약하는 방법을 알고, 글의 중요한 내용을 알맞게 요약하여 자연스럽게 쓴 경우	15점

4 글쓰기의 과정

1 혜진   **2** ②, ⑤   **3** ①
4 예 달걀말이를 스스로 만들어 본 경험이 글의 주요 내용이기 때문이다.
5 ④
6 아침 일찍 일어나 아빠와 함께 공원으로 운동을 간 일 등
7 (1) 아빠를 앞질러 집으로 달림. 등
     (2) 기분이 참 상쾌함. 등
8 (1) ② (2) ① (3) ③
9 숲속에서 다람쥐가 뛰어놀고, 새가 지저귑니다. 등
10 ①, ④

1 선수가 무엇을 잡았는지 설명하지 않았기 때문에 문장이 어색하게 느껴집니다. '선수가 공을 잡았습니다.' 등으로 고치는 것이 알맞습니다.

2 '매콤한, 익은, 고추처럼'은 '떡볶이'와 '빨갛다'를 자세하게 꾸며 주는 말입니다.

3 '나'는 지난 주말에 삼촌 댁에 가서 먹은 달걀말이가 너무 맛있어서 삼촌께 달걀말이를 만드는 방법을 배워 왔습니다.

4 '내'가 달걀말이 만드는 방법을 배워 스스로 달걀말이를 만들어 본 경험이 글의 주요 내용이기 때문입니다.

> **채점 기준** '달걀말이를 스스로 만들어 본 경험이 글의 주요 내용이기 때문이다.' 등으로 알맞게 짐작해 썼으면 정답으로 합니다.

5 '나'는 달걀말이를 스스로 만들어 본 경험을 글로 쓰기 위해 달걀말이에 필요한 재료와 삼촌의 조언 따위를 떠올렸습니다.

6 아빠와 함께 아침 운동을 하러 공원에 간 경험을 쓴 글입니다.

7 일어난 일의 흐름에 맞게 생각이나 느낌을 묶는 것을 '다발 짓기'라고 합니다.

> **채점 기준** 다발 짓기 끝 부분의 '일어난 일'과 '생각이나 느낌'에 들어갈 내용을 모두 알맞게 썼으면 정답으로 합니다.

8 (1)은 주어인 '동생이'와 서술어 '업혔다'가 호응하고, (2)는 시간을 나타내는 말인 '내일'과 서술어 '갈 거야'가 호응합니다. 그리고 (3)은 높임의 대상인 '아버지께'와 서술어 '드렸다'가 호응합니다.

9 '새가'는 '지저귑니다'와 호응이 되지만 '다람쥐가'는 '지저귑니다'와 호응이 되지 않습니다. 주어 '다람쥐가'에 호응하는 서술어를 넣어 문장을 고쳐 써야 합니다.

10 경험한 내용을 자세하게 잘 나타냈는지, 문장 성분이 호응하도록 글을 잘 썼는지, 글의 내용을 잘 조직했는지 따위를 살펴봅니다.

1 ④   **2** (1) ② (2) ③ (3) ①
3 꽃이 피었습니다.   **4** ③
5 (2) ○   **6** ①   **7** ㉢
8 예 늘 내 편이 되어 주시는 할머니께서 계시니 갑자기 기분이 좋아졌다.
9 ①, ⑤   **10** ⑤

1 초록색으로 쓰인 부분을 참고하여 그림에 어울리는 문장을 완성해 봅니다.

2 '무엇이'는 주어, '어떠하다'는 서술어, '무엇을'은 목적어입니다.

3 주어인 '꽃이'와 서술어인 '피었습니다'가 문장에서 꼭 있어야 하는 부분입니다.

> **채점 기준** '꽃이 피었습니다.'로 알맞게 줄여 썼으면 정답으로 합니다.

4 민재는 같은 반 친구들이 읽을 글이니 친구들이 재미있어할 내용으로 써야겠다고 생각했습니다.

5 제시된 내용은 글로 쓰고 싶은 내용을 자유롭게 떠올린 것입니다.

6 '나'는 짝과 함께 수학 공부를 하기로 해서 친구 집으로 갔습니다.

7 ㉢에 '나'의 생각이나 느낌은 나타나 있지 않습니다.

8 제시된 내용은 글을 쓰기 전에 쓸 내용을 다발 짓기로 정리한 것으로 '처음' 부분입니다. 다발 짓기의 내용을 글로 쓸 때에는 일어난 일에 대한 생각이나 느낌을 더 자세하고 실감 나게 표현해 봅니다.

> **채점 기준** 제시된 다발 짓기의 '생각이나 느낌' 부분을 보고, 할머니께서 오신 일에 대한 글쓴이의 생각이나 느낌을 자세하고 실감 나게 잘 표현해 썼으면 정답으로 합니다.

9 ②는 동작을 당하는 주어('동생이')와 서술어('업혔다')의 호응을 나타낸 문장이고, ③, ④는 높임의 대상을 나타내는 말('아버지께', '할머니께서')과 서술어('드렸다', '주셨다')의 호응을 나타낸 문장입니다.

10 주어 '몸무게가'는 서술어 '무겁다'와 호응이 되지만, 주어 '키가'는 서술어 '무겁다'와 호응이 되지 않습니다. 따라서 주어 '키가'에 호응하는 서술어인 '크다'를 넣어 '나는 동생보다 키가 더 크고, 몸무게가 더 무겁다.'로 고쳐 써야 합니다.

서술형평가 24쪽

1 예 나는 사과를 먹었습니다. / 나는 떡볶이를 좋아합니다.

2 쓰고 싶은 내용을 자유롭게 떠올린다. / 쓸 내용을 몇 가지로 나누어 떠올린다.

3 예 아빠와 함께 공원으로 아침 운동을 다녀온 경험에 대해 생각이나 느낌을 나타내기 위해서 쓴 글이다.

4 (1) 더 자고 싶어서 툴툴거림. 등
　　(2) 기분이 참 상쾌함. 등

5 (1) 예 나는 어제 빵을 먹었다.
　　(2) 예 도둑이 경찰에게 잡혔다.
　　(3) 예 아버지께서 운전을 하신다.

1 문장에서 동작이나 상태의 주체가 되는 '주어', 문장에서 주어의 움직임, 상태, 성질 따위를 풀이하는 '서술어', 문장에서 동작의 대상이 되는 '목적어'가 모두 들어간 문장을 써 봅니다.

채점 기준	점수
주어, 목적어, 서술어가 모두 들어간 문장을 알맞게 만들어 쓴 경우	6점

2 쓰고 싶은 내용을 자유롭게 떠올리거나 쓸 내용을 몇 가지로 나누어 떠올릴 수 있습니다.

채점 기준	점수
글로 쓸 내용을 떠올리는 방법 한 가지를 알맞게 쓴 경우	6점

3 아침 일찍 일어나 아빠와 함께 공원으로 운동을 간 일과 그 일에 대한 생각이나 느낌을 쓴 글입니다.

채점 기준	점수
어떤 목적으로 쓴 글인지 알맞게 쓴 경우	6점

4 글의 처음과 끝 부분에 나타난 생각이나 느낌을 살펴보고 정리하여 씁니다.

채점 기준	점수
글의 내용과 다발 짓기를 비교하여, ㉠과 ㉡에 들어갈 글쓴이의 생각이나 느낌을 모두 알맞게 쓴 경우	6점
㉠과 ㉡ 중 한 가지만 알맞게 쓴 경우	3점

5 각 호응 관계의 종류에 맞게 문장을 만들어 써 봅니다.

채점 기준	점수
(1)~(3)의 호응 관계를 나타낸 문장을 한 가지씩 모두 알맞게 만들어 쓴 경우	6점
(1)~(3) 중 두 가지만 알맞게 만들어 쓴 경우	4점
(1)~(3) 중 한 가지만 알맞게 만들어 쓴 경우	2점

수행평가 25쪽

1 (1) 예 김밥을 만들기 위해 부모님과 함께 시장에서 장을 봄.
　　(2) 예 부모님을 도와서 김밥에 들어가는 재료를 손질하고 준비함. / 준비된 재료를 넣어서 김밥을 만듦.
　　(3) 예 다 만든 김밥을 가족과 함께 맛있게 먹음.
　　(4) 예 김밥에 필요한 좋은 재료를 골라 사는 것이 재미있었음.
　　(5) 예 준비하는 과정이 힘들었지만 완성된 김밥을 생각하니 마음이 설렘. / 조금 못생겨도 내가 싼 김밥이 제일 특별하게 느껴짐.
　　(6) 예 부모님을 도와서 직접 만든 김밥이라 더 맛있었음.

2 예시 답안 참고

1 요즘 겪은 일 가운데 친구들과 나누고 싶은 재미있는 경험을 한 가지 정합니다. 그리고 시간 흐름과 장소 변화에 따라 일어난 일을 정리하고, 흐름에 맞게 생각이나 느낌을 '처음-가운데-끝'으로 묶어 봅니다.

채점 기준	점수
요즘 겪은 일 가운데 한 가지를 정해 글로 쓸 내용을 다발 짓기로 잘 정리한 경우	10점

보충 자료 다발 짓기
　시간 흐름과 장소 변화에 따라 일어난 일을 정리하고, 흐름에 맞게 생각이나 느낌을 묶는 것을 다발 짓기라고 합니다.

2 다발 짓기에 정리한 내용으로 쓸 글에 어울리는 제목을 붙여 봅니다. 다발 짓기에서 '처음-가운데-끝'으로 정리한 내용을 들여쓰기로 구분해 문단을 나누고, 한 편의 글을 완성해 봅니다. 다발 짓기에 나타내지 않은 내용도 추가하여 일어난 일에 대한 생각이나 느낌을 더 자세하고 실감 나게 표현해 봅니다.

예시 답안

제목: 가족과 함께 한 김밥 만들기

　지난 일요일에 우리 가족은 점심으로 김밥을 만들어 먹기로 했다. 먼저 김밥 만들기에 필요한 재료를 사기 위해 시장에 갔다. 김, 당근, 단무지, 맛살, 시금치 등 생각보다 필요한 재료가 많았다. 부모님과 함께 어떤 재료가 더 좋을지 꼼꼼히 따져 보았다. 여러 가지 재료 가운데 좋은 재료를 골라 사는 일이 신나고 재미있었다.

　집으로 돌아와서 본격적으로 김밥 만들기를 시작했다. 김밥을 만들기 위해서는 김밥에 넣을 재료를 손질해야 했다. 달걀부침, 어묵 볶음 등과 같이 불을 써야 하는 일은 부모님께서 하셨고, 나는 쌀 씻기, 식탁 닦기, 김발 펴기 같은 일을 했다. 준비하는 과정이 힘들었지만 완성된 김밥을 생각하면 마음이 설레었다.

　김에 밥을 고르게 펼치고, 그 위에 달걀부침, 어묵, 당근, 단무지 등의 재료를 넣었다. 그리고 김의 끝에서부터 둥글게 말았다. 김밥을 예쁘게 만드는 일이 무척 어려웠다. 내가 만든 김밥은 중간이 터지거나 모양이 울퉁불퉁했다. 그래도 내가 만든 김밥이 제일 특별하게 느껴졌다.

　김밥을 모두 만들고 가족과 함께 점심을 먹었다. 집에서 직접 만들어 먹은 김밥이 정말 맛있었다. 특히 내가 직접 재료를 준비하고 둥글게 싸서 만든 김밥이라 더 맛있게 느껴졌다.

채점 기준	점수
글에 어울리는 제목을 붙이고, 다발 짓기에 정리한 내용을 바탕으로 일어난 일과 일어난 일에 대한 생각이나 느낌을 자세하고 실감 나게 표현하여 한 편의 글을 쓴 경우	20점
다발 짓기에 정리한 내용만으로 간단하게 글을 쓴 경우	15점

---

5 글쓴이의 주장

단원평가 1회 　　　　　　　　26~27쪽

1 (1) ① (2) ② (3) ③
2 (1) 다의어 (2) 동형어 　　　**3** ④
4 ⑤
5 (1) ① 누웠다가 앉거나 앉았다가 서다. 등 ② 어떤 일이 생기다. 등 (2) 어떤 일이 생기다. 등
6 ⑤ 　　　　　**7** ㉡, ㉢ 　　　**8** ㉯, ㉰
9 서윤
10 **예** 반대한다. 학교 안에서 스마트폰을 사용하다 스마트폰을 잃어버리거나 수업에 방해가 되는 문제 따위가 일어날 수 있기 때문이다.

1 세 낱말은 모두 글자 모양은 같지만 뜻이 다르므로 대화 내용을 잘 살펴봅니다.

2 동형어인 낱말은 뜻이 서로 관련이 없지만 다의어의 뜻은 서로 관련이 있습니다.

3 제시된 두 문장에 공통으로 들어갈 동형어로는 '들다'가 어울립니다.

정답 친해지기 문장 속 '들다'의 뜻

문장	'들다'의 뜻
물건을 들다.	아래에 있는 것을 위로 올리다.
칼이 잘 들다.	날이 날카로워 물건이 잘 베어지다.

4 어린이 보행 중 교통사고를 줄이기 위해서 해야 할 일을 주장한 글입니다.

5 '일어나다'는 동형어로 국어사전에 실린 낱말 뜻이 여러 개이므로 그 중 문장에 알맞은 낱말의 뜻을 찾아야 합니다.

채점 기준 (1)의 ①과 ②에는 사전에서 찾은 뜻을 그대로 썼고, (2)에는 '어떤 일이 생기다.'라는 뜻을 썼으면 정답으로 합니다.

6 글쓴이는 인공 지능이 위험성이 있지만 인류 미래에 꼭 있어야 할 기술이라고 했습니다.

7 이 글에 나타난 글쓴이의 주장이 '인공 지능은 인류의 미래를 희망으로 가득하게 만들어 줄 것이다.'이므로, 인공 지능의 긍정적인 측면을 근거로 내세웠습니다.

8 ㉯, ㉰는 글쓴이가 주장을 왜 내세우는지를 뒷받침합니다.

9 이외에도 제시한 근거가 주장을 더욱 설득력 있게 만들어 주는지 확인하고, 제시한 근거에 알맞은 낱말을 썼는지 알아봅니다.

10 의견을 정한 뒤 의견을 뒷받침하는 알맞은 근거를 제시합니다.

> **채점 기준** 찬성하거나 반대하거나 둘 중 하나의 의견을 골라 근거와 함께 썼으면 정답으로 합니다.

단원평가 2회   28~29쪽

1 ⑤   **2** ④

3 (1) 짐승을 가두어 기르는 곳. 등
   (2) 말하는 사람과 듣는 사람을 포함한 여러 사람. 등

4 국어사전에서 어울리는 뜻을 찾아 확인한다. / 낱말의 앞뒤 내용을 살펴보고 관련 있는 뜻을 찾아본다. 등

5 (1) 지배력 (2) 강해질   **6** (3) ○

7 ②, ③   **8** 쓰기 윤리를 지키자. 등

9 (1) ○ (2) ○

10 🐵 초등학생에게 스마트폰을 올바르게 사용하도록 교육하는 것이 학교 안에서 스마트폰을 사용하지 못하도록 법으로 금지하는 것보다 훨씬 효과가 클 것입니다.

1 '다리'의 여러 가지 뜻이 나타난 그림입니다.

> **정답 친해지기** '다리'의 여러 가지 뜻
>
> | 사람이나 동물의 몸통 아래 붙어 있는 신체의 부분. 서고 걷고 뛰는 일 따위를 맡아 한다.
> ---|---
> | 물을 건너거나 또는 한편의 높은 곳에서 다른 편의 높은 곳으로 건너다닐 수 있도록 만든 시설물.
> | 물체의 아래쪽에 붙어서 그 물체를 받치거나 직접 땅에 닿지 아니하게 하거나 높이 있도록 버티어 놓은 부분.

2 '창문'은 뜻이 하나밖에 없는 낱말입니다.

3 '우리'의 뜻을 국어사전에서 찾아보고, 찾은 낱말 뜻으로 낱말 그물을 완성해 봅니다.

4 동형어나 다의어는 상황에 따라 뜻이 여러 가지로 해석되므로 국어사전에서 뜻을 찾은 뒤에 여러 가지 뜻 가운데 문장에 알맞은 뜻을 찾아야 합니다.

> **채점 기준** 제시된 답 가운데에서 한 가지를 썼으면 정답으로 합니다.

5 인공 지능이 발달하면 힘이 강한 나라나 집단이 힘이 약한 나라나 사람들을 지배할 수도 있다고 했습니다.

6 인공 지능은 위험하다는 글쓴이의 생각이 가장 잘 드러난 제목은 (3)입니다.

7 ㉮의 중심 내용은 글을 쓸 때에도 다른 사람에게 피해를 주지 않으려면 규범을 지켜야 한다는 것이고, ㉰의 중심 내용은 쓰기 윤리를 존중하는 것은 우리나라의 미래 발전에 영향을 미칠 정도로 중요한 일이므로 쓰기 윤리를 지켜야 한다는 것입니다.

8 각 문단의 중심 내용을 정리해 보면 글쓴이의 주장을 알 수 있습니다.

9 (3)은 학교 안 스마트폰 사용을 법으로 금지하면 안 된다고 주장하는 사람들이 제시할 근거입니다.

10 주장과 관련이 있고 주장을 더욱 설득력 있게 만들어 주는 근거를 씁니다.

> **채점 기준** 학교 안에서 스마트폰을 사용하게 해야 하는 까닭이나 사용하지 못하게 하면 안 좋은 점 등을 근거로 썼으면 정답으로 합니다.

서술형평가   30쪽

1 (1) 🐵 적다
   (2) ① 🐵 답안지에 답을 적다. ② 🐵 관심이 적다.

2 사람, 차 따위가 잘 다닐 수 있도록 만들어 놓은 비교적 넓은 길. 등

3 🐵 인공 지능은 미래의 희망이다

4 인공 지능은 인류 미래에 꼭 있어야 할 기술이다. 등

5 ㉠, ㉡, ㉢ / 주장하는 것과 관련 없는 내용이기 때문이다. 등

6 제시한 근거에 알맞은 낱말을 썼나요? 등

1 각자 떠올린 낱말로 문장을 각각 만들어 씁니다.

채점 기준	점수
⑴과 ⑵ 모두 알맞게 쓴 경우	5점

2 동형어인 '도로'는 이 문장에서 '사람, 차 따위가 잘 다닐 수 있도록 만들어 놓은 비교적 넓은 길.'의 뜻으로 쓰였습니다.

채점 기준	점수
'사람, 차 따위가 잘 다닐 수 있도록 만들어 놓은 비교적 넓은 길.'이라는 내용을 뜻으로 쓴 경우	5점

3 인공 지능에 대한 긍정적 시각이 담긴 글입니다.

채점 기준	점수
제시된 답과 비슷한 내용을 쓴 경우	5점

4 각 문단의 중심 내용과 글쓴이가 여러 번 강조해 사용한 낱말을 확인하면 글쓴이의 주장을 알 수 있습니다.

채점 기준	점수
제시된 답과 비슷한 내용을 쓴 경우	5점

5 근거는 주장과 관련이 있어야 하고, 주장을 더욱 설득력 있게 만들어 주어야 합니다.

채점 기준	점수
㉠, ㉡, ㉢에 ○표를 하고, 까닭에 제시된 답과 비슷한 내용을 쓴 경우	5점

6 알맞지 않은 낱말로 든 근거를 보면 주장도 적절하지 못할 것이라는 생각이 들고, 근거가 적절하지 않으면 주장하는 내용도 믿을 수 없기 때문에 제시한 근거에 알맞은 낱말을 썼는지 살펴봐야 합니다.

채점 기준	점수
제시한 답과 같은 내용을 쓴 경우	5점

수행평가 31쪽

1 예 학교 안에서 스마트폰을 사용하는 학생이 많아지면서 여러 가지 문제가 생기고 있으므로 스마트폰 사용을 적절히 제한해야 한다.

2 ⑴ 예 학교에서 스마트폰을 사용하다가 잃어버리는 일이 자주 일어난다.

⑵ 예 공부 시간에 다른 친구에게 방해가 된다.

⑶ 예 시력이 나빠지거나 거북목 증후군을 겪을 수 있다.

3 예시 답안 참고

---

1 학교 안에서 스마트폰 사용을 허락해도 될지에 대해 자신의 주장을 씁니다.

채점 기준	점수
찬성 또는 반대 입장을 정해 자신의 주장을 쓴 경우	5점

2 학교 안에서 스마트폰을 써도 되는 까닭, 또는 쓰면 안 되는 까닭을 생각해서 근거를 씁니다.

채점 기준	점수
알맞은 근거를 세 가지 모두 쓴 경우	10점
알맞은 근거를 두 가지 쓴 경우	6점
알맞은 근거를 한 가지 쓴 경우	3점

보충 자료 주장을 뒷받침하는 근거 쓰기

주제에 대해 찬성하는 입장인 경우	학교 안에서 스마트폰을 사용하면 좋은 점, 학교 안에서 스마트폰 사용을 허락하지 않았을 때의 문제점을 근거로 씁니다.
주제에 대해 반대하는 입장인 경우	학교 안에서 스마트폰 사용을 허락하지 않았을 때의 좋은 점, 학교 안에서 스마트폰을 사용하게 했을 때의 문제점을 근거로 씁니다.

3 자신의 주장과 근거를 펼쳐 글의 '처음-중간-끝'의 연결이 자연스럽게 주장하는 글을 씁니다.

예시 답안 요즘 많은 학생이 스마트폰을 사용한다. 그런데 스마트폰 사용은 편리한 점이 많은 만큼 부정적인 면도 많다. 학교에서도 스마트폰을 사용하는 학생이 많아지면서 여러 가지 문제가 생기고 있으므로 적절히 제한할 필요가 있다.

스마트폰을 학교에서 사용하다가 잃어버리는 일이 자주 일어난다. 학교에서 스마트폰을 잃어버리면 찾기가 쉽지 않다. 다행히 주운 사람이 분실물 바구니에 넣어 찾는 경우도 있지만, 찾지 못하는 경우가 더 많다.

학교에서 스마트폰을 사용하면 공부 시간에 다른 친구에게 방해가 된다. 진동 상태로 바꾸어 놓는다고 해도 진동음이나 밝은 화면은 다른 친구들에게 피해를 준다. 또 수업 중에 전화가 오거나 몰래 게임을 하는 친구도 있다.

또 스마트폰을 많이 사용하면 시력이 나빠지거나 거북목 증후군을 겪을 수 있다. 학교에서까지 스마트폰을 사용한다면 성장기에 있는 학생들의 건강에 안 좋은 영향을 끼칠 수 있다.

이런 까닭으로 학교에서는 스마트폰 사용을 제한해야 한다. 그 대신에 건물 입구에 개인별 스마트폰 보관함을 설치하고, 학생들은 등굣길에 스마트폰을 그곳에 보관하면 된다. 스마트폰 사용을 적절히 제한하면 스마트폰을 더 효율적으로 활용할 수 있을 것이다.

채점 기준	점수
제시한 근거가 주장과 관련 있고, 근거가 주장을 설득력 있게 만들어 주며, 제시한 근거에 알맞은 낱말을 써서 '처음-가운데-끝'이 잘 구분되게 쓴 경우	15점

6 토의하여 해결해요

1 ①   **2** 나   **3** ㄹ, ㄴ, ㄱ, ㄷ
4 예 우리 모두와 관련이 있는 주제인지 살펴본다. / 해결 방법을 찾을 수 있는 문제인지 살펴본다.
5 ①, ②   **6** (2) ○   **7** ⑤
8 ①
9 예 모두에게 안전한 학교를 만드는 방법
10 ③

1 운동장을 안전하게 쓰는 방법에 대해 그림 가는 알림 글로, 그림 나는 학생들이 이야기하고 있습니다.

2 그림 나는 학생들이 모여 운동장을 안전하게 쓰는 방법에 대해 여러 가지 의견을 말하고 있고, 그림 가는 알림 글로 결정된 내용을 전달하여 학생들이 잘 이해하지 못하고 있습니다.

3 토의할 때에는 먼저 토의 주제를 정하고 의견을 마련한 뒤 의견을 모아 결정합니다.

4 우리가 변화를 이끌어 낼 수 있는 주제인지 살펴봅니다.

> **채점 기준** 토의 주제가 만족해야 하는 조건을 알맞게 썼으면 정답으로 합니다.

5 토의 주제에 맞는 내용인지, 알맞은 주장과 근거를 들었는지, 실천할 수 있는지 살펴봅니다.

6 '학급의 날을 어떻게 보내면 좋을까요?'라는 주제에 맞는 의견은 (2)입니다.

7 어린이 보호 구역에서 유치원생이 목숨을 잃은 사건이 있은 뒤, 초등학생들이 직접 교통사고 대책 마련에 나섰다고 하였습니다.

8 '안전한 학교 만들기' 안건을 마련하여 토의했습니다.

9 우리 모두와 관련이 있는 문제이고, 해결 방법을 찾을 수 있는 문제이며, 우리가 변화를 이끌어 낼 수 있는 문제를 주제로 정합니다.

> **채점 기준** 우리 학교의 안전과 관련이 있는 토의 주제를 알맞게 썼으면 정답으로 합니다.

10 토의할 때에는 다른 사람의 의견을 잘 듣고 자신의 의견도 적극적으로 말해야 합니다.

1 ⑤   **2** (3) ○
3 예 우리 학교 역사 찾기 행사를 하자. 우리 학교 역사를 찾아보면 학교가 어떤 과정으로 바뀌어 왔는지 알 수 있기 때문이다.   **4** ①, ③
5 ⑤   **6** ②, ③   **7** 정아
8 안전한 학교 만들기   **9** 승우
10 예 청소할 때 일인 일역을 효과적으로 운영하는 방법을 토의하고 싶다. 일인 일역이 잘 이루어지지 않으면 교실이 더러워지고 자신의 역할을 열심히 하는 친구만 힘들어진다.

1 토의를 한다고 자신이 원하는 대로 문제 해결 방법을 정할 수 있는 것은 아닙니다.

2 학교 도서관에 책이 많다는 것과 자신이 대출한 도서 수는 토의 주제에 맞지 않는 내용입니다.

3 토의 주제에 맞는 의견을 쓰고, 의견에 대해 그렇게 생각하는 까닭이나 그 의견이 좋은 까닭을 씁니다.

> **채점 기준** 토의 주제에 맞는 의견을 알맞은 까닭을 들어 썼으면 정답으로 합니다.

4 마루는 자신의 의견을 반말로 이야기하며 친구의 의견을 무시했고 끝까지 듣지도 않았으며 손을 들고 말할 기회를 얻지 않았습니다.

5 토의는 어떤 문제를 여러 사람이 협력해 해결하는 방법이므로 자신의 의견만 반복해서 말하면 안 됩니다.

6 토의 주제에 맞는 의견, 알맞은 주장과 근거를 든 의견, 실천할 수 있는 의견을 결정하고, 좋은 의견이 많으면 여러 가지 의견을 정할 수도 있습니다. 소수 의견이라도 도움이 된다면 얼마든지 받아들입니다.

7 먼저 토의 주제가 알맞은지 알아본 뒤에 토의 주제에 대한 의견을 말하고, 의견의 장점과 단점을 모두 살펴봅니다. 그 다음 의견을 모으는 과정을 통해 의견을 결정하고 토의를 마무리 짓습니다.

8 문제 상황에 대해 전교 학생회에서 '안전한 학교 만들기' 안건을 마련했고, 토의를 통해 '구청장님께 편지 쓰기'라는 실천 방안까지 나왔습니다.

9 토의 주제에 맞는 의견을 말하고, 알맞으면서 실천할 수 있는 근거를 든 친구는 '승우'입니다.

10 우리 모두와 관련이 있는 문제이고 해결 방법을 찾을 수 있으며, 우리가 변화를 이끌어 낼 수 있는 문제를 토의 주제로 정해 봅니다.

> **채점 기준** 토의 주제를 정해 주제와 그 주제를 정한 까닭을 알맞게 썼으면 정답으로 합니다.

서술형평가   36쪽

1 **예** 문제 해결에 직접 참여할 수 있다. / 문제 상황을 더 잘 이해할 수 있다.

2 (1) 각 의견의 장단점 찾기 등
(2) 의견이 알맞은지 판단할 수 있는 기준 세우기 등

3 **예** 학급의 날은 우리 모두와 관련이 있고 학급의 날을 보내는 여러 방법을 찾아낼 수 있으며 우리가 학급의 날을 만들어 갈 수 있으므로 토의 주제로 알맞다.

4 (1) **예** 모두에게 안전한 학교를 만드는 방법
(2) **예** 우리 학교 안전 지도를 만듭시다.
(3) **예** 효과적인 안전 교육을 할 수 있고 안전하지 않은 곳을 널리 알릴 수 있기 때문입니다.

1 어떤 문제를 여러 사람이 협력해 해결하는 방법을 찾을 때의 좋은 점을 떠올려 봅니다.

채점 기준	점수
토의를 통해 문제를 해결하면 좋은 점을 알맞게 쓴 경우	6점

2 의견을 모을 때에는 주고받은 의견들의 장단점을 찾고, 의견이 알맞은지 판단할 기준을 세운 뒤 기준에 따라 의견이 알맞은지 판단해야 합니다.

채점 기준	점수
각 의견의 장단점을 찾고, 의견이 알맞은지 판단할 기준을 세운다는 내용 등을 모두 알맞게 쓴 경우	8점
의견을 모으는 방법 중 한 가지만 알맞게 쓴 경우	4점

3 우리 모두와 관련이 있는 문제인지, 해결 방법을 찾을 수 있는 문제인지, 우리가 변화를 이끌어 낼 수 있는 문제인지 살펴봅니다.

채점 기준	점수
토의 주제로 알맞은지 판단하여 잘 쓴 경우	8점

4 글의 내용과 관련이 있는 토의 주제를 정하여 토의 주제에 맞고 실천할 수 있는 의견을 근거를 들어 씁니다. 근거를 자세히 들어야 의견의 설득력이 높아집니다.

채점 기준	점수
우리 학교의 안전과 관련이 있는 토의 주제를 정하고 자신의 의견을 근거를 들어 알맞게 쓴 경우	8점
토의 주제와 주장만 알맞게 쓴 경우	5점
토의 주제만 쓴 경우	2점

수행평가   37쪽

1 학교 앞 어린이 보호 구역 환경 개선을 요구하고 뚜렷한 개선 방안을 낼 것을 계획하고, 전교생이 편지를 써서 구청장님께 보내기로 했다. 등

2 (1) 어린이 보호 구역 표지판을 개선하자. 등
(2) 표지판의 크기를 키우고 테두리를 엘이디(LED)로 반짝이게 만들면 밤이든 낮이든 운전자가 어린이 보호 구역을 잘 알아볼 수 있다. 등

3 (1) **예** 학교 앞 횡단보도와 학교 담장 주변에 불법 주차를 못하도록 단속을 하면 좋겠다.
(2) **예** 길을 건널 때에 불법 주차되어 있는 차 때문에 찻길에 차가 오는지 보이지 않아 위험한데, 불법 주차를 하지 않으면 지나가는 차를 잘 볼 수 있다.

1 안전한 학교 만들기를 위해 구청장님께 편지 쓰기를 실천하기로 했습니다.

채점 기준	점수
구청장님께 편지를 보내기로 했다는 내용 등을 알맞게 쓴 경우	10점

2 학생들이 쓴 편지 중에서 어린이 보호 구역 표지판을 개선하자는 의견이 가장 눈에 띄는 제안이라고 하였습니다.

채점 기준	점수
학생들의 의견 중 가장 눈에 띄는 의견과 그 의견이 좋은 까닭을 모두 쓴 경우	10점
(1)만 쓴 경우	5점

3 어린이 교통사고를 줄이는 방법으로 실천할 수 있는 알맞은 주장과 근거를 생각해 봅니다.

채점 기준	점수
'어린이 교통사고를 줄이는 방법'에 대한 자신의 의견과 그 의견이 좋은 까닭을 모두 알맞게 쓴 경우	10점
(1)만 알맞게 쓴 경우	5점

7 기행문을 써요

단원평가 1회

1 여행 등 2 (3) ○ 3 ③, ⑤
4 (1) ㉠ (2) ㉡
5 **예** 평소에 들어보지 못한 말이어서 무슨 뜻인지 궁금했고, 표현이 재미있다는 생각이 들었다.
6 ④ 7 (2) ○
8 (1) ㉡ (2) ㉠ (3) ㉢ 9 ②
10 (1) **예** 세계 자연 유산, 거문오름 (2) **예** 거문오름 (3) **예** 거문오름의 동식물, 거문오름의 역사와 문화, 거문오름 탐방, 국제 트래킹 행사 내용과 일정

1 서윤이가 현석이에게 방학 때 제주도 여행을 다녀온 경험에 대해 묻고, 현석이가 대답하고 있습니다.

2 서윤이가 현석이에게 제주도의 어디어디를 다녀왔는지 물어보았지만, 현석이는 여행한 경험이 정확히 기억나지 않아 대답을 못해 멋쩍어하였습니다.

3 여행하면서 보고 듣고 느낀 점을 글로 쓰면 여행했을 때의 기분을 잘 간직할 수도 있습니다.

> **정답 친해지기** 여행하면서 보고 듣고 느낀 점을 글로 쓰면 좋은 점
> • 여행하면서 보고 들은 것을 나중에 알 수 있습니다.
> • 여행했을 때의 기분을 잘 간직할 수 있습니다.
> • 여행했던 경험을 다시 느낄 수 있습니다.
> • 다른 사람에게 여행 정보를 줄 수 있습니다.
> • 여행하며 경험한 것을 시간이 지나서 다시 확인할 수 있습니다.

4 제시된 글은 기행문으로, 기행문에는 여행하면서 다닌 곳(여정), 여행하면서 보고 들은 것(견문), 여행하면서 생각하거나 느낀 것(감상)이 들어갑니다.

5 '감수광'이라는 말을 들었을 때 든 생각을 써 봅니다.

> **채점 기준** '감수광'이라는 말을 들었을 때에 든 자신의 생각을 자세히 썼으면 정답으로 합니다.

6 성산 일출봉의 서쪽은 고운 잔디 능선 위에 돌기둥과 수백 개의 기암이 우뚝우뚝 솟아 있는데 그 사이에 계단으로 만든 등산로가 나 있습니다.

7 ㉠에는 성산 일출봉에서 본 것과 들은 것이 나타나 있습니다.

8 '다음 날'과 같은 시간 표현으로 여정을, '보다'라는 표현으로 견문을, '느끼다'라는 낱말로 감상을 드러냈습니다.

9 기행문의 처음 부분에는 여행한 까닭이나 목적을 씁니다.

> **오답 피하기**
> ①, ④는 기행문의 끝부분에 씁니다.
> ③, ⑤는 기행문의 가운데 부분에 씁니다.

10 여행지 안내장에 들어갈 내용에는 갈 만한 곳, 먹을거리, 즐길 거리, 문화유산, 자신의 생각 등이 있습니다. 소개할 곳을 정한 뒤 안내장에 들어갈 내용을 참고하여 알릴 내용을 정리해 봅니다.

> **채점 기준** 자신이 만들 여행지 안내장의 제목과 소개할 곳, 알릴 내용을 모두 알맞게 정리해 썼으면 정답으로 합니다.

단원평가 2회

1 ② 2 ㉡
3 **예** 여행하면서 보고 듣고 느낀 것을 글로 나타내면 여행 경험을 생생하게 다른 사람과 함께 나눌 수 있어.
4 (1) ② (2) ① (3) ③ 5 견문
6 ⑤ 7 ② 8 ㉢
9 (1) **예** 해인사 (2) **예** 친구들에게 내 경험을 알려 주기 위해서이다. (3) **예** 해인사에서 봤던 팔만대장경이 기억에 많이 남았기 때문이다. (4) **예** 우리 반 친구들
10 ⑤

1 현석이와 서윤이는 둘 다 제주도 여행을 다녀온 경험에 대해 말하였습니다. 여행을 함께 간 사람이 누구인지는 알 수 없고, 여행을 다녀온 때와 여행을 하고 남은 기억, 다녀와서 한 일은 대화를 통해 서로 다름을 알 수 있습니다.

2 현석이는 여행을 다녀와 글로 남겨 놓지 않아 여행 경험을 정확하게 전하지 못했는데, 서윤이는 글과 사진으로 남겨 두어 여행 경험을 자신 있게 전하였습니다.

3 현석이는 제주도 여행을 다녀와서 좋은 추억이 많았지만 글로 남긴 것이 없어 여행 경험을 정확하게 전하지 못하였습니다.

> **채점 기준** 여행하면서 보고 듣고 느낀 점을 글로 쓰면 좋은 점을 현석이에게 말하듯이 알맞게 썼으면 정답으로 합니다.

4 여행의 과정이나 일정은 '여정', 여행하며 보거나 들은 것은 '견문', 여행하며 든 생각이나 느낌은 '감상'입니다.

5 여행하며 본 것과 들은 것을 나타낸 표현이므로 '견문'에 해당합니다.

> **보충 자료** 여정, 견문, 감상을 드러내는 표현
>
> | | |
> |---|---|
> | 여정 | '먼저, 이른 아침에' 따위와 같은 시간 표현, '~에 도착했다, ~(으)로 갔다' 따위의 장소 표현을 씁니다. |
> | 견문 | 본 것을 나타낼 때에는 '~을/를 보다, ~이/가 있다' 따위의 표현, 들은 것을 나타낼 때에는 '~(이)라고 한다, ~을/를 듣다' 따위와 같은 표현을 씁니다. |
> | 감상 | '~처럼, ~같이'와 같이 비유를 쓰는 경우가 많고, '느끼다, 생각하다'라는 낱말을 쓰기도 합니다. |

6 '다랑쉬오름'이라는 이름은 다랑쉬오름 남쪽에 있던 마을에서 보면 북사면을 차지하고 앉아 된바람을 막아 주는 오름의 분화구가 마치 달처럼 둥글어 보인다 하여 붙여졌다고 했습니다.

7 다랑쉬오름, 성산 일출봉, 한라산의 순서로 들렀습니다.

8 ㉠과 ㉡은 각각 글쓴이가 여행하면서 들은 것과 본 것이므로 '견문'에 해당합니다.

9 기행문을 쓰기 전에 기행문을 쓸 준비를 하는 과정으로 자신의 여행 경험을 떠올려 정리해 봅니다.

> **채점 기준** 여행 경험을 떠올려 여행 장소, 기행문을 쓰는 목적, 그 장소를 고른 까닭, 읽을 사람을 모두 잘 정리하여 썼으면 정답으로 합니다.

10 기행문을 쓸 때에는 생생한 글이 되도록 사진이나 그림을 알맞게 넣을 수 있습니다.

서술형 평가
42쪽

1 (1) **예** 지난 여름 방학에 제주도로 여행을 다녀왔다. (2) **예** 한라산을 올랐던 것이 기억에 남았다.

2 **예** 여행하면서 경험한 것을 나중에 다시 확인할 수 있다.

3 오름의 섬 제주에서도 오름이 가장 많고 아름답기 때문이다. 등

4 ㉠은 감상에 해당한다. '감상'은 여행하며 든 생각이나 느낌을 말한다. 등

5 (1) **예** 제주도
(2) **예** 아침 일찍 숙소에서 나와 천지연 폭포로 갔다.
(3) **예** 천지연 폭포에서 물이 큰 소리를 내며 떨어지는 광경을 보았다.
(4) **예** 웅장한 폭포를 보는 것만으로도 무척 시원하였고, 이렇게 아름다운 제주도를 잘 보존해야겠다고 생각했다.

1 자신이 재미있게 여행했던 경험을 떠올려 여행한 때와 장소, 기억에 남는 것 등을 정리하여 써 봅니다.

채점 기준	점수
언제 어디로 여행을 갔는지, 기억에 남는 것은 무엇인지 자세히 쓴 경우	6점
(1)과 (2) 중 한 가지만 쓴 경우	3점

2 여행하면서 보고 들은 것을 나중에 알 수 있어서 다른 사람에게 여행 정보를 줄 수도 있고, 여행했을 때의 기분을 잘 간직할 수 있습니다.

채점 기준	점수
여행하면서 보고 듣고 느낀 점을 글로 쓰면 좋은 점을 알맞게 쓴 경우	6점

3 제주의 동북쪽 구좌읍 세화리 송당리 일대는 오름의 섬 제주에서도 오름이 가장 많고 아름다운 '오름의 왕국'이라고 했습니다.

채점 기준	점수
'오름의 왕국'이라고 하는 까닭을 잘 쓴 경우	6점

4 여행의 과정이나 일정을 여정, 여행하며 보거나 들은 것을 견문, 여행하며 든 생각이나 느낌을 감상이라고 하므로, ㉠은 '감상'에 해당합니다.

채점 기준	점수
감상이라고 쓰고, 감상의 뜻도 알맞게 쓴 경우	6점
감상이라고만 쓴 경우	3점

5 기억에 남는 여행 장소를 떠올려 여행의 과정이나 일정, 여행하며 보거나 들은 것, 여행하며 든 생각이나 느낌 등을 써 봅니다.

채점 기준	점수
여행한 곳과 여정, 견문, 감상을 모두 자세히 쓴 경우	6점
(1)~(4) 중 두세 가지만 쓴 경우	3점

수행평가   43쪽

1 제주의 풍광이 철 따라 다르고 날씨 따라 다르기 때문이다. 등

2 성산 일출봉과 한라산에 들렀다. 등

3 (1) 예 제주도와 연결된 서쪽을 제외한 성산 일출봉의 동·남·북쪽 외벽은 깎아 내린 듯한 절벽으로 바다와 맞닿아 있다.
(2) 예 오르면 오를수록 이 수직의 기암들이 점점 더 하늘로 치솟아 올라 신비스럽고도 웅장한 모습에 절로 감탄이 나온다.

1 글쓴이는 올 때마다 보는 제주의 전형적인 풍광이지만 그것이 철 따라 다르고 날씨 따라 달라서 언제나 신천지에 오는 것 같은 설렘을 느끼게 된다고 하였습니다.

채점 기준	점수
제주의 풍광이 철 따라 다르고 날씨 따라 다르기 때문이라는 내용 등으로 쓴 경우	10점

2 글쓴이는 성산 일출봉에 들렀고, 어리목에서 출발하여 만세 동산을 지나 윗세오름에 올랐다가 영실로 하산하면서 한라산의 아름다움을 만끽했습니다.

채점 기준	점수
성산 일출봉과 한라산에 들렀다는 내용을 알맞게 쓴 경우	10점

3 여행하면서 보거나 들은 것을 견문이라고 하고, 여행하며 든 생각이나 느낌을 감상이라고 합니다.

채점 기준	점수
글에서 견문과 감상이 드러난 부분을 모두 잘 찾아 쓴 경우	10점
(1)과 (2) 중 한 가지만 잘 찾아 쓴 경우	5점

8 아는 것과 새롭게 안 것

단원평가 1회   44~45쪽

1 (1) 바늘 (2) 방석   **2** ⑤
3 ④   **4** (1) 예 밤 (2) 예 곡식
5 ⑤
6 예 전통 악기 박물관에서 생황이라는 악기를 본 적이 있다. 무엇으로 만들었는지 궁금했는데 박으로 만든 악기라는 것을 알게 되었다.
7 선미   **8** 예 가슴에 반달무늬가 있는
9 예 우리나라에서 멸종 위기 동물을 보호하기 위해 천연기념물로 지정해 관리한다는 것을 알고 있었는데, 생태계 전체를 건강하게 만들기 위해 힘을 쏟고 있다는 것도 알게 되었다.   **10** ④

1 두 번째 장면에서 예원이는 '바늘'의 뜻과 '방석'의 뜻을 각각 떠올려 '바늘방석'의 뜻을 짐작하고 있습니다.

2 예원이는 '바늘방석'의 뜻을 '바늘처럼 뾰족한 방석'일 것이라고 짐작했습니다. 방석이 뾰족하면 앉기 매우 불편할 것이므로 이와 관련해 짐작할 수 있는 낱말의 뜻은 ⑤입니다.

3 '산딸기'는 '산'과 '딸기'라는 뜻이 있는 두 낱말을 합해서 만든 복합어입니다. 나머지 낱말들은 낱말을 나누면 본디의 뜻이 없어져 더는 나눌 수 없는 단일어입니다.

4 주어진 말인 '햇-'에 다른 낱말을 합해서 복합어를 만들어 봅니다.

5 대나무로 만든 악기로 대금, 피리, 단소 등이 소개되어 있고, 박으로 만든 악기로 생황이 소개되어 있습니다.

6 본 일, 들은 일, 한 일 가운데 글의 내용과 관련 있는 경험을 떠올리며 글을 읽고, 떠올린 경험을 정리하여 씁니다.

> **채점 기준** 글의 내용과 관련된 겪은 일을 떠올려 썼으면 정답으로 합니다.

7 겪은 일을 떠올리며 글을 읽으면 글 내용에 더 흥미를 가지게 되고, 글 내용을 더 쉽고 깊이 있게 이해할 수 있습니다.

8 '반달가슴곰'은 앞가슴에 반달 모양의 흰무늬가 있는 곰입니다.

9 자신이 아는 지식을 떠올리며 글을 읽고, 새롭게 알거나 자세히 안 점을 정리해 봅니다.

> **채점 기준** 글을 읽고 새롭게 알거나 자세히 안 점을 알맞게 썼으면 정답으로 합니다.

10 '튜브'는 '바람 주머니', '물놀이 바람 도구' 등의 새말로 바꿀 수 있습니다.

단원평가 2회 46~47쪽

1 ③　　　　　**2** (1) 손　(2) 애
3 예 '덜 익은' 또는 '처음 나온'이라는 뜻일 것이다.
4 ③　　　　　**5** 한 일
6 (1) ①　(2) ②　**7** 서준
8 예 텔레비전에서 멸종 위기의 지리산 반달가슴곰을 키워 자연으로 보내는 것을 본 적이 있다. 반달가슴곰은 가슴에 있는 하얀 반달무늬가 가장 큰 특징이라고 한다.　　　　　**9** ①
10 예 재주 마당

1 '바늘방석'은 '바늘'과 '방석'을 합친 말입니다.

2 (1)의 그림이 나타내는 낱말은 각각 '손수건', '손수레'이고, (2)의 그림이 나타내는 낱말은 각각 '애벌레', '애호박'입니다.

3 '풋고추'는 덜 익은 고추, '풋밤'은 덜 익은 밤, '풋사과'는 덜 익은 사과이므로 '풋-'은 '덜 익은' 또는 '처음 나온'이라는 뜻이라는 것을 짐작할 수 있습니다.

> **채점 기준** '풋-'의 뜻을 알맞게 짐작하여 썼으면 정답으로 합니다.

4 대나무와 박의 소리는 맑은 봄날의 아침 같고, 명주실과 나무의 소리는 쨍쨍한 여름 햇살을 닮았다고 했습니다. 쇠와 흙의 소리는 높은 가을 하늘 같고, 돌과 가죽의 소리는 겨울의 웅장함이 느껴진다고 했습니다.

5 겪은 일은 본 일, 들은 일, 한 일 등으로 나눌 수 있습니다. 제시된 내용은 가야금을 직접 연주해 보았던 일을 정리하여 쓴 것입니다.

6 깃대종은 그 지역을 대표하는 생물들이고, 지표종은 그 지역의 환경이 얼마나 깨끗한지 측정할 수 있는 종을 말합니다.

7 낱말의 짜임을 바탕으로 비단벌레의 몸이 비단처럼 광택이 날 것임을 짐작할 수 있습니다.

8 아는 지식을 떠올리며 글을 읽으면 글의 내용을 더 잘 이해할 수 있고, 아는 내용과 비교하며 글을 읽을 수도 있습니다.

> **채점 기준** 자신이 아는 멸종 위기 동물에 대해 알맞게 썼으면 정답으로 합니다.

9 여자아이는 솜씨를 뽐낼 수 있는 곳이니까 '솜씨 마당'이라 하자고 했습니다.

10 알림판의 이름을 붙인 까닭이 제시되어 있으므로 그에 어울리는 이름을 지어 봅니다.

서술형평가 48쪽

1 (1) 방울, 토마토　(2) 예 일반 토마토보다 훨씬 작으며 방울 모양의 토마토.
2 잘 모르는 낱말의 뜻을 짐작할 수 있다. / 낱말을 합해서 새로운 낱말을 만들 수 있다. 등
3 (1) 예 대나무와 박에서 나오는 소리는 어떤 느낌을 준다고 했나요?
　(2) 예 악기의 소리를 들으면 어떤 생각이 떠오르나요?
4 예 음악 시간에 단소를 연주해 보았다. 소리를 내기 힘들었지만 힘겹게 소리를 냈을 때 단소가 내는 청아한 소리가 참 아름다웠다.
5 예 옛날에는 반딧불이를 잘 볼 수 있었다는데 지금은 잘 볼 수가 없다. 그래서 반딧불이가 서식하고 있는 무주군에 '반딧불이와 그 먹이 서식지'를 천연기념물로 지정해 보호하고 있다.

1 '방울토마토'는 '방울'과 '토마토'를 합해서 만든 낱말이고, '토마토' 앞에 '방울'이 붙었으므로 일반 토마토보다 작은 토마토일 것이라고 짐작할 수 있습니다.

채점 기준	점수
방울토마토 낱말의 짜임과 그 뜻을 모두 알맞게 쓴 경우	6점

2 이밖에 낱말의 짜임을 알면 낱말을 어떻게 만들었는지 이해할 수도 있습니다.

채점 기준	점수
낱말의 짜임을 알면 좋은 점을 알맞게 쓴 경우	6점

3 (1)에는 글에서 답을 알 수 있는 질문을, (2)에는 자신의 생각을 말해야 하는 질문을 떠올려 써 봅니다.

채점 기준	점수
(1)과 (2) 모두 바르게 쓴 경우	6점
(1)과 (2) 중 한 가지만 바르게 쓴 경우	3점

4 겪은 일은 '본 일', '들은 일', '한 일' 등으로 나누어 정리해 볼 수 있습니다. 그중에서 '한 일'을 써 봅니다.

채점 기준	점수
겪은 일을 떠올려 '한 일'을 알맞게 쓴 경우	6점

5 멸종 위기의 동물과 관련하여 자신이 아는 지식을 떠올려 보고, 글의 내용과 관련지어 정리해 봅니다.

채점 기준	점수
글의 내용과 관련해 자신이 아는 지식을 쓴 경우	6점

수행평가   49쪽

1 예 멸종 위기 동물을 보호하기 위해 동물에게 관심을 기울이고 보살피며, 환경을 깨끗하게 유지하자.
2 예 '바위산'은 '바위'와 '산'을 합해 만든 낱말로, 바위로 뒤덮여 있는 산일 것이다.
3 예 산양이 인간 때문에 멸종 위기에 처했다는 것을 알게 되었다.

1 이 글은 우리나라의 멸종 위기 동물을 소개하며 환경 파괴를 막아 멸종 위기 동물을 보호하자는 생각을 전하고 있습니다.

채점 기준	점수
글쓴이가 전하고 싶은 생각을 알맞게 쓴 경우	10점

2 '바위산'은 '바위로 뒤덮여 풀과 나무가 자라지 못하는 산'을 말합니다.

채점 기준	점수
낱말의 짜임을 통해 '바위산'이 어떤 산일지 알맞게 짐작하여 쓴 경우	10점

3 자신이 아는 지식을 떠올리며 읽고, 새롭게 안 점을 정리해 봅니다.

채점 기준	점수
글을 읽고 새롭게 안 점을 알맞게 쓴 경우	10점

---

9 여러 가지 방법으로 읽어요

단원평가 1회   50~51쪽

1 ③, ⑤   **2** ①, ②
3 이미 아는 것을 떠올리고, 대상에 대해 새롭게 안 것을 찾는다. 등
4 주장하는 글   **5** 서로 돕고 존중하는 사람
6 ①, ⑤   **7** ①   **8** (1) ○
9 예 도서관에서 글을 찾으며 필요한 부분만 빨리 찾아 읽은 적이 있다.
10 ②

1 과학 숙제로 조사하는 것이므로 돌에 대한 자세하고 구체적인 정보를 찾아야 합니다.

2 정보 무늬의 뜻과 모양을 설명하고 있습니다.

3 설명하려는 대상이 무엇인지, 그 대상의 무엇을 설명하는지도 생각합니다.

> **채점 기준** 설명하는 글을 읽는 방법을 알맞게 썼으면 정답으로 합니다.

4 미래 사회에 필요한 사람이 되자는 주장과 그에 대한 근거를 제시한 주장하는 글입니다.

5 글쓴이가 주장을 뒷받침하기 위해 제시한 근거 중 세 번째 내용을 찾아 정리하여 씁니다.

6 주장하는 글을 읽을 때에는 자신의 생각과 비교해 같은 점을 찾고, 비판하는 태도로 읽습니다. ④는 설명하는 글을 읽는 방법에 해당합니다.

7 고려청자는 아름다운 비색을 띠며 상감 기법은 우리 고유의 독창적인 기법이라고 했습니다. 또한, 고려청자의 아름다움은 중국 송나라에서도 인정받았다고 했습니다.

8 규빈이는 자신에게 필요한 정보가 글에 있는지 찾아봐야 하는 상황이므로 글의 중요한 내용만 훑어 읽는 것이 좋습니다.

9 자신에게 필요한 내용인지 알기 위해 중요한 내용만 훑어 읽어 본 경험을 떠올려 씁니다.

> **채점 기준** 훑어 읽기의 방법으로 글을 읽은 경험을 썼으면 정답으로 합니다.

10 세종 대왕은 같은 책을 백 번 읽고 백 번 썼다고 했으므로 반복해 읽고 쓰는 방법으로 책을 읽었음을 알 수 있습니다.

단원평가 2회   52~53쪽

1 (1) ○ (2) ○   **2** ④
3 (1) ㉠ (2) ㉡ (3) ㉢   **4** 시영
5 주장을 뒷받침하는 근거가 알맞은지 생각하며 자신의 생각과 비교해 비판하는 태도로 읽는다. 등
6 ③   **7** ㉠   **8** ⑤
9 고려청자
10 예 필요한 내용을 찾으며 자세히 읽는다.

1 미술 시간에 교통질서 지키기 광고를 그리기로 했으므로 교통질서와 관련된 글을 찾아보아야 합니다.

2 정보 무늬의 뜻과 모양, 사용 방법 등에 대해 설명하는 글입니다.

3 네모 모양 안에 검은 선과 점을 배열한 것을 '정보 무늬[QR코드]'라 하고, 정보 무늬는 여러 가지 정보를 확인할 수 있는 표식입니다. 또 정보 무늬는 스마트폰으로 사용할 수 있습니다.

4 찬미와 승희는 주장하는 글을 읽는 방법으로 글을 읽었습니다.

5 주장하는 글을 읽을 때에는 먼저 글쓴이의 주장과 근거를 파악하고, 그것이 적절한지 판단하며 읽어야 합니다.

> **채점 기준** 주장하는 글을 읽는 방법을 알맞게 썼으면 정답으로 합니다.

6 글쓴이는 미래 사회에 필요한 사람이 되자고 주장하며 미래 사회에 필요한 사람이 갖추어야 할 것을 근거로 제시했습니다.

7 글쓴이는 미래 사회에 필요한 사람으로 새로운 방식으로 문제를 해결하는 사람, 새로운 변화에 대응하는 사람, 서로 돕고 존중하는 사람을 제시했습니다.

8 주장하는 글을 읽을 때 글쓴이와 비슷한 주장을 한 인물이 누구인지는 고려하지 않아도 됩니다.

9 고려청자의 빛깔, 기법 등에 대해 설명하는 글입니다.

10 지완이는 자신에게 필요한 정보가 글에 있다는 것을 이미 알고 있으므로 글의 내용을 이해하기 위해 자세히 살펴보며 읽는 것이 좋습니다.

> **채점 기준** 자세히 읽기 방법을 알맞게 썼으면 정답으로 합니다.

서술형평가   54쪽

1 예 집 앞 화단에서 발견한 곤충에 대해 궁금한 점이 있었는데 책을 읽고 궁금한 점에 대해 알 수 있었다.
2 (1) 정보 무늬 등
  (2) 정보 무늬의 뜻, 모양, 사용 방법 등
3 정해진 답을 찾기보다 새로운 방식으로 문제를 해결하는 사람이 필요하다. 등
4 예 글쓴이는 새로운 방식으로 문제를 해결하는 사람이 필요하다고 했는데, 새로운 방식보다 오랫동안 검증된 방식으로 문제를 해결하는 것이 더 안전할 수 있다고 생각한다.
5 (1) 글 전체의 내용을 훑어 읽으면서 필요한 정보가 있는지 확인한다. 등
  (2) 내용을 자세히 살펴보며 꼼꼼히 읽고 이해한다. 등

1 글이나 자료를 찾아 읽고 도움을 받았던 경험을 자유롭게 떠올려 써 봅니다.

채점 기준	점수
글이나 자료를 찾아 읽은 경험을 떠올려 그때 어떤 도움을 얻었는지 알맞게 쓴 경우	6점

2 설명하는 글을 읽을 때 고려할 점을 떠올리며 글의 내용을 파악해 봅니다.

채점 기준	점수
글의 내용을 바르게 파악하여 설명하는 대상과 설명하는 내용을 모두 바르게 쓴 경우	6점

3 글쓴이는 미래 사회에 필요한 사람이 되자고 주장하며 미래 사회에 필요한 사람이 갖추어야 할 것을 근거로 제시했습니다.

채점 기준	점수
글쓴이가 제시한 근거를 찾아 알맞게 쓴 경우	6점

4 글쓴이의 주장과 근거를 납득할 수 있는지 내용의 타당성을 판단하여 써 봅니다.

채점 기준	점수
글쓴이의 주장과 근거에 대한 자신의 생각을 알맞게 쓴 경우	6점

5 (1)은 훑어 읽는 경우, (2)는 자세히 읽는 경우입니다. (1)과 같이 글을 대강 훑어 읽으며 필요한 부분만 찾을 수도 있고, (2)와 같이 전체를 꼼꼼히 읽으며 내용을 자세히 정리할 수도 있습니다.

채점 기준	점수
훑어 읽기와 자세히 읽기 방법을 모두 바르게 쓴 경우	6점
훑어 읽기와 자세히 읽기 방법을 하나만 바르게 쓴 경우	3점

수행평가 55쪽

1 미래 사회에 필요한 사람이 되자. 등

2 ·정해진 답을 찾기보다 새로운 방식으로 문제를 해결하는 사람 등
·새로운 변화에 대응하는 사람 등
·서로 돕고 존중하는 사람 등

3 ·글쓴이의 주장과 주장을 뒷받침하는 근거를 찾으며 읽는다. 등
·주장을 뒷받침하는 알맞은 근거인지 생각하며 읽는다. 등

1 이 글에서 무엇을 강조하고 있는지 생각해 봅니다.

채점 기준	점수
글쓴이의 주장을 바르게 파악하여 쓴 경우	10점

2 글쓴이는 미래 사회에 필요한 사람이 갖추어야 할 것을 근거로 제시했습니다.

채점 기준	점수
미래 사회에 필요한 사람을 세 가지 모두 쓴 경우	10점
미래 사회에 필요한 사람을 두 가지만 쓴 경우	5점
미래 사회에 필요한 사람을 한 가지만 쓴 경우	2점

3 이밖에도 주장하는 글을 읽을 때에는 자신의 생각과 비교해 같은 점을 찾고, 비판하는 태도로 읽어야 합니다.

채점 기준	점수
주장하는 글을 읽는 방법을 두 가지 모두 알맞게 쓴 경우	10점
주장하는 글을 읽는 방법을 한 가지만 알맞게 쓴 경우	5점

10 주인공이 되어

단원평가 1회 56~57쪽

1 예 지난가을 운동회에서 친구들과 줄다리기를 했을 때 매우 즐거웠다.

2 (황)제하 **3** (1) ② (2) ①

4 ④

5 예 억지로 꾸며 쓰지 않고 겪은 일을 그대로 풀어서 자신의 생각과 함께 솔직하게 썼다.

6 진주, 민영, 성훈, 선생님 등

7 체육관에서 체육 수업을 할 수 있어 좋아했으나 진주는 성훈이와 같은 편을 하고 싶지 않았다. 등

8 교실, 체육관, 상담실

9 ⑤   **10** (1) ○

1 기억에 남는 일을 떠올려 간단하게 쓰고, 그 기억과 관련한 자신의 느낌을 다양하게 표현합니다.

2 주인공과 제하가 갈등을 겪고 화해하면서 성장하는 이야기로, 주인공과 함께 제하가 꼭 등장해야 합니다.

3 제하는 화장실 옆 복도로 '나'를 불렀고, 둘은 화해했습니다. 교실에서는 반 아이들이 제하의 지휘에 따라 합창 연습을 했습니다.

4 '나'는 제하가 합창 연습에서 지휘를 하는 대신 반장으로서 책임을 다하고 싶어 아이들이 마실 물을 떠다 놓고 교실 정리도 한 것입니다.

5 제하가 학교에 오기를 기다리는 마음을 억지로 꾸며 쓰지 않고 겪은 일을 그대로 풀어서 자신의 생각과 함께 솔직하게 썼습니다.

> 채점 기준 제시된 답의 내용으로 썼으면 정답으로 합니다.

6 진주와 갈등을 겪는 인물은 성훈이이고, 그 외에 민영이와 선생님이 등장합니다.

7 첫 번째 그림에서 진주에게 있었던 사건을 정리하여 씁니다.

> 채점 기준 그림에서 있었던 사건을 알맞게 파악하여 썼으면 정답으로 합니다.

8 그림 ❶은 교실, 그림 ❷와 ❸은 체육관, 그림 ❹와 ❺는 상담실에서 일어난 일입니다.

9 인물의 이름을 바꾸거나 필요에 따라 새로운 인물을 등장시킬 수도 있지만, 새로운 인물을 너무 많이 등장시키면 겪은 일과 전혀 다른 이야기가 될 수 있습니다.

10 진주가 겪은 일에 나오는 '성훈'이가 글에서는 '인국'으로 바뀌었습니다.

> **오답 피하기**
> (2) 일이 일어난 배경은 같습니다.
> (3) 글 앞부분에 인물을 설명하는 부분을 새로 넣어 썼지만 일어난 사건은 같습니다.

단원평가 2회　　　　　58~59쪽

1 (3) ○　　　　　**2** 명찬이 반장
3 열흘 뒤, 학교 등
4 예 한마당 잔치에서 '내'가 누나와 명찬이 반장을 만났고, 명찬이 반장을 좋아하는 누나를 이해하게 되었다.
5 ①　　　　　**6** ①, ⑤　　　　　**7** 이해
8 ⑤
9 예 '나'와 인국이는 선생님과 함께 이야기를 하며 서로 몰랐던 마음을 알게 되고 서로를 이해하며 친해지게 되었다.
10 ㉠

1 이야기로 만들기에 좋은 기억 카드는 친구들이 흥미를 보일 수 있어야 하고, 자신이 잘 아는 이야기여야 합니다.

2 이야기에 나오는 명찬이 반장의 특징을 정리한 것입니다.

3 글 **가**의 배경은 교실, 글 **나**의 배경은 열흘 뒤 한마당 잔치가 열리는 학교입니다.

4 한마당 잔치가 열리는 날에 '내'가 누나와 명찬이 반장을 만난 일이 가장 중요한 사건입니다. 이 사건을 통해 '나'는 명찬이 반장을 좋아하는 누나를 이해하게 됩니다.

> **채점 기준** 글에서 일어난 중요한 사건과 그 사건에 대한 '나'의 마음을 알맞게 정리하여 썼으면 정답으로 합니다.

---

5 일기와 달리 읽는 사람이 명찬이 반장에 대해 잘 알 수 있도록 명찬이 반장을 설명했습니다.

> **보충 자료** 경험이 드러난 이야기가 일기나 생활문과 다른 점
> • 일기는 일기를 쓴 자신의 생각만 알 수 있지만 이야기는 다른 사람의 생각도 알 수 있습니다.
> • 일기나 생활문보다 자세하며 흥미를 끌 수 있습니다.
> • 자신의 이야기를 다른 사람의 이야기를 쓰듯이 쓸 수 있습니다.

6 가장 중요한 사건과 배경에는 변화가 없지만 **나**에서 인물의 이름이 변했고, 인국이에 대한 설명이 추가되었습니다.

7 ㉠에서 인국이에 대해 자세히 설명한 것은 이야기를 읽는 사람들이 '내'가 인국이를 못마땅하게 여겼던 까닭을 잘 이해할 수 있게 하기 위해서입니다.

8 제시된 부분은 등장인물의 갈등이 꼭대기에 이르는 단계입니다.

9 8번 문제에 제시된 사건을 어떻게 해결하고 마무리할지 상상하여 써 봅니다.

> **채점 기준** 글의 내용을 파악하고 사건이 해결되도록 뒷부분에 이어질 내용을 간단히 썼으면 정답으로 합니다.

10 글에 어울리는 제목을 붙여야 합니다.

서술형평가　　　　　60쪽

1 (1) 예 지난 가을 운동회에서 친구들과 즐겁게 경기한 일 – 최서윤
(2) 예 행복함.
2 억지로 꾸며 쓰지 않고 겪은 일을 그대로 풀어서 자신의 생각과 함께 솔직하게 썼다. 등
3 예 무척 기쁘고 반갑다. / 안심이 된다.
4 예 친구와 사소한 오해로 다투고 마음이 불편했는데, 용기를 내서 먼저 사과했던 일이 있다. 화해하고 친구와 오해도 풀고 더욱 친해져서 기분이 무척 좋았다.
5 읽는 사람이 관심을 보일 수 있는 경험을 써야 한다. 등 / 글을 읽는 사람이 이해할 수 있게 쓴다. 등 / 내가 말하고자 하는 주제가 잘 드러나도록 이야기 흐름에 맞게 쓴다. 등

1 기억에 남는 일을 떠올려 보고, 기억 카드의 앞면과 뒷면에 들어갈 내용을 간단히 써 봅니다.

채점 기준	점수
(1)과 (2) 모두 알맞게 쓴 경우	6점

2 제하가 학교에 오기를 기다리는 마음을 나타낸 부분을 억지로 꾸며 쓰지 않고 자신의 생각과 함께 솔직하게 썼습니다.

채점 기준	점수
제시된 답과 비슷한 내용을 쓴 경우	6점

3 '나'는 기다리던 제하가 학교에 오자 무척 기쁘고 반가웠을 것입니다.

채점 기준	점수
제시된 답과 비슷한 내용을 쓴 경우	6점

4 '나'와 비슷한 경험을 떠올려 써 봅니다.

채점 기준	점수
'내'가 겪은 일과 비슷한 경험을 떠올려 쓰고 그때의 마음도 알맞게 쓴 경우	6점

5 겪은 일을 이야기로 만들 때 생각할 점을 떠올려 써 봅니다.

채점 기준	점수
겪은 일을 이야기로 만들 때 생각해야 할 점을 세 가지 모두 알맞게 쓴 경우	6점
겪은 일을 이야기로 만들 때 생각해야 할 점을 두 가지만 알맞게 쓴 경우	4점
겪은 일을 이야기로 만들 때 생각해야 할 점을 한 가지만 알맞게 쓴 경우	2점

수행평가   61쪽

1 예 점심시간에 친구와 과일 카드 놀이를 하다가 다툰 일

2 (1) 예 점심시간에 윤주가 '나'에게 과일 카드 놀이를 하자고 했다.
(2) 예 '나'는 윤주에게 과일 카드 놀이 방법을 모른다고 말했다.
(3) 예 '나'는 놀이 방법도 잘 모르는데 윤주가 계속 이기자 기분이 나빠 화를 내고 교실에서 나와 버렸다.
(4) 예 미술 시간에 윤주가 그림을 완성하지 못해서 '내'가 도와주며 사과를 했다.

3 예시 답안 참고

---

1 겪은 일 중에서 이야기로 만들고 싶은 기억을 떠올려 써 봅니다.

채점 기준	점수
이야기로 만들고 싶은 경험을 떠올려 쓴 경우	10점

2 이야기를 꾸며 쓸 때에는 이야기의 흐름에 따라 사건을 미리 계획하고, 인물의 갈등을 어떻게 해결할지 생각합니다.

채점 기준	점수
(1)~(4)에 모두 알맞은 내용을 쓴 경우	10점

3 이야기의 흐름에 맞게 내용을 꾸며 씁니다. 인물의 대화를 넣어 가며 상황을 실감 나게 표현할 수 있습니다.

> **예시 답안** 제목: 예 윤주야, 미안해
> 점심을 먹고 나오는데 내 짝 윤주가 과일 카드 놀이를 하자고 했다. / "우리 과일 카드 놀이할까?"
> "좋아. 그런데 난 그 놀이를 해 본 적이 없어서 방법을 잘 몰라."
> 윤주는 놀이 방법이 어렵지 않다며 가르쳐 줄 테니 같이 하자고 했다. 그래서 윤주와 교실에서 과일 카드 놀이를 시작했는데, 나는 계속 지고 윤주만 이겼다.
> "히히, 내가 이겼다!"
> 나는 지기만 해서 기분이 상하는데 이겼다고 좋아하는 윤주를 보니 얄밉고 화가 났다.
> "난 하는 방법도 잘 모르는데, 너 혼자만 재미있는 것 같아. 나 안 할래!"
> 나는 윤주에게 화를 내고 교실에서 나와 버렸다. 화를 내고 나오니 조금 미안하긴 했지만 사과할 틈도 없이 다음 수업이 시작되었다.
> 다음 시간은 미술 시간이었다. 그런데 윤주에게 미안하기도 하고, 서먹해서 쉽게 말을 걸지 못했다.
> '아, 불편해. 예전처럼 윤주랑 재미있게 그림을 그리고 싶은데……'
> 나는 윤주에게 사과하고 싶었지만, 쉽지 않았다. 윤주는 나를 쳐다보지도 않고 그림만 그렸다. 나는 얼른 그림을 완성하고 윤주의 눈치를 살폈다.
> 미술 시간이 끝나 갈 때였다. 윤주를 얼핏 보니 아직 그림을 완성하지 못하고 있었다.
> "윤주야, 내가 좀 도와줄까?"
> 나는 이때다 싶어서 윤주에게 말을 걸었다.
> "그래 줄래?"
> "아까는 미안했어."
> 윤주의 그림을 도와주며 내가 먼저 사과를 했다.
> "아니야, 내가 너한테 게임 방법을 자세히 알려 주지 않은 것 같아. 나도 미안해."
> 우리는 서로 바라보며 활짝 웃었다.

채점 기준	점수
겪은 일을 떠올려 이야기로 알맞게 표현한 경우	10점
겪은 일을 떠올려 이야기로 썼으나 다소 부족한 부분이 있는 경우	5점

1 (2) ○　　　　　　**2** ④

3 서로의 말에 공감하며 대화했다. 등

4 ①　　　　　**5** ②, ③　　　　**6** 경험

7 ⑤　　　　　**8** 수민　　　　　**9** ⑤

10 ②, ③　　　**11** (1) ㉠ (2) ㉢

12 ④　　　　　**13** ②　　　　　**14** ③

15 ②, ⑤　　　**16** ⑤

17 (1) 예 학급 신문에 겪은 일을 소개하기 위해서
　　　이다.

　　　(2) 예 같은 반 친구들과 선생님

　　　(3) 예 주말에 가족과 겪은 일

18 ①　　　　　**19** 어린이 보행 중 교통사고

20 [2]

---

1 칭찬을 할 때에는 결과보다는 과정을 칭찬해야 하고, 분명하고 자세하게 칭찬해야 합니다.

2 주민이는 아버지께서 남을 돕는다고 뛰어다니시다가 정작 자신과 할 일을 하시지 못한 적이 꽤 많다고 말했습니다.

3 민재와 주민이는 서로의 감정이나 생각을 받아 주며 이야기하고 있습니다.

> **채점 기준** 서로의 말에 공감하며 대화했다는 내용을 썼으면 정답으로 합니다.

4 민재와 주민이는 서로 공감하며 대화를 했기 때문에 대화가 즐겁게 이어지고 있습니다.

5 유관순은 나라를 지키려는 마음이 강하고, 자신이 옳은 일을 했다고 굳게 믿었기 때문에 재판을 받을 때 조금도 굽히지 않고 당당했습니다.

6 시대적 배경이 같은 영화를 본 경험을 떠올렸습니다.

7 경험을 떠올리며 글을 읽으면 실감 납니다.

8 할머니의 허리를 밟아 드린 내용의 시입니다.

9 말하는 이는 할머니의 허리를 세게 밟으면 할머니께서 아프실까 봐 조심조심 밟고 있습니다.

10 다보탑과 석가탑을 설명하는 글입니다.

11 ❷문단의 중심 문장은 '다보탑과 석가탑은 공통점이 있습니다.'이고, ❸문단의 중심 문장은 '두 탑의 모습은 매우 다릅니다.'입니다.

12 이 글은 다보탑과 석가탑의 공통점과 차이점을 찾아 설명했습니다.

13 ①, ③, ④는 다보탑과 석가탑의 공통점에 정리할 내용이고, ⑤는 차이점을 정리할 때 석가탑 부분에 정리할 내용입니다.

14 설명하려는 대상의 특징을 나열해 설명하는 방법은 '열거'입니다.

15 '매콤한', '익은', '고추처럼'은 '떡볶이'와 '빨갛다'를 자세하게 꾸며 주는 말입니다.

16 '아이가'는 주어, '공을'은 목적어, '던진다'는 서술어입니다.

17 기억에 남는 일을 떠올려 글 쓰는 상황이나 목적, 읽을 사람을 정하고, 그에 맞는 주제를 정합니다.

> **채점 기준** 글 쓰는 상황이나 목적, 글을 읽을 사람, 글의 주제를 알맞게 정해 썼으면 정답으로 합니다.

18 ②, ④는 동작을 당하는 주어와 서술어의 호응을 나타낸 문장이고, ③, ⑤는 높임의 대상을 나타내는 말과 서술어의 호응을 나타낸 문장입니다.

19 이 글은 어린이 보행 중 교통사고를 줄이기 위해 노력해야 한다는 주장이 담긴 글입니다.

20 낱말의 앞뒤 내용을 살펴봅니다.

---

1 의견 마련하기　　　　　　　**2** ①, ③

3 예 학교 이름으로 삼행시 짓기 대회를 하면 좋겠다. 삼행시 짓기는 학생들이 쉽게 참여할 수 있기 때문이다.

4 ①　　　　　**5** ㉠　　　　　**6** ①

7 (1) 여정 (2) 견문 (3) 감상

8 (2) ○　　　　**9** 견문　　　　**10** ⑤

11 ①　　　　**12** 예 밥　　　　**13** 대나무

14 ②

15 (1) 예 크레파스 (2) 예 색깔 막대

16 ③　　　　**17** ①, ②, ④　　**18** ②

19 글 전체를 다 읽지 않고 중요한 낱말을 읽으면서 필요한 내용이 있는지 찾아본다. 등

20 ㉣, ㉠, ㉢, ㉡

1 토의는 '토의 주제 정하기, 의견 마련하기, 의견 모으기, 의견 결정하기'의 절차대로 진행합니다.

2 토의 주제는 우리 모두와 관련이 있고, 해결 방법을 찾을 수 있는 문제여야 합니다.

3 토의 주제에 맞는 의견을 쓰고, 그 의견이 좋은 까닭도 함께 씁니다.

> 채점 기준 토의 주제에 맞고 실천할 수 있는 의견을 알맞은 근거를 들어 썼으면 정답으로 합니다.

4 의견을 모을 때 알맞은 까닭을 들어 자신의 주장을 말해야 하지만, 한 사람이 주장을 여러 개 말할 필요는 없습니다.

5 의견을 결정할 때에는 토의 주제에 맞고, 알맞은 주장과 근거를 든 의견을 결정합니다.

6 여행하면서 보고 듣고 느낀 것을 글로 쓰면 여행 경험을 오랫동안 간직할 수 있습니다.

7 기행문은 여정을 적고, 여행으로 얻은 견문과 감상을 쓴 글입니다.

8 글쓴이는 성산 일출봉에 들렀습니다.

9 ㉠은 여행하면서 보고 들은 것(견문)을 나타낸 문장입니다.

10 성산 일출봉은 어디에서 보든 풍광 그 자체의 아름다움과 감동이 있다고 했습니다.

11 '풋사과'는 '풋-+사과', '산딸기'는 '산+딸기', '애호박'은 '애-+호박', '방울토마토'는 '방울+토마토'와 같이 나눌 수 있는 복합어입니다.

12 '쌀'과 '주걱'에 모두 붙어 복합어를 만들 수 있는 낱말을 생각해 봅니다.

13 대나무로 만든 악기에는 대금, 피리, 단소가 있다고 했습니다.

14 제시된 내용은 겪은 일을 떠올리며 글을 읽은 것입니다. 겪은 일에는 '본 일', '들은 일', '한 일'이 있는데, 그 가운데 '한 일'에 해당하는 내용입니다.

15 새말로 바꾸고 싶은 낱말을 떠올려 보고, 뜻을 잘 나타낼 수 있는 새말을 생각해 봅니다.

16 정보 무늬에 대해 설명하는 글입니다.

17 정보 무늬의 뜻, 모양, 사용 방법을 설명하고 있습니다.

18 설명하는 글을 읽을 때에는 설명하려는 대상과 그 내용을 생각하고, 이미 아는 것을 떠올리며 새롭게 안 것을 찾습니다. ②는 주장하는 글을 읽는 방법입니다.

19 필요한 정보가 있는지 확인하기 위해서는 글을 훑어 읽어야 합니다. 제목을 가장 먼저 읽고 필요한 내용이 있는지 생각하거나, 그림을 살펴보며 필요한 내용이 있을지 짐작해 볼 수도 있습니다.

> 채점 기준 훑어 읽기의 방법을 알맞게 썼으면 정답으로 합니다.

20 이야기를 시작하고 배경과 인물을 설명한 뒤에 사건이 일어나기 시작합니다. 등장인물의 갈등이 꼭대기에 이른 뒤, 사건을 해결하고 마무리하며 이야기를 끝맺습니다.

전 범위 **기말 평가** 68~70쪽

1 ④　　　　　2 (2) ○
3 (1) 1연　(2) 2연
4 예 할머니가 보고 싶을 때 할머니 댁이 바로 우리 집 앞에 있었으면 했다.
5 탑　　　　6 ④　　　　7 희진
8 ②　　　　9 ③　　　　10 ⑤
11 (3) ○　　12 ②, ④　　13 ㉡
14 ㉠　　　　15 ⑤
16 (1) 비단　(2) 벌레
17 예 지역을 대표하는 생물들을 깃대종이라고 한다는 것을 알게 되었다.
18 ⑤　　　　19 ①, ⑤
20 (1) 주제　(2) 흐름

---

1 칭찬은 올바른 습관을 기르고 능력을 키우는 데 도움이 됩니다.

2 상대를 배려하며 조언하려면 상대에게 고민을 말하도록 강요하거나 재촉해서는 안 됩니다. 또한 상대에게 진심이 전해지도록 노력해야 합니다.

3 1연에는 춥고 배고파서 길을 잡아당긴다고 했고, 2연에는 누군가가 많이 보고 싶어서 길을 잡아당긴다고 했습니다.

4 **3**번 문제에 나온 마음이 들었던 경험을 떠올려 봅니다.

> **채점 기준** 집에 빨리 가고 싶었던 경험이나 누군가를 보고 싶었던 경험을 떠올려 썼으면 정답으로 합니다.

5 세계의 탑에 대해 설명하는 글로, 설명하려는 대상의 예로 피사의 사탑과 에펠 탑을 들었습니다.

6 설명하려는 대상의 특징을 나열하여 설명하는 열거의 설명 방법을 사용하여 쓴 글입니다.

7 중요하지 않은 내용은 지우고, 세부 내용은 대표하는 말로 바꾸어 내용을 정리합니다.

8 주어인 '꽃이'와 서술어인 '피었습니다'가 문장에서 꼭 있어야 하는 부분입니다.

9 ①은 '바다가 보였다.', ②는 '내일 친구를 만날 거야.', ④는 '아버지께 선물을 드렸다.', ⑤는 '숲속에서 다람쥐가 뛰어놀고, 새가 지저귄다.'로 고쳐 써야 호응 관계가 알맞습니다.

10 '적다'는 '어떤 내용을 글로 쓰다.'와 '수효나 분량, 정도가 일정한 기준에 미치지 못하다.'의 뜻을 가진 낱말입니다.

11 (1), (2)는 주장과 관련 없는 내용입니다.

12 토의를 하면 적절한 문제 해결 방법을 찾을 수 있고, 상황을 더 잘 이해할 수 있으며, 문제 해결에 직접 참여할 수도 있습니다.

13 의견이 알맞은지 판단하려면 실천할 수 있는지, 알맞은 주장과 근거를 들었는지 등을 기준으로 판단해야 합니다.

14 ㉡은 '감상', ㉢은 '견문'에 해당합니다.

15 기행문은 여정을 적고, 여행으로 얻은 견문과 감상을 쓴 글로, 해당하는 여행 경험에 대한 내용만 쓰는 것이 좋습니다.

16 '비단벌레'는 '비단'과 '벌레'를 합해서 만든 낱말입니다.

17 글을 읽고 이미 알고 있는 내용과 새롭게 알게 된 내용을 구분해 봅니다.

> **채점 기준** 글을 읽고 새롭게 안 점을 알맞게 썼으면 정답으로 합니다.

18 이 글은 미래 사회에 필요한 사람이 되자고 주장하는 글입니다.

19 ③, ④는 설명하는 글을 읽는 방법입니다.

20 읽는 사람이 관심을 보일 수 있는 경험을 써야 하고, 읽는 사람이 이해할 수 있게 쓰는 것도 중요합니다.

공부 생명력이
pionada

초5 김 ○○ 학생에 대한 **진단명**

공부
싫어증

갑자기 찾아온 공부 싫어증, 단 하나의 처방은
공부력 향상 프로그램 피어나다입니다!

공부력이 향상되는 5 in 1 토탈 에듀 케어

진단검사
한국심리학회 공인
학습·마음 상태 점검

모둠 코칭
또래 친구들과 함께
성장력과 학습전략 UP

1:1 상담
전문 코치가 이끄는
개별 맞춤 코칭

학부모 상담
아이를 이해하는
가정 연계 분석 상담

스마트 플래너
앱으로 완성하는
목표 관리·습관

공부 친구들과 함께하는 원격 수업으로 매일 매일 **공부 생명력이 피어나다**

- 심리학 기반 검증된 성장 코칭 커리큘럼을 통해 자기 주도력 향상
- 석박사 이상 전문 코치의 체계적인 코칭으로 공부 습관 완성
- 교육업계 유일 한국심리학회 인증 진단검사로 개인 맞춤 솔루션 제공

내가 공부의 주인공이 되는
피어나다가 궁금하다면?
무료 코칭 받아보기

한·끝·시·리·즈 교과서 학습부터 평가 대비까지 한 권으로 끝! 국어 공부의 진리입니다.

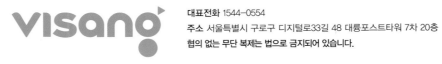

대표전화 1544-0554
주소 서울특별시 구로구 디지털로33길 48 대륭포스트타워 7차 20층
협의 없는 무단 복제는 법으로 금지되어 있습니다.

비상 누리집에서 더 많은 정보를 확인해 보세요.
http://book.visang.com/

15개정 교육과정

한끝 평가
교재

초등국어
5·1

단원 평가 대비	•단원 평가 2회
	•서술형 평가
	•수행 평가

중간·기말 평가 대비	•중간 평가
	•기말 평가 (중간 이후)
	•기말 평가 (전 범위)

📖 **책 속의 가접 별책** (특허 제 0557442호)
'평가 교재'는 본책에서 쉽게 분리할 수 있도록 제작되었으므로
유통 과정에서 분리될 수 있으나 파본이 아닌 정상제품입니다.

한끝 평가 교재

초등 국어 **5·1**

[1~2] 그림을 보고, 물음에 답하시오.

> 어제 왜 화가 났다고 했지?
>
> 방금 전에 이야기했는데……
>
> 어, 잠깐 딴생각하느라 잘 못 들었어.
>
> 어제 어떤 일이 있었느냐 하면……
>
> ▲ 태일 ▲ 소희
>
> ❶ ❷
>
> 30분이나 지났는데 왜 이렇게 안 오지?
>
> 미안해!
>
> ❸ ❹ ▲ 은주
>
> 정말 미안해! 부모님 심부름을 하고 오느라 늦었어.
>
> 그래, 다음부터 약속 시간을 잘 지켰으면 좋겠어. 너한테 무슨 일이 생긴 줄 알고 걱정했잖아.
>
> 걱정해 줘서 고마워, 소희야!
>
> 왜 이렇게 늦었니?
>
> ❺ ❻

1 그림 ❶, ❷의 태일이와 소희의 대화에서 알 수 있는 대화의 특성은 무엇인지 기호를 쓰시오.

> 보기
> ㉠ 상대의 마음은 생각하지 않는다.
> ㉡ 하고 있는 대화에 집중해야 한다.
> ㉢ 상대를 처다보지 않고 말을 주고받는다.

( )

2 그림 ❻에서 소희는 은주가 한 말을 듣고 어떻게 반응했습니까? ( )

① 은주에게 화를 냈다.
② 은주에게 고마워했다.
③ 은주를 혼자 두고 가 버렸다.
④ 은주에게 사과하라고 말했다.
⑤ 은주의 처지를 이해해 주었다.

[3~5] 글을 읽고, 물음에 답하시오.

가 칭찬 한마디는 누군가에게 용기를 주고 자신을 긍정적으로 바라보게 해요. 또 올바른 습관을 기르고 능력을 키우는 데도 도움이 돼요. 그리고 다른 사람의 긍정적인 모습을 칭찬하는 것은 그 사람과 맺는 관계를 좋아지게 만들어요. 이렇게 칭찬은 힘이 세요.

나 그렇다면 어떻게 해야 칭찬이 힘을 발휘할 수 있을까요?

먼저, 분명하고 자세하게 칭찬해야 해요. 누군가를 칭찬할 때 두루뭉술하게 칭찬하지 말고 칭찬하는 내용이 무엇인지를 자세하게 말하는 것이 좋아요.

다 둘째, 결과보다 과정을 칭찬해야 해요. 누군가를 칭찬할 때 일의 결과가 아닌 과정을 칭찬하는 것이 좋아요.

라 셋째, 평가하지 말고 설명하는 칭찬을 해야 해요. 누군가를 칭찬할 때에는 평가하기보다 잘한 일이나 행동을 설명하듯이 칭찬하는 것이 좋아요.

마 마지막으로 가능성을 키워 주는 칭찬을 할 수 있으면 더욱 좋아요. 누군가를 칭찬할 때 지금의 능력보다 잠재 능력을 보고 칭찬할 수 있어요.

3 무엇에 대해 설명하는 글입니까? ( )

① 칭찬의 어려움
② 칭찬하는 말의 종류
③ 칭찬의 힘과 칭찬하는 방법
④ 함부로 칭찬하면 안 되는 까닭
⑤ 칭찬하는 말을 해야 하는 상황

서술형

4 이 글에 나타난 칭찬의 중요성을 한 가지만 쓰시오.

_____

_____

_____

5 칭찬하는 방법으로 알맞지 <u>않은</u> 것은 어느 것입니까? ( )

① 결과보다 과정을 칭찬한다.
② 사실보다 과장하여 칭찬한다.
③ 분명하고 자세하게 칭찬한다.
④ 가능성을 키워 주는 칭찬을 한다.
⑤ 평가하지 말고 설명하는 칭찬을 한다.

[6~7] 글을 읽고, 물음에 답하시오.

> 동욱: (궁금해하며) 그러지 말고 말해 봐. 무슨 일인데? 다른 사람한테 절대로 말하지 않을게.
> 정인: (조심스럽게) 음, 사실은 체육 시간에 뒤 구르기가 잘 안돼. 그래서 모둠끼리 여러 가지 동작을 꾸밀 때 방해가 되는 것 같아.
> 동욱: (큰 소리로) 뭐, 네가 뒤 구르기를 못한다고? 그럼 선생님이나 친구들에게 도와 달라고 하면 되지, 뭘 그렇게 걱정해.
> 정인: (당황하며) 어떻게 그러니?
> 동욱: 그럼 내가 말해 줄까?
> 정인: (황급히 큰 소리로) 아냐, 그러지 마! 내가 알아서 할게. 넌 그냥 못 들은 걸로 해.
> 동욱: 네가 말을 못 하면 내가 말해 줄게.
> 정인: (화를 내며) 아냐. 내가 알아서 한다고.

6 정인이의 고민은 무엇입니까?

• 체육 시간에 ( )이/가 잘 안되어서 모둠끼리 여러 가지 동작을 꾸밀 때 방해가 되는 것 같은 것

7 동욱이가 정인이에게 조언을 할 때 잘못한 점은 무엇입니까? ( )

① 화를 내며 말했다.
② 자신의 고민만 말했다.
③ 정인이를 놀리듯이 말했다.
④ 너무 많은 해결 방법을 말했다.
⑤ 도움이 되지 않는 해결 방법을 강요했다.

[8~9] 글을 읽고, 물음에 답하시오.

> 주민: 우리 아빠께서는 길에서 애들끼리 싸우는 것을 보면 꼭 가서 말리셔야 하고, 누구든 도움이 필요한 사람이 있으면 꼭 도와주셔야 해. 무관심은 나쁜 것이라고 하시면서 말이야.
> 민재: (감탄하며) 우아, 너희 아빠 참 대단하시다.
> 주민: 대단하다고? 글쎄, 처음에 난 모든 사람이 그런 줄 알았어. 나중에 우리 아빠께서 좀 심하시다는 것을 알게 됐지.
> 민재: (궁금하다는 듯이) 그게 싫었니?
> 주민: 응, 솔직히 우리 아빠께서 나한테만 관심을 보여 주셨으면 하는 마음이 컸어. 남을 돕는다고 뛰어다니시다가 정작 나랑 할 일을 하시지 못한 적이 꽤 많았으니까.
> 민재: 그래, 그럴 수도 있겠다.

8 민재가 주민이 아버지를 대단하시다고 생각한 까닭은 무엇입니까? ( )

① 키와 몸집이 크시기 때문에
② 고장난 물건을 잘 고치시기 때문에
③ 민재의 이름을 기억하셨기 때문에
④ 남을 돕는 모습에 감탄했기 때문에
⑤ 다른 사람들에게 무관심하기 때문에

9 민재와 주민이는 서로 어떻게 반응하며 말을 주고받았는지 빈칸에 알맞은 말을 쓰시오.

• 서로의 말에 ( )하며 대화했다.

논술형

10 다음 고민을 해결할 방법을 떠올려 쓰시오.

> 어떻게 하면 컴퓨터 게임을 하는 시간을 줄일 수 있을까요?

_____

_____

1 말을 주고받을 때 표정과 말투의 역할이 <u>아닌</u> 것은 무엇입니까? ( )

① 상대가 하는 말을 이해하는 데 도움이 된다.
② 표정이나 말투에 따라 말뜻이 달라지기도 한다.
③ 자신이 하고 싶은 말을 실감 나게 나타낼 수 있다.
④ 말하는 사람의 감정이나 마음 상태를 알 수 있다.
⑤ 말하는 사람의 이름, 나이, 사는 곳 등을 구체적으로 알 수 있다.

[2~3] 글을 읽고, 물음에 답하시오.

> 그렇다면 어떻게 해야 칭찬이 힘을 발휘할 수 있을까요?
> 먼저, 분명하고 자세하게 칭찬해야 해요. 누군가를 칭찬할 때 두루뭉술하게 칭찬하지 말고 칭찬하는 내용이 무엇인지를 자세하게 말하는 것이 좋아요.

서술형

2 이 글에서 칭찬이 힘을 발휘하려면 어떻게 칭찬해야 한다고 했는지 찾아 쓰시오.

_____

_____

3 이 글에서 설명한 방법에 알맞게 칭찬한 친구는 누구인지 쓰시오.

> 성재: 영수 참 대단하다!
> 수민: 영수는 동생에게 매번 양보해 주는 모습이 참 멋있어!

( )

[4~5] 글을 읽고, 물음에 답하시오.

> 모모: 전 도대체 왜 이럴까요? 모든 일에 왜 자신이 없고 소심하며 망설이게 되죠?
> 마법사: 음하하하, 음하하하!
> 모모: 역시 제 고민은 너무 하찮아서 이야깃거리도 되지 못하는군요.
> 마법사: 모모야, 그러지 말고 너도 웃어 봐. 이것은 절대로 널 비웃는 웃음이 아니야. 하하하!
> 마법사: 하하하!
> 모모: 하하하!
> 마법사: 어때? 한바탕 웃고 나니까 기분이 좋아졌지?
> 모모: 그러네요. 기분이 훨씬 좋아졌어요.
> 마법사: 그렇다면 지금 느낌을 가지고 내 말을 들어 봐.
> 마법사: 모모야, 너 자신과 사랑에 빠져 보렴. 남들을 의식하지 말고 너 자신을 좋아하고 사랑해 봐.
> 모모: 저 자신을 사랑하라고요? 제가 저를요?

4 모모의 고민은 무엇입니까? ( )

① 잘 웃지 못하는 것
② 모든 일에 잘난체하는 것
③ 자기 자신을 너무 사랑하는 것
④ 평소에 고민거리가 별로 없는 것
⑤ 모든 일에 자신이 없고 소심하며 망설이는 것

5 마법사가 모모에게 어떤 방법으로 조언했는지 보기 에서 골라 기호를 쓰시오.

> 보기
> ㉠ 모모 스스로 해결 방법을 찾게 했다.
> ㉡ 모모에게 고민을 말하라고 강요했다.
> ㉢ 모모의 기분이 좋아지게 한 다음에 조언했다.

( )

5학년	반	점수
이름		

6 상대를 배려하며 조언하는 방법으로 알맞은 것을 두 가지 고르시오. (,)

① 상대에게 도움이 되는 내용을 말한다.
② 상대에게 진심이 전해지도록 노력한다.
③ 상대가 고민을 빨리 말하도록 재촉한다.
④ 상대의 말이 끝나기 전에 해결 방법을 말한다.
⑤ 상대가 받아들이기 어려운 내용이라도 좋은 방법이라면 따르도록 강요한다.

논술형
7 다음 내용을 보고 정아의 입장이 되어 유라의 감정이나 생각에 공감하는 대화를 완성하여 쓰시오.

정아: 유라야, 내가 색칠하는 것 좀 도와줄까?
유라: 고마워, 정아야. 밑그림을 그리는 데 시간이 많이 걸렸나 봐.

정아: _____

_____

유라: 고마워. 다음에 네가 도움이 필요할 때 내가 꼭 도와줄게.

[8~9] 그림을 보고, 물음에 답하시오.

8 명진이는 어떤 상황인지 빈칸에 알맞은 말을 쓰시오.

• 교실에서 윤성이와 준호가 떠들고 있어서 명진이가 (1)( )을/를 읽는 데 방해가 되지만 (2)( ) 시간이라서 조용히 해 달라고 말하지 못하는 상황

9 이 상황에서 명진이와 친구들은 어떻게 대화를 주고받으면 좋겠습니까? ( )

① 대화를 나누지 않는다.
② 상대방의 감정이나 생각은 무시한다.
③ 자신의 감정이나 생각을 먼저 말한다.
④ 자신의 감정이나 생각을 말하지 않는다.
⑤ 서로의 감정이나 생각에 공감하며 말한다.

10 친구들 고민을 해결해 주는 고민 상담소를 운영해 보았습니다. 고민 상담소에서 받은 해결 쪽지를 보고, 도움이 되는 조언인지 판단하기 위해 살펴볼 점을 세 가지 고르시오. (, ,)

① 해결 방법이 자세한가요?
② 고민을 잘 이해하고 썼나요?
③ 일상생활에서 실천할 수 있나요?
④ 실천하기는 어렵지만 재미있는 해결 방법인가요?
⑤ 해결 방법과 함께 조언을 구하는 새로운 고민을 썼나요?

서술형평가

1. 대화와 공감

5학년	반	점수
이름		/30점

1 친구가 나를 칭찬하는 말을 할 때 친구의 표정, 몸짓, 말투는 어떠할지 쓰시오. [5점]

_____

_____

2 다음 글에서 제시한 칭찬하는 방법에 맞게 친구의 칭찬거리를 떠올려 칭찬하는 말을 쓰시오. [5점]

> 가능성을 키워 주는 칭찬을 할 수 있으면 더욱 좋아요. 누군가를 칭찬할 때 지금의 능력보다 잠재 능력을 보고 칭찬할 수 있어요. 현재 겉으로 드러난 결과는 미약하고 부족해 보이더라도 앞으로의 가능성을 보고 "미술에 소질이 많은 것 같아. 앞으로 계속 노력한다면 훌륭한 화가가 될 수 있을 거야."와 같이 칭찬하면 상대가 자신의 재능을 발견하고 꿈을 실현하는 데 큰 도움을 줄 수 있답니다.

_____

_____

[3~4] 글을 읽고, 물음에 답하시오.

> 동욱: (빈정거리는 말투로) 에이, 얼굴 표정을 보니 고민거리가 있는 것 같은데?
> 정인: (약간 성가신 듯이) 고민은 무슨 고민? 아무 일 없다니까.
> 동욱: (궁금해하며) 그러지 말고 말해 봐. 무슨 일인데? 다른 사람한테 절대로 말하지 않을게.
> 정인: (조심스럽게) 음, 사실은 체육 시간에 뒤 구르기가 잘 안돼. 그래서 모둠끼리 여러 가지 동작을 꾸밀 때 방해가 되는 것 같아.
> 동욱: (큰 소리로) 뭐, 네가 뒤 구르기를 못한다고? 그럼 선생님이나 친구들에게 도와 달라고 하면 되지, 뭘 그렇게 걱정해.
> 정인: (당황하며) 어떻게 그러니?
> 동욱: 그럼 내가 말해 줄까?
> 정인: (황급히 큰 소리로) 아냐, 그러지 마!

3 고민을 듣는 과정에서 동욱이가 잘못한 점을 두 가지 떠올려 동욱이에게 충고하는 말을 쓰시오. [5점]

_____

_____

4 상대를 배려하며 조언하는 방법을 떠올려 정인이에게 조언하는 말을 쓰시오. [5점]

_____

5 공감하는 대화를 나누어 본 경험을 떠올려 보고 그때 어떤 생각을 했는지 쓰시오. [5점]

_____

_____

6 다음 친구의 고민을 보고 해결 방법을 제안하여 쓰시오. [5점]

> 요즘 자꾸 늦잠을 자는데 어떻게 하면 아침에 일찍 일어날 수 있을까요?

_____

수행평가 1. 대화와 공감

5학년 반	점수
이름	/30점

관련 성취 기준	상대가 처한 상황을 이해하고 공감하며 듣는 태도를 지닌다.
평가 목표	상대를 배려하며 공감하는 대화를 할 수 있다.

[1~3] 상대가 처한 상황을 생각하며 그림을 살펴봅시다.

1 시현이와 정우는 각각 어떤 상황인지 쓰시오. [10점]

(1) 시현	
(2) 정우	

2 시현이와 정우는 어떻게 대화를 주고받으면 좋을지 쓰시오. [5점]

• ______________________ 대화해야 한다.

3 시현이와 정우의 입장에서 공감하는 대화를 쓰시오. [15점]

정우: (1) ______________________

시현: (2) ______________________

정우: 괜찮아. 다음에 또 도전하면 되지. 어떻게 하면 글을 잘 쓸 수 있는지 더 배워야겠어.
시현: 그래, 나도 배울 것이 많아. 같이 공부해 보자.
정우: 그래, 고마워.

[1~2] 글을 읽고, 물음에 답하시오.

> ㉮ 이 무렵, 우리 겨레는 내 나라, 내 땅에서 마음 놓고 사는 것조차 힘들었다. 그래서 하루하루 고통 속에서 살았으며 모두 독립을 애타게 바랐다. 그리하여 온 겨레가 한마음으로 목청껏 독립을 외쳤다. 1919년 3월 1일, 서울 탑골 공원에서 시작한 독립 만세 운동이 바로 그것이었다.
>
> ㉯ 1919년 3월 10일, 일본은 학교를 강제로 닫았다. 그래서 기숙사에 있던 학생들은 뿔뿔이 흩어졌고 유관순도 고향으로 돌아왔다.
>
> 고향으로 돌아온 유관순은 독립 만세를 부를 준비를 했다. 유관순은 사촌 언니와 함께 동지들을 모으고, 독립 만세를 부를 계획을 치밀하게 세웠다. 날마다 이 마을 저 마을을 찾아다니며 독립 만세를 부르는 일에 함께 참여할 것을 부탁했다. 하루 종일 돌아다니다가 집에 돌아오면 몸은 말할 수 없이 피곤했다. 그렇지만 잠시 찬물에 발을 담그고, 곧바로 가족과 함께 밤새워 태극기를 만들었다. 보통사람들로서는 생각할 수 없을 만큼 놀라운 지혜와 용기로 일을 추진했다.

1 유관순이 고향으로 돌아와 한 일을 두 가지 고르시오. (,)

① 학교로 돌아갈 준비를 했다.
② 사촌 언니와 함께 공부를 했다.
③ 일본 사람들에게 한글을 가르쳤다.
④ 동지들을 모아 독립 만세를 부를 준비를 했다.
⑤ 여러 마을을 찾아다니며 독립 만세를 부르는 일에 참여할 것을 부탁했다.

2 관련된 경험을 떠올리며 이 글을 읽은 친구는 누구인지 쓰시오.

> 하루: 예전에 일제 강점기를 다룬 글을 읽은 생각이 났어.
> 서진: 난 평소에 전기문을 좋아하지 않아 자주 읽지 않는 편이야.

( )

3 경험을 떠올리며 글을 읽으면 좋은 점이 아닌 것은 무엇입니까? ( )

① 내용을 더 쉽게 이해할 수 있다.
② 내용을 더 생생하게 느낄 수 있다.
③ 인물의 마음을 더 잘 이해할 수 있다.
④ 낯설고 새로워 글이 어렵게 느껴진다.
⑤ 책이나 영상에서 본 것을 떠올리면 더욱 실감 나게 읽을 수 있다.

[4~5] 시를 읽고, 물음에 답하시오.

> 이러다 지각하겠다 싶을 때, 있는 힘껏 길을 잡아당기면 출렁출렁, 학교가 우리 앞으로 온다
>
> 춥고 배고파 죽겠다 싶을 때, 있는 힘껏 길을 잡아당기면 출렁출렁, 저녁을 차린 우리 집이 버스 정류장 앞으로 온다
>
> 갑자기 니가 보고 싶을 때, 있는 힘껏 길을 잡아당기면 출렁출렁, 그리운 니가 내게 안겨 온다

4 있는 힘껏 길을 잡아당긴다는 표현에서 느껴지는 마음을 세 가지 고르시오. (, ,)

① 혼자 있고 싶은 마음
② 멀리 떠나고 싶은 마음
③ 누군가를 많이 보고 싶어 하는 마음
④ 춥고 배고파서 집에 빨리 가고 싶은 마음
⑤ 지각하는 것이 정말 싫다고 생각하는 마음

〈논술형〉
5 이 시의 말하는 이처럼 간절히 바라는 일이 있을 때 어떤 상상을 하는지 경험을 떠올려 쓰시오.

_____

_____

[6~8] 글을 읽고, 물음에 답하시오.

> ㉮ "우, 내가 둘이었으면 좋겠어. 누가 나 대신 학원에 좀 다녀 줬으면!"
> 수일이가 걸상 다리를 발로 차며 말했다. 걸상은 아무렇지도 않고 발바닥만 아팠다.
> "정말 네가 둘이었으면 좋겠어?"
> "그래!"
> ㉯ "어떻게 하느냐 하면, 네 손톱을 깎아서 쥐한테 먹이는 거야."
> "뭐어?"
> "그러면 그 쥐가 너하고 똑같은 모습으로 바뀔지도 몰라."
> ㉰ "글쎄, 그게 될까?"
> "해 보고 안 되면 그만이지 뭐."
> "쥐도 없잖아."
> "쥐는 어디든 있어."
> 덕실이가 나직하게 말했다. 쥐가 어디선가 엿듣고 있을지도 모른다는 듯이.

6 덕실이가 가르쳐 준 '수일이를 하나 더 만들 수 있는 방법'은 무엇인지 빈칸에 알맞은 말을 쓰시오.

> • 수일이의 손톱을 깎아서 (   ) 한테 먹이는 것이다.

7 이 글을 읽고 자신의 경험과 비슷한 경험을 말한 것을 두 가지 고르시오. (　　,　　)

① 나도 손톱 먹는 쥐가 나오는 옛날이야기를 들어 봤어.
② 나는 다니고 싶은 학원이 있어서 어머니께 말씀 드린 적이 있어.
③ 나는 공부를 열심히 했는데 생각만큼 성적이 나오지 않아 속상했던 적이 있어.
④ 나와 똑같이 생긴 누군가가 내 일을 대신해 줬으면 좋겠다고 생각한 적이 있어.
⑤ 나는 집에서 고양이를 기르고 싶었는데 부모님이 허락해 주지 않으셔서 속상했어.

논술형

8 수일이가 가짜 수일이를 만든다면 수일이와 가짜 수일이에게 어떤 일이 일어날지 상상해서 쓰시오.

_____

_____

[9~10] 시를 읽고, 물음에 답하시오.

> 꽃이 얼굴을 내밀었다
>
> 내가 먼저 본 줄 알았지만
> 봄이 쫓아가던 길목에서
> 내가 보아 주기를 날마다 기다리고 있었다
>
> 내가 먼저 말 건 줄 알았지만
> 바람과 인사하고 햇살과 인사하며
> 날마다 내게 말을 걸고 있었다
>
> 내가 먼저 웃어 준 줄 알았지만
> 떨어질 꽃잎도 지켜 내며
> 나를 향해 더 많이 활짝 웃고 있었다
>
> 내가 더 나중에 보아서 미안하다.

9 어떤 경험을 쓴 시입니까?

> • 봄날에 (   )을/를 보고 미안한 마음이 든 경험

10 이 시와 관련한 경험으로 가장 거리가 먼 것을 골라 기호를 쓰시오.

> ㉠ 미술시간에 얼굴을 그린 경험
> ㉡ 벚꽃이 핀 모습을 보며 서 있었던 경험
> ㉢ 꽃이 아주 예뻐서 좋아했는데 꽃 이름을 몰라서 미안했던 경험

(   )

[1~2] 글을 읽고, 물음에 답하시오.

순식간에 독립 만세 소리가 온 천지를 뒤흔들었다. 깜짝 놀라 달려온 일본 헌병들은 총과 칼을 휘두르면서 평화롭게 독립 만세를 부르며 나아가는 사람들을 막았다. 많은 사람이 죽거나 다쳤다.

유관순도 일본 헌병들에게 붙잡혀 끌려가고 말았다. 그리고 일본 헌병대에서 온갖 고문을 당한 뒤에 재판을 받았다. 유관순은 재판을 받을 때 조금도 굽히지 않고 당당했다. 유관순은 3년 형을 받고 감옥에 갇혔지만 우리나라가 독립을 해야 한다는 유관순의 신념은 누구도 꺾을 수 없었다.

1920년 9월 28일, 나라를 구하려고 죽음을 무릅쓰고 독립 만세를 부르던 유관순은 열아홉 나이에 감옥에서 숨을 거두고 말았다.

1 유관순이 독립 만세 운동을 할 때의 상황으로 알맞지 **않은** 것을 골라 기호를 쓰시오.

㉠ 일본은 유관순에게 훈장을 내렸다.
㉡ 일본 헌병들이 총과 칼을 휘두르며 사람들을 막았다.
㉢ 많은 사람들이 일본 헌병 때문에 죽거나 다쳤다.

(   )

논술형
2 이 글을 읽고 떠오른 경험을 한 가지만 쓰시오.

_____

_____

[3~5] 시를 읽고, 물음에 답하시오.

할머니 아픈 허리는 왜 밟아야 시원할까요?
아이쿠! 아이쿠! 하면서도 ㉠"꼭꼭 밟아라."
하십니다
그래도 나는 겁이 나 자근자근 밟습니다.

3 할머니께서 ㉠과 같이 말씀하신 까닭은 무엇입니까?

• 꼭꼭 밟아야 아프신 (   )이/가 시원하기 때문이다.

4 이 시에 나타난 '나'와 할머니의 마음은 어떠한지 각각 선으로 이으시오.

(1) | '나' | •

(2) | 할머니 | •

• ① | 아픈 허리가 시원하네.

• ② | 세게 밟으면 허리가 아프실 것 같아.

5 이 시를 읽고 비슷한 경험을 떠올린 내용이 **아닌** 것은 무엇입니까? (   )

① 할아버지 어깨를 주물러 드렸던 생각이 났어.
② 동생이 다리에 쥐가 나서 내가 주물러 준 적이 있어.
③ 내가 다리가 아팠을 때 어머니께서 내 다리를 주물러 주신 적이 있어.
④ 아버지와 함께 정원에 나무를 심고 흙을 잘 밟아 주었던 적이 있어.
⑤ 아버지 흰머리를 뽑아드렸을 때 아버지께서 아프실까 봐 조심조심 뽑았던 적이 있어.

[6~7] 글을 읽고, 물음에 답하시오.

> ㉮ "으으, 진짜 내가 하나 더 있었으면 좋겠어!
> 그래야 하나는 학원에 가고 하나는 마음껏 놀
> 수가 있지."
> "정말 네가 둘이었으면 좋겠니?"
> "둘이었으면 좋겠어."
> "참말이야?"
> "그래, 참말이야! 혼자서는 너무 힘들어. 어,
> 그런데 네가 말을 했니?"
> 수일이는 눈을 커다랗게 뜨고 덕실이를 보았다.
> "말이야 벌써부터 했지.. 지금껏 네가 못 알아
> 들었을 뿐이야. 나는 말하면 안 되니?"
> 덕실이가 꼬리를 흔들며 말했다.
> ㉯ "어떻게 하느냐 하면, 네 손톱을 깎아서 쥐한
> 테 먹이는 거야."
> "뭐어?"
> "그러면 그 쥐가 너하고 똑같은 모습으로 바뀔
> 지도 몰라."

6 이 글을 읽고 자신의 경험을 떠올려 이어질 이야
기를 상상할 때 생각할 점으로 알맞지 <u>않은</u> 것은
무엇입니까? ( )

① 수일이는 가짜 수일이를 만들었을까?
② 가짜 수일이를 만난 수일이 기분은 어떠할까?
③ 엄마가 가짜 수일이를 본다면 어떻게 생각
할까?
④ 수일이와 가짜 수일이에게 어떤 일이 일어
날까?
⑤ 수일이가 진짜 덕실이와 가짜 덕실이를 구
별할 수 있을까?

㉰ 논술형
7 이 작품 속 세계와 우리가 사는 현실 세계가 어떻
게 다른지 쓰시오.

_____

_____

[8~10] 시를 읽고, 물음에 답하시오.

> <u>꽃이 얼굴을 내밀었다</u>
>
> 내가 먼저 본 줄 알았지만
> 봄이 쫓아가던 길목에서
> 내가 보아 주기를 날마다 기다리고 있었다
>
> 내가 먼저 말 건 줄 알았지만
> 바람과 인사하고 햇살과 인사하며
> 날마다 내게 말을 걸고 있었다
>
> 내가 먼저 웃어 준 줄 알았지만
> 떨어질 꽃잎도 지켜 내며
> 나를 향해 더 많이 활짝 웃고 있었다
>
> 내가 더 나중에 보아서 미안하다.

8 이 시에서 말하는 이의 마음은 어떠합니까?
( )

① 즐겁다. ② 미안하다. ③ 불안하다.
④ 서운하다. ⑤ 화가 난다.

9 이 시에서 말하고자 하는 것을 **두 가지** 골라 기호
를 쓰시오.

> ㉠ 꽃을 많이 심자.
> ㉡ 자연과 친구가 될 수 있다.
> ㉢ 지나쳐 온 소중한 것을 다시 한번 생각해
> 보자.

( )

10 자신의 경험을 떠올려 이 시의 밑줄 그은 부분을
바꾸어 쓰시오.
( )

서술형평가 2. 작품을 감상해요

1 다음 글을 읽고 어떤 생각이나 느낌이 들었는지 쓰시오. [6점]

> ㉮ 그리하여 온 겨레가 한마음으로 목청껏 독립을 외쳤다. 1919년 3월 1일, 서울 탑골 공원에서 시작한 독립 만세 운동이 바로 그것이었다.
> 그날, 유관순도 친구들과 함께 거리로 나갔다.
> ㉯ 유관순은 3년 형을 받고 감옥에 갇혔지만 우리나라가 독립을 해야 한다는 유관순의 신념은 누구도 꺾을 수 없었다.
> 1920년 9월 28일, 나라를 구하려고 죽음을 무릅쓰고 독립 만세를 부르던 유관순은 열아홉 나이에 감옥에서 숨을 거두고 말았다.

_____

_____

[2~3] 시를 읽고, 물음에 답하시오.

> 할머니 아픈 허리는 왜 밟아야 시원할까요?
> 아이쿠! 아이쿠! 하면서도 "꼭꼭 밟아라." 하십니다
> 그래도 나는 겁이 나 자근자근 밟습니다.

2 이 시에 나타난 '나'의 마음을 쓰시오. [6점]

_____

_____

3 이 시를 읽고 떠오른 경험을 쓰시오. [6점]

_____

4 다음 글을 읽고 이 글에 나타난 경험과 비슷한 경험을 떠올려 쓰시오. [6점]

> ㉮ "우, 내가 둘이었으면 좋겠어. 누가 나 대신 학원에 좀 다녀 줬으면!"
> 수일이가 걸상 다리를 발로 차며 말했다. 걸상은 아무렇지도 않고 발바닥만 아팠다.
> "정말 네가 둘이었으면 좋겠어?"
> "그래!"
> ㉯ "어떻게 하느냐 하면, 네 손톱을 깎아서 쥐한테 먹이는 거야."
> "뭐어?"
> "그러면 그 쥐가 너하고 똑같은 모습으로 바뀔지도 몰라."
> "그건 옛날이야기일 뿐이야."

_____

_____

5 다음 시를 읽고 어떤 생각이나 느낌이 들었는지 쓰시오. [6점]

> 꽃이 얼굴을 내밀었다
>
> 내가 먼저 본 줄 알았지만
> 봄이 쫓아가던 길목에서
> 내가 보아 주기를 날마다 기다리고 있었다
>
> 내가 먼저 말 건 줄 알았지만
> 바람과 인사하고 햇살과 인사하며
> 날마다 내게 말을 걸고 있었다

_____

_____

수행평가

2. 작품을 감상해요

관련 성취 기준	작품 속 세계와 현실 세계를 비교하며 작품을 감상한다.
평가 목표	경험을 떠올리며 시를 읽고 바꾸어 쓸 수 있다.

[1~3] 경험을 떠올리며 시를 읽어 봅시다.

꽃이 얼굴을 내밀었다

내가 먼저 본 줄 알았지만
봄이 쫓아가던 길목에서
내가 보아 주기를 날마다 기다리고 있었다

내가 먼저 말 건 줄 알았지만
바람과 인사하고 햇살과 인사하며
날마다 내게 말을 걸고 있었다

내가 먼저 웃어 준 줄 알았지만
떨어질 꽃잎도 지켜 내며
나를 향해 더 많이 활짝 웃고 있었다

내가 더 나중에 보아서 미안하다.

1 시에서 말하는 이가 꽃에게 미안해한 까닭을 쓰시오.   [10점]

_____

2 시의 내용과 비슷한 경험을 떠올려 쓰시오.   [10점]

_____

3 이 시를 자신의 경험이 잘 드러나도록 바꾸어 쓰시오.   [10점]

[1~2] 글을 읽고, 물음에 답하시오.

국립중앙박물관 이용 안내

▶ 국립중앙박물관은 1월 1일, 설날(당일), 추석(당일)에는 쉽니다.

▶ 6세 이하 어린이는 보호자와 함께해야 합니다.

■ 관람 시간
- 월·화·목·금요일 10:00~18:00
- 수·토요일 10:00~21:00
- 일요일·공휴일 10:00~19:00

■ 관람료: 무료(상설 전시관, 어린이 박물관, 무료 특별 전시)

1 이 글에서 설명하는 내용이 <u>아닌</u> 것은 무엇입니까?　(　)

① 국립중앙박물관의 관람료
② 국립중앙박물관의 쉬는 날
③ 국립중앙박물관의 관람 방법
④ 국립중앙박물관의 관람 시간
⑤ 국립중앙박물관의 전시 작품 수

2 이와 같은 종류의 글을 읽은 경험을 알맞게 말한 친구는 누구인지 쓰시오.

> 현진: 약을 먹을 때 주의할 점을 알려 주는 글을 읽었어.
> 민기: 『수일이와 수일이』를 읽고 느낀 점을 쓴 글을 읽었어.
> 사라: 학교 꽃밭에 쓰레기를 버리지 말자는 의견을 제시한 글을 읽었어.

(　)

3 다음 설명 방법은 각각 어떤 대상을 설명할 때 좋은 방법인지 선으로 이으시오.

(1) 열거　•

(2) 비교·대조　•

• ① 표현하려는 대상이나 내용을 구체적으로 알려 줄 때

• ② 두 가지 이상의 대상에서 공통점이나 차이점을 찾아 설명할 때

[4~5] 글을 읽고, 물음에 답하시오.

> ⊙우리나라에는 화강암을 쪼아 만든 석탑이 많습니다. 그 가운데에서 가장 유명한 탑은 다보탑과 석가탑입니다. 다보탑과 석가탑에는 공통점과 차이점이 있습니다.
> ⓒ다보탑과 석가탑은 공통점이 있습니다. 두 탑은 모두 통일 신라 시대에 만든 탑으로서 불국사 대웅전 앞뜰에 나란히 서 있습니다. 또 두 탑은 가치를 인정받아 국보로 지정되었습니다.
> ⓒ두 탑의 모습은 매우 다릅니다. 다보탑은 장식이 많고 화려합니다. 십자 모양의 받침 주변에 돌계단을 만들고 그 위에 사각·팔각·원 모양의 돌을 쌓아 올렸습니다. 반면 석가탑은 단순하면서도 세련된 멋이 있습니다.

4 ⊙~ⓒ 중 각 문단의 중심 문장이 <u>아닌</u> 것의 기호를 쓰시오.

(　)

서술형

5 이 글은 대상을 어떻게 설명했는지 쓰시오.

_____

_____

5학년   반   점수

이름

[6~8] 글을 읽고, 물음에 답하시오.

⑦ 사람은 직업에 따라 고유한 색깔 옷을 입기도 한다. 직업의 특성에 따라 특정 색깔의 옷이 일을 하는 데 도움이 되기 때문이다.

의사나 간호사는 보통 흰색 옷을 입는다. 감염에 민감한 환자들이 있는 병원에서는 위생이 매우 중요한 문제이기 때문이다. 흰색 옷은 옷이 더러워졌을 때 이를 쉽게 알아차릴 수 있게 해 준다.

④ 법관은 검은색 옷을 입는다. 예전 서양에서는 신분에 따라 입을 수 있는 옷 색깔이 정해져 있었지만, 검은색 옷은 누구나 입을 수 있었다. 법관의 검은색 옷은 법 앞에서 모든 사람이 평등하다는 뜻을 나타내며, 다른 것에 물들지 않고 공정하게 재판해야 한다는 의미를 담고 있다.

군인은 주변 환경과 상황에 따라 옷 색깔을 달리하여 입는다. 전투를 벌일 때 적군 눈에 쉽게 띄면 안 되기 때문이다.

6 이 글에서 각 문단의 중심 문장이 <u>아닌</u> 것은 어느 것입니까? ( )

① 법관은 검은색 옷을 입는다.

② 의사나 간호사는 보통 흰색 옷을 입는다.

③ 사람은 직업에 따라 고유한 색깔 옷을 입기도 한다.

④ 군인은 주변 환경과 상황에 따라 옷 색깔을 달리하여 입는다.

⑤ 직업의 특성에 따라 특정 색깔의 옷이 일을 하는 데 도움이 되기 때문이다.

7 이 글에서 사용한 설명 방법은 무엇입니까? ( )

① 비유   ② 비교   ③ 대조

④ 열거   ⑤ 분석

8 이 글을 요약하는 방법으로 알맞지 <u>않은</u> 것은 어느 것입니까? ( )

① 글의 모든 내용을 정리한다.

② 문단마다 중심 내용을 찾는다.

③ 대상을 설명하는 방법이 무엇인지 확인한다.

④ 글의 구조에 알맞게 틀을 그리고 내용을 정리한다.

⑤ 세부 내용은 대표하는 말로 바꾸어 중심 내용을 정리한다.

논술형

9 다음 내용을 설명하기에 알맞은 설명 방법을 정하여 그 까닭과 함께 쓰시오.

투명 인간이 불가능한 까닭

_____

_____

10 모둠 친구들이 함께 하나의 주제를 정해 설명하는 글을 쓰려고 합니다. 어떤 순서로 글을 써야 할지 차례대로 기호를 쓰시오.

㉠ 내용에 알맞은 설명 방법 정하기

㉡ 주제와 관련 있는 자료 함께 찾기

㉢ 알맞은 설명 방법으로 내용 정리하기

㉣ 내용과 자료에 따라 설명하는 글 쓰기

㉤ 모둠 친구들이 함께 설명할 주제 정하기

㉥ 자료를 함께 읽고 설명하고 싶은 내용 정하기

( ) ➡ ( ) ➡ ( ) ➡ ( ) ➡

( ) ➡ ( )

1 다음 친구들은 어떤 종류의 글을 읽은 경험을 말했는지 빈칸에 알맞은 말을 쓰시오.

> 지영: 장난감 로봇을 조립하는 차례를 알려 주는 글을 읽었어.
> 서연: 국어 숙제를 하려고 인터넷에서 낱말의 뜻과 유래를 알려 주는 글을 읽었어.

- ( )을/를 읽은 경험을 말했다.

논술형
2 설명하는 글을 읽고 새롭게 안 점을 한 가지 쓰시오.

_____

_____

[3~5] 글을 읽고, 물음에 답하시오.

사람들은 다양한 목적으로 탑을 세웁니다. 종교나 군사 목적으로 탑을 만들 뿐만 아니라 무엇인가를 기념하려고 탑을 짓습니다. 세계 여러 도시에 있는 유명한 탑을 알아봅시다.

이탈리아 토스카나주에는 피사의 사탑이 있습니다. 피사의 사탑은 종교 목적으로 만들어졌습니다. 55미터 높이로 세운 이 탑은 완성한 뒤 조금씩 한쪽으로 기울기 시작해 현재 모습이 되었습니다. 그 아슬아슬한 모습은 눈길을 많이 끕니다.

프랑스 파리에는 에펠 탑이 있습니다. 에펠 탑은 1889년에 프랑스 혁명 100주년을 기념해 세웠습니다. 에펠 탑의 높이는 324미터이고, 해마다 세계 여러 나라에서 수백만 관광객이 찾을 만큼 유명합니다. 현재는 파리뿐만 아니라 프랑스 전체를 상징하는 건축물이기도 합니다.

중국 상하이에는 높이가 468미터인 동방명주 탑이 있습니다. 이 탑은 1994년에 방송을 송신하려고 세웠습니다.

3 다음 도시에 있는 탑을 찾아 알맞게 선으로 이으시오.

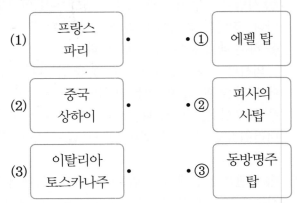

(1) 프랑스 파리 • • ① 에펠 탑

(2) 중국 상하이 • • ② 피사의 사탑

(3) 이탈리아 토스카나주 • • ③ 동방명주 탑

4 이 글은 대상을 어떤 방법으로 설명했습니까?
( )

① 두 대상에서 공통점을 찾아 설명했다.
② 두 대상에서 차이점을 찾아 설명했다.
③ 설명하려는 대상의 특징을 나열해 설명했다.
④ 대상을 상상하여 설명했다.
⑤ 글쓴이가 좋아하는 것을 순서대로 설명했다.

5 이 글의 내용을 정리하기에 알맞은 틀을 보기에서 골라 기호를 쓰시오.

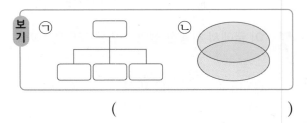

( )

3
단원

[6~8] 글을 읽고, 물음에 답하시오.

어류는 아가미가 있는 척추동물입니다. 어류는 물속 환경에 적응할 수 있도록 다양한 기관이 발달했습니다.

어류 피부는 대부분 비늘로 덮여 있습니다. 비늘은 어류 몸을 보호합니다. 비늘은 짠 바닷물이 몸속으로 들어오지 못하게 막아 줍니다. 또 저마다 비늘 무늬가 달라 몸을 쉽게 숨길 수 있게 합니다.

어류는 아가미로 물속에 녹아 있는 산소를 흡수합니다. 입으로 물을 삼키고 아가미로 다시 내뱉는 과정에서 산소를 얻습니다.

어류는 몸통에 옆줄이 있습니다. 어류는 옆줄로 물 흐름이나 떨림 같은 환경 변화를 알아냅니다.

6 이 글은 무엇에 대해 설명하는 글인지 쓰시오.

( )

서술형

7 이 글의 중요한 내용을 요약해 쓰시오.

_____

_____

8 7번 문제와 같이 글을 요약하면 좋은 점을 두 가지 고르시오. (,)

① 재미있는 표현을 찾을 수 있다.
② 글을 읽는 재미를 느낄 수 있다.
③ 많은 내용을 공부할 때 도움이 된다.
④ 관련 있는 경험을 쉽게 떠올릴 수 있다.
⑤ 글에서 중요한 내용만을 쉽게 알 수 있다.

9 설명하는 글을 쓸 때 주의할 점이 아닌 것은 어느 것입니까? ( )

① 추측하는 말을 사용하지 않는다.
② 주장하는 말을 사용하지 않는다.
③ 길고 어려운 낱말을 많이 사용한다.
④ 확실하지 않은 정보를 제공하지 않는다.
⑤ 누구나 아는 내용보다는 잘 알려지지 않은 정보를 제공한다.

10 모둠 친구들이 함께 하나의 주제를 정해 설명하는 글을 쓰려고 합니다. 탐구 주제와 관련 있는 자료를 조사할 때 살펴볼 점을 두 가지 골라 ○표를 하시오.

(1) 최근 자료인가? ( )
(2) 자료의 출처는 믿을 만한가? ( )
(3) 친구들이 이미 다 아는 내용인가? ( )

서술형평가 3. 글을 요약해요

5학년		반	점수
이름			/ 30점

1 설명하는 글을 읽은 경험을 떠올려 무엇을 설명하는 글이었는지, 그 글을 읽고 어떤 도움을 받았는지 쓰시오. [6점]

_____

_____

2 다음 글의 내용을 주어진 틀에 정리해 쓰시오. [6점]

> ㉮ 다보탑과 석가탑은 공통점이 있습니다. 두 탑은 모두 통일 신라 시대에 만든 탑으로서 불국사 대웅전 앞뜰에 나란히 서 있습니다.
> ㉯ 두 탑의 모습은 매우 다릅니다. 다보탑은 장식이 많고 화려합니다. 십자 모양의 받침 주변에 돌계단을 만들고 그 위에 사각·팔각·원 모양의 돌을 쌓아 올렸습니다. 반면 석가탑은 단순하면서도 세련된 멋이 있습니다. 사각 평면 받침 위에 돌을 삼 층으로 쌓아 올려 매우 균형 있는 모습을 자랑합니다.

다보탑
• 장식이 많고 화려하다.
• (1) _____
  _____

공통점
• (2) _____
• 불국사 대웅전 앞뜰에 서 있다.

석가탑
• (3) _____
• 사각 평면 받침 위에 돌을 삼 층으로 쌓아 올려 매우 균형 있는 모습이다.

[3~4] 글을 읽고, 물음에 답하시오.

> ㉮ 사람은 직업에 따라 고유한 색깔 옷을 입기도 한다. 직업의 특성에 따라 특정 색깔의 옷이 일을 하는 데 도움이 되기 때문이다.
> 의사나 간호사는 보통 흰색 옷을 입는다. 감염에 민감한 환자들이 있는 병원에서는 위생이 매우 중요한 문제이기 때문이다. 흰색 옷은 옷이 더러워졌을 때 이를 쉽게 알아차릴 수 있게 해 준다.
> ㉯ 법관은 검은색 옷을 입는다. 예전 서양에서는 신분에 따라 입을 수 있는 옷 색깔이 정해져 있었지만, 검은색 옷은 누구나 입을 수 있었다.

3 직업에 따라 고유한 색깔 옷을 입는 까닭은 무엇인지 쓰시오. [6점]

_____

_____

4 문단마다 중심 문장을 찾아 이 글의 내용을 간추려 쓰시오. [6점]

_____

_____

5 우리 반 친구들에게 내가 좋아하는 것을 설명하는 글을 쓰려고 합니다. 설명하고 싶은 대상을 떠올려 쓰고, 설명하고 싶은 내용과 설명 방법을 정해 쓰시오. [6점]

(1) 설명하고 싶은 대상	
(2) 설명하고 싶은 내용	
(3) 설명 방법	

수행평가 3. 글을 요약해요

관련 성취 기준	글의 구조를 고려하여 글 전체의 내용을 요약한다.
평가 목표	구조를 생각하며 글을 요약할 수 있다.

[1~3] 글의 구조를 생각하며 글을 읽어 봅시다.

> 사람은 직업에 따라 고유한 색깔 옷을 입기도 한다. 직업의 특성에 따라 특정 색깔의 옷이 일을 하는 데 도움이 되기 때문이다.
>
> 의사나 간호사는 보통 흰색 옷을 입는다. 감염에 민감한 환자들이 있는 병원에서는 위생이 매우 중요한 문제이기 때문이다. 흰색 옷은 옷이 더러워졌을 때 이를 쉽게 알아차릴 수 있게 해 준다. 약사나 위생사, 요리사와 같이 청결을 유지해야 하는 일을 하는 사람들도 마찬가지로 흰색 옷을 입는다.
>
> 법관은 검은색 옷을 입는다. 예전 서양에서는 신분에 따라 입을 수 있는 옷 색깔이 정해져 있었지만, 검은색 옷은 누구나 입을 수 있었다. 법관의 검은색 옷은 법 앞에서 모든 사람이 평등하다는 뜻을 나타내며, 다른 것에 물들지 않고 공정하게 재판해야 한다는 의미를 담고 있다.
>
> 군인은 주변 환경과 상황에 따라 옷 색깔을 달리하여 입는다. 전투를 벌일 때 적군 눈에 쉽게 띄면 안 되기 때문이다. 예전의 화약 무기는 한번 사용하면 연기가 자욱하여 적군과 아군을 구분하기가 힘들었다. 따라서 당시에는 강한 원색의 군복을 입었다. 오늘날에는 기술이 발달하여 군인은 대부분 주변 환경과 구별하기 힘든 색의 옷을 입는다.
>
> 사람들은 직업에 따라 입는 옷 색깔이 다양하다. 옷 색깔이 무엇을 뜻하는지 안다면 그 직업을 더 잘 알 수 있다.

1 글쓴이가 이 글을 쓴 목적은 무엇인지 쓰시오.   [5점]

_____

2 이 글에서는 대상을 어떤 방법으로 설명했는지 쓰시오.   [10점]

_____

3 글의 구조를 생각하며 이 글의 내용을 요약해 쓰시오.   [15점]

1 다음 문장을 뜻이 더 잘 통하도록 알맞게 고친 친구는 누구인지 쓰시오.

> 선수가 잡았습니다.

유은: 어떤 선수가 잡았는지 설명하지 않았으므로 '멋진 선수가 잡았습니다.'라고 고쳐야 해.

혜진: 선수가 무엇을 잡았는지 설명하지 않았으므로 '선수가 공을 잡았습니다.'라고 고쳐야 해.

( )

2 다음 문장에서 반드시 있어야 하는 부분을 두 가지 고르시오. (,)

> 매콤한 떡볶이가 익은 고추처럼 빨갛다.
> ① ② ③ ④ ⑤

[3~5] 글을 읽고, 물음에 답하시오.

> ㉠**도전! 달걀말이**
>
> 지난 주말에 삼촌 댁에 갔더니 삼촌께서 내가 좋아하는 달걀말이를 해 주셨다. 삼촌은 요리를 정말 잘하시는 것 같다. 달걀말이가 너무 맛있어서 삼촌께 달걀말이를 만드는 방법을 배워 왔다.
> 먼저 재료로 달걀 여섯 알, 다진 파 한 줌, 소금, 식용유를 준비한다. 그런 다음 달걀을 큰 그릇에 깨뜨려 넣고 다진 파 한 줌과 소금 적당량을 넣어서 골고루 잘 저어 준다. 삼촌께서 이때 달걀을 젓가락으로 싹둑싹둑 잘라 주어야 좋다고 하셨다. 덩어리진 것을 가위로 자르듯 끊어 주면 된다고 하셨다. 그런 다음 약한 불에 준비한 지짐 판을 얹고 식용유를 골고루 두른 뒤 달걀물을 넓게 붓는다. 그리고 조금씩 익으면 끝에서부터 뒤집개로 살살 말아 준다.

3 '내'가 달걀말이를 만든 까닭은 무엇입니까?

( )

① 삼촌 댁에서 먹고 너무 맛있어서
② 학교에서 배운 요리를 연습하고 싶어서
③ 부모님께서 함께 만들어 보자고 하셔서
④ 급식에 반찬으로 나온 것을 먹고 맛있어서
⑤ 부모님께서 가장 좋아하시는 음식이 달걀말이어서

논술형

4 '내'가 글의 제목을 ㉠과 같이 붙인 까닭은 무엇일지 쓰시오.

_____

_____

5 '내'가 이 글을 쓰려고 떠올린 내용으로 알맞은 것은 무엇입니까? ( )

① 달걀말이를 맛있게 먹는 방법
② 달걀말이를 만들다 실패한 경험
③ 달걀말이와 함께 먹으면 좋은 음식
④ 달걀말이에 필요한 재료와 삼촌의 조언
⑤ '내'가 만든 달걀말이를 드신 삼촌의 반응

5학년	반	점수
이름		

[6~7] 글을 읽고, 물음에 답하시오.

아침 일찍, 아빠께서 공원에 가자며 나를 깨우셨다.

"일찍 일어나는 새가 벌레를 잡는다는 말이 있어. 얼른 일어나자."

아빠 말씀에 난 억지로 일어나 세수를 하고 옷을 입었다. 공원에 갈 준비가 끝날 때까지도 난 계속 툴툴거렸다.

대문을 나서니, 찬 바람에 코끝이 시려 손으로 코를 가렸다.

"왜? 춥니? 좀 걸으면 괜찮아질 거야."

아빠께서는 물통을 들고 뚜벅뚜벅 걸어가셨다. 아빠 발걸음이 어찌나 빠른지 나는 그 뒤를 따라 뛰어야 했다. 뒷산 시민 공원에 도착하니 벌써 운동하는 사람이 많아 깜짝 놀랐다.

"준비 운동부터 하자."

나는 아빠를 따라 맨손 체조를 했다. 체조를 하고 나니 정말 추위가 달아나는 것 같았다. 철봉에서 턱걸이를 다섯 번이나 해서 아빠께 칭찬을 들었다. 아침 일찍 일어나기는 힘들었지만 아빠께 칭찬을 들으니 기분이 좋았다. 운동으로 땀을 흘린 뒤에 마시는 물은 배 속까지 시원하게 했다.

이웃 어른들께 반갑게 인사를 하며 아빠와 함께 공원을 나왔다. 나는 아빠를 앞질러 집으로 달렸다. 아빠와 함께 아침 운동을 하니 기분이 참 상쾌했다.

6 글쓴이는 어떤 일을 글로 썼는지 쓰시오.

( )

서술형

7 이 글에서 일어난 일과 그에 어울리는 생각이나 느낌을 '처음-가운데-끝'으로 정리할 때, '끝' 부분에 해당하는 내용을 다음 빈칸에 각각 정리해 쓰시오.

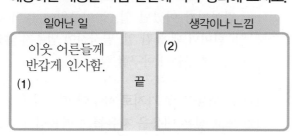

일어난 일		생각이나 느낌
이웃 어른들께 반갑게 인사함. (1)	끝	(2)

8 다음 문장의 밑줄 그은 부분에 나타난 호응 관계의 종류를 찾아 알맞게 선으로 이으시오.

(1)	동생이 누나에게 <u>업혔다.</u>	•	• ①	시간을 나타내는 말과 서술어의 호응
(2)	<u>내일</u> 도서관에 갈 거야.	•	• ②	동작을 당하는 주어와 서술어의 호응
(3)	아버지께 선물을 <u>드렸다.</u>	•	• ③	높임의 대상을 나타내는 말과 서술어의 호응

9 다음 문장을 주어와 서술어가 호응하도록 바르게 고쳐 쓰시오.

• 숲속에서 다람쥐와 새가 지저귑니다.

➡ _____

_____

10 친구들이 경험을 떠올려 쓴 글을 읽고 평가할 때 살펴볼 점으로 알맞은 것을 <u>두 가지</u> 고르시오.

(,)

① 경험이 자세하게 드러났는가?
② 상상하여 재미있게 꾸며 썼는가?
③ 요즘 유행하는 말을 넣어 썼는가?
④ 문장 성분이 호응하도록 글을 썼는가?
⑤ 친구의 경험이 내 경험보다 재미있는가?

[1~2] 그림을 보고, 물음에 답하시오.

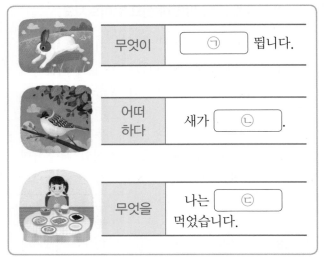

무엇이 | ㉠ | 뜁니다.

어떠하다 | 새가 | ㉡ |.

무엇을 | 나는 | ㉢ | 먹었습니다.

1 그림에 어울리는 문장이 되도록 ㉠~㉢에 들어갈 말을 차례대로 쓴 것은 어느 것입니까? (　　)

① 토끼가, 새입니다, 꼭꼭
② 빠르게, 새입니다, 맛있게
③ 빠르게, 귀여운, 식탁에서
④ 토끼가, 귀엽습니다, 음식을
⑤ 토끼가, 앉았습니다, 절대로

2 초록색으로 쓰인 부분은 문장에서 각각 어떤 역할을 하는지 선으로 이으시오.

(1) 무엇이 ・ ・① 문장에서 동작의 대상이 됨.

(2) 어떠하다 ・ ・② 문장에서 동작이나 상태의 주체가 됨.

(3) 무엇을 ・ ・③ 문장에서 주어의 상태 따위를 풀이함.

서술형

3 다음 문장을 꼭 있어야 하는 부분만 남기고 짧게 줄여 쓰시오.

• 예쁜 꽃이 들판에 피었습니다.

➡ _____

[4~5] 그림을 보고, 물음에 답하시오.

민재야, 이번 학급 신문에 실을 글을 한 편 써 줘.

어떤 글을 쓸까? 그래, 내가 지난달에 겪은 일을 소개하는 글을 써 보자.

우리 반 친구들이 읽을 글이니 친구들이 재미있어할 내용으로 써야겠어.

지난달에 어떤 일이 있었지?

4 민재는 누가 재미있어할 내용으로 글을 쓰려고 합니까? (　　)

① 부모님
② 자기 자신
③ 같은 반 친구들
④ 한 학년 아래 동생들
⑤ 다른 학교에 다니는 친구들

5 다음은 민재가 글로 쓸 내용을 어떻게 떠올린 것인지 알맞은 것에 ○표를 하시오.

　강아지가 아팠던 일, 놀이공원에 놀러 간 일, 할머니 댁에 간 일, 딸꾹질이 멈추지 않던 일, 친구들과 야구한 일

(1) 쓸 내용을 몇 가지로 나누어 떠올림.(　　)
(2) 쓰고 싶은 내용을 자유롭게 떠올림.(　　)

5학년	반	점수
이름		

[6~8] 글을 읽고, 물음에 답하시오.

학교 공부가 끝나고 집으로 갔다. 오늘은 어려운 내용을 배워 머리가 아팠다. 그런데 집에 오니 할머니께서 계셨다. ㉮

할머니께서 공부하느라 고생했다며 맛있는 떡볶이를 해 주셨다. 동생과 함께 먹다 보니 어느새 떡볶이를 다 먹었다. ㉠정말 맛있었다. 짝과 함께 수학 공부를 하기로 해서 할머니께 인사드리고 친구 집으로 갔다. 할머니께 공부를 열심히 한다고 칭찬을 들었지만 ㉡할머니와 함께 있지 못해 아쉬운 마음이 들었다. 수학 공부를 하는 동안 할머니께서 일찍 가시지 않았으면 좋겠다고 생각했다. ㉢공부를 마치자마자 집으로 왔다. 다행히 할머니께서 아직 집에 계셨다. 할머니와 함께 만화 영화도 보고, 과일과 피자도 먹었다.

할머니께서는 저녁을 드시고 나서 댁으로 가셨다. ㉣생각보다 오래 계셨지만 그래도 헤어질 때가 되니 섭섭했다. 우리 집에 더 자주 오셨으면 좋겠다고 생각하다가 다음부터 내가 할머니 댁에 자주 찾아가야겠다고 생각했다. 즐거운 하루였다.

6 이 글에서 일어난 일이 <u>아닌</u> 것은 어느 것입니까?
( )

① 동생과 함께 수학 공부를 했다.
② 할머니께서 떡볶이를 해 주셨다.
③ 저녁에 할머니께서 댁으로 가셨다.
④ 할머니와 함께 만화 영화를 보았다.
⑤ 할머니와 함께 과일과 피자를 먹었다.

7 ㉠~㉣ 중 '나'의 생각이나 느낌이 나타나지 <u>않은</u> 부분의 기호를 쓰시오.

( )

논술형

8 다음은 이 글을 쓰기 전에 떠올린 내용을 다발 짓기로 정리한 것의 일부입니다. '생각이나 느낌' 부분의 내용을 참고하여 ㉮에 들어갈 문장을 쓰시오.

일어난 일		생각이나 느낌
할머니께서 오심.	처음	기분이 좋아짐.

_____

_____

9 시간을 나타내는 말과 서술어의 호응을 나타낸 문장을 두 가지 고르시오. (,)

① 내일 도서관에 갈 거야.
② 동생이 누나에게 업혔다.
③ 아버지께 선물을 드렸다.
④ 할머니께서 맛있는 떡을 주셨다.
⑤ 나는 어제 재미있는 동화책을 읽었다.

10 다음 문장을 주어와 서술어가 호응하도록 바르게 고쳐 쓴 것은 무엇입니까? ( )

나는 동생보다 키와 몸무게가 더 무겁다.

① 나는 동생보다 키가 더 무겁다.
② 나는 동생보다 키와 몸무게가 더 크다.
③ 나는 동생보다 키와 몸무게가 더 많다.
④ 나는 동생보다 키가 더 무겁고, 몸무게가 더 크다.
⑤ 나는 동생보다 키가 더 크고, 몸무게가 더 무겁다.

서술형평가   4. 글쓰기의 과정

1 주어, 목적어, 서술어가 모두 들어간 문장을 한 가지 만들어 쓰시오.   [6점]

_____

_____

2 학급 신문에 지난달에 겪은 일을 소개하는 글을 쓰려고 합니다. 글로 쓸 내용을 떠올리는 방법에는 어떤 것이 있는지 한 가지만 쓰시오.   [6점]

_____

_____

[3~4] 글을 읽고, 물음에 답하시오.

가 아침 일찍, 아빠께서 공원에 가자며 나를 깨우셨다.

"일찍 일어나는 새가 벌레를 잡는다는 말이 있어. 얼른 일어나자."

아빠 말씀에 난 억지로 일어나 세수를 하고 옷을 입었다. 공원에 갈 준비가 끝날 때까지도 난 계속 툴툴거렸다.

나 아빠께서는 물통을 들고 뚜벅뚜벅 걸어가셨다. 아빠 발걸음이 어찌나 빠른지 나는 그 뒤를 따라 뛰어야 했다. 뒷산 시민 공원에 도착하니 벌써 운동하는 사람이 많아 깜짝 놀랐다.

다 나는 아빠를 따라 맨손 체조를 했다. 체조를 하고 나니 정말 추위가 달아나는 것 같았다. 철봉에서 턱걸이를 다섯 번이나 해서 아빠께 칭찬을 들었다. 아침 일찍 일어나기는 힘들었지만 아빠께 칭찬을 들으니 기분이 좋았다. 운동으로 땀을 흘린 뒤에 마시는 물은 배 속까지 시원하게 했다.

이웃 어른들께 반갑게 인사를 하며 아빠와 함께 공원을 나왔다. 나는 아빠를 앞질러 집으로 달렸다. 아빠와 함께 아침 운동을 하니 기분이 참 상쾌했다.

3 이 글은 어떤 목적으로 쓴 글인지 쓰시오.   [6점]

_____

_____

4 다음은 이 글을 쓰기 전에 떠올린 내용을 다발 짓기로 정리한 것입니다. 다발 짓기와 글의 내용을 비교해 보고, ㉠과 ㉡에 들어갈 알맞은 생각이나 느낌을 각각 쓰시오.   [6점]

일어난 일		생각이나 느낌
아빠께서 나를 깨우심. 아빠께서 말씀하심.	처음	㉠
공원까지 걸음. 턱걸이를 다섯 개나 성공함. 운동으로 땀을 흘린 뒤에 물을 마심.	가운데	생각보다 사람이 많아서 놀람. 아빠께 칭찬을 들어 기분이 좋음. 물이 배 속까지 시원하게 함.
이웃 어른들께 반갑게 인사함. 아빠를 앞질러 집으로 달림.	끝	㉡

(1) ㉠: _____

(2) ㉡: _____

5 다음 호응 관계를 나타낸 문장을 한 가지씩 만들어 쓰시오.   [6점]

(1) 시간을 나타내는 말과 서술어의 호응	
(2) 동작을 당하는 주어와 서술어의 호응	
(3) 높임의 대상을 나타내는 말과 서술어의 호응	

수행평가

4. 글쓰기의 과정

관련 성취 기준	쓰기는 절차에 따라 의미를 구성하고 표현하는 과정임을 이해하고 글을 쓴다.
평가 목표	자신의 생각을 글로 나타낼 수 있다.

1 친구들과 나누고 싶은 재미있는 경험을 글로 쓰려고 합니다. 요즘 겪은 일 가운데 한 가지를 정해 쓸 내용을 다발 짓기로 나타내 보시오. [10점]

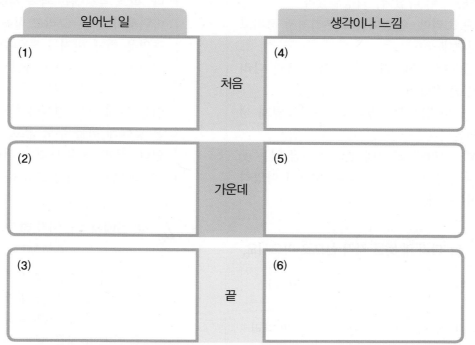

일어난 일 | 생각이나 느낌

(1) | 처음 | (4)

(2) | 가운데 | (5)

(3) | 끝 | (6)

2 글에 어울리는 제목을 붙이고, 1번 문제에서 정리한 내용을 바탕으로 하여 글을 쓰시오. [20점]

제목 : _____

[1~2] 글을 읽고, 물음에 답하시오.

> 정훈: 태빈아, 안녕? 어디 다녀오는 길인가 보구나!
>
> 태빈: 응, ㉠다리가 부러져서 고치고 오는 길이야.
>
> 정훈: 누가? 많이 다쳤어? 걱정되겠다.
>
> 태빈: 무슨 소리야. 안경다리가 부러져서 고치고 오는 길인데…….
>
> 정훈: 그랬구나. 나는 가족 가운데 누가 ㉡다리를 다친 줄 알았어.
>
> 태빈: 내가 '다리가 부러졌다'고 해서 그렇게 생각했구나.
>
> 정훈: 하하, 그러네. 그런데 우리가 지금 있는 곳도 ㉢다리인데……. 다리라는 낱말이 다양하게 쓰이는구나.

1 ㉠~㉢의 '다리'의 뜻을 각각 선으로 이으시오.

(1) ㉠'다리' •   • ① 안경다리

(2) ㉡'다리' •   • ② 사람의 다리

(3) ㉢'다리' •   • ③ 물을 건너다닐 수 있도록 만든 다리

2 다음 서로 다른 뜻을 가진 두 낱말은 각각 동형어와 다의어 중 무엇에 해당하는지 쓰시오.

(1) ㉠'다리' – ㉡'다리': (   )

(2) ㉠'다리' – ㉢'다리': (   )

3 다음 빈칸에 공통으로 들어갈 동형어는 무엇입니까? (   )

> • 물건을 (   ). • 칼이 잘 (   ).

① 감다   ② 걷다   ③ 늦다
④ 들다   ⑤ 적다

[4~5] 글을 읽고, 물음에 답하시오.

> ㉮ 어린이 보행 중 교통사고를 줄이는 방법은 무엇일까? 운전자에게 어린이 보행 안전 교육을 철저히 해야 한다.
>
> ㉯ 어린이를 고려한 보행 안전시설도 더 필요하다. 학교 앞길에는 과속 차량을 단속하는 장치를 마련해야 한다. 그리고 학교 근처의 어린이 보호 구역을 현재 반지름 300미터보다 더 넓게 하여 어린이들이 안전하게 다닐 수 있게 해야 한다.
>
> ㉰ 이제부터라도 어린이 보행 중 교통사고를 줄이는 일에 모두 힘써야 한다. 어린이 보행 안전은 남에게 미룰 수도 없고, 남이 대신해 줄 수도 없다. 우리 모두 노력해 어린이 보행 중 교통사고가 ㉠일어나지 않도록 하자.

4 이 글에서 글쓴이가 하고 싶은 말은 무엇입니까? (   )

① 바깥 활동을 많이 하자.
② 학교 앞 도로를 없애자.
③ 교통 법규 공부를 하자.
④ 안전 수칙을 새로 만들자.
⑤ 어린이 보행 중 교통사고가 일어나지 않도록 노력하자.

서술형

5 국어사전에서 ㉠'일어나다'의 낱말 뜻을 두 가지 찾아 쓰고, 그 중 문장에 어울리는 뜻을 쓰시오.

(1) 사전에서 찾은 뜻	①
	②
(2) 문장에 어울리는 뜻	

[6~7] 글을 읽고, 물음에 답하시오.

㉮ 인공 지능에는 위험이 있긴 하지만 우리는 인공 지능을 개발하는 것을 포기할 수 없습니다. 인공 지능은 인류 미래에 꼭 있어야 할 기술입니다. / 첫째, 인공 지능에 제대로 된 규칙을 부여해 잘 통제하고 활용하면 인류의 삶은 더욱 편리하고 풍요로워질 것입니다. 예를 들어 움직임이 불편한 노인과 장애인들은 무인 자동차로 자유롭게 이동할 수 있습니다. 인류가 인공 지능을 제대로 관리한다면 인공 지능은 인류에게 많은 도움이 될 것입니다.

둘째, 인공 지능과 관련한 일자리가 늘어날 것입니다. 많은 사람이 인공 지능의 발달로 삼십 년 안에 현재의 일자리 절반이 사라질 것이라고 걱정합니다. 하지만 이 문제는 사람들의 의견을 모으고 제도를 마련하여 인공 지능이 인간의 일자리를 빼앗지 않도록 하면 됩니다. 더 나아가 인공 지능 관련 일자리를 늘려 나갈 수도 있습니다.

㉯ 인간에게 나쁜 영향을 줄 수 있는 인공 지능은 철저히 통제하고, 인간을 보호하고 도울 수 있는 인공 지능을 활용하면 인공 지능은 인류의 미래를 희망으로 가득하게 만들어 줄 것입니다.

6 글쓴이가 주장하는 내용은 무엇입니까? (   )

① 인공 지능은 위험성이 크다.
② 인공 지능은 철저히 통제해야 한다.
③ 우리는 인공 지능을 포기해야 한다.
④ 인공 지능은 인간에게 나쁜 영향을 준다.
⑤ 인공 지능은 인류의 미래를 희망으로 가득하게 만들어 줄 것이다.

7 글쓴이의 주장을 뒷받침하는 근거를 <u>두 가지</u> 골라 기호를 쓰시오.

> ㉠ 인공 지능의 사회적 문제가 크다.
> ㉡ 인공 지능과 관련한 일자리가 늘어날 것이다.
> ㉢ 인공 지능에 제대로 된 규칙을 부여해 잘 통제하고 활용하면 인류에게 도움이 될 것이다.

(   )

[8~9] 글을 읽고, 물음에 답하시오.

㉮ 글을 쓸 때 흔히 글만 잘 쓰면 된다고 생각하기 쉽지만 아무리 잘 쓴 글이라고 하더라도 쓰기 윤리에 벗어난 글이라면 아무 소용이 없다.

㉯ 첫째, 쓰기 윤리를 지키지 않는 것은 법을 어기는 일이다. 무엇보다 진실이 아닌 내용을 진실인 것처럼 쓰는 경우, 법으로 처벌을 받을 수도 있다.

㉰ 둘째, 쓰기 윤리를 지키지 않으면 다른 사람에게 물질이나 정신 피해를 줄 수 있다. 글을 쓰려고 어떤 자료를 이용하는 경우, 자신이 직접 쓴 부분과 자료에서 인용한 부분을 명확하게 구분하지 않으면 표절이 될 수 있다.

㉱ 지금까지 쓰기 윤리를 지켜야 하는 까닭을 알아보았다. 쓰기 윤리를 존중하는 것은 우리나라의 미래 발전에 영향을 미칠 정도로 중요하다.

8 ㉮~㉱ 중 글쓴이의 주장을 뒷받침하는 문단을 <u>두 가지</u> 골라 기호를 쓰시오.

(   )

9 근거의 적절성을 살피며 이 글을 바르게 읽은 친구는 누구인지 쓰시오.

> 서윤: 제시한 근거가 주장과 관련이 있는지 알아보았어.
> 주아: 제시한 근거가 주장의 내용을 재미있게 만들어 주는지 확인했어.

(   )

논술형

10 "학교 안에서 스마트폰 사용을 허락해야 한다."는 주장에 대해 찬성 또는 반대 의견을 정해 알맞은 근거와 함께 쓰시오.

_____

_____

1 다음 그림의 ← 부분에서 공통으로 나타내는, 여러 가지 뜻을 가진 낱말은 무엇입니까? ( )

① 도로 ② 장사 ③ 안경
④ 신체 ⑤ 다리

2 다음 중 동형어나 다의어가 <u>아닌</u> 낱말은 무엇입니까? ( )

① 말 ② 창 ③ 굴
④ 창문 ⑤ 감다

3 동형어 '우리'로 낱말 그물을 만들려고 합니다. '우리'의 두 가지 뜻을 각각 빈칸에 써 넣어 낱말 그물을 완성하시오.

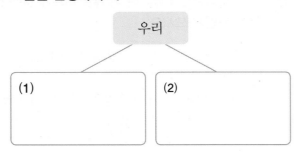

우리
(1)
(2)

서술형

4 상황에 따라 여러 가지로 해석되는 낱말의 뜻을 파악하는 방법을 <u>두 가지</u> 쓰시오.

• _____

• _____

[5~6] 글을 읽고, 물음에 답하시오.

> **가** 그런 미래는 편리함이라는 빛만큼이나 위험하고 어두운 그림자 또한 있을 것이라고 생각합니다. 그러므로 인공 지능이 일으킬 위험을 막을 방법도 생각해야 합니다.
>
> 첫째, 인공 지능을 가졌느냐 아니냐에 따라 부자는 더 부자가 되고 가난한 사람은 더욱 가난해질 것입니다. 이로써 사회적·경제적 불평등은 더욱 심해질 것입니다.
>
> 둘째, 힘이 강한 나라나 집단이 힘이 약한 나라나 사람들을 지배할 수도 있습니다. 인공 지능이 발달하면 힘 있는 사람들의 지배력이 지금과 비교가 안 될 정도로 강해질 것입니다. 즉 나라 사이에 새로운 지배 관계가 생길 위험이 매우 크다고 생각합니다.
>
> 셋째, 지금보다 더 발달한 인공 지능이 등장하면 인간은 인공 지능에게 지배를 받게 될지도 모릅니다.
>
> **나** 세계적인 학자들이 공개한 '인공 지능에게 보내는 공개편지'에는 우리 사회가 인공 지능으로 엄청난 이득을 얻을 수도 있지만, 인공 지능에 숨어 있는 위험을 막을 방법을 깊이 연구해야 한다는 내용이 담겨 있습니다.

5 인공 지능이 나라 사이에 새로운 지배 관계를 만들 위험이 크다고 한 까닭은 무엇인지 빈칸에 알맞은 말을 각각 쓰시오.

• 인공 지능이 발달하면 힘 있는 사람들의 (1)( )이/가 매우 (2)( ) 것이기 때문이다.

6 이 글의 제목으로 알맞은 것을 골라 ○표를 하시오.

(1) 인공 지능에 대한 기대 ( )
(2) 인공 지능은 미래의 희망 ( )
(3) 인공 지능 개발에 따른 위험 ( )

[7~8] 글을 읽고, 물음에 답하시오.

㉮ 일상생활에서 규칙과 질서를 잘 지키는 일이 중요한 것처럼, 글을 쓸 때에도 다른 사람에게 피해를 주지 않으려면 규범을 지켜야 한다.

㉯ 첫째, 쓰기 윤리를 지키지 않는 것은 법을 어기는 일이다. 무엇보다 진실이 아닌 내용을 진실인 것처럼 쓰는 경우, 법으로 처벌을 받을 수도 있다.

㉰ 둘째, 쓰기 윤리를 지키지 않으면 다른 사람에게 물질이나 정신 피해를 줄 수 있다. 글을 쓰려고 어떤 자료를 이용하는 경우, 자신이 직접 쓴 부분과 자료에서 인용한 부분을 명확하게 구분하지 않으면 표절이 될 수 있다.

㉱ 쓰기 윤리를 존중하는 것은 우리나라의 미래 발전에 영향을 미칠 정도로 중요하다. 우리가 쓰기 윤리를 존중하지 않으면 우리 스스로 피해를 보는 일이 생길 수도 있다. 그러므로 글을 쓸 때 출처를 정확히 밝히고, 자신을 속이지 않으며 거짓된 내용은 쓰지 않아야 한다.

7 ㉮~㉱ 문단의 중심 내용을 바르게 정리한 것을 두 가지 고르시오.   (,   )

① ㉮-일상생활에서 규칙과 질서를 지키자.
② ㉯-쓰기 윤리를 지키지 않는 것은 법을 어기는 일이다.
③ ㉰-쓰기 윤리를 지키지 않으면 다른 사람에게 물질이나 정신 피해를 줄 수 있다.
④ ㉱-글을 쓸 때 출처를 정확히 밝힌다.
⑤ ㉱-글을 쓸 때 거짓된 내용은 쓰지 않는다.

8 이 글에 나타난 글쓴이의 주장을 쓰시오.
(   )

[9~10] 글을 읽고, 물음에 답하시오.

㉠학교 안 스마트폰 사용을 법으로 금지해야 한다고 주장하는 사람들은 다음과 같은 근거를 듭니다.

"학교 안에서 스마트폰을 사용하면 학생들이 수업에 집중하지 못해 학업에 방해가 됩니다. 만약 학교 안에서 스마트폰을 사용하는 것을 법으로 금지한다면 학생들이 스마트폰에 정신을 빼앗기지 않아 좀 더 수업에 집중할 수 있을 것입니다. 아무리 학교에서 사용하지 않겠다고 다짐해도 스마트폰이 자신에게 있으면 손이 가기 마련입니다. 또 학교에서까지 스마트폰을 사용하면 난청, 시각 장애, 거북목 증후군 같은 여러 가지 병에 걸릴 수 있습니다. 따라서 학생이 스마트폰을 학교에서 사용하는 것을 막는 장치가 있어야 합니다."

하지만 ㉡학교 안 스마트폰 사용을 법으로 금지하면 안 된다고 주장하는 사람들도 있습니다. 이들의 생각은 다음과 같습니다.

㉢

9 ㉠과 같이 주장하는 사람들이 제시한 근거를 두 가지 찾아 ○표를 하시오.

(1) 학생들이 수업에 집중하지 못해 학업에 방해가 된다.   (   )
(2) 난청, 시각 장애, 거북목 증후군 같은 여러 가지 병에 걸릴 수 있다.   (   )
(3) 학생들이 수업에 도움 되는 내용을 바로 찾아볼 수 없어 불편하다.   (   )

논술형

10 ㉡과 같이 주장하는 사람들의 입장이 되어 ㉢에 들어갈 근거를 쓰시오.

_____

_____

서술형평가　5. 글쓴이의 주장

5학년		반	점수
이름			/30점

1 동형어나 다의어를 한 가지 떠올려 쓰고, 그 낱말의 서로 다른 뜻이 드러나도록 낱말을 넣어 문장을 두 개 만드시오.　[5점]

(1) 동형어나 다의어	
(2) 동형어나 다의어를 써서 만든 문장	①
	②

2 다음 문장에서 밑줄 그은 '도로'의 뜻을 국어사전에서 찾아 쓰시오.　[5점]

> 운전자와 보행자 모두 <u>도로</u>에서 시간적 여유를 가지는 마음이 필요하다.

_____

_____

[3~4] 글을 읽고, 물음에 답하시오.

　인공 지능에는 위험이 있긴 하지만 우리는 인공 지능을 개발하는 것을 포기할 수 없습니다. 인공 지능은 인류 미래에 꼭 있어야 할 기술입니다.
　첫째, 인공 지능에 제대로 된 규칙을 부여해 잘 통제하고 활용하면 인류의 삶은 더욱 편리하고 풍요로워질 것입니다. 예를 들어 움직임이 불편한 노인과 장애인들은 무인 자동차로 자유롭게 이동할 수 있습니다. 인류가 인공 지능을 제대로 관리한다면 인공 지능은 인류에게 많은 도움이 될 것입니다.
　둘째, 인공 지능과 관련한 일자리가 늘어날 것입니다. 많은 사람이 인공 지능의 발달로 삼십 년 안에 현재의 일자리 절반이 사라질 것이라고 걱정합니다. 하지만 이 문제는 사람들의 의견을 모으고 제도를 마련하여 인공 지능이 인간의 일자리를 빼앗지 않도록 하면 됩니다.

3 이 글에 어울리는 제목을 정해 쓰시오.　[5점]

_____

_____

4 글쓴이의 주장은 무엇인지 쓰시오.　[5점]

_____

_____

_____

5 다음 주장과 근거를 살펴보고, ㉠~㉣ 중 주장에 대한 근거로 적절하지 <u>않은</u> 것을 세 가지 찾아 ○ 표를 하고, 적절하지 <u>않은</u> 까닭을 쓰시오.　[5점]

주장	교실이나 복도에서 큰 소리로 떠들지 말자.
근거	㉠ 교실의 쓰레기를 줄일 수 있다. ㉡ 넘어지거나 부딪혀 다칠 수 있다. ㉢ 안전하고 질서 있는 생활을 할 수 있다. ㉣ 소음 때문에 다른 사람에게 피해를 줄 수 있다.

_____

_____

6 주장을 뒷받침하려고 제시한 근거가 적절한지 확인할 때 살펴볼 내용을 쓰시오.　[5점]

　• 제시한 근거는 주장과 관련이 있나요?
　• 제시한 근거는 주장을 더욱 설득력 있게 하나요?
　• _____

_____

5. 글쓴이의 주장

관련 성취 기준	글을 읽고 글쓴이가 말하고자 하는 주장이나 주제를 파악한다.
평가 목표	절차와 규칙을 지키고 근거를 제시하며 주장에 대한 찬반 의견을 나눈다.

5 단원

1 다음 주제에 대해 찬성 또는 반대의 입장에서 자신의 주장을 쓰시오.　　　[5점]

> 주제: 학교 안에서 스마트폰 사용을 허락해야 한다.

_____

_____

2 1번 문제에서 제시한 주장을 뒷받침할 수 있는 근거를 <u>세 가지</u> 쓰시오.　　[10점]

(1) _____

(2) _____

(3) _____

3 1번과 2번 문제에서 정리한 내용을 바탕으로 자신의 주장이 드러나게 글을 쓰시오. [15점]

[1~2] 그림을 보고, 물음에 답하시오.

알립니다
1학년이 수업을 마치고 집으로 갈 때에는 운동장에서 축구를 할 수 없습니다.

이것은 언제 정한 거지?

나도 처음 보는데……

지난번에 1학년 동생이 운동장에서 축구공에 맞아 다쳤습니다. 이와 같은 사고를 막으면서 운동장을 안전하게 쓰려면 어떻게 해야 할까요?

하지만 우리가 축구를 하고 싶다고 해서 다른 사람을 위험하게 할 수는 없어요.

1학년을 안전하게 보호하는 것도 중요하지만 무조건 운동장을 못 쓰게 하면 안 된다고 생각합니다.

1학년이 수업을 마치고 집으로 가는 시간을 피해 축구하는 시간을 정하면 어떨까요?

1 그림 **가**와 **나**는 어떤 문제를 해결하는 과정을 나타낸 것입니까? ( )

① 운동장을 안전하게 쓰는 방법
② 학교 내 안전사고를 예방하는 방법
③ 1학년이 안전하게 집으로 가는 방법
④ 축구를 할 새로운 장소를 찾는 방법
⑤ 점심시간에 할 특별 활동을 정하는 방법

2 그림 **가**와 **나** 중 다음과 같은 방법으로 문제를 해결한 그림의 기호를 쓰시오.

어떤 문제를 여러 사람이 협력해 해결하고 있다.

( )

3 다음을 토의 절차에 맞게 차례대로 기호를 쓰시오.

⊙ 의견 모으기
ⓒ 의견 마련하기
ⓒ 의견 결정하기
ⓔ 토의 주제 정하기

( ) ➡ ( ) ➡ ( ) ➡ ( )

서술형

4 토의 주제를 정하기 위해 자유롭게 이야기한 주제들이 토의 주제로 알맞은지 판단할 때 생각할 점을 한 가지만 쓰시오.

_____

_____

5 '개교기념일을 뜻깊게 보내는 방법'에 대한 다음 의견이 알맞은지 판단할 수 있는 기준으로 알맞은 것을 **두 가지** 고르시오. (,)

학교 이름으로 삼행시 짓기 대회를 하면 좋겠습니다.

① 토의 주제에 맞는 내용인가?
② 학생들이 실천할 수 있는가?
③ 내가 가장 돋보일 수 있는가?
④ 학생들보다 선생님들께서 더 좋아하실 만한가?
⑤ 개교기념일이 아닌 날에도 계속 실천할 수 있는가?

5학년   반   점수

이름

6 '학급의 날을 어떻게 보내면 좋을까요?'에 대한 의견 중 다음 생각할 점을 알맞게 반영한 것에 ○표를 하시오.

> 토의 주제에 맞는 내용인가?

(1) 복도에서 뛰어다니지 말자.   (   )
(2) 학급의 날에 우리 반 운동회를 하자.
                                        (   )

[7~9] 글을 읽고, 물음에 답하시오.

㉮ 어린이 보호 구역에서 유치원생이 목숨을 잃은 사고가 있은 뒤, 초등학생들이 직접 교통사고 대책 마련에 나서 화제가 됐다. 과거에도 같은 곳에서 비슷한 사고가 있었기에 학생들은 학교 앞 어린이 보호 구역이 자신들의 안전을 지켜 주지 못한다는 것을 알았다.

이에 따라 전교 학생회에서 '안전한 학교 만들기' 안건을 마련했다. 이날 회의에서는 '구청장님께 편지 쓰기'라는 실천 방안까지 나왔다.

학생회는 학교 친구들이 직접 학교 앞 어린이 보호 구역 환경 개선을 요구하고 뚜렷한 개선 방안을 낼 것을 계획했다.

㉯ 학생회는 아이들이 직접 쓴 편지를 전달하며 불법 주정차 단속을 강화하고 어린이 보호 구역 표지판을 개선해 달라고 구청장에게 부탁했다. 이에 구청장은 신속하게 시설을 개선하고 문제를 해결하기로 약속했다.

7 학생들에게 어떤 문제가 생겼습니까?   (   )

① 학교 안에서 교통사고가 일어났다.
② 구청장이 학교에 방문하기로 했다.
③ 전교 학생회 임원을 선출해야 한다.
④ 학교 앞 어린이 보호 구역이 줄어들었다.
⑤ 학교 앞 어린이 보호 구역에서 유치원생이 교통사고로 목숨을 잃었다.

8 7번 문제에서 답한 일이 일어난 뒤, 전교 학생회에서 정한 토의 안건은 무엇입니까?   (   )

① 안전한 학교 만들기
② 학급별 환경 미화 계획 세우기
③ 공정한 임원 선출 방법 정하기
④ 학교 내 시설물 안전하게 사용하기
⑤ 구청으로의 현장 체험학습 계획 세우기

논술형

9 이 글을 읽고 우리 학교의 안전과 관련이 있는 알맞은 토의 주제를 정하여 쓰시오.

_____

_____

10 토의에 참여한 자신의 모습을 되돌아보며 스스로 평가하는 기준으로 알맞지 않은 것은 어느 것입니까?   (   )

① 토의에 활발하게 참여했는가?
② 토의 주제에 맞는 내용을 말했는가?
③ 의견을 말하지 않고 듣기만 했는가?
④ 의견의 장단점을 자세히 제시했는가?
⑤ 알맞은 주장과 근거를 들어 자신의 의견을 말했는가?

6
단원

1 일상생활에서 토의를 해야 하는 까닭이 <u>아닌</u> 것은 어느 것입니까? ( )

① 상황을 더 잘 이해할 수 있다.
② 문제 해결에 직접 참여할 수 있다.
③ 결정된 내용을 잘 받아들일 수 있다.
④ 적절한 문제 해결 방법을 찾을 수 있다.
⑤ 자신이 원하는 대로 문제 해결 방법을 정할 수 있다.

2 다음은 '개교기념일을 뜻깊게 보내는 방법'에 대한 토의에서 의견을 말한 것입니다. 다음 의견에 대한 설명으로 알맞은 것을 찾아 ○표를 하시오.

> 우리 학교 도서관에는 책이 많습니다. 제가 지금까지 대출한 책도 200권이 넘습니다.

(1) 의견이 실천하기 어려운 내용이다.
( )
(2) 주제에 알맞은 의견과 근거를 들었다.
( )
(3) 의견이 토의 주제에 맞지 않는 내용이다.
( )

서술형
3 '개교기념일을 뜻깊게 보내는 방법'에 대한 자신의 의견을 알맞은 까닭을 들어 쓰시오.

_____

_____

[4~5] 그림을 보고, 물음에 답하시오.

4 이 그림에서 마루가 토의하며 잘못한 점을 두 가지 고르시오. (,)

① 친구의 의견을 무시했다.
② 친구의 의견에 무조건 찬성했다.
③ 친구의 말을 끝까지 듣지 않았다.
④ 말할 기회를 얻고도 말을 하지 않았다.
⑤ 말할 기회를 얻기 위해 지나치게 손을 자주 들었다.

5 이 그림을 보고 토의에서 의견을 모을 때 지켜야 할 점을 정리한 것으로 알맞지 <u>않은</u> 것은 어느 것입니까? ( )

① 토의 주제와 관련한 이야기를 한다.
② 다른 사람의 의견을 존중하며 듣는다.
③ 알맞은 까닭을 들어 자신의 주장을 말한다.
④ 다른 사람의 의견을 끝까지 듣고 자신의 의견을 말한다.
⑤ 자신의 의견이 옳다고 생각되면 여러 번 반복해서 말한다.

6 토의에서 의견을 결정하는 방법으로 알맞은 것을 두 가지 고르시오. (,)

① 소수 의견은 무시한다.

② 토의 주제에 맞는 의견을 결정한다.

③ 알맞은 주장과 근거를 든 의견을 결정한다.

④ 단점이 많더라도 재미있는 의견을 결정한다.

⑤ 좋은 의견이 많더라도 반드시 한 가지 의견만 정한다.

7 '학급의 날을 어떻게 보내면 좋을까요?'라는 토의 주제로 토의하려고 합니다. 토의 절차나 방법에 대해 바르게 말한 친구는 누구인지 쓰시오.

> 성민: 친구들의 의견을 듣고 난 뒤에 따로 의견을 모을 필요는 없어.
>
> 정아: 먼저 이 주제가 우리 모두와 관련이 있는 주제인지를 생각해 봐야 해.
>
> 유라: 맞아. 토의 주제로 알맞다면 그 주제에 맞는 의견을 말한 뒤에 친구들에게 의견의 단점을 강조해서 말해 주어야 해.

( )

[8~9] 글을 읽고, 물음에 답하시오.

> 어린이 보호 구역에서 유치원생이 목숨을 잃은 사고가 있은 뒤, 초등학생들이 직접 교통사고 대책 마련에 나서 화제가 됐다. 과거에도 같은 곳에서 비슷한 사고가 있었기에 학생들은 학교 앞 어린이 보호 구역이 자신들의 안전을 지켜 주지 못한다는 것을 알았다.
>
> 이에 따라 전교 학생회에서 '안전한 학교 만들기' 안건을 마련했다. 이날 회의에서는 '구청장님께 편지 쓰기'라는 실천 방안까지 나왔다.

8 학교 앞 어린이 보호 구역에서 유치원생이 교통사고로 목숨을 잃은 사고가 있은 뒤, 학생들은 문제를 어떻게 해결했는지 빈칸에 알맞은 말을 쓰시오.

• 전교 학생회에서 '( )' 안건을 마련해 토의를 하여 실천 방안을 마련했다.

9 이 글을 읽고, '모두에게 안전한 학교를 만드는 방법'이라는 주제로 토의할 때, 의견을 알맞게 말한 친구는 누구인지 쓰시오.

> 건후: 후문은 위험하므로 무조건 정문을 이용했으면 좋겠습니다.
>
> 하은: 학교 주변에 차가 다니지 못하게 하면 좋겠습니다. 차가 없으면 교통사고가 일어나지 않기 때문입니다.
>
> 승우: 우리 학교 안전 지도를 만들면 좋겠습니다. 효과적인 안전 교육을 할 수 있고 안전하지 않은 곳을 널리 알릴 수 있기 때문입니다.

( )

논술형

10 우리 주변에서 일어나는 문제 상황을 살펴보고, 토의하고 싶은 주제를 정해 주제와 그 주제를 고른 까닭을 함께 쓰시오.

_____

_____

_____

서술형평가

6. 토의하여 해결해요

5학년	반	점수
이름		/30점

1 다음과 같이 문제 해결 과정에 여러 사람이 참여하면 좋은 점을 쓰시오. [6점]

지난번에 1학년 동생이 운동장에서 축구공에 맞아 다쳤습니다. 이와 같은 사고를 막으면서 운동장을 안전하게 쓰려면 어떻게 해야 할까요?

하지만 우리가 축구를 하고 싶다고 해서 다른 사람을 위험하게 할 수는 없어요.

1학년을 안전하게 보호하는 것도 중요하지만 무조건 운동장을 못 쓰게 하면 안 된다고 생각합니다.

1학년이 수업을 마치고 집으로 가는 시간을 피해 축구하는 시간을 정하면 어떨까요?

_____

_____

2 다음은 토의 절차와 토의 방법을 정리한 표입니다. 빈칸에 알맞은 내용을 쓰시오. [8점]

토의 절차	토의 방법
토의 주제 정하기	• 토의하고 싶은 주제를 자유롭게 이야기하기 • 토의 주제로 알맞은지 판단하기 • 토의 주제 결정하기
의견 마련하기	• 토의 주제에 맞게 자신의 의견 쓰기 • 그 의견이 좋은 까닭 쓰기
의견 모으기	• 친구들과 의견 주고받기 • (1) _____ • (2) _____ • 기준에 따라 의견이 알맞은지 판단하기
의견 결정하기	• 기준에 따라 가장 알맞은 의견으로 결정하기

3 '학급의 날을 어떻게 보내면 좋을까요?'가 학급 토의 주제로 알맞은지 판단해 쓰시오. [8점]

_____

_____

_____

4 다음 글을 읽고 우리 학교의 안전과 관련이 있는 토의 주제를 정한 다음 자신의 의견을 정리해 쓰시오. [8점]

어린이 보호 구역에서 유치원생이 목숨을 잃은 사고가 있은 뒤, 초등학생들이 직접 교통사고 대책 마련에 나서 화제가 됐다. 과거에도 같은 곳에서 비슷한 사고가 있었기에 학생들은 학교 앞 어린이 보호 구역이 자신들의 안전을 지켜 주지 못한다는 것을 알았다.

이에 따라 전교 학생회에서 '안전한 학교 만들기' 안건을 마련했다. 이날 회의에서는 '구청장님께 편지 쓰기'라는 실천 방안까지 나왔다.

(1) 토의 주제	
(2) 주장	
(3) 근거	

수행평가 · 6. 토의하여 해결해요

관련 성취 기준	의견을 제시하고 함께 조정하며 토의한다.
평가 목표	글을 읽고 토의할 수 있다.

[1~3] 겪은 일을 떠올리며 글을 읽어 봅시다.

이에 따라 전교 학생회에서 '안전한 학교 만들기' 안건을 마련했다. 이날 회의에서는 '구청장님께 편지 쓰기'라는 실천 방안까지 나왔다.

학생회는 학교 친구들이 직접 학교 앞 어린이 보호 구역 환경 개선을 요구하고 뚜렷한 개선 방안을 낼 것을 계획했다. 학생회는 학교 곳곳에 알림 글을 붙여 전교생이 편지를 쓰자고 했다. 그 결과, 편지가 2주 만에 200여 통이나 쌓였다. / 학교 앞 어린이 보호 구역에 폐회로 텔레비전[CCTV]과 신호등을 설치하고, 불법 주정차 단속을 제대로 해야 한다는 내용이 대부분이었다. 이 가운데 가장 눈에 띄는 제안은 어린이 보호 구역 표지판을 개선하자는 것이었다. 어린이 보호 구역 표지판이 너무 작아 가로수에 가려 잘 보이지도 않는 데다 밤에는 어린이 보호 구역을 알아보기조차 힘들다는 의견이었다. 이에 따라 어린이 보호 구역 표지판의 크기를 키우고 밤에 잘 보일 수 있도록 표지판 테두리를 엘이디(LED)로 반짝이게 만들어 밤이든 낮이든 운전자가 이곳이 어린이 보호 구역임을 분명히 알게 하자는 개선 방안이 나왔다.

1 학생들이 '안전한 학교 만들기'를 위해 한 일은 무엇인지 쓰시오.   [10점]

_____

_____

2 학생들의 의견 중 가장 눈에 띄는 의견이 무엇이라고 했는지 찾아 쓰고, 그 의견이 좋은 까닭은 무엇인지 쓰시오.   [10점]

(1) 눈에 띄는 의견	
(2) 그 의견이 좋은 까닭	

3 이 글과 관련하여 '어린이 교통사고를 줄이는 방법'으로 토의할 때 제시하고 싶은 자신의 의견과 그 의견이 좋은 까닭을 쓰시오.   [10점]

(1) 내 의견	
(2) 그 의견이 좋은 까닭	

[1~2] 그림을 보고, 물음에 답하시오.

1 두 사람은 어떤 이야기를 하고 있습니까?

• (   )을/를 다녀온 경험

2 현석이가 멋쩍어한 까닭으로 알맞은 것에 ○표를 하시오.

(1) 서윤이에게 여행 다녀온 일을 지나치게 자랑한 것 같아서이다. (   )

(2) 여행이 즐겁지 않아서 서윤이에게 말해 줄 내용이 없었기 때문이다. (   )

(3) 여행을 가서 좋은 추억이 많았는데, 글로 남긴 것이 없어서 여행 경험을 정확하게 전하지 못했기 때문이다. (   )

3 여행하면서 보고 듣고 느낀 점을 글로 쓰면 좋은 점을 두 가지 고르시오. (,   )

① 여행을 자주 다니지 않아도 된다.
② 여행했던 기억을 쉽게 잊을 수 있다.
③ 여행했던 경험을 다시 느낄 수 있다.
④ 여행하면서 먹은 음식만 기억할 수 있다.
⑤ 여행하면서 보고 들은 것을 나중에 알 수 있다.

[4~5] 글을 읽고, 물음에 답하시오.

돌하르방 어디 감수광

㉠우리 답사의 첫 유적지는 한라산 산천단이었다. 한라산 산신께 제사드리는 산천단에 가서 답사의 안전을 빌고 가는 것이 순서에도 맞고 또 제주도에 온 예의라는 마음도 든다. 산천단은 제주시 아라동 제주대학교 뒤편 소산봉(소산오름) 기슭에 있다. 산천단 주위에는 제단을 처음 만들 당시에 심었을 수령 500년이 넘는 곰솔 여덟 그루가 산천단의 역사와 함께 엄숙하고도 성스러운 분위기를 보여 준다.

㉡제주의 동북쪽 구좌읍 세화리 송당리 일대는 크고 작은 무수한 오름이 저마다의 맵시를 자랑하며 드넓은 들판과 황무지에 오뚝하여 오름의 섬 제주에서도 오름이 가장 많고 아름다운 '오름의 왕국'이라고 했다.

4 ㉠과 ㉡ 중 다음 내용이 나타나 있는 부분을 찾아 각각 기호를 쓰시오.

(1) 여행하면서 다닌 곳: (   )
(2) 여행하면서 보고 들은 것: (   )

서술형
5 다음은 이 글을 읽고 만든 질문입니다. 질문에 알맞은 답을 쓰시오.

> '감수광'이라는 말을 들었을 때 어떤 생각이 들었나요?

_____

_____

7
단원

[6~7] 글을 읽고, 물음에 답하시오.

성산 일출봉은 제주 답사의 기본 경로라 할 만큼 잘 알려져 있고, 영주 십경의 제1경이 '성산에 뜨는 해'인 성산 일출이며, 제주 올레 제1경로가 시작되는 곳일 만큼 제주의 중요한 상징이기도 하다.

㉠제주도와 연결된 서쪽을 제외한 성산 일출봉의 동·남·북쪽 외벽은 깎아 내린 듯한 절벽으로 바다와 맞닿아 있다. 일출봉의 서쪽은 고운 잔디 능선 위에 돌기둥과 수백 개의 기암이 우뚝우뚝 솟아 있는데 그 사이에 계단으로 만든 등산로가 나 있다. 전설에 따르면 설문대 할망은 일출봉 분화구를 빨래 바구니로 삼고 우도를 빨랫돌로 하여 옷을 매일 세탁했다고 한다.

일출봉은 멀리서 볼 때나, 가까이 다가가 올려다볼 때나, 정상에 올라 분화구를 내려다볼 때나 풍광 그 자체의 아름다움과 감동이 있다.

6 성산 일출봉에 대한 설명으로 알맞지 <u>않은</u> 것은 어느 것입니까?   (   )

① 제주의 중요한 상징이다.
② 제주 올레 제1경로가 시작되는 곳이다.
③ 동·남·북쪽 외벽은 바다와 맞닿아 있다.
④ 올라갈 수 있는 등산로는 따로 만들어져 있지 않다.
⑤ 서쪽은 고운 잔디 능선 위에 돌기둥과 수백 개의 기암이 솟아 있다.

7 ㉠은 다음 내용 중 무엇에 해당하는지 ○표를 하시오.

(1) 여행하면서 다닌 곳 – 여정   (   )
(2) 여행하면서 보고 들은 것 – 견문   (   )
(3) 여행하면서 생각하거나 느낀 것 – 감상
                                  (   )

8 다음을 여정, 견문, 감상으로 구분하여 각각 기호를 쓰시오.

㉠ 순천만 습지에서 농게와 짱뚱어를 보았다.
㉡ 다음 날 저녁에 들른 곳은 고창 고인돌박물관이다.
㉢ 현대 기술 수준을 앞선 우리 선조의 지혜가 자랑스럽게 느껴졌다.

(1) 여정: (   )
(2) 견문: (   )
(3) 감상: (   )

9 기행문에 쓸 내용을 '처음', '가운데', '끝'의 짜임으로 정리하려고 합니다. 다음 중 '처음' 부분에 가장 알맞은 내용은 어느 것입니까?   (   )

① 전체 감상
② 여행한 목적
③ 이동하면서 겪은 일
④ 여행하며 느낀 아쉬운 점
⑤ 여행지에서 보고 들은 것

논술형

10 우리나라 여행지를 알리는 여행지 안내장을 만들려고 합니다. 자신이 가 본 여행지 가운데 친구들에게 알리고 싶은 곳을 떠올려 여행지 안내장에 들어갈 내용을 정리해 쓰시오.

(1) 안내장 제목	
(2) 소개할 곳	
(3) 알릴 내용	

[1~3] 그림을 보고, 물음에 답하시오.

1 여행과 관련하여 현석이와 서윤이의 공통점은 무엇입니까? ( )

① 여행을 다녀온 때
② 여행을 다녀온 곳
③ 여행을 함께 간 사람
④ 여행을 하고 남은 기억
⑤ 여행을 다녀와서 한 일

2 그림 ④에서 서윤이가 뿌듯해한 까닭을 찾아 기호를 쓰시오.

> ㉠ 현석이와 같은 여행지에 다녀왔지만 현석이보다 더 많은 곳에 가 보았기 때문이다.
> ㉡ 여행하면서 본 것을 꼼꼼히 써 놓고 사진을 찍어 두어서 여행 경험을 자신 있게 전할 수 있었기 때문이다.

( )

서술형

3 여행하면서 보고 듣고 느낀 점을 글로 쓰면 좋은 점과 관련해 현석이에게 해 주고 싶은 말을 쓰시오.

_____

_____

4 다음은 기행문에 들어가야 할 내용입니다. 의미가 같은 것끼리 선으로 이으시오.

(1) 여정 • • ① 여행하며 보거나 들은 것

(2) 견문 • • ② 여행의 과정이나 일정

(3) 감상 • • ③ 여행하며 든 생각이나 느낌

5 다음은 여정, 견문, 감상 중 무엇을 드러내는 표현인지 쓰시오.

> • 불국사에는 청운교와 백운교가 있다.
> • 창덕궁이 유네스코 세계 문화유산이 되었다고 한다.

( )

5학년	반	점수
이름		

[6~8] 글을 읽고, 물음에 답하시오.

> **㉮** ㉠다랑쉬오름은 '오름의 여왕'이라고 불린다. 다랑쉬라는 이름의 유래에는 여러 설이 있으나 다랑쉬오름 남쪽에 있던 마을에서 보면 북사면을 차지하고 앉아 된바람을 막아 주는 오름의 분화구가 마치 달처럼 둥글어 보인다 하여 붙여졌다는 설이 가장 정겹다.
>
> **㉯** 성산 일출봉은 제주 답사의 기본 경로라 할 만큼 잘 알려져 있고, 영주 십경의 제1경이 '성산에 뜨는 해'인 성산 일출이며, 제주 올레 제1경로가 시작되는 곳일 만큼 제주의 중요한 상징이기도 하다.
>
> 제주도와 연결된 서쪽을 제외한 성산 일출봉의 동·남·북쪽 외벽은 깎아 내린 듯한 절벽으로 바다와 맞닿아 있다. ㉡일출봉의 서쪽은 고운 잔디 능선 위에 돌기둥과 수백 개의 기암이 우뚝우뚝 솟아 있는데 그 사이에 계단으로 만든 등산로가 나 있다.
>
> **㉰** ㉢언제 올라도 한라산 영실은 아름답다. 오백 장군봉을 안방에 드리운 병풍 그림처럼 둘러놓고, 그것을 멀찍이서 바라보며 느린 걸음으로 돌계단을 밟으며 바쁠 것도 힘들 것도 없이 오르노라면 마음이 들뜰 것도 같지만 거기엔 아름다움뿐만 아니라 장엄함과 아늑함이 곁들여 있기에 우리는 함부로 감정을 놀리지 못하고 아래 한 번, 위 한 번, 좌우로 한 번씩 발을 옮기며 그 풍광에 느긋이 취하게 된다.

6 '다랑쉬오름' 이름의 유래로 알맞은 것은 무엇입니까? ( )

① 오름의 분화구가 뾰족해서
② 오름의 여왕이라고 불릴 만큼 가파르고 높아서
③ 다랑쉬오름 남쪽에 있던 마을에서 보면 오름의 모양이 다람쥐와 닮아서
④ 다랑쉬오름 동쪽에 있던 마을에서 보면 오름의 전체 모양이 마치 달처럼 둥글어서
⑤ 다랑쉬오름 남쪽에 있던 마을에서 보면 오름의 분화구가 마치 달처럼 둥글어 보여서

7 이 글에 나타난 글쓴이의 여정으로 알맞은 것은 어느 것입니까? ( )

① 한라산 ➡ 성산 일출봉 ➡ 다랑쉬오름
② 다랑쉬오름 ➡ 성산 일출봉 ➡ 한라산
③ 성산 일출봉 ➡ 한라산 ➡ 다랑쉬오름
④ 다랑쉬오름 ➡ 한라산 ➡ 오백 장군봉
⑤ 성산 일출봉 ➡ 다랑쉬오름 ➡ 오백 장군봉

8 ㉠~㉢ 중 글쓴이의 감상이 나타나 있는 부분을 찾아 기호를 쓰시오.

( )

논술형

9 여행하면서 보고 듣고 느낀 점을 글로 쓰려고 합니다. 자신이 가 본 곳 가운데 기억에 남는 곳을 떠올려 다음 내용을 정리하여 쓰시오.

(1) 여행 장소	
(2) 기행문을 쓰는 목적	
(3) 그 장소를 고른 까닭	
(4) 읽을 사람	

10 기행문을 쓸 때 주의할 점이 <u>아닌</u> 것은 어느 것입니까? ( )

① 생각이나 느낌을 함께 쓴다.
② 여행한 까닭이나 목적을 밝힌다.
③ 시간과 장소가 잘 드러나게 쓴다.
④ 보고 들은 내용을 생생하고 자세하게 풀어 쓴다.
⑤ 사진이나 그림을 넣지 않고 글로만 깔끔하게 정리해 쓴다.

서술형평가 7. 기행문을 써요

5학년	반	점수
이름		/30점

1 자신이 재미있게 여행한 경험을 떠올려 다음 질문에 알맞은 내용을 쓰시오. [6점]

(1) 언제 어디로 여행을 다녀왔습니까?

_____

_____

(2) 여행하면서 무엇이 기억에 남았습니까?

_____

_____

2 여행하면서 보고 듣고 느낀 점을 글로 쓰면 좋은 점을 한 가지만 쓰시오. [6점]

_____

_____

[3~4] 글을 읽고, 물음에 답하시오.

> **㉮** 제주의 동북쪽 구좌읍 세화리 송당리 일대는 크고 작은 무수한 오름이 저마다의 맵시를 자랑하며 드넓은 들판과 황무지에 오뚝하여 오름의 섬 제주에서도 오름이 가장 많고 아름다운 '오름의 왕국'이라고 했다. 그중에서도 다랑쉬오름은 '오름의 여왕'이라고 불린다.
> **㉯** 오름 아랫자락에는 삼나무와 편백나무 조림지가 있어 제법 무성하다 싶지만 숲길을 벗어나면 이내 천연의 풀밭이 나오면서 시야가 갑자기 탁 트이고 사방이 멀리 조망된다. ㉠경사면을 따라 불어오는 그 유명한 제주의 바람이 흐르는 땀을 씻어 주어 한여름이라도 더운 줄 모른다. 발길을 옮길 때마다, 한 굽이를 돌 때마다 시야는 점점 넓어지면서 가슴까지 시원하게 열린다.

3 제주의 동북쪽 구좌읍 세화리 송당리 일대를 '오름의 왕국'이라고 하는 까닭을 쓰시오. [6점]

_____

_____

4 ㉠은 기행문에 들어갈 다음 내용 중 무엇에 해당하는지 쓰고, 그 뜻을 쓰시오. [6점]

여정	견문	감상

_____

_____

5 자신이 여행한 곳 가운데 기억에 남는 곳을 떠올려 여정, 견문, 감상을 중심으로 정리하여 쓰시오. [6점]

(1) 여행한 곳	
(2) 여정	
(3) 견문	
(4) 감상	

수행평가

7. 기행문을 써요

관련 성취 기준	체험한 일에 대한 감상이 드러나게 글을 쓴다.
평가 목표	기행문의 특성을 파악할 수 있다.

[1~3] 여행하며 보고 듣고 느낀 점을 어떻게 글로 썼는지 생각하며 글을 읽어 봅시다.

⑦ 비행기가 선회하여 활주로로 들어설 때는 오른쪽과 왼쪽의 풍광이 교체되면서 제주의 들과 산이 섞바뀌어 모두 볼 수 있게 된다. 올 때마다 보는 제주의 전형적인 풍광이지만 그것이 철 따라 다르고 날씨 따라 다르기 때문에 언제나 신천지에 오는 것 같은 설렘을 느끼게 된다.
④ 성산 일출봉은 제주 답사의 기본 경로라 할 만큼 잘 알려져 있고, 영주 십경의 제1경이 '성산에 뜨는 해'인 성산 일출이며, 제주 올레 제1경로가 시작되는 곳일 만큼 제주의 중요한 상징이기도 하다.
　제주도와 연결된 서쪽을 제외한 성산 일출봉의 동·남·북쪽 외벽은 깎아 내린 듯한 절벽으로 바다와 맞닿아 있다.
④ 우리는 어리목에서 출발하여 만세 동산을 지나 1700 고지인 윗세오름까지 올라 그곳 산장 휴게소에서 준비해 간 도시락을 먹고 영실로 하산하면서 한라산의 아름다움을 만끽했다.
④ 숲길을 빠져나와 머리핀처럼 돌아가는 가파른 능선 허리춤에 올라서면 홀연히 눈앞에 수백 개의 뾰족한 기암괴석이 호를 그리며 병풍처럼 펼쳐진다. 오르면 오를수록 이 수직의 기암들이 점점 더 하늘로 치솟아 올라 신비스럽고도 웅장한 모습에 절로 감탄이 나온다.

1 글쓴이가 제주에 갈 때마다 신천지에 가는 것 같은 설렘을 느끼는 까닭은 무엇인지 쓰시오. [10점]

_____

_____

2 글쓴이가 제주에 가서 들른 곳은 어디어디인지 쓰시오. [10점]

_____

3 이 글에서 견문과 감상이 드러난 부분을 찾아 각각 한 가지씩 쓰시오. [10점]

(1) 견문	
(2) 감상	

[1~2] 그림을 보고, 물음에 답하시오.

1 예원이는 ㉠'바늘방석'의 뜻을 짐작할 때 어떻게 했는지 빈칸에 알맞은 말을 각각 쓰시오.

• '(1)(   )'과/와 '(2)(   )' (으)로 나누어 뜻을 짐작했습니다.

2 ㉡으로 보아, '바늘방석'의 뜻은 무엇이겠습니까?

(   )

① 얇고 폭이 넓은 방석.
② 푹신하고 편안한 방석.
③ 바늘 그림이 그려진 방석.
④ 방석에 앉은 듯 편안한 자리.
⑤ 앉아 있기에 몹시 불안스러운 자리.

3 다음 중 복합어는 어느 것입니까? (   )

① 오이   ② 감자   ③ 자두
④ 산딸기   ⑤ 복숭아

4 빈칸에 알맞은 낱말을 넣어 복합어를 만드시오.

(1)   (2)

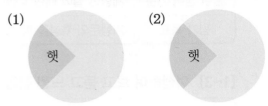

[5~6] 글을 읽고, 물음에 답하시오.

대나무로 만든 악기도 아주 많아요. 대나무는 속이 비어 있어서 보통 나무와는 다른 소리를 내는 악기를 만들 수 있어요. 그윽하고 평온한 소리가 울려 나오는 대금, 달빛이 빛나는 봄밤에 어울리는 악기인 피리를 만듭니다. 그리고 맑고 청아한 소리를 내는 단소도 만들 수 있습니다.

초가지붕 위에 주렁주렁 앉아 자라던 박은 물을 푸는 물박, 간장을 퍼내는 장 박, 밥을 담는 주발 박 같은 바가지나 그릇을 만드는 데 많이 쓰였어요. 우리 악기 가운데 생황은 박으로 만든 악기입니다. 생황은 박으로 만든 공명통(소리를 울리게 하는 통)에 서로 길이가 다른 여러 개의 대나무 관이 꽂혀 있는 악기예요.

5 다음 중 우리 악기와 악기를 만든 재료가 바르게 짝 지어진 것은 어느 것입니까? (   )

① 대금-박, 단소-박
② 생황-대나무, 피리-박
③ 생황-대나무, 단소-박
④ 생황-대나무, 대금-박
⑤ 생황-박, 피리-대나무

논술형

6 이 글을 읽고 자신이 겪은 일을 떠올려 쓰시오.

_____

_____

5학년   반   점수

이름

7 겪은 일을 떠올리며 글을 읽으면 좋은 점을 바르게 말한 친구는 누구입니까?

> 주아: 글 내용이 재미없게 느껴질 수 있어.
> 선미: 글 내용을 더 깊이 있게 이해할 수 있어.
> 혜진: 글 내용을 모두 한 번에 기억할 수 있어.

(   )

[8~9] 글을 읽고, 물음에 답하시오.

㉮ ㉠반달가슴곰: 대한민국 사람들은 우리를 참 많이 사랑해요. 그만큼 우리에게 관심도 많고요. 우리 친구들을 지리산으로 돌려보낼 때마다 잘 살기를 무척 바라지요. 듣자 하니 50마리까지 늘리는 게 목표라고 해요. 하기는 우리를 귀하게 여길 만해요. 우리는 산에서 도토리, 가래, 산뽕나무의 열매 등을 먹고 여기저기에 똥을 누어요. 바로 그 똥이 흙을 좋게 만들어서 씨앗이 돋아나게 하고 산을 푸르게 만드는 데 도움을 주거든요. 우리가 있어야 지리산의 생태계가 잘 돌아가는 거죠. 하지만 문제는 바로 사람들! 아무리 깊은 산속이라도 사람들이 보여요. 이 험한 데까지 대체 어떻게 오는 거죠?

㉯ 멸종 위기에 처한 우리나라의 동물들을 구하려면 어떻게 해야 할까요? 1993년 국제 연합 환경 계획에서 '생물 다양성 국가 연구에 대한 지침'을 발표했습니다. 이를 시작으로 하여 사람들은 단순히 멸종 위기의 동물을 보호하는 데에만 그치는 것이 아니라 생태계 전체를 건강하게 만드는 데 힘을 쏟기 시작했습니다. 멸종 위기 동물을 천연기념물로 지정해 보호하고 우리나라 고유의 생물들을 보존하는 방법을 찾기로 했습니다.

8 낱말의 짜임을 생각할 때 ㉠'반달가슴곰'의 생김새는 어떠할지 짐작하여 빈칸에 알맞은 말을 쓰시오.

• '반달가슴곰'은 '반달가슴'과 '곰'을 합해 만든 낱말이므로 _____ _____ 곰일 것이다.

논술형
9 이 글을 읽고 새롭게 알거나 자세히 안 점을 쓰시오.

_____

_____

10 다음 낱말을 새말로 알맞게 만든 것은 어느 것입니까? (   )

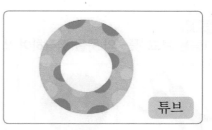

튜브

① 과일즙
② 색깔 막대
③ 길 도우미
④ 바람 주머니
⑤ 물놀이 세상

1 다음 중 낱말의 짜임을 바르게 파악하지 <u>못한</u> 것은 어느 것입니까? ( )

① 햇밤 = 햇− + 밤
② 맨주먹 = 맨− + 주먹
③ 바늘방석 = 바늘방 + 석
④ 돌다리 = 돌 + 다리
⑤ 사과나무 = 사과 + 나무

2 그림을 보고 빈칸에 공통으로 들어갈 말을 각각 쓰시오.

(1)

⬜수건   ⬜수레

( )

(2)

⬜벌레   ⬜호박

( )

서술형
3 그림을 보고 '풋−'의 뜻을 짐작하여 쓰시오.

풋고추   풋밤   풋사과

_____

[4~5] 글을 읽고, 물음에 답하시오.

　대나무와 박에서 나오는 청아한 소리는 맑은 봄날의 아침 같아요. 명주실에서 뽑아내는 섬세한 소리와 나무에서 나오는 깨끗한 소리는 쨍쨍한 여름 햇살을 닮았어요. 쇠와 흙에서 울리는 우렁차고 광대한 소리는 높은 가을 하늘 같답니다. 돌의 묵직한 소리와 가죽의 탄탄한 소리는 겨울의 웅장함을 느끼게 하지요. 이렇게 옛사람들은 여러 악기의 소리를 들으며 자연의 이치를 깨달았답니다.
　명주실은 우리 악기를 만드는 데 가장 많이 쓰이는 재료 가운데 하나입니다. 명주실은 누에고치에서 뽑아낸 비단실이에요. 이 비단실로 천도 짜고, 소리 고운 악기도 만들지요. 명주실은 잘 끊어지지 않고 탄력이 있어서 가야금, 거문고, 아쟁, 해금 같은 악기의 줄로 쓰입니다. 가야금은 오동나무로 만든 울림통에 명주실을 열두 줄로 꼬아 얹어 만들어요.

4 악기를 만드는 재료와 그 재료에서 나오는 소리의 느낌을 바르게 짝 지은 것은 어느 것입니까?

( )

① 대나무와 박 − 높은 가을 하늘 같다.
② 쇠와 흙 − 쨍쨍한 여름 햇살을 닮았다.
③ 돌과 가죽 − 겨울의 웅장함이 느껴진다.
④ 명주실과 나무 − 맑은 봄날의 아침 같다.
⑤ 대나무와 박 − 겨울의 웅장함이 느껴진다.

5 다음은 이 글을 읽고 자신이 겪은 일을 정리한 것입니다. 다음 내용이 해당하는 것에 ○표를 하시오.

　집 근처 음악 교실에서 가야금을 연주해 본 적이 있다. 가야금의 줄을 퉁기면서 이 줄은 무엇으로 만들었는지 궁금했는데 명주실로 만들었다는 것을 알게 되었다.

본 일	들은 일	한 일

[6~8] 글을 읽고, 물음에 답하시오.

깃대종은 그 지역을 대표하는 생물들이기 때문에 깃대종이 잘 보존된다면 그 지역의 생태계가 잘 유지된다는 증거로 볼 수 있습니다. 우리나라의 대표적인 깃대종으로는 설악산의 산양, 내장산의 ㉠비단벌레, 속리산의 하늘다람쥐, 지리산의 반달가슴곰이 있습니다.

지표종은 그 지역의 환경이 얼마나 깨끗한지 측정할 수 있는 종을 말합니다. 예를 들어 오래전 탄광에서 일하던 광부들은 카나리아를 이용해 몸에 해로운 유독 가스를 측정했습니다. 공기가 좋은 곳에서 사는 카나리아는 산소가 부족하면 숨을 쉬기가 힘들어 노래를 멈춘답니다. 그래서 광부들은 카나리아가 노래를 부르는 동안에는 안심하고 일을 할 수 있었습니다.

6 깃대종과 지표종이 무엇인지 알맞게 선으로 이으시오.

(1) 깃대종 •

(2) 지표종 •

• ① 그 지역을 대표하는 생물들

• ② 그 지역의 환경이 얼마나 깨끗한지 측정할 수 있는 종

7 ㉠'비단벌레'의 낱말의 짜임을 생각해 보고 생김새나 특징을 가장 알맞게 짐작한 친구는 누구인지 쓰시오.

서준: '비단벌레'는 '비단'과 '벌레'를 합해서 만든 낱말로, 벌레의 몸이 비단처럼 보일 것 같다.

윤미: '비단벌레'는 '비단'과 '벌레'를 합해서 만든 낱말로, 몸이 투명하기 때문에 붙여진 이름일 것이다.

( )

8 이 글을 읽고, 자신이 아는 멸종 위기 동물에 대해 떠올려 쓰시오.

<논술형>

_____

_____

[9~10] 그림을 보고, 물음에 답하시오.

이 알림판에는 여러분이 정성껏 그린 그림이나 여러 가지 작품을 붙일 거예요. 새롭게 만든 알림판 이름을 함께 지어 볼까요?

우리 솜씨를 뽐낼 수 있는 곳이니까 ㉠솜씨 마당이라고 하면 어떨까?

9 여자아이가 알림판의 이름을 ㉠'솜씨 마당'이라고 지은 까닭은 무엇입니까? ( )

① 솜씨를 뽐낼 수 있는 곳이라서
② 알림판이 교실 밖 마당에 있어서
③ 알림판의 이름을 네 글자로 지어야 해서
④ 솜씨가 없는 친구들은 작품을 붙이지 말라는 뜻으로
⑤ 솜씨가 좋은 친구들의 작품만 뽑아서 붙일 것이므로

10 다음 빈칸에 어울리는 알림판의 이름을 지어 쓰시오.

우리 재주를 보여 주는 곳이기 때문에 '( )'(이)라고 지었다.

서술형평가 8. 아는 것과 새롭게 안 것

1 '방울토마토'는 어떤 말을 합해서 만든 낱말인지 빈칸에 알맞은 말을 쓰고, 낱말의 뜻을 짐작하여 쓰시오. [6점]

(1) 방울토마토=(　　　　　)+(　　　　　)

(2) '방울토마토'의 뜻: ＿＿＿＿＿＿＿＿＿

＿＿＿＿＿＿＿＿＿＿＿＿＿＿＿＿＿

2 낱말의 짜임을 알면 좋은 점을 한 가지 쓰시오. [6점]

＿＿＿＿＿＿＿＿＿＿＿＿＿＿＿＿＿

＿＿＿＿＿＿＿＿＿＿＿＿＿＿＿＿＿

[3~4] 글을 읽고, 물음에 답하시오.

㉮ 대나무와 박에서 나오는 청아한 소리는 맑은 봄날의 아침 같아요. 명주실에서 뽑아내는 섬세한 소리와 나무에서 나오는 깨끗한 소리는 쨍쨍한 여름 햇살을 닮았어요. 쇠와 흙에서 울리는 우렁차고 광대한 소리는 높은 가을 하늘 같답니다. 돌의 묵직한 소리와 가죽의 탄탄한 소리는 겨울의 웅장함을 느끼게 하지요. 이렇게 옛사람들은 여러 악기의 소리를 들으며 자연의 이치를 깨달았답니다.

명주실은 우리 악기를 만드는 데 가장 많이 쓰이는 재료 가운데 하나입니다. 명주실은 누에고치에서 뽑아낸 비단실이에요. 이 비단실로 천도 짜고, 소리 고운 악기도 만들지요. 명주실은 잘 끊어지지 않고 탄력이 있어서 가야금, 거문고, 아쟁, 해금 같은 악기의 줄로 쓰입니다.

㉯ 대나무로 만든 악기도 아주 많아요. 대나무는 속이 비어 있어서 보통 나무와는 다른 소리를 내는 악기를 만들 수 있어요. 그윽하고 평온한 소리가 울려 나오는 대금, 달빛이 빛나는 봄밤에 어울리는 악기인 피리를 만듭니다. 그리고 맑고 청아한 소리를 내는 단소도 만들 수 있습니다.

3 이 글을 읽고 다음에 해당하는 질문을 한 가지씩 만들어 쓰시오. [6점]

(1) 글에서 답을 알 수 있는 질문	
(2) 자신의 생각을 말해야 하는 질문	

4 겪은 일을 떠올리며 이 글을 읽고, 겪은 일 가운데에서 '한 일'을 정리하여 쓰시오. [6점]

＿＿＿＿＿＿＿＿＿＿＿＿＿＿＿＿＿

＿＿＿＿＿＿＿＿＿＿＿＿＿＿＿＿＿

5 다음 글을 읽고, 글의 내용과 관련해 자신이 아는 지식을 한 가지 쓰시오. [6점]

멸종 위기에 처한 우리나라의 동물들을 구하려면 어떻게 해야 할까요? 1993년 국제 연합 환경 계획에서 '생물 다양성 국가 연구에 대한 지침'을 발표했습니다. 이를 시작으로 하여 사람들은 단순히 멸종 위기의 동물을 보호하는 데에만 그치는 것이 아니라 생태계 전체를 건강하게 만드는 데 힘을 쏟기 시작했습니다. 멸종 위기 동물을 천연기념물로 지정해 보호하고 우리나라 고유의 생물들을 보존하는 방법을 찾기로 했습니다.

＿＿＿＿＿＿＿＿＿＿＿＿＿＿＿＿＿

＿＿＿＿＿＿＿＿＿＿＿＿＿＿＿＿＿

수행평가

8. 아는 것과 새롭게 안 것

관련 성취 기준	읽기는 배경지식을 활용하여 의미를 구성하는 과정임을 이해하고 글을 읽는다.
평가 목표	아는 지식을 활용해 글 읽기

[1~3] 아는 것을 떠올리며 글을 읽어 봅시다.

> ㉮ 산양: 내가 염소게, 산양이게? 히히, 염소랑 비슷하게 생겼어도 난 엄연히 산양이야. 자세히 보면 수염도 없고 갈색, 검은색, 회색 털이 뒤섞여 있어. 그리고 내 뿔은 송곳 모양으로, 나이를 먹을 때마다 고리 모양으로 변해. 나는 워낙 험한 ㉠바위산에 살기 때문에 지금까지 살아남았어. 이런 내가 설마 인간 때문에 멸종 위기에 처할 줄은 정말 몰랐어. 사냥꾼들은 내 털과 고기를 노렸지. 우리가 도망가지 못하게 길도 막아 버렸어. 으으, 무서운 인간들을 피할 방법 좀 알려 줘.
>
> ㉯ 오늘날에는 동물이 멸종하는 것을 막고자 세계 여러 나라에서 많은 노력을 하고 있습니다. 각 나라는 점점 줄어드는 동물을 '멸종 위기종'으로 지정해 보호하기도 합니다. 그렇다면 멸종 위기의 동물을 보호하는 가장 좋은 방법은 무엇일까요? 그것은 바로 우리가 동물에게 관심을 기울이고 동물을 보살피며, 환경을 함부로 파괴하지 않고 깨끗하게 유지하는 것입니다.

1 글쓴이가 이 글을 통해 전하고 싶은 생각은 무엇일지 쓰시오.　　　　　[10점]

_____

2 ㉠'바위산'의 짜임을 쓰고, 바위산은 어떤 산일지 짐작해 쓰시오.　　　[10점]

_____

3 아는 지식을 떠올리며 이 글을 읽고, 새롭게 안 점을 쓰시오.　　　　　[10점]

1 진영이가 필요한 글을 찾는 방법으로 알맞은 것을 두 가지 고르시오. (,)

> 진영: 과학 숙제로 돌의 종류를 조사해야 해.

① 미술관에서 조각 작품을 감상한다.
② 돌에 대한 전래 동화를 찾아 읽는다.
③ 돌을 설명한 책을 도서관에서 찾는다.
④ 작은 돌로 할 수 있는 놀이를 알아본다.
⑤ 인터넷에서 돌을 설명한 내용을 찾는다.

[2~3] 글을 읽고, 물음에 답하시오.

최근 출판하는 책이나 광고, 알림판 따위에서 네모 모양의 표식을 자주 볼 수 있다. 네모 모양 안에 검은 선과 점을 배열했는데, 이것을 정보 무늬[QR코드]라고 한다. 큐아르(QR)는 '빠른 응답'이라는 영어의 줄임 말이다.

정보 무늬는 여러 가지 정보를 확인할 수 있는 표식이다. 정보 무늬를 쓰기 전에는 막대 표시를 주로 썼다. 막대 표시는 숫자 20개를 저장할 수 있는 무늬로서 물건을 살 때 쉽게 계산할 수 있다. 그러나 정보 무늬는 숫자 7089개, 한글 1700자 정도를 저장할 수 있다.

2 이 글에서 설명하는 내용을 두 가지 고르시오. (,)

① 정보 무늬의 뜻
② 정보 무늬의 모양
③ 정보 무늬의 크기
④ 막대 표시의 종류
⑤ 정보 무늬를 만든 사람

서술형
3 이와 같은 종류의 글을 읽는 방법을 한 가지 쓰시오.

_____

_____

[4~5] 글을 읽고, 물음에 답하시오.

그렇다면 미래 사회에 필요한 사람은 어떤 사람일까요?

첫째, 정해진 답을 찾기보다 새로운 방식으로 문제를 해결하는 사람입니다. 정해진 문제는 사람보다 인공 지능이 더 잘 해결할 수도 있습니다. 그러나 새로운 방식을 생각하는 것은 인공 지능보다 사람이 더 잘할 수 있습니다.

둘째, 새로운 변화에 대응하는 사람입니다. 미래 연구자들은 다가올 미래에는 여러 가지 사회·환경 문제처럼 예전에 없던 새로운 변화를 맞을 것이라고 합니다. 그러므로 미래 사회에서는 막힌 생각보다 변화에 부드럽게 대처하려는 생각을 해야 합니다.

셋째, 서로 돕고 존중하는 사람입니다. 인공 지능과 새로운 기술이 삶을 빠르게 바꿀 수 있습니다. 이럴 때 함께 마음을 모아 서로 돕고 존중해야 사회를 따뜻하게 만들 수 있습니다.

앞으로 우리는 거대한 미래의 충격과 변화 앞에서도 흔들리지 않는 열정과 패기로 서로를 존중해야 합니다.

4 이 글의 종류는 무엇입니까?

( )

5 주장과 근거를 파악하며 글의 내용을 정리한 다음 빈칸에 알맞은 말을 쓰시오.

처음	미래 사회에 필요한 사람은 어떤 사람일까?
가운데	• 첫째, 정해진 답을 찾기보다 새로운 방식으로 문제를 해결하는 사람 • 둘째, 새로운 변화에 대응하는 사람 • 셋째, ( )
끝	흔들리지 않는 열정과 패기로 서로를 존중해야 한다.

6 주장하는 글을 읽는 방법을 두 가지 고르시오.
(,   )

① 글쓴이의 주장을 파악한다.
② 자신의 생각과 다른 부분은 읽지 않는다.
③ 자신의 생각과 비교하지 않도록 주의한다.
④ 글쓴이가 설명하려는 대상이 무엇인지 알아본다.
⑤ 주장을 뒷받침하는 근거를 찾고 그것이 알맞은지 생각한다.

[7~9] 글을 읽고, 물음에 답하시오.

아름다운 비색을 지닌 고려청자

고려청자는 무엇보다 아름다운 빛깔로 더욱 주목받았다. 청자의 빛깔은 맑고 은은한 푸른 녹색이다. 이는 유약 안에 아주 작은 기포가 많아 빛이 반사되면서 은은하고 투명하게 비쳐 보이기 때문이다. 청자의 색이 짙고 푸른색 윤이 나는 구슬인 비취옥과 색깔이 닮았기 때문에 '비색'이라 불렸는데, 중국 송나라의 태평 노인이 『수중금』이라는 책에서 고려청자의 빛깔을 비색이라 부르며, 천하제일이라고 칭찬했다.

청자의 상감 기법은 어느 나라에서도 찾아볼 수 없는 우리 고유의 독창적인 도자기 장식 기법이다. 상감 기법은 그릇을 빚고 굳었을 때 그릇 바깥쪽에 조각칼로 무늬를 새긴 다음, 검은색이나 흰색의 흙을 메운 뒤 무늬가 드러나도록 바깥쪽을 매끄럽게 다듬는 기법이다.

7 고려청자에 대한 설명으로 알맞은 것은 어느 것입니까? (   )

① 아름다운 비색을 지닌다.
② 유약을 쓰지 않고 만들었다.
③ 중국 송나라에서 처음 만들었다.
④ 중국에서 상감 기법을 들여와 만들었다.
⑤ 다른 나라 사람들에게는 그 아름다움이 잘 알려지지 않았다.

8 규빈이가 이 글을 읽는 목적에 맞는 읽기 방법에 ○표를 하시오.

규빈이는 고려청자를 조사해 발표하려고 여러 가지 글을 찾아보다가 「아름다운 비색을 지닌 고려청자」에 자신이 글을 쓰는 데 필요한 내용이 있는지 찾아보기 위해 읽어 보았다.

(1) 글 전체를 다 읽지 않고 중요한 낱말을 읽으면서 필요한 내용이 있는지 찾아본다.
(   )

(2) 자신이 아는 내용과 새롭게 안 내용을 비교하며 전체 내용을 자세히 살펴보며 꼼꼼히 읽는다.
(   )

논술형

9 8번 문제에서 답한 읽기 방법으로 글을 읽어 본 경험을 떠올려 쓰시오.

_____

_____

10 다음 글에서 알 수 있는 세종 대왕의 읽기 방법은 무엇입니까? (   )

세종 대왕은 같은 책을 백 번 읽고 백 번 쓰면 책 내용을 잊지 않는다고 했다.

① 중요한 내용 훑어 읽기
② 여러 번 반복해 읽고 쓰기
③ 글과 관련한 곳 직접 가 보기
④ 대상과 감정을 상상하며 읽기
⑤ 제목을 보고 내용 짐작하며 읽기

1 민주가 필요한 글을 찾기에 알맞은 방법을 모두 찾아 ○표를 하시오.

> 민주: 미술 시간에 교통질서 지키기 광고를 그리기로 했어.

(1) 신문에서 교통사고를 다룬 기사를 찾아본다. ( )
(2) 인터넷에서 교통질서 지키기 광고지를 검색해 본다. ( )
(3) 여러 가지 교통수단에 대해 설명하는 글을 찾아본다. ( )

[2~4] 글을 읽고, 물음에 답하시오.

최근 출판하는 책이나 광고, 알림판 따위에서 네모 모양의 표식을 자주 볼 수 있다. 네모 모양 안에 검은 선과 점을 배열했는데, 이것을 정보 무늬[QR코드]라고 한다. 큐아르(QR)는 '빠른 응답'이라는 영어의 줄임 말이다.

정보 무늬는 여러 가지 정보를 확인할 수 있는 표식이다. 정보 무늬를 쓰기 전에는 막대 표시를 주로 썼다. 막대 표시는 숫자 20개를 저장할 수 있는 무늬로서 물건을 살 때 쉽게 계산할 수 있다. 그러나 정보 무늬는 숫자 7089개, 한글 1700자 정도를 저장할 수 있다. 또 정보 무늬는 일부를 지워도 사용할 수 있다. 정보 무늬의 세 귀퉁이에 위치를 지정하는 문양이 있기 때문이다. 이 문양이 있어 정보 무늬를 어느 각도에서 찍어도 내용을 확인할 수 있다.

정보 무늬는 스마트폰으로 사용할 수 있다. 스마트폰 응용 프로그램으로 정보 무늬를 찍으면 관련 내용이 있는 누리집으로 이동하거나, 관련 사진이나 동영상을 볼 수 있다.

2 이 글의 종류는 무엇입니까? ( )

① 제안하는 글
② 독서 감상문
③ 주장하는 글
④ 설명하는 글
⑤ 안내하는 글

3 정보 무늬에 대한 다음 항목에 맞는 설명을 찾아 선으로 이으시오.

(1) 뜻 •
(2) 모양 •
(3) 사용 방법 •

• ㉠ 여러 가지 정보를 확인할 수 있는 표식
• ㉡ 네모 모양 안에 검은 선과 점이 있음.
• ㉢ 스마트폰 응용 프로그램으로 정보 무늬를 찍음.

4 이 글을 바르게 읽은 친구는 누구입니까?

> 찬미: 글쓴이의 주장과 주장을 뒷받침하는 내용을 찾으며 읽었어.
> 승희: 글쓴이가 주장하는 내용과 내 의견의 공통점과 차이점을 비교하며 읽었어.
> 시영: 설명하려는 내용이 정확한지 확인하기 위해 아는 지식이나 경험을 떠올리며 읽었어.

( )

서술형
5 주장하는 글을 읽는 방법을 한 가지 쓰시오.

_____

_____

[6~8] 글을 읽고, 물음에 답하시오.

그렇다면 미래 사회에 필요한 사람은 어떤 사람일까요?

첫째, 정해진 답을 찾기보다 새로운 방식으로 문제를 해결하는 사람입니다. 정해진 문제는 사람보다 인공 지능이 더 잘 해결할 수도 있습니다. 그러나 새로운 방식을 생각하는 것은 인공 지능보다 사람이 더 잘할 수 있습니다.

둘째, 새로운 변화에 대응하는 사람입니다. 미래 연구자들은 다가올 미래에는 여러 가지 사회·환경 문제처럼 예전에 없던 새로운 변화를 맞을 것이라고 합니다. 그러므로 미래 사회에서는 막힌 생각보다 변화에 부드럽게 대처하려는 생각을 해야 합니다.

셋째, 서로 돕고 존중하는 사람입니다. 인공 지능과 새로운 기술이 삶을 빠르게 바꿀 수 있습니다. 이럴 때 함께 마음을 모아 서로 돕고 존중해야 사회를 따뜻하게 만들 수 있습니다.

앞으로 우리는 거대한 미래의 충격과 변화 앞에서도 흔들리지 않는 열정과 패기로 서로를 존중해야 합니다.

6 글쓴이의 주장은 무엇입니까?   (   )

① 미래를 위해 환경을 보존하자.
② 정해진 문제를 먼저 해결하자.
③ 미래 사회에 필요한 사람이 되자.
④ 인공 지능 개발에 노력을 기울이자.
⑤ 새로운 변화에 대처하기 위해 과거를 잊지 말자.

7 글쓴이가 제시한, 미래 사회에 필요한 사람으로 알맞지 <u>않은</u> 것의 기호를 쓰시오.

㉠ 자기만 생각하는 사람
㉡ 서로 돕고 존중하는 사람
㉢ 새로운 변화에 대응하는 사람
㉣ 새로운 방식으로 문제를 해결하는 사람

(   )

8 이와 같은 종류의 글을 읽을 때에 고려할 점이 아닌 것은 어느 것입니까?   (   )

① 주장과 근거가 적절한가?
② 글쓴이의 주장은 무엇인가?
③ 주장에 대한 근거는 무엇인가?
④ 자신의 생각과 같은 점은 무엇인가?
⑤ 글쓴이와 비슷한 주장을 한 인물은 누구인가?

[9~10] 글을 읽고, 물음에 답하시오.

아름다운 비색을 지닌 고려청자

고려청자는 무엇보다 아름다운 빛깔로 더욱 주목받았다. 청자의 빛깔은 맑고 은은한 푸른 녹색이다. 이는 유약 안에 아주 작은 기포가 많아 빛이 반사되면서 은은하고 투명하게 비쳐 보이기 때문이다. 청자의 색이 짙고 푸른색 윤이 나는 구슬인 비취옥과 색깔이 닮았기 때문에 '비색'이라 불렀는데, 중국 송나라의 태평 노인이 『수중금』이라는 책에서 고려청자의 빛깔을 비색이라 부르며 천하제일이라고 칭찬했다.

청자의 상감 기법은 어느 나라에서도 찾아볼 수 없는 우리 고유의 독창적인 도자기 장식 기법이다.

9 이 글에서 설명하는 대상은 무엇입니까?

(   )

서술형

10 지완이가 이 글을 읽는 목적에 맞게 읽기 방법을 쓰시오.

지완이는 외국에서 온 친구에게 고려청자에 대해 자세히 알려 주기 위해 고려청자에 대해 설명하는 글인 「아름다운 비색을 지닌 고려청자」를 찾아 자신이 아는 내용과 비교하며 읽어 보았다.

_____

_____

서술형평가
9. 여러 가지 방법으로 읽어요

5학년   반   점수

이름   / 30점

1 글이나 자료를 찾아 읽은 경험을 떠올려 보고, 그때 어떤 도움을 얻었는지 쓰시오.   [6점]

_____

_____

2 설명하는 글을 읽는 방법을 생각하며 다음 글을 읽고, 빈칸에 알맞은 말을 각각 쓰시오.   [6점]

점과 선으로 만든 암호

㉮ 최근 출판하는 책이나 광고, 알림판 따위에서 네모 모양의 표식을 자주 볼 수 있다. 네모 모양 안에 검은 선과 점을 배열했는데, 이것을 정보 무늬[QR코드]라고 한다. 큐아르(QR)는 '빠른 응답'이라는 영어의 줄임 말이다.

정보 무늬는 여러 가지 정보를 확인할 수 있는 표식이다.

㉯ 정보 무늬는 스마트폰으로 사용할 수 있다. 스마트폰 응용 프로그램으로 정보 무늬를 찍으면 관련 내용이 있는 누리집으로 이동하거나, 관련 사진이나 동영상을 볼 수 있다.

설명하는 글을 읽을 때 고려할 점	
이 글은 무엇을 설명하는가?	설명하는 내용이 무엇인가?
▼	▼
글의 내용 파악하기	
(1)	(2)

[3~4] 글을 읽고, 물음에 답하시오.

그렇다면 미래 사회에 필요한 사람은 어떤 사람일까요?

첫째, 정해진 답을 찾기보다 새로운 방식으로 문제를 해결하는 사람입니다. 정해진 문제는 사람보다 인공 지능이 더 잘 해결할 수도 있습니다. 그러나 새로운 방식을 생각하는 것은 인공 지능보다 사람이 더 잘할 수 있습니다.

3 글쓴이는 주장에 대한 근거로 미래 사회에 어떤 사람이 필요하다고 하였는지 쓰시오.   [6점]

주장	미래 사회에 필요한 사람이 되자.
근거	

4 3번 문제에서 답한 글쓴이의 주장과 근거에 대한 자신의 생각을 쓰시오.   [6점]

_____

_____

_____

5 다음과 같은 경우에 알맞은 읽기 방법을 각각 한 가지씩 쓰시오.   [6점]

(1) 자신에게 필요한 정보가 글에 있는지 알기 위해 읽는 경우: _____

_____

(2) 자신에게 필요한 정보가 글에 있다는 것을 이미 아는 경우: _____

수행평가

9. 여러 가지 방법으로 읽어요

5학년 ____ 반 ____ 점수

이름 ____ /30점

관련 성취 기준	매체에 따른 다양한 읽기 방법을 이해하고 적절하게 적용하며 읽는다.
평가 목표	글의 종류에 따른 읽기 방법 알기

[1~3] 글의 종류를 생각하며 글을 읽어 봅시다.

가까운 미래에는 제4차 산업 혁명이 일어나 많은 것이 달라진다고 합니다. 인공 지능이 발달하고 새로운 기술을 개발해서 지금까지 살던 모습과는 다를 것입니다.

그렇다면 미래 사회에 필요한 사람은 어떤 사람일까요?

첫째, 정해진 답을 찾기보다 새로운 방식으로 문제를 해결하는 사람입니다. 정해진 문제는 사람보다 인공 지능이 더 잘 해결할 수도 있습니다. 그러나 새로운 방식을 생각하는 것은 인공 지능보다 사람이 더 잘할 수 있습니다.

둘째, 새로운 변화에 대응하는 사람입니다. 미래 연구자들은 다가올 미래에는 여러 가지 사회·환경 문제처럼 예전에 없던 새로운 변화를 맞을 것이라고 합니다. 그러므로 미래 사회에서는 막힌 생각보다 변화에 부드럽게 대처하려는 생각을 해야 합니다.

셋째, 서로 돕고 존중하는 사람입니다. 인공 지능과 새로운 기술이 삶을 빠르게 바꿀 수 있습니다. 이럴 때 함께 마음을 모아 서로 돕고 존중해야 사회를 따뜻하게 만들 수 있습니다.

앞으로 우리는 거대한 미래의 충격과 변화 앞에서도 흔들리지 않는 열정과 패기로 서로를 존중해야 합니다.

1 이 글에서 글쓴이의 주장은 무엇인지 쓰시오. [10점]

_____

2 이 글에서 글쓴이는 미래 사회에 어떤 사람이 필요하다고 했는지 <u>세 가지</u> 쓰시오. [10점]

• _____

• _____

• _____

3 이와 같은 종류의 글을 읽는 방법을 <u>두 가지</u> 쓰시오. [10점]

• _____

• _____

1 기억에 남는 일을 떠올려 그때의 기억과 관련한 자신의 느낌과 함께 쓰시오.

_____

_____

[2~5] 글을 읽고, 물음에 답하시오.

> ㉮ 나는 자리에 앉아서 출입문 쪽만 뚫어져라 살폈다. 복도에서 발소리가 날 때마다 가슴을 졸이며 기다렸지만 제하는 나타나지 않았다. 가슴이 바짝바짝 마르는 것 같았다.
>
> ㉯ 그런데 제하가 나를 보고 복도로 나오라는 눈짓을 보냈다. 나는 기다렸다는 듯이 튕겨 나갔다. 제하는 앞장서서 가더니 화장실 옆 계단 구석에서 멈췄다.
>
> "너, 전학 안 가기로 한 거냐?"
>
> 내 말에 녀석은 잠깐 뜸을 들이다가 천천히 고개를 끄덕였다.
>
> ㉰ "우리 이제부터 한번 잘 지내 보자."
>
> 제하가 내 어깨를 툭 치더니 한쪽 손을 쑥 내밀었다. 제하의 말투가 너무 다정해서 귀가 간질거렸다. 나는 망설이지 않고 녀석의 손을 덥석 잡았다.
>
> ㉱ "그럼 제하 대신 내가 다시 지휘할까? 원한다면 얼마든지 할 수 있는데."
>
> "됐다, 됐어. 뭐라고 안 할 테니까 제발 그것만은 참아 줘."
>
> 합창 연습 때마다 나를 아래위로 훑어보며 혀를 차던 금주가 제일 큰 목소리로 말했다. 그때부터는 다른 아이들도 더 이상 불만을 품지 않았다. 그 대신 나는 ㉠연습을 시작하기 전에 아이들이 마실 물을 떠다 놓고, 연습이 끝난 뒤에는 교실 정리도 도맡아서 했다. 반장이니까 그렇게 해서라도 책임을 다하고 싶었다.

2 주인공 '나(이로운)' 말고 이야기의 흐름에서 꼭 있어야 할 인물은 누구입니까?

(   )

3 다음 장소에서 일어난 일을 찾아 선으로 이으시오.

(1) 교실　　·

(2) 화장실 옆 복도　　·

· ① '나'와 제하가 화해함.

· ② 반 아이들이 제하와 합창 연습을 함.

4 '내'가 ㉠과 같이 행동한 까닭은 무엇입니까?

(   )

① 제하가 부탁한 일이라서
② 합창 연습을 하기 싫어서
③ 선생님이 시키셔서 어쩔 수 없이
④ 반장으로서 책임을 다하고 싶어서
⑤ 친구들이 자기를 싫어하는 것 같아서

서술형

5 주인공의 경험을 어떻게 이야기로 나타냈는지 생각하며, 이 글에서 다음 부분을 나타낸 방법을 쓰시오.

> 제하가 학교에 오기를 기다리는 마음을 나타낸 부분

_____

_____

5학년	반	점수
이름		

[6~10] 그림을 보고, 물음에 답하시오.

다행이다. 그런데 성훈이하고는 다른 편이었으면……

▶민영

오늘 비가 와서 3교시 체육 수업은 체육관에서 한대!

성훈

진주

야! 민영이 막아!

자기는 얼마나 잘한다고……

너도 잘 못 막으면서 왜 나한테만 그래?

그것도 못 막냐?

진주랑 성훈이는 좀 더 대화를 하는 게 좋겠어. 서로 하고 싶은 말 없니?

상담실

6 이 그림은 진주가 비 오는 날에 겪은 일을 나타낸 것입니다. 어떤 인물이 나오는지 쓰시오.

( )

서술형

7 어떤 사건이 있었는지 빈칸에 알맞은 말을 쓰시오.

• _____

_____

• 체육 시간에 간이 축구를 하다가 진주와 성훈이가 다투었다.

• 상담실에서 진주와 성훈이가 선생님과 이야기를 나누었다.

8 사건이 일어난 장소가 어떻게 변했는지 차례대로 쓰시오.

( ) → ( ) → ( )

9 진주가 겪은 일을 이야기로 만드는 방법으로 알맞지 <u>않은</u> 것은 어느 것입니까? ( )

① 일이 일어난 차례대로 쓴다.

② 인물의 마음이 잘 나타나도록 쓴다.

③ 말하고자 하는 주제가 잘 나타나도록 이야기 흐름에 맞게 쓴다.

④ 진주와 성훈이가 사이가 안 좋은 까닭을 이해하도록 쓴다.

⑤ 겪은 일에 등장하지 않았던 새로운 인물을 많이 등장시킨다.

10 그림과 같은 진주의 경험과 그 경험을 바탕으로 하여 꾸며 쓴 다음 이야기를 비교하여 알맞게 설명한 것에 ○표를 하시오.

인국이는 4학년이 끝나 갈 즈음 우리 반에 전학 온 친구다. 전학 온 첫날부터 친구들 주변을 돌아다니며 소란스럽게 말을 걸고, 우리가 대화를 하거나 게임을 할 때 끼어들어서 나는 물론 친구들은 인국이를 그렇게 좋아하지 않았다. 그러던 인국이와 5학년이 되어 이렇게 친해진 건 며칠째 봄비가 내리던 날 체육 시간 때문이었다.

그날 우리 반 친구들은 비 때문에 못 할 줄 알았던 체육을 체육관에서 할 수 있어 기분이 다들 좋았다. 하지만 난 평소에 못마땅하게 여겼던 인국이랑 같은 편을 하고, 체육을 잘하는 민영이와 다른 편을 하여 기분이 별로였다.

뼁! / 역시나 상대편에서 민영이에게 공을 넘겨주었다. 난 민영이를 쫓아갔다.

"야! 막아!" / 골키퍼 인국이가 소리쳤다.

'첫, 또 먼저 나서네. 자기는 얼마나 잘한다고……'

(1) 인물의 이름을 바꾸어 썼다. ( )

(2) 일이 일어난 배경을 바꾸어 썼다. ( )

(3) 일어난 사건을 모두 새롭게 바꾸어 썼다.

( )

1 기억에 남는 일을 떠올려 기억 카드를 만들어 보았습니다. 이야기로 만들기에 좋은 기억 카드의 기준을 찾아 ○표를 하시오.

(1) 자신이 잘 모르는 낯선 이야기여야 한다. ( )

(2) 친구들이 흥미를 보이는 이야기는 제외한다. ( )

(3) 시간의 흐름이 나타날 수 있는 이야기여야 한다. ( )

[2~5] 글을 읽고, 물음에 답하시오.

> **㉮** "그럼 제하 대신 내가 다시 지휘할까? 원한다면 얼마든지 할 수 있는데."
> "됐다, 됐어. 뭐라고 안 할 테니까 제발 그것만은 참아 줘."
> 합창 연습 때마다 나를 아래위로 훑어보며 혀를 차던 금주가 제일 큰 목소리로 말했다. 그때부터는 다른 아이들도 더 이상 불만을 품지 않았다. 그 대신 나는 연습을 시작하기 전에 아이들이 마실 물을 떠다 놓고, 연습이 끝난 뒤에는 교실 정리도 도맡아서 했다. 반장이니까 그렇게 해서라도 책임을 다하고 싶었다.
> **㉯** 정신없이 분주한 열흘이 지나가고 마침내 한마당 잔치가 열리는 날이 되었다.
> 엄마는 미리 얘기했던 대로 누나와 명찬이 반장을 데려왔다. 명찬이 반장은 얼굴이 하얗고, 손이 작고 고운 아이였다. 다운 증후군을 앓고 있는 명찬이 반장은 운동장에서 나를 보자마자 생글생글 웃으면서 인사를 건넸다.
> "형아, 안녕!"
> 어눌한 말투였지만 밝고 경쾌한 목소리였다. 옆에 선 누나가 수줍게 웃었다. 보기만 해도 좋은 모양이다. 누나가 좋아하는 명찬이 반장이 다운 증후군을 앓고 있다니 좀 의외였다. 하지만 내가 멀뚱멀뚱 쳐다보는데도 한결같이 해맑게 웃고 있는 그 아이의 눈을 한참 보고 있으려니 내 입가에도 어느새 웃음이 번졌다. 누나가 명찬이 반장을 좋아하는 이유를 알 것 같았다.

2 다음에서 설명하는 인물은 누구인지 쓰시오.

> • '나'의 누나가 좋아하는 사람이다.
> • 다운 증후군을 앓고 있다.

( )

3 글 ㉯에서 일이 일어난 때와 장소를 쓰시오.

글 ㉮	글 ㉯
교실	

4 <서술형> 글 ㉯에서 일어난 중요한 사건과 그 사건에 대한 '나'의 마음을 정리하여 쓰시오.

_____

_____

5 이 글에서 다음 부분은 '나'의 경험을 어떻게 나타낸 것입니까? ( )

> 명찬이 반장을 설명해 주는 부분

① 읽는 사람을 생각하면서 쓴 부분이다.
② 일기나 생활문에 자주 쓰이는 표현이다.
③ 있었던 일을 억지로 꾸며서 쓴 부분이다.
④ 현실에서 일어날 수 없는 일을 상상하여 쓴 부분이다.
⑤ 긴 기간에 걸친 사건을 어떻게 해결했는지 쓴 부분이다.

5학년	반	점수
이름		

[6~9] 다음을 보고, 물음에 답하시오.

다행이다. 그런데 성훈이하고는 다른 편이었으면……

민영

오늘 비가 와서 3교시 체육 수업은 체육관에서 한대!

성훈 진주

야! 민영이 막아!

자기는 얼마나 잘한다고……

너도 잘 못 막으면서 왜 나한테만 그래?

그것도 못 막냐?

나 ㉠『인국이는 4학년이 끝나 갈 즈음 우리 반에 전학 온 친구다. 전학 온 첫날부터 친구들 주변을 돌아다니며 소란스럽게 말을 걸고, 우리가 대화를 하거나 게임을 할 때 끼어들어서 나는 물론 친구들은 인국이를 그렇게 좋아하지 않았다.』그러던 인국이와 5학년이 되어 이렇게 친해진 건 며칠째 봄비가 내리던 날 체육 시간 때문이었다.

그날 우리 반 친구들은 비 때문에 못 할 줄 알았던 체육을 체육관에서 할 수 있어 기분이 좋았다. 하지만 난 평소에 못마땅하게 여겼던 인국이랑 같은 편을 하고, 체육을 잘하는 민영이와 다른 편을 하여 기분이 별로였다.

빵! / 역시나 상대편에서 민영이에게 공을 넘겨주었다. 난 민영이를 쫓아갔다.

"야! 막아!" / 골키퍼 인국이가 소리쳤다.

'쳇, 또 먼저 나서네. 자기는 얼마나 잘한다고…….'

다행히 내가 공을 뺏어 옆으로 보냈는데 그게 하필 상대편 정훈이 발에 맞은 것이다. '아차!' 하는 순간 내 눈에 보인 건 골대를 향해 가는 공을 뒤에서 쫓아가는 우리 편 골키퍼 인국이였다.

"야! 너 뭐 하는 거야! 그것도 하나 못 막냐?"

내가 마음속에 억눌렀던 말을 꺼내며 인국이에게 달려들었다.

6 **나**는 진주가 **가**의 경험을 바탕으로 하여 꾸며 쓴 이야기입니다. **가**와 비교해 봤을 때, **나**에서 달라진 점을 두 가지 고르시오. (,)

① 인물의 이름이 변했다.
② 일이 일어난 장소가 변했다.
③ 가장 중요한 사건이 변했다.
④ 새로운 등장인물이 여러 명 나온다.
⑤ 인물을 설명하는 부분을 새로 넣었다.

7 진주가 ㉠『 』 부분을 쓴 까닭은 무엇일지 빈칸에 알맞은 말을 쓰시오.

• 이야기를 읽는 사람들이 잘 ( ) 할 수 있게 하려고

8 다음은 이야기의 흐름 가운데 어느 단계에 해당합니까? ( )

'나'와 인국이가 싸우는 부분

① 이야기를 시작하는 단계
② 배경과 인물을 설명하는 단계
③ 사건이 일어나기 시작하는 단계
④ 사건을 해결하고 마무리하는 단계
⑤ 등장인물의 갈등이 꼭대기에 이르는 단계

논술형

9 이 글의 뒷부분에 이어질 사건을 간단히 쓰시오.

_____

_____

10 겪은 일을 이야기로 쓴 뒤, 이야기를 잘 썼는지 확인할 점으로 알맞지 않은 것을 찾아 기호를 쓰시오.

㉠ 재미있는 제목을 붙였는가?
㉡ 자신의 경험을 주제가 잘 드러나게 썼는가?
㉢ 읽는 사람이 이해할 수 있게 때와 장소의 변화를 잘 나타냈는가?

( )

서술형평가

10. 주인공이 되어

5학년	반	점수
이름		/30점

1 기억에 남는 일을 떠올려 기억 카드를 만들려고 합니다. 앞면에는 기억에 남는 일과 자신의 이름, 뒷면에는 기억과 관련한 자신의 느낌을 각각 쓰시오. [6점]

앞면	뒷면
(1)	(2)

[2~4] 글을 읽고, 물음에 답하시오.

㉮ 나는 자리에 앉아서 출입문 쪽만 뚫어져라 살폈다. 복도에서 발소리가 날 때마다 가슴을 졸이며 기다렸지만 제하는 나타나지 않았다. 가슴이 바짝바짝 마르는 것 같았다.

'이 자식이 정말 전학 갈 생각인가!'

나는 불안한 마음으로 뻑뻑한 눈을 비비며 기다렸다. 어느새 수업 시작 시간이 다 되어 갔다. 시간이 갈수록 짜증이 밀려왔다.

'치사한 놈, 내가 자존심 다 접고 먼저 사과했는데……. 만나기만 해 봐라!'

나는 주먹을 꽉 움켜쥐고 부르르 떨었다. 바로 그때 교실 뒷문으로 익숙한 얼굴 하나가 불쑥 나타났다. 제하였다. 눈을 비비고 봐도 틀림없이 황제하였다. 야호!

㉯ "우리 이제부터 한번 잘 지내 보자."

제하가 내 어깨를 툭 치더니 한쪽 손을 쑥 내밀었다. 제하의 말투가 너무 다정해서 귀가 간질거렸다. 나는 망설이지 않고 녀석의 손을 덥석 잡았다. 제하의 손은 따뜻하고 보드라웠다.

우리가 다정하게 교실로 들어오는 걸 보고 대광이가 고개를 갸우뚱했다. 등을 꼿꼿이 펴고 자리로 걸어가는 제하는 황제처럼 당당해 보였다. 가만 보니 꽤 괜찮은 녀석 같다. 아무리 생각해도 제하네 집에 찾아간 건 잘한 일이다. 사람은 가끔 용기를 낼 필요가 있다. 그럼 나처럼 생각지도 못한 수확을 거둘 수 있으니까. 이제 합창 연습도 문제가 없다고 생각하니 가만히 있어도 벙긋벙긋 웃음이 나왔다.

2 다음에서 '나'의 경험을 어떻게 이야기로 나타냈는지 쓰시오. [6점]

> 제하가 학교에 오기를 기다리는 마음을 나타낸 부분

3 제하가 학교에 왔을 때 '나'의 기분이 어떠했을지 쓰시오. [6점]

4 '내'가 겪은 일과 비슷한 경험을 떠올려 보고, 그때 어떤 마음이 들었는지 쓰시오. [6점]

5 겪은 일을 이야기로 만들 때 생각할 점을 세 가지 쓰시오. [6점]

·

·

·

수행평가 10. 주인공이 되어

5학년	반	점수
이름		/ 30점

10 단원

관련 성취 기준	일상생활의 경험을 이야기나 극의 형식으로 표현한다.
평가 목표	겪은 일을 이야기로 만들 수 있다.

1 이야기로 만들고 싶은 경험을 떠올려 쓰시오. [10점]

_____

2 이야기의 흐름대로 사건을 정리하여 쓰시오. [10점]

(1) 이야기를 시작하고 배경과 인물을 설명하는 단계	
(2) 사건이 일어나기 시작하는 단계	
(3) 등장인물의 갈등이 꼭대기에 이르는 단계	
(4) 사건을 해결하고 마무리하는 단계	

3 2번 문제에서 정리한 내용을 바탕으로 겪은 일을 이야기로 만들어 쓰시오. [10점]

제목: _____

1 칭찬의 힘을 발휘하려면 어떻게 칭찬해야 하는지 ○표를 하시오.

(1) 과정보다 결과를 칭찬한다. (　　)

(2) 가능성을 키워 주는 칭찬을 한다. (　　)

(3) 두루뭉술하고 전체적인 칭찬을 한다.(　　)

[2~4] 글을 읽고, 물음에 답하시오.

> 민재: (감탄하며) 우아, 너희 아빠 참 대단하시다.
>
> 주민: 대단하다고? 글쎄, 처음에 난 모든 사람이 그런 줄 알았어. 나중에 우리 아빠께서 좀 심하시다는 것을 알게 됐지.
>
> 민재: (궁금하다는 듯이) 그게 싫었니?
>
> 주민: 응, 솔직히 우리 아빠께서 나한테만 관심을 보여 주셨으면 하는 마음이 컸어. 남을 돕는다고 뛰어다니시다가 정작 나랑 할 일을 하시지 못한 적이 꽤 많았으니까.
>
> 민재: 그래, 그럴 수도 있겠다.

2 아버지에 대한 주민이의 마음은 어떠합니까?

(　　)

① 너무 엄하시다.

② 아버지를 도와 드리고 싶다.

③ 남을 더 많이 도우시면 좋겠다.

④ 아버지께서 자신에게만 관심을 보여 주셨으면 좋겠다.

⑤ 아버지께서 자신의 의견을 좀 더 존중해 주셨으면 좋겠다.

서술형

3 민재와 주민이는 서로 어떻게 반응하며 말을 주고받았는지 쓰시오.

_____

_____

4 3번 문제의 답과 같이 대화를 하면 대화를 나누는 사람의 마음이 어떠하겠습니까? (　　)

① 즐겁다.　　② 화난다.　　③ 속상하다.

④ 답답하다.　　⑤ 불편하다.

[5~7] 글을 읽고, 물음에 답하시오.

> 유관순도 일본 헌병들에게 붙잡혀 끌려가고 말았다. 그리고 일본 헌병대에서 온갖 고문을 당한 뒤에 재판을 받았다. 유관순은 재판을 받을 때 조금도 굽히지 않고 당당했다. 유관순은 3년 형을 받고 감옥에 갇혔지만 우리나라가 독립을 해야 한다는 유관순의 신념은 누구도 꺾을 수 없었다.
>
> 1920년 9월 28일, 나라를 구하려고 죽음을 무릅쓰고 독립 만세를 부르던 유관순은 열아홉 나이에 감옥에서 숨을 거두고 말았다.

5 유관순이 재판을 받을 때 조금도 굽히지 않고 당당했던 까닭을 두 가지 고르시오. (　　,　　)

① 큰 벌을 받지 않을 것을 알아서

② 나라를 지키려는 마음이 강해서

③ 자신이 옳은 일을 했다고 굳게 믿어서

④ 재판관이 유관순을 많이 배려해 주어서

⑤ 당당하지 못하면 더 큰 벌을 받을 것 같아서

6 다음은 이 글을 읽으며 무엇을 떠올린 것인지 빈칸의 알맞은 말에 ○표를 하시오.

> 일제 강점기에 벌어진 일을 다룬 영화를 본 것이 기억났어.

• 글의 내용과 관련 있는 (의견 , 경험)을 떠올리며 글을 읽었다.

7 6번 문제의 답을 떠올리며 글을 읽으면 글을 어떻게 읽을 수 있습니까? (　　)

① 빨리　　② 어렵게　　③ 천천히

④ 복잡하게　　⑤ 실감 나게

[8~9] 시를 읽고, 물음에 답하시오.

> 할머니 아픈 허리는 왜 밟아야 시원할까요?
> 아이쿠! 아이쿠! 하면서도 "꼭꼭 밟아라." 하십니다
> 그래도 나는 겁이 나 자근자근 밟습니다.

2. 작품을 감상해요

8 이 시의 내용과 가장 관련 <u>없는</u> 경험을 떠올린 친구는 누구인지 쓰시오.

> 지영: 할아버지 어깨를 주물렀던 것이 생각났어.
> 현식: 내 다리에 쥐가 났을 때 어머니께서 내 다리를 주물러 주신 적이 있어.
> 수민: 할아버지께 버릇없이 굴다 아버지께 꾸중을 들은 적이 있어.

( )

2. 작품을 감상해요

9 이 시를 낭송할 때 말하는 이의 마음을 나타내려면 어떤 목소리로 읽어야 합니까? ( )

① 신난 목소리 ② 화난 목소리
③ 피곤한 목소리 ④ 짜증난 목소리
⑤ 조심조심하는 목소리

[10~13] 글을 읽고, 물음에 답하시오.

> ❶ 다보탑과 석가탑에는 공통점과 차이점이 있습니다.
> ❷ ㉠다보탑과 석가탑은 공통점이 있습니다. 두 탑은 모두 통일 신라 시대에 만든 탑으로서 불국사 대웅전 앞뜰에 나란히 서 있습니다. ㉡또 두 탑은 그 가치를 인정받아 국보로 지정되었습니다.
> ❸ ㉢두 탑의 모습은 매우 다릅니다. 다보탑은 장식이 많고 화려합니다. 십자 모양의 받침 주변에 돌계단을 만들고 그 위에 사각·팔각·원 모양의 돌을 쌓아 올렸습니다. ㉣반면 석가탑은 단순하면서도 세련된 멋이 있습니다. 사각 평면 받침 위에 돌을 삼 층으로 쌓아 올려 매우 균형 있는 모습을 자랑합니다.

3. 글을 요약해요

10 이 글은 무엇에 대해 쓴 글인지 **두 가지**를 고르시오. (,)

① 불국사 ② 다보탑
③ 석가탑 ④ 통일 신라 시대
⑤ 세계의 문화재

3. 글을 요약해요

11 ❷, ❸문단의 중심 문장은 무엇인지 ㉠~㉣ 중 골라 각각 알맞은 기호를 쓰시오.

(1) ❷문단: ( )
(2) ❸문단: ( )

3. 글을 요약해요

12 이 글은 대상을 어떻게 설명했습니까? ( )

① 일의 과정을 시간 순서대로 설명했다.
② 대상을 상상하여 설명했다.
③ 설명하려는 대상의 특징을 나열하여 설명했다.
④ 두 대상에서 공통점과 차이점을 찾아 설명했다.
⑤ 글쓴이가 좋아하는 것을 순서대로 설명했다.

3. 글을 요약해요

13 두 대상의 차이점을 정리할 때 '다보탑' 부분에 정리할 내용은 어느 것입니까? ( )

① 우리나라 국보이다.
② 장식이 많고 화려하다.
③ 통일 신라 시대에 만들었다.
④ 불국사 대웅전 앞뜰에 서 있다.
⑤ 단순하면서도 세련된 멋이 있다.

3. 글을 요약해요

14 설명하려는 대상의 특징을 나열해 설명하는 방법은 무엇입니까? ( )

① 비교   ② 대조   ③ 열거

④ 비유   ⑤ 상징

4. 글쓰기의 과정

15 다음 문장에서 반드시 있어야 하는 부분을 두 가지 고르시오. (,)

> 매콤한 떡볶이가 익은 고추처럼 빨갛다.
> ①   ②   ③   ④   ⑤

4. 글쓰기의 과정

16 다음 중 주어, 목적어, 서술어가 모두 들어간 문장은 어느 것입니까? ( )

① 토끼가 뛴다.

② 새가 귀엽다.

③ 이것은 새이다.

④ 강아지가 짖는다.

⑤ 아이가 공을 던진다.

논술형

4. 글쓰기의 과정

17 자신이 겪은 일을 글로 써서 학급 신문에 실으려고 합니다. 글 쓰는 상황이나 목적, 읽을 사람, 주제를 정해 빈칸에 각각 쓰시오.

(1) 글 쓰는 상황이나 목적	
(2) 읽을 사람	
(3) 주제	

4. 글쓰기의 과정

18 시간을 나타내는 말과 서술어의 호응을 나타낸 문장은 어느 것입니까? ( )

① 내일 도서관에 갈 거야.

② 도둑이 경찰에게 잡혔다.

③ 아버지께 선물을 드렸다.

④ 동생이 누나에게 업혔다.

⑤ 할머니께서 맛있는 떡을 주셨다.

[19~20] 글을 읽고, 물음에 답하시오.

> 어린이 보행 중 교통사고를 줄이는 방법은 무엇일까? 운전자에게 어린이 보행 안전 교육을 철저히 해야 한다. 전체 교통사고 가운데에서 보행 중에 발생한 사고의 나이대별 분포를 살펴보면, 초등학생이 다른 나이대보다 상대적으로 높게 나타나는 것을 알 수 있다. 이는 초등학생들이 바깥 활동이 잦은 데다 위험 상황을 판단하고 그에 대처하는 능력이 부족하기 때문이다. 그러므로 운전자에게 어린이 보행자를 보호할 수 있는 안전 교육을 실시해 어린이 보행 중 교통사고가 ㉠일어나지 않도록 해야 한다.

5. 글쓴이의 주장

19 이 글은 무엇을 줄이기 위해 노력해야 한다고 주장한 글인지 쓰시오.

( )

5. 글쓴이의 주장

20 다음은 국어사전에서 '일어나다'의 뜻을 찾은 것입니다. [1]과 [2] 가운데 ㉠'일어나지'에 쓰인 뜻을 찾아 번호를 쓰시오.

> 일어나다
> [1] 누웠다가 앉거나 앉았다가 서다.
> [2] 어떤 일이 생기다.

( )

기말 평가

6. 토의하여 해결해요
~ 10. 주인공이 되어

5학년	반	점수
이름		

[1~5] 표의 내용을 보고, 물음에 답하시오.

❶ 토의 주제 정하기	❷ (㉠)
토의 주제는 무엇으로 정하면 좋을까요?	토의 주제에 따라 내 생각을 정리해 봐야지.
❸ 의견 모으기	❹ 의견 결정하기
각자 정리한 의견을 모아 보겠습니다. / 저는 우리 학교 역사부터 조사하면 좋겠습니다. 왜냐하면……. / 제 의견의 좋은 점은…….	우리 모둠에서는 개교기념일 행사로 '우리 학교 역사 찾기'를 하기로 결정했습니다.

6. 토의하여 해결해요

1 ㉠에 들어갈 알맞은 토의 절차를 쓰시오.

( )

6. 토의하여 해결해요

2 토의 주제로 알맞은 것을 <u>두 가지</u> 고르시오.

(,)

① 우리 모두와 관련이 있는 문제
② 변화를 이끌어 낼 수 없는 문제
③ 해결 방법을 찾을 수 있는 문제
④ 해결 방법이 한 가지만 있는 문제
⑤ 찬성과 반대 의견으로 나누어지는 문제

논술형

6. 토의하여 해결해요

3 '개교기념일을 뜻깊게 보내는 방법'을 주제로 토의할 때, 주제에 맞게 자신의 의견과 그 의견이 좋은 까닭을 쓰시오.

6. 토의하여 해결해요

4 의견을 모을 때 지켜야 할 점이 <u>아닌</u> 것은 어느 것입니까? ( )

① 자신의 주장을 여러 개 말한다.
② 토의 주제와 관련한 이야기를 한다.
③ 다른 사람의 의견을 존중하며 듣는다.
④ 알맞은 까닭을 들어 자신의 주장을 말한다.
⑤ 다른 사람의 의견을 끝까지 듣고 자신의 의견을 말한다.

6. 토의하여 해결해요

5 의견을 결정하는 방법으로 알맞은 것을 골라 기호를 쓰시오.

> ㉠ 실천할 수 있는 의견을 결정한다.
> ㉡ 근거 없이 주장만 든 의견을 결정한다.
> ㉢ 토의 주제와 관련 없는 의견을 결정한다.

( )

7. 기행문을 써요

6 여행하면서 보고 듣고 느낀 것을 글로 쓰면 좋은 점이 <u>아닌</u> 것은 어느 것입니까? ( )

① 여행했던 기억을 쉽게 잊을 수 있다.
② 여행했던 경험을 다시 느낄 수 있다.
③ 다른 사람에게 여행 정보를 줄 수 있다.
④ 여행했을 때의 기분을 잘 간직할 수 있다.
⑤ 여행하면서 보고 들은 것을 나중에 알 수 있다.

7. 기행문을 써요

7 다음 빈칸에 알맞은 말을 각각 쓰시오.

> 여행의 과정이나 일정을 (1)( ) (이)라고 합니다. 여행하며 보거나 들은 것을 (2)( )(이)라고 하고, 여행하며 든 생각이나 느낌을 (3)( )(이)라고 합니다.

[8~10] 글을 읽고, 물음에 답하시오.

> ㉮ 성산 일출봉은 제주 답사의 기본 경로라 할 만큼 잘 알려져 있고, 영주 십경의 제1경이 '성산에 뜨는 해'인 성산 일출이며, 제주 올레 제1경로가 시작되는 곳일 만큼 제주의 중요한 상징이기도 하다.
>
> ㉯ ㉠전설에 따르면 설문대 할망은 일출봉 분화구를 빨래 바구니로 삼고 우도를 빨랫돌로 하여 옷을 매일 세탁했다고 한다.
>
> 일출봉은 멀리서 볼 때나, 가까이 다가가 올려다볼 때나, 정상에 올라 분화구를 내려다볼 때나 풍광 그 자체의 아름다움과 감동이 있다.

7. 기행문을 써요

8 이 글에서 글쓴이가 들른 곳을 찾아 ○표를 하시오.

(1) 우도   (   )

(2) 성산 일출봉   (   )

(3) 설문대 할망의 집   (   )

7. 기행문을 써요

9 ㉠은 여정, 견문, 감상 중 무엇을 나타낸 문장입니까?

(   )

7. 기행문을 써요

10 성산 일출봉의 풍광에 대해 글쓴이가 생각하거나 느낀 것으로 알맞은 것은 무엇입니까? (   )

① 낯설고 두렵다.

② 다소 실망스럽다.

③ 신비롭고 새롭다.

④ 유쾌하고 즐겁다.

⑤ 아름다움과 감동이 있다.

8. 아는 것과 새롭게 안 것

11 다음 중 단일어는 어느 것입니까? (   )

① 자두   ② 풋사과   ③ 산딸기

④ 애호박   ⑤ 방울토마토

8. 아는 것과 새롭게 안 것

12 다음 낱말들이 복합어가 되도록 빈칸에 공통으로 들어갈 낱말을 쓰시오.

(   )

[13~14] 글을 읽고, 물음에 답하시오.

> 대나무로 만든 악기도 아주 많아요. 대나무는 속이 비어 있어서 보통 나무와는 다른 소리를 내는 악기를 만들 수 있어요. 그윽하고 평온한 소리가 울려 나오는 대금, 달빛이 빛나는 봄밤에 어울리는 악기인 피리를 만듭니다. 그리고 맑고 청아한 소리를 내는 단소도 만들 수 있습니다.

8. 아는 것과 새롭게 안 것

13 대금, 피리, 단소는 무엇으로 만든 악기입니까?

(   )

8. 아는 것과 새롭게 안 것

14 다음은 이 글을 읽고 무엇을 떠올린 것입니까?

(   )

> 음악 시간에 단소를 연주해 보았다. 소리를 내기 힘들었지만 힘겹게 소리를 냈을 때 단소가 내는 청아한 소리가 참 아름다웠다.

① 본 일   ② 한 일   ③ 들은 일

④ 읽은 일   ⑤ 상상한 일

15 낱말의 짜임을 생각하며 우리 주변에서 볼 수 있는 사물 가운데에서 하나를 골라 새말로 바꾸어 쓰시오.

(1) 낱말		(2) 새말
	➡	

17 16번 문제에서 답한 대상에 대해 이 글에서 설명하는 내용을 세 가지 고르시오.

(, ,)

① 뜻　　　② 모양　　　③ 종류
④ 사용 방법　　⑤ 사용 가격

18 이 글과 같은 설명하는 글을 읽는 방법으로 알맞지 <u>않은</u> 것은 어느 것입니까? ( )

① 이미 아는 것을 떠올린다.
② 주장을 뒷받침하는 근거를 찾는다.
③ 대상에 대해 새롭게 안 것을 찾는다.
④ 설명하려는 대상이 무엇인지 생각한다.
⑤ 대상의 무엇을 자세히 설명하는지 생각한다.

중간
기말
평가

[16~18] 글을 읽고, 물음에 답하시오.

점과 선으로 만든 암호

　네모 모양 안에 검은 선과 점을 배열했는데, 이것을 정보 무늬[QR코드]라고 한다. 큐아르(QR)는 '빠른 응답'이라는 영어의 줄임 말이다.

　정보 무늬는 여러 가지 정보를 확인할 수 있는 표식이다. 정보 무늬를 쓰기 전에는 막대 표시를 주로 썼다. 막대 표시는 숫자 20개를 저장할 수 있는 무늬로서 물건을 살 때 쉽게 계산할 수 있다. 그러나 정보 무늬는 숫자 7089개, 한글 1700자 정도를 저장할 수 있다. 또 정보 무늬는 일부를 지워도 사용할 수 있다. 정보 무늬의 세 귀퉁이에 위치를 지정하는 문양이 있기 때문이다. 이 문양이 있어 정보 무늬를 어느 각도에서 찍어도 내용을 확인할 수 있다.

　정보 무늬는 스마트폰으로 사용할 수 있다. 스마트폰 응용 프로그램으로 정보 무늬를 찍으면 관련 내용이 있는 누리집으로 이동하거나, 관련 사진이나 동영상을 볼 수 있다.

19 글의 내용이 자신에게 필요한 내용인지 확인하기 위해 글을 읽는 방법을 쓰시오.

16 이 글에서 설명하는 대상은 무엇입니까? ( )

① 스마트폰　　　② 막대 표시
③ 정보 무늬　　　④ 응용 프로그램
⑤ 여러 가지 암호

20 겪은 일을 이야기로 나타낼 때 이야기의 흐름에 맞게 차례대로 기호를 나열하시오.

┌─────────────────────────────┐
│ ㉠ 사건이 일어나기 시작하는 단계
│ ㉡ 사건을 해결하고 마무리하는 단계
│ ㉢ 등장인물의 갈등이 꼭대기에 이르는 단계
│ ㉣ 이야기를 시작하고 배경과 인물을 설명하는 단계
└─────────────────────────────┘

( ) → ( ) → ( ) → ( )

1. 대화와 공감

1 칭찬이 중요한 까닭으로 알맞지 <u>않은</u> 것은 무엇입니까?　（　　）

① 상대의 기분을 좋아지게 한다.
② 일을 더욱 잘할 수 있게 힘을 준다.
③ 자신을 긍정적으로 바라보게 한다.
④ 좋지 않은 습관을 계속 유지하게 한다.
⑤ 다른 사람과의 관계를 좋아지게 한다.

1. 대화와 공감

2 상대를 배려하며 조언하는 방법으로 알맞은 것에 ○표를 하시오.

(1) 상대가 고민을 빨리 말하게 한다.　（　　）
(2) 상대에게 도움이 되는 내용을 말한다.（　　）
(3) 상대에게 진심이 전해지지 않도록 노력한다.
　　　　　　　　　　　　　　　　　（　　）

[3~4] 시를 읽고, 물음에 답하시오.

> 춥고 배고파 죽겠다 싶을 때, 있는 힘껏 길을 잡아당기면 출렁출렁, 저녁을 차린 우리 집이 버스 정류장 앞으로 온다
>
> 갑자기 니가 보고 싶을 때, 있는 힘껏 길을 잡아당기면 출렁출렁, 그리운 니가 내게 안겨 온다

2. 작품을 감상해요

3 다음과 같은 말하는 이의 마음이 느껴지는 연을 각각 쓰시오.

(1) 춥고 배고파서 집에 빨리 가고 싶어 하는 마음	
(2) 누군가를 많이 보고 싶어 하고 그리워하는 마음	

서술형

2. 작품을 감상해요

4 이 시의 말하는 이처럼 느낀 경험을 떠올려 쓰시오.

_____

_____

[5~6] 글을 읽고, 물음에 답하시오.

> 세계 여러 도시에 있는 유명한 탑을 알아봅시다.
> 이탈리아 토스카나주에는 피사의 사탑이 있습니다. 피사의 사탑은 종교 목적으로 만들어졌습니다. 55미터 높이로 세운 이 탑은 완성한 뒤 조금씩 한쪽으로 기울기 시작해 현재 모습이 되었습니다. 그 아슬아슬한 모습은 눈길을 많이 끕니다.
> 프랑스 파리에는 에펠 탑이 있습니다. 에펠 탑은 1889년에 프랑스 혁명 100주년을 기념해 세웠습니다. 에펠 탑의 높이는 324미터이고, 해마다 세계 여러 나라에서 수백만 관광객이 찾을 만큼 유명합니다. 현재는 파리뿐만 아니라 프랑스 전체를 상징하는 건축물이기도 합니다.

3. 글을 요약해요

5 이 글은 무엇에 대해 쓴 글인지 빈칸에 알맞은 말을 쓰시오.

· 세계의 （　　　　　　　）에 대해 쓴 글이다.

3. 글을 요약해요

6 이 글은 대상을 어떻게 설명했습니까?　（　　）

① 다른 대상에 빗대어 설명했다.
② 대상을 상상하여 설명했다.
③ 여러 대상의 공통점을 찾아 설명했다.
④ 설명하려는 대상의 특징을 나열하여 설명했다.
⑤ 글쓴이가 좋아하는 것을 순서대로 설명했다.

3. 글을 요약해요

7 글을 요약하는 방법을 알맞지 <u>않게</u> 말한 친구는 누구인지 쓰시오.

> 주미: 문단마다 중심 내용을 찾아야 해.
> 희진: 중요하지 않은 내용도 모두 써야 해.
> 도재: 대상을 설명하는 방법이 무엇인지 확인해야 해.

（　　　　　　　）

5학년	반	점수
이름		

8 다음 문장을 꼭 있어야 하는 부분만 남기고 알맞게 줄여 쓴 것은 어느 것입니까? ( )

4. 글쓰기의 과정

> 예쁜 꽃이 들판에 피었습니다.

① 피었습니다.
② 꽃이 피었습니다.
③ 예쁜 꽃이 들판에
④ 들판에 피었습니다.
⑤ 예쁜 꽃이 피었습니다.

4. 글쓰기의 과정

9 다음 중 호응 관계가 알맞은 문장은 어느 것입니까? ( )

① 바다가 보았다.
② 내일 친구를 만났어.
③ 동생이 누나에게 업혔다.
④ 아버지께 선물을 주었다.
⑤ 숲속에서 다람쥐와 새가 지저귄다.

5. 글쓴이의 주장

10 다음 빈칸에 공통으로 들어갈 동형어나 다의어는 무엇입니까? ( )

> • 관심이 ( ).
> • 답안지에 답을 ( ).

① 타다 ② 감다 ③ 들다
④ 잡다 ⑤ 적다

5. 글쓴이의 주장

11 다음 주장에 대한 근거로 적절한 것에 ○표를 하시오.

> 교실이나 복도에서 큰 소리로 떠들지 말자.

(1) 교실의 쓰레기를 줄일 수 있다. ( )
(2) 넘어지거나 부딪혀 다칠 수 있다. ( )
(3) 소음 때문에 다른 사람에게 피해를 줄 수 있다. ( )

6. 토의하여 해결해요

12 일상생활에서 토의를 해야 하는 까닭을 두 가지 고르시오. (,)

① 혼자서 문제를 해결할 수 있다.
② 문제 해결에 직접 참여할 수 있다.
③ 한 가지 의견만 자세히 들을 수 있다.
④ 적절한 문제 해결 방법을 찾을 수 있다.
⑤ 문제 해결 방법을 한 사람만 생각해도 된다.

6. 토의하여 해결해요

13 토의에서 의견을 모을 때, 제시한 의견이 알맞은지 판단할 수 있는 기준으로 알맞은 것을 골라 기호를 쓰시오.

> ㉠ 재미있는가?
> ㉡ 토의 주제에 맞는 내용인가?
> ㉢ 근거 없이도 받아들일 수 있는가?

( )

7. 기행문을 써요

14 다음 글에서 여정, 견문, 감상 중 여정에 해당하는 내용을 찾아 기호를 쓰시오.

> ㉠우리 답사의 첫 유적지는 한라산 산천단이었다. 한라산 산신께 제사드리는 산천단에 가서 답사의 안전을 빌고 가는 것이 순서에도 맞고 또 제주도에 온 예의라는 마음도 든다. 산천단은 제주시 아라동 제주대학교 뒤편 소산봉(소산오름) 기슭에 있다. 산천단 주위에는 제단을 처음 만들 당시에 심었을 수령 500년이 넘는 곰솔 여덟 그루가 산천단의 역사와 함께 ㉡엄숙하고도 성스러운 분위기를 보여 준다.
> 제주의 동북쪽 구좌읍 세화리 송당리 일대는 크고 작은 무수한 오름이 저마다의 맵시를 자랑하며 드넓은 들판과 황무지에 오뚝하여 오름의 섬 제주에서도 오름이 가장 많고 아름다운 '오름의 왕국'이라고 했다. ㉢그중에서도 다랑쉬 오름은 '오름의 여왕'이라고 불린다.

( )

중간
기말
평가

7. 기행문을 써요

15 기행문에 쓸 내용으로 알맞지 <u>않은</u> 것은 어느 것입니까? ( )

① 여행한 목적
② 여행지에서 다닌 곳
③ 여행지에서 보고 들은 것
④ 여행지에서 생각하거나 느낀 것
⑤ 여행을 가기 전에 다녀온 다른 여행 장소에 대한 설명

[16~17] 글을 읽고, 물음에 답하시오.

깃대종은 그 지역을 대표하는 생물들이기 때문에 깃대종이 잘 보존된다면 그 지역의 생태계가 잘 유지된다는 증거로 볼 수 있습니다. 우리나라의 대표적인 깃대종으로는 설악산의 산양, 내장산의 ㉠비단벌레, 속리산의 하늘다람쥐, 지리산의 반달가슴곰이 있습니다.

8. 아는 것과 새롭게 안 것

16 ㉠'비단벌레'의 낱말의 짜임을 생각하며 빈칸에 알맞은 말을 쓰시오.

• 비단벌레 = (1)( ) + (2)( )

논술형

8. 아는 것과 새롭게 안 것

17 이 글을 읽고 새롭게 안 점을 쓰시오.

_____

_____

[18~19] 글을 읽고, 물음에 답하시오.

㉮ 그렇다면 미래 사회에 필요한 사람은 어떤 사람일까요?

첫째, 정해진 답을 찾기보다 새로운 방식으로 문제를 해결하는 사람입니다. 정해진 문제는 사람보다 인공 지능이 더 잘 해결할 수도 있습니다. 그러나 새로운 방식을 생각하는 것은 인공 지능보다 사람이 더 잘할 수 있습니다.

㉯ 앞으로 우리는 거대한 미래의 충격과 변화 앞에서도 흔들리지 않는 열정과 패기로 서로를 존중해야 합니다.

9. 여러 가지 방법으로 읽어요

18 이 글의 종류는 무엇입니까? ( )

① 이야기 글
② 독서 감상문
③ 안내하는 글
④ 설명하는 글
⑤ 주장하는 글

9. 여러 가지 방법으로 읽어요

19 이와 같은 종류의 글을 읽는 방법으로 알맞은 것을 두 가지 고르시오. (,)

① 글쓴이의 주장을 파악한다.
② 인물, 배경, 사건을 파악한다.
③ 대상에 대해 새롭게 안 것을 찾는다.
④ 설명하고자 하는 대상이 무엇인지 생각한다.
⑤ 주장을 뒷받침하는 근거를 찾고 그것이 알맞은지 생각한다.

10. 주인공이 되어

20 겪은 일을 이야기로 만들 때에 생각할 점을 떠올려 빈칸에 알맞은 말을 쓰시오.

내가 말하고자 하는 (1)( )이/가 잘 드러나도록 이야기의 (2)( )에 맞게 써야 합니다.